幻想世界ネーミング辞典

The Dictionary for naming in fantasy worlds—15 languages & old Japanese expressions

15ヵ国語&和

～はじめに～

"想像"を"創造"へと昇華するために。

物語やゲームを創作するにあたって、避けては通れない「名付け」。キャラクターにしろ、モノにしろ、名前が付くことで初めて創作物の世界で互いに関り合う存在となり、また、読者やプレイヤーと共有できるようになるのです。

名付ける名前は、なんの意味もない言葉でも構いません。しかし、響きがよいだけでなく、その本来の意味が、キャラクターやモノの本質と合致するならば、それだけで描かれる対象が肉付けられるということもあるでしょう。その本来の意味が、さらなる創作の手がかりになることもありえます。

そこで本書では、創作活動における名付けのヒントとなるよう、約1,450語の日本語を15の別の言語に翻訳、カタカナでの読み方を併記しました。

たとえば、熱血漢な主人公の名前を考えているのなら、ドイツ語で「情熱」を意味する「ライデンシャフト」というのはいかがでしょう？　はたまたギリシャ語で「フォボス」という単語は日本語で「恐怖」を意味していますので、主人公と相対する強敵の名前にしてみても面白いかもしれません。

また、本書322ページ以降には、日本の古語を中心とした、日常ではあまり用いられることのない表現と、その意味も掲載しました。いかにも外来語的な名前を避けたい場合に役立つはずです。

ぜひ本書を活用して、アナタの頭に渦巻いている「想像」に名前を付けてあげて下さい。それが、ただの想像が運命を宿し、「創造」へと昇華されるための第一歩なのです。

本書の見方

How to use

◉1～8章

本書は上のような表形式で構成されている。左ページの五角形の枠内列に記された日本語の単語を、各言語に翻訳し、カタカナ読みと外国語単語を記している。また、左ページの最左部には章内における小ジャンルを、右ページ最右部には章インデックスを、それぞれ配置している。

◉索引

本書の230ページ以降には、日本語索引とカタカナ索引を掲載している。日本語索引では単語の意味から、カタカナ索引では単語の発音（響き）からネーミングにふさわしい単語を探すことができる。

◉付録

本書の322ページ以降には、付録として、和の古語を中心とした単語とその意味を掲載している。また、434ページ以降には、発音（響き）からネーミングにふさわしい単語を探すための索引を用意した。

目次

CONTENTS

15カ国語
ネーミング辞典

魔法

	英語	ドイツ語	フランス語	イタリア語	スペイン語	ポルトガル語	ロシア語
お守り	アミュレット amulet	アムレット Amulett	アミュレット amulette	アムレート amuleto	アムレト amuleto	アムレト amuleto	アムリェート амулет
のろい	カース curse	フルーフ Fluch	マレディクシオン malédiction	マレディツィオーネ maledizione	マルディシオン maldición	マゥディソン maldição	プラクリャーチイェ проклятие
まじない	チャーム charm	ベシュヴェールンク Beschwörung	シャルム charme	アムレート amuleto	マヒア magia	フェイティカリア feiticaria	プラクリヤナーチ проклинать
悪魔祓い	エクソシズム exorcism	エクソルツィスムス Exorzismus	エグゾルシズム exorcisme	エゾルチズモ esorcismo	エクソルシスモ exorcismo	エゾルシスモ exorcismo	イクゾルツィーズム Экзорцисзм
儀式	リチュアル ritual	リートゥス Ritus	リチュエル rituel	リート rito	リトゥアル ritual	ヒトゥ rito	リトゥアール ритуал
護符	タリスマン talisman	ターリスマン Talisman	タリスモン talisman	タリズマーノ talismano	タリスマン talismán	タリズマ talismã	タリスマーン талисман
呪文	スペル spell	ツァオバーシュプルフ Zauberspruch	ソー sort	インカンテージモ incantesimo	エチソ hechizo	フェイティーソ feitiço	ザクリナーニイェ заклинание
召喚	サモンズ summons	フォアラードゥンク Vorladung	アンヴォカシオン évocation	コンヴォカツィオーネ convocazione	リャマダ llamada	コンヴォカサオン convocação	ヴィゾーフ вызов
生け贄	サクリファイス sacrifice	オプファン Opfern	サクリフィ sacrifice	サクリフィーチョ sacrificio	サクリフィシオ sacrificio	サクリフィシオ sacrifício	ジェルトヴァ жертва
占い	フォーチュンテリング fortune-telling	ヴァールザーゲライ Wahrsagerei	ディヴィナション divination	ディヴィナツィオーネ divinazione	アディビナシオン adivinación	アヂヴィニヤサオン adivinhação	ガダーニヤ гадания
占星術	アストロロジィ astrology	アストロロギー Astrologie	アストロロジー astrologie	アストロロジーア astrologia	アストロロヒア astrología	アストロロジア astrologia	アストラローギヤ астрология
秘密	シークレット secret	ゲハイムニス Geheimnis	スクレ secret	セグレート segreto	セクレト secreto	セグレド segredo	シクレート секрет
封印	シール seal	ズィーゲル Siegel	ソー sceau	シジッロ sigillo	セリャド sellado	セロ selo	ザペーチャタチ запечатать

ノルウェー語	ラテン語	ギリシャ語	アラビア語	ヘブライ語	中国語	韓国語	エスペラント語
アムレット amulett	**アムレートゥム** amuletum	**フィラフト** φυλακτό	**タミーマ** تميمة	**カメア** קמע	**フーシェンフー** 护身符	**ブジョク** 부적	**アムレート** amuleto
フォルバネルス forbannelse	**マレディクティオ** maledictio	**カタラ** κατάρα	**ラアナ** لعنة	**クララー** קללה	**ズージョウ** 诅咒	**チョチュ** 저주	**マルベーノ** malbeno
トロールドム trolldom	**カンターメン** cantamen	**カタラ** κατάρα	**ラアナ** لعنة	**レケルラー** לקלל	**フージョウ** 符咒	**ジュスル** 주술	**マルベーリ** malbeni
エクソルシスメ eksorsisme	**エクスオルキスムス** exorcismus	**エクソルキズモス** εξορκισμός	**サラ** صلاة	**ゲロシュ** גרוש	**チューモー** 驱 魔	**アクマル・チョッタ** 악마를 쫓다	**エグゾールツォ** ekzorco
リトュアル ritual	**リートゥス** ritus	**テレタウピィア** τελετουργία	**マラースィム** مراسم	**プルハン** פולחן	**イーシー** 仪式	**ウィシク** 의식	**セレモニーオ** ceremonio
タリスマン talisman	**フィラクテリウム** phylacterium	**フィラフト** φυλακτό	**テミーマ** تميمة	**カメア** קמע	**フーフー** 护符	**ブジョク** 부적	**タリスマーノ** talismano
ベスヴェルゲルセ besvergelse	**カンターメン** cantamen	**クソルキ** ξορκι	**トゥンジャ** تهجى	**ケセム** קסם	**ジョウユウ** 咒语	**ジュムン** 주문	**スペール** Spell
インカリング innkalling	**インウォカーティオー** invocatio	**プロスカレオー** προσκαλώ	**アスタディーアート** استدعاءات	**レズメン** לזמן	**ジャオフアン** 召唤	**ソファン** 소환	**ヴォーカス** Vokas
オッフェル offer	**サクリフィキウム** sacrificium	**スィシア** θυσια	**トダヤ** تضحية	**ロークリーブ・アット** להקריב את	**シーション** 牺牲	**チェムル** 제물	**オーフェロ** Ofero
スポーダム spådom	**アウグリウム** augurium	**マンテイア** μαντεία	**ラッテンジーン・ベルマア** التنجيم بالماء	**アティドット** עתידות	**スアンミン** 算命	**チョムスル** 점술	**アヴグラード** aŭgurado
アストロロギ astrologi	**アストロロギア** astrologia	**アストロロギア** αστρολογία	**タンジーム** تنجيم	**アストロロギー** אסטרולוגיה	**ジャンシンシュー** 占星学	**チョムソンスル** 점성술	**アストロロギーオ** astrologio
ヘムメリヘト hemmelighet	**セークレートゥム** secretum	**ミスティコ** μυστικό	**サッラ** سر	**ソッド** סוד	**ミーミー** 秘密	**ピミル** 비밀	**セクレータ** sekreta
フォルセリング forsegling	**シジールマ** sigillum	**スフラギィスィ** σφραγίσει	**ハトゥム** ختم	**ホタム** חותם	**フォンティアオ** 封条	**ポンイン** 봉인	**スタンピタ** stampita

魔法	英語	ドイツ語	フランス語	イタリア語	スペイン語	ポルトガル語	ロシア語
文様	パターン pattern	ムスター Muster	モティフ motif	モティーヴォ motivo	パトロン patrón	パドレォ padrão	ウゾール узор
魔術書	グリモアワール grimoire	グリモワール Grimoire	グリモワール grimoire	リブロ・ディ・マジーア libro di magia	グリモリオ grimorio	グリモリオ grimório	グリムアル гримуар
魔法	マジック magic	マギー Magie	マジー magie	マジーア magia	マヒア magia	マジア magia	ヴォルセプストヴォー волшебство
妖術	ウィッチクラフト witchcraft	ヘクセライ Hexerei	ソルセルリー sorcellerie	ストゥレゴネリーア stregoneria	ブルヘリア brujería	ブルーシャリア bruxaria	カルドヴストヴォー колдовство
錬金術	アルケミィ alchemy	アルヒミー Alchimie	アルシミー alchimie	アルキミーア alchimia	アルキミア alquimia	アゥキミア alquimia	アルヒーミヤ алхимия
魔法使い	ウィザード wizard	ツァオベラー Zauberer	マジシアン magicien	マーゴ mago	エチセロ hechicero	ブルショ bruxo	ヴァルシェーブニク волшебник
魔女	ウィッチ witch	ヘクセ Hexe	ソルシエール sorcière	ストレーガ strega	ブルハ bruja	ブルシャ bruxa	ヴェーヂマ ведьма
妖術師	ソーサラー sorcerer	ヘクサー Hexer	ソルシエ sorcier	ストレゴーネ stregone	ブルホ brujo	フェチセイロ feiticeiro	カルドゥーン колдун
魔導師	メイジ mage	マーギアー Magier	マージ mage	マーゴ mago	マゴ mago	マーゴ mago	マーク маг
霊媒師	シャーマン shaman	シャマーネ Schamane	シャマン chaman	シャマーノ sciamano	チャマン chamán	サウマ xamã	シャマーン шаман
祓い師	エクソシスト exorcist	エクソルツィスト Exorzist	エグゾルシスト exorciste	エゾルチスタ esorcista	エクソルシスタ exorcista	エゾルシスタ exorcista	エクゾルシスト экзорцист
占い師	フォーチュンテラー fortune-teller	ヴァールザーガー Wahrsager	ヴォワイアント voyante	インドヴィーノ indovino	アディビノ adivino	アディビノ adivinho	ガダールカ гадалка
預言者	プロフィット prophet	プロフィート Prophet	プロフェット prophète	プロフェータ profeta	プロフェタ profeta	プロフェアータ profeta	プラローク пророк

ノルウェー語	ラテン語	ギリシャ語	アラビア語	ヘブライ語	中国語	韓国語	エスペラント語
メンステル mønster	**レーグラ** regula	**モティボ** μοτιβο	**ネムトゥ** نمط	**デフォス** דפוס	**トゥーアン** 图案	**ムニ** 무늬	**スケーモ** Skemo
トリュレボック tryllebok	**デ・マジア・リーベラ** de magia liber	**ヴィヴリオ・マギアス** βιβλίο μαγείας	**ビヤーヌ・アッサハル** بيان السحر	**オヴ** אוב	**モーファーシュー** 魔术书	**マボプソ** 마법서	**グリモア** Grimoire
マギ magi	**マギーア** magia	**マギア** μαγεία	**サハラ** سحر	**ケセム** קסם	**モーファー** 魔法	**マボプ** 마법	**マギオ** magio
トロールドム trolldom	**マレフィキウム** maleficium	**マギアス** μαγείας	**サハラ** سحر	**ケセム** קסם	**ウーシュー** 巫术	**ヨスル** 요술	**ソルチャード** sorĉado
アルキミ alkymi	**アルケミア** alchemia	**アルキミア** αλχημεία	**キーミヤー** كيمياء	**アルケミヤー** אלכימיה	**リエンジンシュー** 炼金术	**ヨングムスル** 연금술	**アルケミーオ** alkemio
トロールマン trollmann	**ウェネーフィクス** veneficus	**マゴス** μάγος	**サーフル** ساحر	**コセム** קוסם	**モーシューシー** 魔术师	**マボプサ** 마법사	**ソルティースト** sorĉisto
ヘクス heks	**パイトニサム** pythonissam	**マギサ** μάγισσα	**サーヒラ** ساحرة	**マクシェファ** מכשפה	**モーニュー** 魔女	**マニョ** 마녀	**ソルティスティーノ** sorĉistino
トロールマン trollmann	**プラエカンタートル** praecantator	**マゴス** μάγος	**サーフル** ساحر	**メカシェフ** מכשף	**ウーシー** 巫师	**ヨスルサ** 요술사	**マジリースト** sorĉisto
トロールマン trollmann	**マージ** magi	**マゴス** μάγος	**サーフル** ساحر	**コセム** קוסם	**モーファーシー** 魔法师	**マドサ** 마도사	**マージェ** mage
オンデマネル åndemaner	**ワーテース** vates	**サマノス** σαμανος	**シラマーニ** شيرمان	**シャマン** שמן	**サーマン** 萨满	**ヨンメサ** 영매사	**シェーマン** sherman
エクソルシスト eksorsist	**エクスオルキスタ** exorcista	**エクソルキスティス** εξορκιστής	**シラマーニ** شيرمان	**メガレッシュ・シュディーム** מגרש שדים	**チューモーシー** 驱魔师	**ヨンメサ** 영매사	**エクソシスタ** exorcista
スポーマン spåmann	**フォルトゥナ・ファン** fortuna fans	**プロフィティス** προφήτης	**アッラーフ** عراف	**マギッデット・アティドット** מגדת עתידות	**スアンミンシェンシャン** 算命先生	**チョムスルサ** 점술사	**アヴグリスト** aŭguristo
スポーマン spåmann	**プロペータ** propheta	**プロフィティス** προφήτης	**ナビー** نبي	**ナヴィー** נביא	**シエンジー** 先知	**イェオンジャ** 예언자	**プロフェート** profeto

		英語	ドイツ語	フランス語	イタリア語	スペイン語	ポルトガル語	ロシア語
魔法	巫女	ミディアム medium	プリーステリン Priesterin	メディウム médium	メーディウム medium	メディウム medium	メディウム médium	ジュリーツァ жрица
	賢者	セイジ sage	ヴァイゼ Weise	サージュ sage	サッジョ saggio	サビオ sabio	サビュ sábio	ムドリェーツ мудрец
	愚者	フール fool	ナル Narr	イディオ idiot	イディオータ idiota	イディオタ idiota	トロ tolo	ドゥラーク дурак
	タロット	タロット tarot	タロック Tarock	タホゥ tarot	タロッキ tarocchi	タロト tarot	タローチ Tarot	ターロ Таро
	万能薬	パナシア panacea	アラハイミッテル Allheilmittel	パナセ panacée	パナチェーア panacea	パナセア panacea	パナセィーア panaceia	パナーツェヤ панацея
	解呪	ディスペル dispel	ジェアシュトロイエン Zerstreuen	ディザンサンスマン désenchantement	ディズィンカーント disincanto	デセカンタール desencantar	ディッシパァ dissipar	ラスコルダヴァーツ расколдовать
	浄化	パーフィケーション purification	ライニグン Reinigung	プリフィケション purification	プリフィカッツィオーネ purificazione	プリフィカシオン purificación	プリフィカサォン purificação	アチィーストカ очистка
モンスター	エルフ	エルフ elf	エルフ Elf	エルフ elfe	エルフォ elfo	エルフォ elfo	エルフォ elfo	エリフ эльф
	キマイラ	キメラ chimera	シメーレ Schimäre	カイメラ chimère	キメーラ chimera	キメラ quimera	キメラ quimera	ヒメーラ химера
	グリフォン	グリフィン griffon	グライフ Greif	グリフォン griffon	グリフォーネ grifone	グリフォン grifón	グリーフォ grifo	グリフォン грифон
	ケンタウロス	セントー centaur	ケンタオアー Kentaur	サントール centaure	チェンタウロ centauro	センタウロ centauro	センタウロ centauro	ケンターウル кентавр
	コカトリス	コカトリス cockatrice	バジリスク Basilisk	コカトリックス cocatrix	バジリスコ basilisco	コカトリス cocatriz	コカトリス cocatriz	ワシリースク василиск
	トロール	トロール troll	トロール Troll	トロル troll	トロッル troll	トロル trol	トロル troll	トローリ тролль

ノルウェー語	ラテン語	ギリシャ語	アラビア語	ヘブライ語	中国語	韓国語	エスペラント語
ミーコ miko	**サチェドーズ** sacerdos	**イアリィア** ιέρεια	**カヒナ** كاهنة	**タディヴミーム** מדיומים	**ウー** 巫	**ムニョ** 무녀	**メディウーモイ** mediumoj
ヴィスマン vismann	**サピエーンス** sapiens	**ファスコミィリオ** φασκόμηλο	**ハキーム** حكيم	**ハカム** חכם	**シエンレン** 贤人	**ヒョンジャ** 현자	**サジューロ** saĝulo
トスク tosk	**ストゥルトゥス** stultus	**イリスィオス** ηλίθιος	**ジャハル** الجاهل	**レルムート** לרמות	**ユーレン** 愚人	**オリソゲン・サラム** 어리석은 사람	**マルサグーロ** malsaĝlo
タロット tarot	**テロット** tarot	**タロ'** ταρώ	**ターロウ** التارو	**タロット** טארוט	**タールオハイ** 塔罗牌	**タロ** 타로	**タローコ** taroko
ウニヴェルサールメディシン universalmedisin	**パナケーア** panacea	**パナケイア** πανάκεια	**タリヤーク** ترياق	**レルフェー・ルクール** תרופה לכול	**ワンリンヤオ** 万能药	**マヌンヤク** 만능약	**パナセオ** panaceo
アヴフォルバネルセ avforbannelse	**ソルヴォ・デ・マディリクト** solvo de maledicto	**ディアリテ** διαλύετε	**タブディド** تبديد	**レフェギール** לפזר	**ダーシァオ** 打消	**チョチュ・プルダ** 저주 풀다	**ディスペーリ** dispeli
レンセルセ renselse	**プリフィティカーオ** purificatio	**カサルシィ** κάθαρση	**タンクィヤ** تنقية	**テーレー** טהרה	**ジンファ** 净化	**チョンファ** 정화	**プリーゴ** purigo
アルヴェ alv	**ドリヤース** dryas	**クソティコ** ξωτικό	**アイルファ** آلف	**シェドン** שדון	**シャオジンリン** 小精灵	**エルプ** 엘프	**エールフ** elf
キマイラ kimaera	**キマエラ** chimaera	**ヒメラ** χίμαιρα	**アルカミーラ・ケーネン・フーラフェイ** الكمير كائن خرافي	**ハゾン・タアトゥイーム** חזון תעתועים	**チーメイラー** 奇美拉	**キマイラ** 키마이라	**キメェーロ** ĥimero
グリベ gribb	**グリュープス** gryps	**グリパス** γρύπας	**アルファリーフ・ケラブ・ソギエル** الغريف كلب صغير	**グリフィン** גריפין	**シージウ** 狮鹫	**クリポン** 그리폰	**グリーフォ** grifo
ケンタウルス kentaur	**ケンタウルス** Centaurus	**ケンダフロス** κένταυρος	**カントゥール・ケーエン・フーラフェイ** القنطور كائن خرافي	**ケンタウル** קינטור	**レンマー** 人马	**ケンタウロス** 켄타우로스	**センタウーロ** centauro
コカトリス kokatrice	**カルカトリクス** calcatrix	**ヴァスィリスコス** βασιλισκος	**アルアサラ** الأصلة	**コカトリス** קוקאטריס	**ジーシャー** 鸡蛇	**コカトリス** 코카트리스	**ソッカトリーセ** cockatrice
トロール troll	**トログロディタールマ** troglodytarum	**トロル** τρολ	**カザム** قزم	**テロール** תרול	**ジュウモー** 巨魔	**トロル** 트롤	**トロール** troll

モンスター

	英語	ドイツ語	フランス語	イタリア語	スペイン語	ポルトガル語	ロシア語
ドワーフ	ドゥワーフ dwarf	ツヴェルク Zwerg	ナン nain	ナーノ nano	エナノ enano	アナオ anão	カリエック карлик
ヒポグリフ	ヒポグリフ hipogriff	ヒッポグリューフ Hippogryph	イポグリフ hipogriffe	イッポグリーフォ ippogrifo	イポグリフォ hipogrifo	イポグリフォ hipogurifu	ギッポグリーフ Гиппогриф
ペガサス	ペガサス pegasus	ペーガズス Pegasus	ペガズ pegasus	ペーガゾ Pegaso	ペガソ pegaso	ペガゾ pégaso	ペガース Пегас
ベヒモス	ベヒモス behemoth	ベヘモト Behemoth	ベエモット béhémoth	ベエモット behemoth	ベエモート behemot	ベイモーチェ behemoth	ベゲモート бегемот
マンティコア	マンティコア manticore	マンティコーア Mantikor	マンティコール manticore	マンティーコラ manticora	マンティコラ mantícora	マンティコィ manticora	マンチコラ мантикора
ミイラ	マミー mummy	ムーミエ Mumie	モミー momie	ムンミャ mummia	モミア momia	ムーミヤ múmia	ムーミヤ мумия
リヴァイアサン	リヴァイアサン leviathan	レヴィアタン Leviathan	レヴィアタン Léviathan	レヴィアターノ leviatano	レビアタン leviatán	レヴィアタ leviatã	レヴィアファン Левиафан
悪霊	エヴィル・スピリット evil spirit	デーモン Dämon	デモン démon	デーモネ demone	デモニオ demonio	デモニオ demónio	ディーモン Демон
一角獣	ユニコーン unicorn	アインホルン Einhorn	リコルヌ licorne	ウニコールノ unicorno	ウニコルニオ unicornio	ウルコールニオ unicórnio	イエディノローグ единорог
怪物	モンスター monster	モンスター Monster	モンストル monstre	モストロ mostro	モンストルオ monstruo	モンストロ monstro	モンステル монстр
骸骨	スケルトン skeleton	ゲリッペ Gerippe	スクレット squelette	スケーレトロ scheletro	エスケレト esqueleto	イスキレト esqueleto	スケレート скелет
吸血鬼	ヴァンパイア vampire	ヴァンピーア Vampir	ヴァンピール vampire	ヴァンピーロ vampiro	バンピロ vampiro	ヴァンピーロ vampiro	ヴァンピール вампир
巨人	ジャイアント giant	ギガント Gigant	ジャアン géant	ジガンテ gigante	ヒガンテ gigante	シガンシェ gigante	ギガーント гигант

ノルウェー語	ラテン語	ギリシャ語	アラビア語	ヘブライ語	中国語	韓国語	エスペラント語
ドヴェルグ dverg	**ナーヌス** nanus	**ナノス** νάνος	**カザム** قزم	**ガマッド** גמד	**アイレン** 矮人	**ドワープ** 드워프	**エナーノ** enano
ヒッポグリフ hippogriff	**ヒポグリフ** hippogriff	**イポグリパス** ιππογρυπας	**—** —	**ヒポグリフ** היפוגריף	**チュンイン** 骏鹰	**ヒポグリプ** 히포그리프	**ヒポグリーフ** hipogurifu
ペガサス pegasus	**ペーガスス** Pegasus	**ピィガソス** Πήγασος	**バジャスウィス** بيجاسوس	**パガスス** פגסוס	**フェイマー** 飞马	**ペガスス** 페가수스	**ペガーゾ** Pegazo
ベヘモット behemot	**ベヘモト** behemoth	**メガフィリオ** μεγαθήριο	**バハムート** بهيموث	**ベヘモット** בהמות	**ベイシィーモースー** 贝希摩斯	**ベヒモス** 베히모스	**ベヘーモト** Behemot
マンティコア manticore	**マンティコラ** manticora	**マンティコーラス** Μαντιχώρας	**—** —	**マンティコラ** מנטיקורה	**シーシエ** 狮蝎	**マンティコラ** 만티코라	**マンティコーレ** Manticore
ムミェ mumie	**ムミア** mumia	**モゥミァ** μούμια	**ムーミヤー** مومياء	**ムミヤ** מומיה	**ムーナイイー** 木乃伊	**ミラ** 미라	**ムミオ** mumio
レヴィアタン leviatan	**レビアタン** leviathan	**レヴィアサン** λεβιαθαν	**スフィニート・バハマ** سفينة ضخمة	**レヴィヤタン** לווייתן	**リーモーアンセン** 利末安森	**リヴァイアサン** 리바이어선	**レヴィアータン** leviathan
オンドーアンド ond ånd	**ダエモン** daemon	**デモナス** δαίμονας	**シャイターン** شيطان	**シェド** שד	**モーグイ** 魔鬼	**アクリョン** 악령	**マボナ・スピリード** malbona spirito
エンユーニング enhjørning	**ユニコーニス** unicornis	**モノケロス** μονόκερος	**アハディ・アルクルン・ハヤワン・フーラフェイ** أحادي القرن حيوان خرافي	**ハッドケレン** חדקרן	**ドゥージャオショウ** 独角兽	**イルカクス** 일각수	**ウヌコルーロ** unukornulo
モンステル monster	**モーンストルム** monstrum	**テラス** τέρας	**マサハ** مسخ	**ミフレツェット** מפלצת	**グワイウー** 怪物	**コミュル** 괴물	**モンストロ** monstro
シェレット skjelett	**スケレトゥス** sceletus	**スケレトス** σκελετός	**ハイカルアズミー** هيكل عظمي	**シェレッド** שלד	**グーハイ** 骨骸	**ヘゴル** 해골	**スケレート** skeleto
ヴァンピール vampyr	**ワムピュルス** vampyrus	**ヴリコラカス** βρυκόλακας	**クーファッシュ** خفاش	**アルパッド** ערפד	**シーシエグイ** 吸血鬼	**ヒュプヘ** 흡혈귀	**ヴァンピーロ** vampiro
シェンペ kjempe	**ギガス** gigas	**ギガス** γίγας	**イムラーク** عملاق	**アナック** ענק	**ジュウレン** 巨人	**コイン** 거인	**ギガント** giganto

		英語	ドイツ語	フランス語	イタリア語	スペイン語	ポルトガル語	ロシア語
モンスター	人魚	マーメイド mermaid	ゼーユングファー Seejungfer	シレーヌ sirène	シレーナ sirena	シレナ sirena	セリーヤ sereia	ルサールカ русалка
	不死鳥	フェニックス phoenix	フェーニクス Phönix	フェニックス phoénix	フェニーチェ fenice	フェニックス fénix	フェーニクス fénix	フェーニックス феникс
	幽霊	ゴースト ghost	ゲシュペンスト Gespenst	ファントム fantôme	ファンタズマ fantasma	ファンタズマ fantasma	ファンターズマ fantasma	プリーズラク призрак
	妖精	フェアリー fairy	フェー Fee	フェー fée	ファータ fata	アダ hada	ファーダ Fada	フェーヤ фея
	竜	ドラゴン dragon	ドラッヘ Drache	ドラゴン dragon	ドラーゴ drago	ドラゴン dragón	ドラガオン dragão	ドラコン дракон
	狼男	ウェアウルフ werewolf	ヴェーアヴォルフ Werwolf	ルー・ガホ loup-garou	ルポ・マッナーロ lupo mannaro	オンブレ・ロボ hombre lobo	ロビソーミン lobisomem	オーボロテニ оборотень
	髑髏	スカル skull	シェーデル Schädel	クラヌ crâne	テスキョ teschio	クラネオ cráneo	クラニゥ crânio	チューレプ череп
	精霊	スピリット spirit	ガイスト Geist	エスプリ esprit	スピリト spirito	エスピリトゥ espíritu	イスピリートゥサント espíritosanto	ドゥーフ дух
	ゴブリン	ゴブリン goblin	コーボルト Kobold	ゴブラ gobelin	フォレット folletto	テラスホ trasgo	ギノーム gnomo	ガブリン гоблин
	スライム	スライム slime	シュライム Schleim	スライム slime	ズリーメ slime	ファンゴ fango	ロード lodo	スリース слизь
	イフリート	イフリート ifrit	イフリート Ifrit	イフリータ Ifrit	エーフリート Efreet	イフリート efrit	イフリーチ Ifrit	イフリート ифрит
	飛竜	ワイバーン wyvern	リントヴルム Lindwurm	ヴィーバ vouivre	ヴィヴェールナ viverna	ドラゴ・ナラド dragón alado	ウィベール Wyvern	ビビョールナ виверна
宗教	異教	ヘレシー heresy	ハイデントゥーム Heidentum	エレジー hérésie	エレーズィア eresia	エレヒア herejía	エレジィア heresia	イェズィーチェスチヴォ язычество

ノルウェー語	ラテン語	ギリシャ語	アラビア語	ヘブライ語	中国語	韓国語	エスペラント語
ハヴフロイ havfrue	セレーニ syreni	ゴルゴナ γοργόνα	スファリート・アンザール صفارة إنذار	ベトゥラット・ヤム בתולת ים	メイレンユゥ 美人鱼	イノ 인어	メマイド Mermaid
ウデルリフフール udødelig fugl	ポエニークス phoenix	フィニクス Φοίνιξ	アンカー عنقاء	フェニックス פניקס	ブースーニャオ 不死鸟	プルサジョ 불사조	フエニークソ fenikso
スプケルセ spøkelse	イマーゴー imago	ファンタスマ φάντασμα	シャバブ شبح	ルアッハ רוח	ヨウリン 幽灵	ユリョン 유령	ファントーモ fantomo
フェ fe	ニュムパ nympha	ネライダ νεράιδα	ジンニーヤ جنية	フェヤー פיה	ジンリン 精灵	ヨジョン 요정	フェイーノ feino
ドラゲ drage	ドラコー draco	ドラコーン δράκων	ティンニーン تنين	ドゥラコン דרקון	ロン 龙	ヨン 용	ドラーコ drako
ヴァルールヴ varulv	リュカントロプス lycanthropus	リカンスロポス λυκάνθρωπος	モスタディーブ مستذئب	アダム・ゼエヴ אדם זאב	ランレン 狼人	ヌクデインガン 늑대인간	ルーポヴィーロ lupo viro
ホーデスカレ hodeskalle	カルヴァーリア calvaria	クラニオ κρανίο	ジュムジュマ جمجمة	グルゴレット גולגולת	ルーグウ 颅骨	ヘゴル 해골	クラリーオ kranio
オンド ånd	スピーリトゥヌ spiritus	ズィニ τζίνι	エリジョニー الجني	ルアッハ רוח	ジンリン 精灵	チョンリョン 정령	スピリート koboldo
ゴブリン goblin	ゴブリンヌ goblin	カリカンジャロス καλικάντζαρος	アフリート عفريت	フェヤー פיה	グーブーリン 哥布林	コブリン 고블린	コボルト koboldo
スリム slim	リームス limus	ラスピ λάσπη	— —	— —	シュライム 史莱姆	スライム 슬라임	スィリーモ ŝlimo
イフリート ifrit	イーフリット ifrit	イフリット Ιφρίτ	アフリート عفريت	— —	イーフーリートゥ 伊夫利特	イプリト 이프리트	イーフリト ifrit
ドラケ drake	ドラーコ draco	ドラコンタス δράκοντας	イフィルニ يفرين	イェヴルン יוורן	フェイロン 飞龙	ピリュン 비룡	ウィーヴェン wyvern
ヘーデンスク hedensk	ハエレシス haeresis	パガニスモス Παγανισμός	ウサニヤ وثنية	ケフィラー כפירה	イージャオ 异教	イギョ 이교	パガニーソ paganismo

宗教

	英語	ドイツ語	フランス語	イタリア語	スペイン語	ポルトガル語	ロシア語
印章	シール seal	ズィーゲル Siegel	ソー sceau	シジッロ sigillo	セリョ sello	シニァティ sinete	ピチャーチ Печать
嘘	ライ lie	リューゲ Lüge	マンソンジュ mensonge	ブジーア bugia	メンティラ mentira	ミンティラ mentira	ローシュ Ложь
楽園	パラダイス paradise	パラディース Paradies	パラディ paradis	パラディーゾ paradiso	パライソ paraíso	パライゾ paraíso	ライ рай
奇跡	ミラクル miracle	ヴンダー Wunder	ミラークル miracle	ミラーコロ miracolo	ミラグロ milagro	ミラーグリィ milagre	チュード чудо
祈り	プレヤー prayer	ゲベート Gebet	プリエール prière	プレギエーラ preghiera	レソ rezo	オラサオン oração	マリートヴァ молитва
禁忌	タブー taboo	タブー Tabu	タブー tabou	タブ tabù	タブー tabú	タブー tabu	タブー табу
偶像	アイドル idol	ゲッツェ Götze	イドル idole	イドロ idolo	イドロ ídolo	イードロゥ ídolo	イードル идол
寓話	フェイブル fable	ファーベル Fabel	ファブル fable	フィアーバ fiaba	ファブラ fábula	ファブラ fábula	バースニャ басня
契約	コントラクト contract	フェアトラーク Vertrag	コントラ contrat	コントラット contratto	コントラト contrato	コントラート contrato	コントラークト контракт
降臨	アドベント advent	アドヴェント Advent	アヴァン Advent	アッヴェント avvento	アドベニミエント advenimiento	アジェヴェント advento	プリシェストヴィエ Пришествие
祭壇	オルター altar	アルタール Altar	オテル autel	アルターレ altare	アルタル altar	アゥタル altar	アルターリ алтарь
式典	セレモニー ceremony	ツェレモニー Zeremonie	セレモニー cérémonie	チェリモーニャ cerimonia	セレモニア ceremonia	セリモニア cerimônia	ツェレモーニヤ церемония
邪悪	エヴィル evil	ベーゼ Böse	モーヴェ mauvais	マルヴァジータ malvagità	マル mal	マウ mal	ズロ зло

ノルウェー語	ラテン語	ギリシャ語	アラビア語	ヘブライ語	中国語	韓国語	エスペラント語
セグル segl	シーグヌム signum	スフラギダ σφραγίδα	ハトム ختم	ホタム חותם	インジャン 印章	インジャン 인장	スターンピ stampi
レウン løgn	メンティラトゥル mentietur	プセマ ψέμα	カズィブ كذب	ルシェケル לשקר	シュオファン 说谎	コジャッマル 거짓말	クーシ kuŝi
パラディス paradis	パラディースス paradisus	パラディソス παράδεισος	ジャンナ جنة	ガン・エデン גן עדן	ティエンタン 天堂	ナガン 낙원	パラディーソ paradizo
ミラケル mirakel	ミーラークルム miraculum	タヴマ θαύμα	ムウジザ معجزة	ネス נס	チージー 奇迹	キジョク 기적	ミラークロ miraklo
ベウン bønn	オーラーティオー oratio	プロセフスィー προσευχή	スラット صلاة	テフィラー תפלה	チーダオ 祈祷	キド 기도	プレーゴ preĝo
タブ tabu	ヴェティトゥス vetitus	タブゥ ταμπού	マハルン محرم	タヴー טבו	ジンジー 禁忌	クムギ 금기	タブーオ tabuo
アヴグド avgud	イードールム idolum	イドロ είδωλο	マハブード معبود	ペセル פסל	オウシャン 偶像	ウサン 우상	イドーロ idolo
エヴェンティール eventyr	ファーブラ fabula	ミソス μύθος	フラファ خرافة	ヘメシェル המשל	ユーイエン 寓言	ウファ 우화	ファーボ fablo
コントラクト kontrakt	コントラクトゥス contractus	スィンバスィ σύμβαση	アクドゥ عقد	ホゼー חוזה	チーユエ 契约	キョヤク 계약	コントラークト kontrakto
ネットスティンギング nedstigning	アドウェントゥス adventus	エレフスィ έλευση	メジュヤー مجيء	イェリダー ירידה	ライリン 来临	カンリム 강림	アドベーント advento
アルテル alter	アルターリアー altaria	ヴォモス βωμός	メドゥベーフ مذبح	ミズベアッハ מזבח	ジータン 祭坛	チェダン 제단	アルターロ altaro
セレモニ seremoni	ソッレムネ sollemne	テレティ τελετή	マラースィム مراسم	テケス טכס	ディエンリー 典礼	ウィシク 의식	セレモニーオ ceremonio
オンドスカップ ondskap	マルム malum	カコ κακό	シャッル شر	レシャー רשע	シエウー 邪恶	サアク 사악	マルボーナ malbona

宗教

	英語	ドイツ語	フランス語	イタリア語	スペイン語	ポルトガル語	ロシア語
十字架	クロス cross	クロイツ Kreuz	クロワ croix	クローチェ croce	クルス cruz	クロゥス cruz	クレースト Крест
祝祭	フェスティバル festival	フェスティヴェル Festival	フェスティヴァル festival	フェースティバール festival	フェスティバル festival	フェスタ festa	フェスティバール фестиваль
叙事詩	エピック epic	エーポス Epos	エピック épique	エピコ epico	エポペイア epopeya	エポペイア epopeia	エーポス эпос
象徴	シンボル symbol	ズュンボール Symbol	サンボル symbole	シンボロ simbolo	シンボロ símbolo	シンブロ símbolo	シーンボル символ
信仰	フェイス faith	グラウベ Glaube	フェイス faith	フェーデ fede	フェ fe	フェー fé	ヴィエラ вера
信者	ビリーバー believer	グロイビゲ Gläubige	コイヨン croyant	クレデンテ credente	クレエンテ creyente	フィヤゥ fiel	ヴェールユシイェ верующий
真実	トゥルース truth	ヴァールハイト Wahrheit	ヴェリテ vérité	ヴェリタ verità	ベルダー verdad	フェルダージ verdade	プラヴダ правда
聖書	ザ・ホーリー・バイブル the holy bible	ビーベル Bibel	ラ・サント・ビーブル la sainte bible	ビッビャ Bibbia	ビブリア Biblia	ビーブリア bíblia	ビーブリヤ Библия
誓約	オース oath	アイト Eid	セールマン serment	ジュラメント giuramento	フラメント juramento	ジュラメント juramento	クリャートヴァ Клятва
創造	クリエイション creation	シェプフング Schöpfung	クレアシオン création	クレアツィオーネ creazione	クレアシオン creación	クレアソン criação	ソズダーニィエ создание
地獄	ヘル hell	ヘレ Hölle	アンフェール enfer	インフェルノ inferno	インフィエルノ infierno	インフェールノ inferno	アト ад
天国	ヘヴン heaven	ヒンメル Himmel	シエル ciel	パラディーゾ paradiso	シエロ cielo	セウ céu	ニェベサー небеса
天罰	ネメシス nemesis	ネーメズィス Nemesis	ネメジス némésis	ネメジ nemesi	コンデナシオン condenación	ネメジス nêmesis	カーラ Кара

ノルウェー語	ラテン語	ギリシャ語	アラビア語	ヘブライ語	中国語	韓国語	エスペラント語
コース kors	クルクス crux	スタヴロス σταυρός	アーベラ عبر	ルーツォット לחצות	シーズジア 十字架	シプジャガ 십자가	トランシーリ transiri
フェスト fest	ファストウス fastus	ギヨルティ γιορτή	イード عيد	ハグ חג	ジエリー 节日	チュクジェ 축제	フェスティバーロ festivalo
エポス epos	エポス epos	エポス έπος	シアル・マルハミー شعر ملحمي	エポス אפוס	シューシーシー 叙事诗	ソサンシ 서사시	エポペオ epopeo
スンボル symbol	シュンボルム symbolum	スィンヴォロ σύμβολο	ラムズ رمز	セメル סמל	フーハオ 符号	サンジョン 상징	シンボーロ simbolo
トロ tro	フィデース fides	ピスティ πίστη	イーマン إيمان	ダット דת	シンヤン 信仰	シナン 신앙	クレード kredo
トロエンデ troende	フィデーリス fidelis	ピストス πιστός	ムウェメン مؤمن	マアミン מאמין	シントゥー 信徒	シンジャ 신자	クレダント kredanto
サンネト sannhet	ウェールス verus	アリシア αλήθεια	ハキーカ حقيقة	エメット אמת	ジェンシー 真实	チンシル 진실	ヴレーソ vereco
ビーベル bibel	サクラ・ビブリア sacra biblia	アギア・グラフィ Αγία Γραφή	アルキターブルムカッダス الكتاب المقدس	タナック תנ'ך	ションジン 圣经	ソンソ 성서	ビリーオ biblio
エド ed	ユーラーティオー juratio	オルコス όρκος	タハドゥ تعهد	シュヴアー שבועה	シーユエ 誓约	メンセ 맹세	プロメーソ promeso
スカペルセ skapelse	ゲネシス genesis	ズィミウルギア δημιουργία	ハルク خلق	イェツェルー יצירה	チュアンザオ 创造	チャンジョ 창조	クレァード kreado
ヘルヴェテ helvete	イーンフェルヌス infernus	コラスィ κόλαση	ジャハンナム جهنم	ゲヘノム גיהינום	ディーユー 地狱	チオク 지옥	インフェーロ infero
パラディス paradis	カエルム caelum	パラディソス παράδεισος	ジャンナ الجنة	シャマイム שמים	ティエングオ 天国	チョングク 천국	シエーロ ĉielo
グドムメリクストラッフ guddommelig straff	イラエ irae	コラスティリオ κολαστήριο	アークーブ عقوب	クララー קללה	ティエンファー 天罚	チョンベル 천벌	ダンマティーオン damnation

幻想
戦闘
道具
時空
形質
社会
人間
自然

宗教

	英語	ドイツ語	フランス語	イタリア語	スペイン語	ポルトガル語	ロシア語
伝承	トラディション tradition	ユーバーリーファルング Überlieferung	トラディシヨン tradition	トラディツィオーネ tradizione	トラディシオン tradición	フォゥクロイ folclore	トラディツィヤ традиция
伝説	レジェンド legend	ザーゲ Sage	レジャンド légende	レッジェンダ leggenda	レイエンダ leyenda	レィンダ lenda	リゲンダ легенда
奈落	アビス abyss	アップグルント Abgrund	アビム abîme	アビッソ abisso	アビスモ abismo	アビスモ abismo	アト ад
謎	エニグマ enigma	レーツェル Rätsel	エニグム énigme	エニグマ enigma	エニフマ enigma	エニグマ enigma	ダガートカ загадка
物語	テイル tale	エアツェールング Erzählung	コント conte	ラッコント racconto	クエント cuento	コント conto	ラスカース рассказ
方舟	アーク ark	アルヒェ Arche	アルシュ arche	アルカ arca	アルカ arca	アルカ arca	カフチェーク ковчег
民話	フォークロア folklore	フォルクローア Volklore	フォルクロール folklore	フォルクローレ folklore	フェルクロレ folklore	フォルクロリ folclore	フォルクロール фольклор
黙示録	アポカリプス apocalypse	オッフェンバールング Offenbarung	ラポカリプス apocalypse	アポカリッセ apocalisse	アポカリプシス apocalipsis	アポカリプィスィ apocalipse	アパカーレプシス Апокалипсис
預言	プロフェシー prophecy	プロフェツァイウング Prophezeihung	プロフェシー prophétie	プロフェツィーア profezia	プロフェシア profecía	プレヂサオン predição	プラローチェストヴォ пророчество
理想郷	ユートピア utopia	ウトピー Utopie	ユトピ utopie	ウトピーア utopia	ウトピア utopía	ウトピア utopia	ウトーピヤ утопия
煉獄	パーガトリー purgatory	フェーゲフォイアー Fegefeuer	ピュルガトワール purgatoire	プルガトーリョ purgatorio	プルガトリオ purgatorio	プルガトリオ purgatório	チスティーリシェ чистилище
掟	ルール rule	ゲボート Gebot	レーグル règle	レッジェ legge	マンダミエント mandamiento	ヘグラ regra	プラーヴィロ Правило
神聖	セイクリッド sacred	ハイリヒ heilig	サクレ sacré	サクロ sacro	サグラド sagrado	サンチダージェ Santidade	スーシャーニイェ священный

ノルウェー語	ラテン語	ギリシャ語	アラビア語	ヘブライ語	中国語	韓国語	エスペラント語
トラディスヨン tradisjon	トラーディティオー traditio	パラドスィ παράδοση	タクリード تقليد	マソレット מסורת	チュアンチャン 传承	チョンスン 전승	ローレ lore
レゲンデ legende	レゲンド legend	スリロス θρύλος	ウストゥーラ أسطورة	アガダー אגדה	チェアンシュオ 传说	チョンソル 전설	レゲェンド legendo
アヴグルン avgrunn	アビッソ abysso	アヴィソス άβυσσος	ジャハンナム جهنم	ターオム תהום	シェンユエン 深渊	ナラク 나락	アビースモ abismo
ミュステリウム mysterium	アエニグマ aenigma	エニグマ αίνιγμα	ルグズ لغز	ハイディー חידה	ミー 谜	ススケッキ 수수께끼	エニーグモ enigmo
フォルテリング fortelling	ファーブラ fabula	ヒィストリア ιστορία	キッサ قصة	スィプール סיפור	グーシー 故事	イヤギ 이야기	ラコント rakonto
アルク ark	アルカ arca	キボトー κιβωτός	タブット تابوت	テバット תבת	ファンジョウ 方舟	パンジュ 방주	アルケーオ arkeo
フォルケーエヴェンティール folkeeventyr	フォルクローレ folklore	ラオグラフィア λαογραφία	フウルキウル فولكلور	フォルクロール פולקלור	ミンジエングーシー 民间故事	ミンダム 민담	フォークローロ folkloro
アポカリプセ apokalypse	アポカリュプシス apocalypsis	アポカリプスィ αποκάλυψη	サファル・アルウォヤ سفر الرؤيا	アポリプサー אפוקליפסה	チーシールー 启示录	モクシロク 묵시록	アポカリープソ apokalipso
プロフェティ profeti	プロペティアー prophetiae	プロフェーテス προφητης	ヌブーア نبوءة	ネヴアー נבואה	ユゥイエン 预言	イェヨン 예언	プロフェタージョ profetaĵo
パラディス paradis	ウートピア utopia	ウトピア ουτοπία	ユートゥーピヤー يوطوبيا	ウトピアー אוטופיה	ウートゥオバン 乌托邦	イサングク 이상국	ウトピオ utopio
シェルシルデン skjærsilden	プールガートーリウム purgatorium	カサルティリオ καθαρτήριο	マトハル مطهر	ギヒノム גיהינום	リエンユー 炼狱	ヨヌク 연옥	プッラトリーオ purgatorio
ロヴ lov	レグラ regula	ノモス νόμος	カヌーン قانون	ルフェソーク לפסוק	グイジュウ 规矩	ポプチク 법칙	レーゴ leĝo
ヘッリグ hellig	サナクティータス sanctitas	アギオ αγιο	モハディス مقدس	クドゥシュ קדוש	シェンシォン 神圣	シンソン 신성	サーンクタ sankta

宗教

	英語	ドイツ語	フランス語	イタリア語	スペイン語	ポルトガル語	ロシア語
神託	オラクル oracle	オラーケル Orakel	オラクル oracle	オラーコロ oracolo	オラクロ oráculo	オラークロ oráculo	アラークル оракул
神話	ミソロジー mythology	ミュートス Mythos	ミトロジー mythologie	ミトロジーア mitologia	ミトロヒア mitología	ミトロジア mitologia	ミフォローギヤ мифология
福音	ゴスペル gospel	エヴァンゲーリウム Evangelium	エヴァンジル évangile	ヴァンジェーロ vangelo	エバンヘリオ evangelio	エヴァンジェーリオ evangelho	イェヴァンゲリエ евангелие
宗教	レリジョン religion	レリギオン Religion	ロリジョン religion	レッリジョーネ religione	レリヒオン religión	ヘリジャオ religião	レリーギヤ религия
烙印	スティグマ stigma	マーケ Marke	スティグメジソン stigmatisation	スティーグマ stigma	エスティフマ estigma	エスシギマ estigma	ウルリーツァ рыльце
宣告	センテンス sentence	エアクレールング Erklärung	ポノンス prononcé	ディキアラッツィオーネ dichiarazione	デクララシオン declaración	センテンスァ sentença	プレドゥロジェーニヤ предложение
断罪	コンヴィクション conviction	フェアウアタイルング Verurteilung	コンダナシオン condamnation	コンダンナ condanna	コンビクシオン convicción	コンフィクサォ convicção	ウヴェズドニスト убежденность
恩恵	ベネフィット benefit	プロフィティーレン Profitieren	ファヴール faveur	ベーネフィッチォ beneficio	ファボル favor	ベネフィシア beneficiar	プリームシェストヴォ Преимущество
死者	デッド dead	トーテ Tote	モール morts	モールト morto	ムエルト muerto	モルト morto	ミュールトゥヴニィ мертвый
禁断	プロフィビション prohibition	フェアボート Verbot	アンターディクション interdiction	プロイビート proibito	プロイビーダ prohibida	プロィビソン proibição	ザプリエートヌイー запретный
神秘	ミステリー mystery	ゲハイムニス Geheimnis	ミステール mystère	ミステーロ mistero	ミステーリオ misterio	ミステーリオ mistério	ターイナ тайна
悪魔	デヴィル devil	トイフェル Teufel	ディアーブル diable	ディアヴォーロ diavolo	ディアブロ diablo	ジャボ diabo	ディヤーボル дьявол
使徒	アポスル apostle	アポステル Apostel	アポートル apôtre	アポストロ apostolo	アポストル apóstol	アポストロゥ apóstolo	アポーストル апостол

ノルウェー語	ラテン語	ギリシャ語	アラビア語	ヘブライ語	中国語	韓国語	エスペラント語
オラケル orakel	オーラークルム oraculum	マンティコス μαντικός	ワハヤ وحي	オラクル אורקל	シェンユゥ 神谕	シンゴ 신고	オラコーロ orakolo
ミュテ myte	ミュートロギア mythologia	ミィソス μύθος	ウストゥーラ أسطورة	ミトロギヤ מיתולוגיה	シェンホア 神话	シンファ 신화	ミトロジーオ mitologio
エヴァンゲリウム evangelium	エワンゲリウム evangelium	エヴアンゲーリオ Ευαγγέλιο	エンジール إنجيل	ハブシャルー הבשורה	フーイン 福音	ポクウム 복음	エヴァンゲリーオ evangelio
レリギオン religion	レリージオ religio	スリスケイア θρησκεία	ディーナ دين	ダット דת	ツォンジャオ 宗教	チョンギョ 종교	レリギーオ religio
メルケ merke	スティグマ stigma	スティグマ στίγμα	ワシミ・ハアル وصمة عار	スティゲメー סטיגמה	ラオイェン 烙印	ナキン 낙인	スゥティーグモ stigmo
エルクレーリング erklæring	センテンティア sententia	ディーロシー δήλωση	アワクウバ عقوبة	メシュフェト משפט	シュエンイェン 宣言	ソンゴ 선고	フラーゾ frazo
フォルドミェルセ fordømmelse	ダムナティオ damnatio	カタディキー καταδίκη	エダナ إدانة	ヘレシャー הרשעה	ディンヅィ 定罪	タンジョ 단죄	ペコ peko
ヴェルシニングレ velsignelse	ベネディークシオ benedictio	オフェロス όφελος	エスティファダフ إستفادة	トゥヴァレット תועלת	エンフイ 恩惠	ウンヘ 은혜	プロフィテーギ profitigi
デーデ død	モルトウイ mortui	ネクロース νεκρός	メヤト ميت	メット מת	スージュア 死者	サジャ 사자	モルティーント mortinto
フォルブト forbudt	プロイビィーティオ prohibitio	アパゴレフシィ απαγόρευση	ハザラ حظر	エイソル איסור	ジンチー 禁止	クムダン 금단	マルペメーソ malpermeso
ミュステリウム mysterium	アルカーヌマ arcanum	ミィスティリオ μυστήριο	サッラ سر	タルメー תעלומה	シェンミー 神秘	シンビ 신비	ミステーロ mistero
デーモン demon	ディアボルス diabolus	ディアヴォロス διάβολος	イブリース إبليس	サタン שטן	ウーモー 恶魔	アクマ 악마	ディアーブォ diablo
アポステル apostel	アポストルス apostolus	アポストロス απόστολος	ラスール رسول	シャリアッハ שליח	シートゥー 使徒	サド 사도	アポストーロ apostolo

宗教

	英語	ドイツ語	フランス語	イタリア語	スペイン語	ポルトガル語	ロシア語
死神	グリム・リーパー grim reaper	ゼンゼンマン Sensenmann	ラ・モール la Mort	モルテ Morte	ムエルテ muerte	モルテ morte	ボーク・スメールチ Образ смерти
女神	ゴッデス goddess	ゲッティン Göttin	デエス déesse	デーア dea	ディオサ diosa	デウサ deusa	バギーニャ богиня
聖母	ザ・ホーリー・マザー the holy mother	マドンナ Madonna	ノートル・ダム Notre Dame	マドンナ madonna	マードレ・デ・ディオス Madre de Dios	ア・サンタ・マイン a santa mãe	ボゴマーチェリ богоматерь
堕天使	フォーリン・エンジェル fallen angel	ゲファレナー・エンゲル gefallener Engel	アンジュ・デシュ ange déchu	アンジェリ・インフェデーリ angeli infedeli	アンヘル・カイド ángel caído	アンジョ・カイド anjo caído	パートシィ・アンゲル падшие ангелы
天使	エンジェル angel	エンゲル Engel	アンジュ ange	アンジェロ angelo	アンヘル ángel	アンジォ anjo	アンゲル ангел
魔王	サタン satan	ザータン Satan	サタン satan	サタナ satana	サタナス satanás	サタナス satanás	スェタナ сатана
神	ゴッド god	ゴット Gott	デュー dieu	ディーオ dio	ディオス dios	デウス deus	ボーグ бог

ノルウェー語	ラテン語	ギリシャ語	アラビア語	ヘブライ語	中国語	韓国語	エスペラント語
デースエンゲル dødsengel	**モルス** mors	**セリスティキ・ミハーニー** θεριστική μηχανή	**ハサーダ** حصادة	**マヴェット** מוות	**スーシェン** 死神	**サシン** 사신	**グリーム・ラーペル** Grim Reaper
グディネ gudinne	**デア** dea	**セア** θεά	**イッラーハ** إلاهة	**エリラー、エラー** אלה,אלילה	**ニューシェン** 女神	**ヨシン** 여신	**ディリーノ** diino
ヨムフル jomfru	**デイパラ** Deipara	**セェアマテキィ** θεοτόκος	**アルシドット・アルダーラ** السيدة العذراء	**ハエム・ハクドシャ** האם הקדושה	**ションムー** 圣母	**ソンモ** 성모	**ニア・シノリーニョ** nia Sinjorino
ファレンエンゲル fallen engel	**アンジェルス・ラプスゥス** angelus lapsus	**ペズメノス・アゲロス** πεσμένος άγγελος	**メラーク・サワカット** ملاك ساقط	**マルアク・マヴェット** מלאך מוות	**ドゥオルオ ティエンシー** 堕落天使	**タラクチョンサ** 타락천사	**ファイタル・アンジェーロ** falitaj anĝelo
エンゲル engel	**アンジェルス** angelus	**アンゲロス** άγγελος	**マラーク** ملاك	**マルアク** מלאך	**ティエンシー** 天使	**チョンサ** 천사	**アンジェーロ** anĝelo
デーモンコンゲ demonkonge	**サタン** satan	**サタナス** σατανάς	**イブリース** إبليس	**サタン** שטן	**サータン** 撒旦	**マワン** 마왕	**サターノ** Satano
グッド gud	**デウス** Deus	**セオス** θεός	**アッラー** الله	**ヤハヴェー** יהוה	**シェン** 神	**シン** 신	**ディーオ** dio

戦闘全般

	英語	ドイツ語	フランス語	イタリア語	スペイン語	ポルトガル語	ロシア語
攻撃	アタック attack	アングリフ Angriff	アタック attaque	アッタッコ attacco	アタケ ataque	アタッカル atacar	ナストゥプリェーニイェ наступление
防御	ディフェンス defense	ディフェンズィーヴェ Defensive	デファンス défense	ディフェーザ difesa	デフェンサ defensa	ディフェーザ defesa	アバローナ оборона
突破	ブレイクスルー breakthrough	ドゥルヒブルフ Durchbruch	ペッシ percée	スフォンダメーント sfondamento	ルプトゥラ ruptura	ロンペンデゥ rompendo	プラルィーヴ прорыв
脱出	エスケープ escape	エントコメン Entkommen	エヴァジオン évasion	エヴァジョーネ evasione	エスカペ escape	イスカパール escapar	イズバヴレーニィエ избавление
奇襲	レイド raid	ユーバーファル Überfall	ショプリーズ surprise	アッタッコ attacco	エンボスカダ emboscada	スルペレザ surpresa	シュルプリーズ сюрприз
囮	デコイ decoy	ロックフォーゲル Lockvogel	アポー appeau	エスカ esca	セニュエロ señuelo	シャマリス chamariz	ムァーヌォク манок
警戒	ガード guard	ベヴァッフング Bewachung	ギャルド garde	プレカウツィオーネ precauzione	アレルタ alerta	アヴィゾ aviso	アフラーナ охрана
突撃	チャージ charge	アンシュラーク Anschlag	シャルジュ charge	アッサルト assalto	アサルト asalto	カルガ carga	ナパジェーニィエ нападение
チャンス	チャンス chance	シャーンセ Chance	シャンス chance	オッポルトゥニタ opportunita	オポルトゥニダー oportunidad	シュンスィ chance	シャーンス шанс
必殺	フィニッシャー finisher	トゥードリッヒ tödlich	フィニサー finisseur	モルターレ mortale	ゴルペ・セルテロ golpe certero	モルタル mortal	スメルツィーリナ смертельно
警告	ワーニング warning	ヴァーノング Warnung	アヴィ avis	アッヴィーゾ avviso	アドベルデンシア advertencia	アヴィーゾ aviso	プレドゥプレジェジーニィヤ предупреждение
罠	トラップ trap	ファレ Falle	ピエージェ piège	トラッポラ trappola	トランパ trampa	アマディーリア armadilha	ラブゥーシュカ ловушка
狼煙	ビーコン beacon	ロイヒトフォイアー Leuchtfeuer	フュゼ fusée	ラッツォ razzo	アルメナーラ almenara	シナル・ディ・フゥモ sinal de fumo	スィグナーリヌィイ・ラキエータ сигнальная ракета

ノルウェー語	ラテン語	ギリシャ語	アラビア語	ヘブライ語	中国語	韓国語	エスペラント語
アングレップ angrep	オープナーレ oppugnare	エピセシ επίθεση	マハジマ مهاجمة	ルトクーフ לתקוף	ゴンジー 攻击	コンギョク 공격	アターキ ataki
フォルスヴァル forsvar	デーフェーンシオー defensio	アミナ άμυνα	ダファーウ دفاع	ハガナー הגנה	ファンユー 防御	パンオ 방어	ディフェンド defendo
ギェンノムブルード gjennombrudd	ブレイヤークトロ breakthrough	ディアスパスィ θεαματική	イフティラーク اختراق	プリツァー פריצה	ドゥーポー 突破	トルパ 돌파	トラロンピ trarompi
レムメ rømme	イッフジェレ effugere	ディアフィギ διαφυγη	フループ هرب	レブルーフ לברוח	タオチュー 脱出	タルチュル 탈출	エスカーピ eskapi
オーヴェラスケルセサングレップ overraskelsesangrep	オップレーシオ oppressio	エフニディアズモス αιφνιδιασμος	ムフェジャー مفاجأة	ヒロム הלם	チーシー 奇袭	キスプ 기습	スルプリーゾ surprizo
ロッケドゥエ lokkedue	イッレクス illex	パラスィロ παρασύρω	シャリカ شرك	ピタヨン פתיון	ウァズ 囮子	ユイン 유인	ロギーロ logilo
ヴェーレ・ポー・ヴァク være på vakt	ヴィジーラ vigilia	プロフィラクスィ προφυλαξη	ハザル حذر	ヘムシュミラー המשמר	ジンジエ 警戒	キョンゲ 경계	ガールド gardo
アングリペ angripe	オップーグナーティオー oppugnatio	プロスボリィ προσβολή	アーティダー اعتداء	テシュローム תשלום	トゥージー 突击	トルコク 돌격	ストゥールモ sturmo
ムリヘト mulighet	オカージオ occasio	ティーヒー τύχη	フルサ فرصة	メゼル מזל	リャンジー 良机	キフェ 기회	チャンソ ŝanco
デーデリグ・スラグ dødelig slag	コンスムマトーレ consummatorem	ファナシマ θανάσιμα	カテル قاتل	キトレニ קטלני	チィミン 致命	ピルサル 필살	モルティーガ mortiga
アドヴァルセル advarsel	アドモニーシオ admonitio	プロイドピシィー προειδοποίηση	タハディール تحذير	アツェレー אזהרה	ジンガォ 警告	キョンゴ 경고	アヴェールト averto
フェレ felle	インシディアエ insidiae	パギィダ παγίδα	ファハ فخ	メルクドット מלכודת	チェンタォ 圈套	ハムジョン 함정	カプティーロ kaptilo
ヴァルセルボール varselbål	ファールス pharus	イプスウマイ υψούμαι	サルーフ صاروخ	レヘルキア・シェヘキーム להרקיע שחקים	フォンイェン 烽烟	パンファ 봉화	ラケート raketo

分類	項目	英語	ドイツ語	フランス語	イタリア語	スペイン語	ポルトガル語	ロシア語
戦闘全般	援護	カバー cover	デェコン Deckung	クーヴィア couvrir	コプリーレ coprire	クベリル cubrir	コブリル cobrir	アーフヴァーテレツ охватывать
戦闘全般	装備	イクイップメント equipment	アウスルストゥン Ausrüstung	イーキップモン équipement	アトレッツァトゥーラ attrezzatura	エキポ equipo	エキパミャント equipamento	アバルードヴァニィエ оборудование
戦闘全般	回避	アヴォイダンス avoidance	ファーマイドゥング Vermeidung	エヴィトモント évitement	エヴィタメーント evitamento	エビタシオン evitación	エンウラゥション anulação	ウクラニィーニィエ уклонение
戦闘全般	決闘	デュエル duel	ドゥエル Duell	デュエル duel	ドゥエッロ duello	ドゥエロ duelo	ドゥエーロ duelo	ドゥエーリ дуэль
戦闘全般	いさかい	クォーラル quarrel	シュトライテン Streiten	クレル querelle	リティージョ litigio	アルテルカド altercado	ディスクゥサオン discussão	スソーラ Ссора
戦闘全般	戦う	ファイト fight	ケンプフェン kämpfen	ス・パートル se battre	コンバッテレ combattere	ルチャル luchar	コンバテール combater	スラージャツァ сражаться
戦闘全般	逃げる	ランナウェイ run away	フリーエン fliehen	フュイール fuir	スカッパーレ scappare	エスカパル escapar	フージール fugir	ウビジャーチ убегать
戦闘全般	壊す	ブレイク break	ブレッヒェン brechen	キャッセ casser	ロンペレ rompere	ロンペル romper	エストラガール estragar	ラマーチ ломать
戦闘全般	奪う	ロブ rob	ラオベン rauben	デロベ dérober	プリヴァーレ privare	ロバール robar	ローバル roubar	グラービチ грабить
戦闘全般	殺す	キル kill	テーテン töten	チュエ tuez	ウッチーデレ uccidere	マタル matar	マタル matar	ウビーチ убить
戦闘全般	裏切り	ビトレイヤル betrayal	フェアラート Verrat	トライゾン trahison	トラディメント tradimento	トライシオン traición	トライサオン traição	プレドゥースティトヴァン предательство
戦争	解放	リベレーション liberation	ベフライウン Befreiung	リベラシオン libération	リベラツィオーネ liberazione	リベラシオン liberación	リベルタソォ libertação	アスヴァバジチェーニイェ освобождение
戦争	反抗	リベリオン rebellion	レベリオン Rebellion	レヴォルト révolte	リベリオーネ ribellione	レシステンシア resistencia	リベリオン rebelião	ヴォスターニエ восстание

ノルウェー語	ラテン語	ギリシャ語	アラビア語	ヘブライ語	中国語	韓国語	エスペラント語
スタッテ støtte	ススティネア sustinere	イポスティリクシィ υποστήριξη	グタハ غطاء	レコソット לכסות	イエンフー 掩护	ウォンホ 원호	コーヴリ kovri
ウトスティール utstyr	アルマートゥス armatus	エクスプリモス εξοπλισμός	マハダット معدات	ツィウット ציוד	ジュアンベイ 装备	チャンビ 장비	エキパーゾ ekipaĵo
ウンノー unngå	デキーノ declino	アポフィギィ αποφυγή	タジノブ تجنب	ヘムナウット המנעות	フイビィ 回避	ヘピ 회피	エヴィート evito
ドエル duell	モノマキア monomachia	モノマヒア μονομαχία	ムバーラザ مبارزة	ドゥー・クラヴ דו קרב	チュエドウ 决斗	キョルトゥ 결투	デュエロ duelo
ストリド strid	ウェーリターティオー velitatio	ツァコモス τσακωμος	シェジャル شجار	レリーヴ לריב	ジョンルン 争论	ノンジャン 논쟁	マルパーチ malpaci
シェンペ kjempe	プニャーレ pugnare	ポレマオ πολεμαω	トカティル تقاتل	ニルハム נלחם	ダージャン 打仗	ソダ 싸우다	バターリ batali
フリュクテ flykte	フージョ fugio	フィヴィエテ φεύγετε	ハラバ هرب	バラッハ לברוח	タオパオ 逃跑	トマンチダ 도망치다	エスカーピ eskapi
エーデレッゲ ødelegge	イフリンゴ effringo	スパシィ σπάσει	カサラ كسر	シャヴァル שבר	ノンフワイ 弄坏	プスダ 부수다	ロムピ rompi
スチェーレ stjele	プリワーレ privare	リスティヴィオ ληστεύω	セレバ سلب	シャダッド שדד	チアン 抢	プアッタ 빼앗다	ラービ rabi
ドレペ drepe	インテルフィケレ interficere	スコトセ σκότωσε	カタラ قتل	ラツァッハ רצח	シャー 杀	チュキダ 죽이다	モルティーギ mortigi
フォローデ forråde	プローディティオー proditio	プロドスィア προδοσία	ヒャーナ خيانة	ベギダー בגידה	ベイパン 背叛	ベシン 배신	ペルフィード perfido
フリーオーリング frigjøring	リーベラティオー liberatio	アペレフセロスィ απελευθέρωση	アリフラージュ الإفراج	シフルール שיחרור	ジエファン 解放	ヘバン 해방	イベリーゴ liberigo
モットスタンド motstand	レベッリィオ rebellio	アンダルシア ανταρσία	モカーウィマ مقاومة	メラッド מרד	ファンカン 反抗	バンハン 반항	リベーロ ribelo

戦争

	英語	ドイツ語	フランス語	イタリア語	スペイン語	ポルトガル語	ロシア語
侵略	インベイジョン invasion	アインマーシュ Einmarsch	アンヴァズィオン invasion	インヴァジオーネ invasione	インバシオン invasión	インヴァゾン invasão	フタルジェーニィエ вторжение
戦争	ウォー war	クリーク Krieg	ゲール guerre	グエッラ guerra	ゲラ guerra	ゲーハ guerra	ヴァイナー война
戦闘	バトル battle	シュラハト Schlacht	バタイユ bataille	コンバッティメーント combattimento	バタリャ batalla	バタリャ batalha	ヴィトゥヴァ битва
革命	レヴォリューション revolution	レヴォルツィオーン Revolution	レヴォリュシオン révolution	リヴォルツィオーネ rivoluzione	レボルシオン revolución	ヘヴォルサオン revolução	リヴァリューツィヤ революция
反乱	リベリオン rebellion	アオフシュタント Aufstand	レヴェリヨン rébellion	リベッリョーネ ribellione	レベリオン rebelión	レヴェリオン rebelião	ヴァッスターニイェ восстание
勝利	ヴィクトリー victory	ズィーク Sieg	ヴィクトワール victoire	ヴィットーリャ vittoria	ビクトリア victoria	ヴィトリア vitória	パビェーダ победа
敗北	ディフィート defeat	ニーダーラーゲ Niederlage	デフェット défaite	スコンフィッタ sconfitta	デロタ derrota	デホータ derrota	パラジェーニイェ поражение
同盟	アライアンス alliance	ブント Bund	アリアンス alliance	アッレアンツァ alleanza	アリアンサ alianza	アリアンサ aliança	アリヤーンス альянс
支配	ドミネーション domination	ヘルシャフト Herrschaft	ドゥミナシオン domination	ドミナッツィオーネ dominazione	ドミナシオン dominacion	コントロラル controlar	ウプラヴレーニイエ управление
征服	コンクェスト conquest	エアオーベルング Eroberung	コンケット conquête	コンクイスタ conquista	コンキスタ conquista	コンキスタ conquista	ザヴァイェヴァーニイェ завоевание
虐殺	マッサカー massacre	マサーカー Massaker	マサーカー massacre	マッサークロ massacro	ヘノシディオ genocidio	マサークリ massacre	リズニャー резня
略奪	プランダー plunder	ラオブ Raub	ピヤージュ pillage	サッケッジョ saccheggio	サケオ saqueo	ピリャジン pilhagem	ザフヴァート захват
復讐	リベンジ revenge	ラッヘ Rache	ヴァンジャンス vengeance	ヴェンデッタ vendetta	ベンガンサ venganza	ヴィンガンサ vingança	ミスツ месть

ノルウェー語	ラテン語	ギリシャ語	アラビア語	ヘブライ語	中国語	韓国語	エスペラント語
インヴァション invasjon	**インクルーシオ** incursio	**イズヴォリ** εισβολή	**ガハゼウ** غزو	**フェリシェー** פלישה	**シンルェ** 侵略	**チムラク** 침략	**インヴァード** invado
クリーグ krig	**ベッルム** bellum	**ポレモス** πόλεμος	**ハルブ** حرب	**ミルマハー** מלחמה	**ジャンジョン** 战争	**チョンジャン** 전쟁	**ミリート** milito
カンプ kamp	**プーグナ** pugna	**アゴーン** αγων	**カテール** قتال	**クラヴ** קרב	**ジャンドウ** 战斗	**チョントゥ** 전투	**バターロ** batalo
レヴォリューション revolusjon	**ロトゥンドゥマ** rotundum	**エパナスタスィ** επανάσταση	**サウラ** ثورة	**メフェケー** מהפכה	**グーミン** 革命	**ヒョクミョン** 혁명	**レボルシーオ** revolucio
オプロール opprør	**レベリオー** rebellio	**クセスィコモス** ξεσηκωμος	**タマッルド** تمرد	**メレッド** מרד	**パンルアン** 叛乱	**パンラン** 반란	**リベーロ** ribelo
セイエル seier	**ウィクトーリア** victoria	**ニーキー** νίκη	**インティサール** انتصار	**ニツァホン** נצחון	**ションリー** 胜利	**スンリ** 승리	**ヴェンコ** venkо́
ネーデルラーグ nederlag	**デートリーメントゥム** detrimentum	**イタ** ήττα	**ハズィーマ** هزيمة	**リービス** להביס	**シーパイ** 失败	**ペベ** 패배	**マヴェンコ** malvenko
アリャンセ allianse	**フォエドゥス** foedus	**シマヒヤ** συμμαχία	**トハリフ** تحالف	**ブリット** ברית	**トンモン** 同盟	**トンメン** 동맹	**アリアンソ** alianco
スティリング styring	**ドミネーシオ** domination	**エレンホス** έλεγχος	**シィータラ** السيطرة	**シュリター** שליטה	**トンジー** 统治	**チベ** 지배	**ドミナード** dominado
エロブリング erobring	**コンクェスタム** conquestum	**カタークティシィ** κατάκτηση	**ファトフ** فتح	**ヌツェフン** נצחון	**ジョンフー** 征服	**チョンボク** 정복	**コンケーロ** konkero
マッサクレ massakre	**カエデス** caedes	**スファギ** σφαγή	**タクティール** تقتيل	**テヴァッハ** טבח	**ニュエシャー** 虐杀	**ハクサル** 학살	**マサークロ** masakro
プリュンドリング plyndring	**スポリアーティオ** spoliatio	**プリャツィコ** πλιατσικο	**ネヒブ** نهب	**ゲゼル** גזל	**リュエドゥオ** 掠夺	**ヤクタル** 약탈	**ラバード** rabado
ヘヴン hevn	**ウルティオー** ultio	**エクディキスィ** εκδίκηση	**インティカーム** انتقام	**ネカマット** נקמה	**バオチョウ** 报仇	**ポクス** 복수	**ヴェンジョー** venĝo

		英語	ドイツ語	フランス語	イタリア語	スペイン語	ポルトガル語	ロシア語
戦争	栄光	グローリー glory	グランツ Glanz	グロワー gloire	グローリャ gloria	グロリア gloria	グローリア glória	スラーヴァ слава
	名誉	オナー honor	エーレ Ehre	オヌール honneur	オノーレ onore	オノール honor	オンラーシュ honrar	チェースチ честь
兵種・階級	騎士団	シュヴァリック・オーダー chivalric order	リッターオルデン Ritterorden	オルドル・デ・シュヴァリエ Ordre de chevalerie	カヴァッレリーア cavalleria	オルデン・デ・カバリェリア orden de caballería	オルデンス・デ・カバラリア ordem de cavalaria	ルィーツァルスキイ・オールヂン рыцарский орден
	軍団	リジョン legion	レギオン Legion	レジオン légion	レジョーネ legione	レヒオン legión	エゼルシト exército	レギオン легион
	海軍	ネイビー navy	マリーネ Marine	マリーヌ marine	マリーナ marina	マリーナ marina	マリーニャ marinha	マルスコン・フロート морской флот
	空軍	エア・フォース air force	ルフトヴァッフェ Luftwaffe	アルメ・ド・レール armée de l'air	アーエーロナウティーカ aeronautica	フエールサ・アエーレア fuerza aérea	アヴィアーソン aviação	ワズドゥシネィ・シューレ воздушные силы
	陸軍	アーミー army	アルメ Armee	アルメ armée	エーゼールチト esercito	エヘールシト ejército	エゼールシィト exército	アールミヤ армия
	勲章	メダル medal	ミダイエ Medaille	メダイエ médaille	メダリア medaglia	メダイヤ medalla	メダーリャ medalha	メダル медаль
	兵士	ソルジャー soldier	ゾルダート Soldat	ソルダ soldat	ソルダート soldato	ソルダド soldado	ソルダド soldado	サルダート солдат
	剣士	ソーズマン swordsman	フェヒター Fechter	エペイスト épéiste	スパダッチーノ spadaccino	エスグリミスタ esgrimista	エスグリミースタ esgrimista	フィフタヴァーリシク фехтовальщик
	騎兵	キャヴァリィマン cavalryman	カヴァレリスト Kavallerist	キャヴァラリィ cavalerie	カヴァリエーレ cavaliere	ソルダド・デ・カバリェリア soldado de caballería	カヴァレリア cavalaria	カヴァリリースト кавалерист
	歩兵	インファントリィマン infantryman	インファンテリスト Infanterist	ファンタサン fantassin	ファンテ fante	インファンテリア infantería	インファンタリア infantaria	ピハチーニェツ пехотинец
	射手	シューター shooter	シュッツェ Schütze	アルシェ archer	ティラトーレ tiratore	ティラドル tirador	アルケイロ arqueiro	ルーチニク лучник

ノルウェー語	ラテン語	ギリシャ語	アラビア語	ヘブライ語	中国語	韓国語	エスペラント語
ヘルリゲット herlighet	グローリア gloria	ドクサ δόξα	マジュド مجد	カヴォード כבוד	グワンロン 光荣	ヨンファン 영광	グローロ gloro
アエレ ære	オッノーラ honor	ティーマー τίμα	シャラフ شرف	カヴォード כבוד	ミンユー 名誉	ミョンイ 명예	ホノーロ honoro
リッダーオルデン ridderorden	エクェス・レギオー eques legio	イポテス ιπποτες	ニラサニ فرسان	アビリーム אבירים	チーシードゥアン 骑士团	キサダン 기사단	カヴァリラーロ kavaliraro
レギオン legion	レジョ legio	ストラテヴマタ στρατεύματα	フェイラッカ فيلق	ツァバー צבא	ビントゥアン 兵团	クンダン 군단	レギオ legio
ショーフォールスバレット sjøforsvaret	クラッシィ classis	ナフティコ ναυτικό	バハリヤ بحرية	ヒル・ヒム חיל הים	ハイジン 海军	ヘグン 해군	マラルメーオ mararmeo
ルフトフォールスバレット luftforsvaret	クラッシィ・アエリア classis aeria	ポルミキ・エロポリア πολεμική αεροπορία	シラー・アルジェル سلاح الجو	ヒル・アヴィル חיל אוויר	クンジン 空军	コングン 공군	アエラルメーオン aerarmeon
ヘーアン hæren	エクサルチトゥス exercitus	ストラトス στρατός	ジェイャシャ جيش	ツェバー צבא	ルゥジン 陆军	ユッグン 육군	アルメーオ armeo
オルデン orden	ヌミーズマ numisma	メダーリオ μετάλλιο	メダリャ مدالية	メデリーフ מדליה	シュンジャン 勋章	フンジャン 훈장	メダーロ medalo
ソルダット soldat	ミーレス miles	ストラティオーテス στρατιώτης	ジュンディー جندي	ハヤル חיל	ジャンシー 战士	ピョンサ 병사	ソルダート soldato
スヴェルドマン sverdmann	グラディアートル gladiator	クスィフォマフォス ξιφομάχος	サイヤーフ سياف	サヤフ סיף	ジエンクー 剑客	コムサ 검사	スケルミスト skermisto
カヴァレリ kavaleri	エクェス eques	イピコ ιππικό	シラ・アルフルサーン سلاح الفرسان	パラシーム פרשים	チービン 骑兵	キビョン 기병	カヴァレリーロ kavalerio
インファンテリ infanteri	ミーレス miles	ペズィコ πεζικο	ムシャート مشاة	ハヤル・ラグリー חייל רגלי	ブービン 步兵	ポビョン 보병	インタンテリアーノ infanteriano
スュテル skytter	サギッターリウス sagittarius	トクソティス τοξότης	ラーマ رام	カシャット קשת	シューショウ 射手	サス 사수	アルクパフィスト arkpafisto

		英語	ドイツ語	フランス語	イタリア語	スペイン語	ポルトガル語	ロシア語
兵種・階級	伝令	メッセンジャー messenger	オルドナンツ Ordonnanz	メサジュ messager	ポルタオルディニ portaordini	メンサヘロ mensajero	メンサジェイロ mensageiro	ガニェツ гонец
	傭兵	マーセナリィ mercenary	ゼルトナー Söldner	メルセネール mercenaire	メルチェナーリョ mercenario	メルセナリオ mercenario	メルセナリオ mercenário	ナヨームニク наёмник
	将軍	ジェネラル general	ゲネラール General	ジェネラル général	ジェネラーレ generale	ヘネラル general	ジェネラゥ geral	ギニラール генерал
	提督	アドミラル admiral	アトミラール Admiral	アミラル amiral	アンミラーリョ ammiraglio	アドミランテ admirante	アゥミランテ almirante	アドミラール адмирал
	隊長	キャプテン captain	コマンデュール Kommandeur	キャピテンヌ capitaine	カピターノ capitano	カピタン capitán	カピタオン capitão	カピターン капитан
	将校	オフィサー officer	オフィツィーア Offizier	オフィシエ officier	ウッフィチャーレ ufficiale	オフィシアル oficial	オフィシアゥ oficial	アフィツェール офицер
	紋章	クレスト crest	ヴァッペン Wappen	ブラゾン blason	ステンマ stemma	エンブレマ・エラルディコ emblema heráldico	ブラゼォン brasão	ギェルブ герб
	アマゾネス	アマゾネス amazoness	アマゾーネ Amazone	アマゾンヌ amazones	アマッツォーネ amazzone	アマソナス amazonas	アマゾネス Amazonas	アマゾーンキャ амазонки
	近衛兵	ロイヤル・ガード Royal Guard	カイザリヒェ・ガルデ Wachsoldat	ガルド・ロワイヤーレ Garde Royale	グアルディア・リアーレ Guardia Reale	グアルディア・リアール Guardia Real	グアルダ・リアール Guarda Real	クローエリェフスク・グロルディア Королевская гвардия
武器・防具	武器	アームズ arms	ヴァッフェ Waffe	アルム arme	アルマ arma	アルマ arma	アルマ arma	アルージイェ оружие
	防具	プロテクター protector	シュッツアオスリュストゥング Schutzausrüstung	プロテクシオン protection	インドゥメント・プロテッティーヴォ indumento protettivo	エキポ・プロテクトル equipo protector	プロテクサオン proteção	ザシータ защита
	剣	ソード sword	シュヴェーアト Schwert	エピ épée	スパーダ spada	エスパダ espada	イスパーダ espada	ミェーチ меч
	短剣	ダガー dagger	ドルヒ Dolch	ダァギュ dague	プニャーレ pugnale	ダガ daga	プニャウ punhal	キンジャール кинжал

ノルウェー語	ラテン語	ギリシャ語	アラビア語	ヘブライ語	中国語	韓国語	エスペラント語
オルドレ ordre	アンガルス angarus	アゲリアフォロス αγγελιαφόρος	ラスール رسول	シャリアッハ שליח	チュアンリン 传令	チョンニョン 전령	センディート sendito
レイエソール ダット leiesoldat	メルツェンア リオールマ mercennariorum	ミストフォロス μισθοφόρος	ムルタズィク مرتزق	ハヤル・サヒル חייל שכיר	グーヨンビン 雇佣兵	ヨンビョン 용병	ソルドゥーロ Soldulo
ゲネラール general	イムペラートル imperator	ストラテーゴス στρατηγος	シュゴウニ شوغون	シュネギネン שוגון	ジャンジュン 将军	チャングン 장군	ジェネラーロ Generalo
アドミラール admiral	アドミラーリ admirali	ナヴアルコス ναύαρχος	アミーラール أميرال	アドミラル אדמירל	ハイジンシャンジァン 海军上将	チェドク 제독	アドミラーロ admiralo
カプテイン kaptein	セントゥーリオン centurion	カペタイオス καπετάνιος	ナクイブ نقيب	セレン סרן	ドゥイジャン 队长	テジャン 대장	カピターノ kapitano
オフィセール offiser	エヌクマ eunuchum	ロカーゴス λοχαγος	ダービット ضابط	カツィン קצין	ジュングワン 军官	チャンギョ 장교	オフィツィーロ oficiro
ヴォーペン våpen	インシーニュ insigne	エンヴリマ εμβλημα	メアテフメナ・アルアスリハ معطف من الأسلحة	セメル סמל	フイジャン 徽章	ムンジャン 문장	ブラゾーノ blazono
アマゾネール amasoner	アマゾーナス Amazones	アマゾネス αμαζόνες	— —	— —	ニーチャンシー 女战士	アマジョネス 아마조네스	アマゾーネス amazones
リヴヴァクト livvakt	プラエトリアニ praetoriani	ティソリギアース τσολιάς	アルハリス الحارس	ロフェル לופר	ジンジュン 禁軍	クノビョン 근위병	ガルディーオ gvardio
ヴォーペン våpen	テルマ telum	オプロ όπλο	スィラーフ سلاح	ネシェク נשק	ウーチー 武器	ムギ 무기	アルミーロ armilo
ベシュュトレス beskyttelse	アルマートゥーラ armatura	パノプリア πανοπλια	ワギア واقية	マゲン מגן	フージュウ 护具	パンオグ 방어구	プロテクタント protektanto
スヴェルド sverd	グラディウス gladius	クシポス ξίφος	サイフ سيف	ヘレヴ חרב	ジエン 剑	コム 검	グラーヴォ glavo
ドルク dolk	シーカ sica	マヒェリ μαχαιρι	ハンジャル خنجر	ピギヨン פגיון	ビーショウ 匕首	タングム 단검	ポナールド ponardo

武器・防具

	英語	ドイツ語	フランス語	イタリア語	スペイン語	ポルトガル語	ロシア語
刃	ブレイド blade	クリンゲ Klinge	ラム lame	ラーマ lama	フィロ filo	ラミナ lâmina	クリノーク клинок
槍	スピア spear	ランツェ Lanze	ランス lance	ランチャ lancia	ランサ lanza	ランサ lança	カピヨー копьё
投げ槍	ジャヴェリン javelin	シュペーア Speer	ピック pique	ジャヴェッロット giavellotto	ハバリーナ jabalina	ダールド dardo	ドゥロイツェク дротик
斧	アックス ax	アクスト Axt	アッシュ hache	スクーレ scure	アチャ hacha	マシャド machado	タポール топор
棍棒	クラブ club	コイレ Keule	グルダン gourdin	クラーヴァ clava	ガロテ garrote	カセチ cacete	ドゥビーナ дубина
鎚	ハンマー hammer	ハンマー Hammer	マルトー marteau	マルテッロ martello	マルティリョ martillo	マルテロ martelo	マラトーク молоток
弓	ボウ bow	ボーゲン Bogen	アルク arc	アルコ arco	アルコ arco	アルコ arco	バンツ бант
矢	アロー arrow	プファイル Pfeil	フレッシュ flèche	フレッチャ freccia	フレチャ flecha	フレシャ flecha	ストリラー стрела
盾	シールド shield	シルト Schild	ブークリエ bouclier	スクード scudo	エスクド escudo	イスクードゥ escudo	シート щит
鎧	アーマー armor	パンツァー Panzer	アルミュール armure	アルマトゥーラ armatura	アルマドゥラ armadura	アルマドゥラ armadura	ドゥスピェフ доспех
兜	ヘルメット helmet	ヘルム Helm	キャスク casque	エルモ elmo	カスコ casco	カパセチ capacete	シリェーム шлем
弾丸	ブリット bullet	ゲショス Geschoss	バル balle	プロイエッティレ proiettile	バラ bala	バラ bala	プーリャ пуля
銃	ガン gun	ピストーレ Pistole	フュジ fusil	ピストーラ pistola	フシール fusil	ピストーラ pistola	ピスタリェート пистолет

ノルウェー語	ラテン語	ギリシャ語	アラビア語	ヘブライ語	中国語	韓国語	エスペラント語
ブラッド blad	ラーミナ lamina	クスィフォス ξιφος	シフラ شفرة	レヘーヴ להב	ダオレン 刀刃	カルナル 칼날	クリンゴ klingo
スュード spyd	ランケア lancea	ドリ δόρυ	ハルバ حربة	ヘニット חנית	チャンチァン 长枪	チャン 창	ランツォ lanco
カステスュード kastespyd	グリス curis	アコンティオ ακόντιο	ラミ・アルームフ رمي الرمح	キドン כידון	チアン 枪	トゥチャン 투창	ランツォ lanco
ウクス øks	シキューリ securis	ツェクリ τσεκούρι	ファアス فأس	ガルゼン גרזן	フゥ 斧	トッキ 도끼	ハキロ hakilo
ストック stokk	クラーワ clava	ロパロ ροπαλο	ヒラーワ هراوة	ムアドゥーン מועדון	グンバン 棍棒	コンボン 곤봉	バストネーゴ bastonego
ハンマー hammer	マルクス marcus	スフィリ σφυρί	ムトリカ مطرقة	パティッシュ פטיש	チュイ 锤	マンチ 망치	マルテーロ martelo
ブー bue	アルクス arcus	トクソ τόξο	カウス قوس	ケシェット קשת	ゴン 弓	ファル 활	パファールコ pafarko
ピル pil	サギッタ sagitta	ヴェロス βέλος	サフム سهم	ヘツ חץ	ジエン 箭	ファル 화살	サーゴ sago
スュヨール skjold	スクゥトゥマ scutum	アスピス ασπίς	ディルア درع	マゲン מגן	ドゥン 盾	パンペ 방패	シールド ŝildo
ルストニング rustning	アルマートゥーラ armatura	パノピリア πανοπλία	ディルア درع	シリヨン שריון	クイジア 盔甲	カパッチョ 갑옷	キラーソ kiraso
ヒエルム hjelm	ガレア galea	クラノス κράνος	フーザ خوذة	カスダー קסדה	クイ 盔	トゥグ 투구	カスコ kasko
クレ kule	グロブス globus	ボリヴァス βολίδας	ラサーサ رصاصة	カドゥール כדור	チアンダン 枪弹	タンファン 탄환	クーグォ kuglo
ピストール pistol	ピストーラ pistola	ピストリィ πιστόλι	ブンドゥクイヤ بندقية	アケデー אקדח	チアン 枪	チョン 총	フシーロ fusilo

武器・防具

	英語	ドイツ語	フランス語	イタリア語	スペイン語	ポルトガル語	ロシア語
ミサイル	ミサイル missile	ラケーテ Rakete	ミシル missile	ミッシーレ missile	ミーシル mísil	ミッシィオ míssil	ラキェータ ракета
杖	ワンド wand	ツァウバーシュタブ Zauberstab	バゲット baguette	バストーネ bastone	バリタ varita	クァナ cana	トゥロースト трость
手榴弾	グレネード grenade	グラナーテ Granate	グルナード grenade	グラナータ granata	グラナーダ granada	グラナダ granada	グラヌァータ граната
扇	ファン fan	ルフター Lüfter	ファンヌ fan	ヴェンターリォ ventaglio	アバニコ abanico	ヴェンティラドゥ ventilador	ヴィーエル веер
装甲	アーマード armored	アゥモリング Armoring	ブランド blindé	アルマトゥーラ armatura	アルマドゥラ armadura	アルマドゥーラ armadura	ブローニィエ броня
爆弾	ボム bomb	ボンベー Bombe	ボンブ bombe	ボンバ bomba	ボンバ bomba	ボンバ bomba	ボムバ бомба
鞭	ウィップ whip	パイトシェ Peitsche	フウェ fouet	フルースタ frusta	フエテ fuete	クォーチ chicote	クヌゥート кнут

ノルウェー語	ラテン語	ギリシャ語	アラビア語	ヘブライ語	中国語	韓国語	エスペラント語
ミッスィール missil	**テルマ** telum	**ピラブロス** πύραυλος	**サルウフ** صاروخ	**ティイエル** טיל	**ダオダン** 导弹	**ミサイル** 미사일	**ミシーロ** misilo
スタヴ stav	**バークルマ** baculum	**カラモス** καλάμους	**アスレヤ** عصاية	**メクル・ヘリケー** מקל הליכה	**グワイチャン** 拐杖	**チパンイ** 지팡이	**バストーノ** bastono
ホーングラナット håndgranat	**グラナータ** granata	**スィロボンヴィダ** χειροβομβίδα	**コンバラヤドゥウィヤ** قنبلة يدوية	**リモン** רמון	**ショウリゥダン** 手榴弹	**スリュタン** 수류탄	**グラナートン** granaton
ヴィフテ vifte	**ヴァーヌス** vannus	**アネミスティラス** ανεμιστήρας	**メルワハ** مروحة	**オード** אוהד	**シャンズ** 扇子	**プッチェ** 부채	**ヴェンツミーロ** ventumilo
パンスリング pansring	**アルマートゥス** armatus	**パノプリア** πανοπλία	**ダロア** درع	**シュリヴン** שריון	**ジュァンジア** 装甲	**チャンガプ** 장갑	**キラーソ** kiraso
ボンベ bombe	**ボゥムブス** bombus	**ヴォンヴァ** βόμβα	**クンベラ** قنبلة	**フェッツェー** פצצה	**チャアダン** 炸弹	**ポクタン** 폭탄	**ボンボ** bombo
ピスク pisk	**フラジェールゥマ** flagellum	**マスティーギオ** μαστίγιο	**ソウト** سوط	**シュット** שוט	**ビエンズ** 鞭子	**チェチク** 채찍	**ヴィーポ** vipo

道具全般

	英語	ドイツ語	フランス語	イタリア語	スペイン語	ポルトガル語	ロシア語
道具	ツール tool	ヴェルクツォイク Werkzeug	ウティ outil	ストゥルメーント strumento	ウテンシーリオ utensilio	フェハミィエンタ ferramenta	インストルミェーント инструмент
手帳	ノートブック notebook	ノティツブッホ Notizbuch	カルネ carnet	クアデールノ quaderno	クワデールノ cuaderno	カデルノ caderno	チトラーチ тетрадь
竪琴	ハープ harp	ハーフ Harfe	アーフプ harpe	アルパ arpa	アルパ arpa	アルパ harpa	アールファ арфа
楽器	インストゥルメント instrument	インストゥルメント Instrument	アンストリモ instrument	ストゥルメーント strumento	インストゥルメント instrumento	インストゥルミィエント instrumento	インストゥルミェント инструмент
ドラム	ドラム drum	トロメル Trommel	タンブゥア tambour	タンブーロ tamburo	タンボール tambor	タンブゥア tambor	ブァラバン барабан
ギター	ギター guitar	ギターラ Gitarre	ギィター guitare	キターラ chitarra	ギターラ guitara	ギターハ guitarra	ギターラ гитара
笛	ホイッスル whistle	プファイファ pfeife	フリュット flûte	フィスィケット fischietto	ピト pito	アッソビァ assobiar	スヴィストゥク свисток
カード	カード card	カーテ Karte	カルト carte	スケーダ scheda	タルヘタ tarjeta	カルタオゥ cartão	クァールタ карта
薬	メディシン medicine	アルツナイ Arznei	メディカモン médicament	メディチーナ medicina	メディシナ medicina	ドローガ droga	リカールストヴォ лекарство
毒	ポイズン poison	ギフト Gift	プワゾン poison	ヴェレーノ veleno	ベネノ veneno	ベネノ veneno	ヤート яд
栞	ブックマーク bookmark	リーズツァイヒェン Lesezeichen	マルクパージュ marque-page	セーニェリーブロ segnalibro	マルカパヒナス marcapáginas	マルカドール marcador	ザクラートゥカ закладка
ロボット	ロボット robot	ローボター Roboter	ロゥブ Robot	ローボット robot	ロボート robot	ロボ robô	ローボゥト робот
人形	ドール doll	プッペ Puppe	プーピ poupée	バンボラ bambola	ムニェーカ muñeca	ボニアカ boneca	クゥーカラ кукла

ノルウェー語	ラテン語	ギリシャ語	アラビア語	ヘブライ語	中国語	韓国語	エスペラント語
ヴェルクトイ verktøy	インストゥルーメントゥム instrumentum	エルガリオン εργαλείον	アラート أداة	ケリー כלי	ゴンジュウ 工具	トグ 도구	イーロ ilo
ノータトブック notatbok	コメンターリゥス commentarius	シミィオマタリオ σημειωματάριο	ムファケラ مفكرة	メヘベルット מחברת	ショウスゥ 手册	イルギジャン 일기장	カエーロ kajero
ハルペ harpe	チターラ cithara	アールパ άρπα	クイサール قيثار	ネブル נבל	シューチン 竖琴	スグム 수금	ハールポ harpo
インストルメント instrument	オゥルガヌマ organum	オルガノ όργανο	アラムスィキヤ آلة موسيقية	ムケシル מכשיר	ユエチー 乐器	アッキ 악기	インストルゥメント instrumento
トロメ tromme	ティンパーヌマ tympanum	ティンパノ τύμπανο	タバル طبل	トフェ תוף	グゥ 鼓	ドゥルム 드럼	タンブーロ tamburo
ギタル gitar	ギターラ guitarra	キサーラ κιθάρα	クィサーラ قيثارة	ギテレー גיטרה	ジィター 吉他	キタ 기타	ギターロ gitaro
フリューテ fløyte	ティービア tibia	スフィリマ σφύριγμα	フェルウェット فلوت	レシュルク לשרוק	ディーズ 笛子	ピリ 피리	ファイフィーロ fajfilo
コート kort	チャァルタ charta	カールタ κάρτα	ビタカ بطاقة	カルティーム כרטיס	カー 卡	カド 카드	カールト karto
メディシン medisin	メディカーメントゥム medicamentum	ファルマコン φάρμακον	ダワー دواء	テルフェー תרופה	ヤオ 药	ヤク 약	メディシーノ medicino
ギフト gift	ウェネーヌム venenum	ディリティリオ δηλητήριο	サンム سم	ラアル רעל	ドゥー 毒	トク 독	ベネーノ veneno
ボックメルケ bokmerke	シィニュウマ・レクショーニ signum lectionis	セリドディクティス σελιδοδείκτης	アルマルジャイヤ المرجعية	— —	シューチェン 书签	チェカルピ 책갈피	レゴォシーグオン legosignon
ロボット robot	ロボートゥム robotum	ロポット ρομπότ	エンサンアリー إنسان آلي	ロボト רובוט	ジーチーレン 机器人	ロボット 로봇	ロヴォート roboto
ドゥッケ dukke	プーパ pupa	コウキラ κούκλα	ドミヤ دمية	ブベー בובה	ワンオウ 玩偶	インヒョン 인형	プーポ pupo

道具全般

	英語	ドイツ語	フランス語	イタリア語	スペイン語	ポルトガル語	ロシア語
玩具	トイ toy	シュピルツォイグ Spielzeug	ジュウエ jouet	ジョカットロ giocattolo	フゲテ juguete	ブリンケード brinquedo	イグルーシュカ игрушка
地図	マップ map	カーテ Karte	カルト carte	マーッパ mappa	マパ mapa	マーパ mapa	カァールタ карта
板	プレート plate	プラーテ Platte	プランシュ planche	ピァーストラ piastra	プラーカ placa	プラァト prato	ドスカー доска
万華鏡	カレイドスコープ kaleidoscope	カライドスコーペ Kaleidoskope	カレイドスコープ kaléidoscope	カーレイドスコーピォ caleidoscopio	カレイドスコピオ caleidoscopio	カレイドスコーピオ caleidoscópio	カレイダァスコゥープ калейдоскоп
鍵	キー key	シュリュッセル Schlüssel	クレ clef	キアーヴェ chiave	ジャーベ llave	シャヴィ chave	クルゥーチ ключ
歯車	ギア gear	ゲトリーバ Getriebe	ルー roue	イングラナーッジョ ingranaggio	エングラナーへ engranaje	イングリナジェム engrenagem	ペレダァーチャ передача
糸	スレッド thread	ファーデン Faden	フィル fil	フィラート filato	イロ hilo	フィオ fio	ニートカ нитка
針	ニードル needle	ナーデル Nadel	エギーユ aiguille	アーゴ ago	アグッハ aguja	アグリァ agulha	イグラ игла
鐘	ベル bell	グロケ Glocke	クロッシュ cloche	カンパーナ campana	カンパニーリャ campanilla	シノ sino	クォールクァル колокол
釜	ケトル kettle	アイゼントプフ Eisentopf	シュードフォン chaudron	カルデローネ calderone	カルデロ caldero	シャリーラ chaleira	ジェレズニィ・ガルショーク Железный горшок
鍋	ポット pot	トプフ Topf	ポ pot	ペーントラ pentola	オーリャ olla	ポーチィ pote	ガルショーク горшок
フライパン	フライング・パン frying pan	プファネ Pfanne	ポワール poêle	パデーラ padella	サルテン sartén	フリジッディーラ frigideira	スカヴァラダー сковорода
旗	フラッグ flag	ファーネ Fahne	ドラポー drapeau	バンディエーラ bandiera	バンデラ bandera	バンディラ bandeira	フラーグ флаг

ノルウェー語	ラテン語	ギリシャ語	アラビア語	ヘブライ語	中国語	韓国語	エスペラント語
レクトイ leketøy	クレプーンディア crepundia	ペイクニディ παιχνίδι	ロバ لعبة	ツァツア צעצוע	ワンジィ 玩具	チャンナム 장난감	ルディーロ ludilo
カルト kart	タープラ tabula	カルティス χάρτης	ハリタ خريطة	マッペ מפה	ディートゥー 地图	チド 지도	マーポ mapo
ブレット brett	アークセド axedo	サニダ σανίδα	ロウハ لوحة	ツェレート צלחת	バンズ 板子	パン 판	プラート plato
カレイドスコプ kaleidoskop	カライドスコーピウマ calidoscopium	カレイドスコピオ καλειδοσκόπιο	メシェケール مشكال	カリドスクーペ קלידוסקופ	ワンファートン 万花筒	マンファギョン 만화경	カレイドスコーポ kalejdoskopo
ネッケル nøkkel	クラヴィ clavis	クリィス κλείς	メフターハ مفتاح	テフェテー מפתח	ヤォシ 钥匙	ヨルソ 열쇠	シュロシーロ ŝlosilo
タンニュール tannhjul	ロータ・デンタータ rota dentata	グラナァジィ γρανάζι	テラサ ترس	ツィウッド ציוד	シールイン 齿轮	トプニバキ 톱니바퀴	デンタージョ dentaĵo
トロード tråd	フィルマ filum	ニーマ νήμα	ハヤタ خيط	フット חוט	シエ 线	シル 실	ファデーノ fadeno
ノール nål	アクゥス acus	ヴェローナ βελόνα	エブラ إبرة	メヒット מחט	チェン 针	パニュル 바늘	ナードロ nadlo
クロッケ klokke	カンパーナ campana	クドゥニ κουδούνι	ジェラサ جرس	ファムン פעמון	チョン 钟	チョン 종	ソノリーロ sonorilo
ケーレ kjele	レベース lebes	シトラ χύτρα	ゲハレイヤ غلاية	クトクム קומקום	フゥ 釜	カマ 가마	カルドローノ kaldrono
グリュテ gryte	オッラ olla	カツァロラ κατσαρόλα	アスィス أصيص	シイエル סיר	グォ 锅	ネンビ 냄비	ヴォルポート bolpoto
ステーケパンネ stekepanne	サルターゴ sartago	ティガニ τηγάνι	メクレット مقلاة	メフヴェット מחבת	ピンディグォ 平底锅	プライパン 프라이팬	パート pato
フラッグ flagg	ウィクスィルム vexillum	シメア σημαία	アラム علم	デゲル דגל	チー 旗	キッパル 깃발	フラーゴ flago

		英語	ドイツ語	フランス語	イタリア語	スペイン語	ポルトガル語	ロシア語
道具全般	案山子	スケアクロウ scarecrow	フォーゲルショイヒェ Vogelscheuche	エプヴァンタイユ épouvantail	スパヴェンタパッセリ spaventapasseri	エスパンタパッハロス espantapájaros	エスパンタリオ espantalho	プゥガーラ пугало
	紙	ペーパー paper	パピーア Papier	パピエ papier	カールタ carta	パペール papel	パペゥ papel	ブマーガ бумага
衣類・装飾品	衣類	クローズ clothes	クライドゥンク Kleidung	ヴェトマン vêtements	ヴェスティート vestito	ロパ ropa	ロウパ roupa	アヂェージダ одежда
	上着	ジャケット jacket	ヤッケ Jacke	ヴェストン veston	ジャッカ giacca	チャケタ chaqueta	ジャキィエタ jaqueta	クールトカ куртка
	外套	オーバーコート overcoat	マンテル Mantel	パルドゥシュ pardessus	カッポット cappotto	アブリーゴ abrigo	カズァーコ casaco	パリトー пальто
	ズボン	パンツ pants	ホーゼ Hose	パンタロン pantalon	パンタローニ pantaloni	パンタロン pantalón	カゥサス calças	ブリューキ брюки
	ドレス	ドレス dress	クライト Kleid	ローブ robe	アービト abito	ベスティード vestido	ヴェスチード vestido	プラーチヤ платье
	香水	パフューム perfume	パルフューム Parfüm	パルファン parfum	プロフーモ profumo	ペルフメ perfume	ペルフーミ perfume	ドゥーヒ духи
	靴	シューズ shoes	シューエ Schuhe	ショシュワ chaussure	スカールペ scarpe	サパートス zapatos	サパートゥス sapatos	オーヴシュ обувь
	リボン	リボン ribbon	ファープバント Farbband	リュバン ruban	ナーストロ nastro	シンタ cinta	フィタ fita	リェンタ лента
	メガネ	グラッセーズ glasses	グラス Glas	リュネット lunettes	オキャーリ occhiali	ガファース gafas	オクロス óculos	アツェキィ очки
	帽子	ハット hat	フート Hut	シャポー chapeau	カッペーロ cappello	ソンブレーロ sombrero	チャペゥ chapéu	シリャーパ шляпа
	口紅	リップスティック lipstick	リッペンスティフト Lippenstift	ルージュ rouge	ロセット rossetto	ラピス・デ・ラビオス làpiz de labios	バトン batom	グゥーヴナィエ・ポマーダ губная помада

ノルウェー語	ラテン語	ギリシャ語	アラビア語	ヘブライ語	中国語	韓国語	エスペラント語
ストローマン stråmann	フォールミド formido	スキィアクトロ σκιάχτρο	アルフーザー・ハヤル・アルミタ الفزاعة خيال المآتة	デヘリル דחליל	ダオツァオレン 稻草人	ホスアビ 허수아비	ビルドティミギーロ birdotimigilo
パピール papir	チャールタ charta	ハルティ χαρτί	ウェラハ ورقة	アイエトゥン עיתון	ジィ 纸	チョンイ 종이	パペーロ papero
クレール klær	ウェスティス vestis	ヒマーティア ιματια	マラービス ملابس	ベガディーム בגדים	イーフ 衣服	ウィリュ 의류	ヴェスタージョ vestaĵo
ヤッケ jakke	ヤッカ jacca	サカキ σακάκι	ストゥラ سترة	ジャケット ז'קט	シャンイー 上衣	コット 겉옷	イラーコ jako
コーペ kåpe	ラケルナ lacerna	クレナ χλαινα	ミウタフ معطف	メイール מע'ל	ダーイー 大衣	ウェト 외투	マンテーロ mantelo
ブクセ bukse	ブーラカエ bracae	パンタロニ παντελόνι	バンタルーン بنطلون	ミクナサイム מכנסיים	クーズ 裤子	パジ 바지	パンタローノ pantalono
ショーレ kjole	ストラ stola	フスタニ φόυστανι	ファセッターニ فستان	レートリヴシュ להתלבש	ニューフー 女服	ドゥレス 드레스	ローボ robo
パルフューメ parfyme	エディズマ hedysma	オスメー οσμη	アトル عطر	ニフーフ ניחוח	シアンシュイ 香水	ヒャンス 향수	パルフーモ parfumo
スコ sko	カルゼウアズ calceus	パポウトシア παπούτσια	ハイダア حذاء	ナリイーム נעליים	シエ 鞋	シンバル 신발	シューオ ŝuo
スリュフェ sløyfe	ヴィッタ vitta	コルデッラ κορδέλλα	シェリート شريط	セルト סרט	スータイ 丝带	リボン 리본	ルバンド rubando
ブリレ briller	ヴィートラ・オクラーリア vitra ocularia	ギャリア γυαλιά	マゼラット نظارات	ヘメシュケフィム המשקפים	イエンジン 眼镜	アンギョン 안경	オクルヴィートロイ okulvitroj
ハット hatt	ガレールス galerus	カペロ καπέλο	クバア قبعة	コヴァ כובע	マオズ 帽子	モジャ 모자	チャペーロ ĉapelo
レッペスティフト leppestift	プルプリースーマ purpurissum	クラギヨン κραγιόν	アハマル・シャフェーフ أحمر الشفاه	シェフェトゥン שפתון	コウホン 口红	リプスティク 립스틱	リプルーゴ lipruĝo

幻想 戦闘 道具 時空 形質 社会 人間 自然

		英語	ドイツ語	フランス語	イタリア語	スペイン語	ポルトガル語	ロシア語
衣類・装飾品	化粧品	コスメティックス cosmetics	コスメーティク Kosmetik	プロデュイ・ド・ボーテ produits de beauté	コズメーティコ cosmetico	コスメティコス cosméticos	コズメティコス cosméticos	コスミィエーティカ косметика
	王冠	クラウン crown	クローネ Krone	クロヌ couronne	コローナ corona	コロナ corona	コルゥア coroa	カローナ корона
	ティアラ	ティアラ tiara	ディアデーム Diadem	ディヤデム diadème	ティアーラ tiara	ティアラ tiara	ティアラ tiara	ディアデーマ диадема
	イヤリング	イヤリング earring	オーアリング Ohrring	ブックル・ドレイユ boucle d'oreille	オレッキーノ orecchino	アロ aro	ブリンコ brinco	シェーリギ серьги
	ネックレス	ネックレス necklace	ハルスケッテ Halskette	コリエ collier	コッラーナ collana	コリャル collar	コラル colar	アジリェーリイェ ожерелье
	ブレスレット	ブレスレット bracelet	アルムバント Armband	ブラスレ bracelet	ブラッチャーレ bracciale	ブラサレテ brazalete	ブラセリェチ bracelete	ブラスリェート браслет
	指輪	リング ring	リング Ring	アノー anneau	アネッロ anello	アニリョ anillo	アネゥ anel	カリツォー кольцо
	ペンダント	ペンダント pendant	アンヘンガー Anhänger	パンダンティフ pendentif	チョンドロ ciondolo	ペンディエンテ pendiente	ピンシィエンチ pingente	クローン кулон
	ブローチ	ブローチ brooch	ブロッシェ Brosche	ブロッシュ broche	スピッラ spilla	ブロチェ broche	ブロシェ broche	ブローシ брошь
	仮面	マスク mask	マスケ Maske	マスク masque	マスケラ maschera	マスカラ máscara	マースカラ máscara	マースカ маска
家具	家具	ファニチャー furniture	メーベル Möbel	ムーブル meuble	モービリア mobilia	ムエーブレス muebles	モビーリアーリョ mobiliário	ミェービリ мебель
	椅子	チェア chair	シュトゥール Stuhl	シェーズ chaise	セーディア sedia	シーリャ silla	カデイラ cadeira	ストゥール стул
	テーブル	テーブル table	ティッシュ Tisch	ターブル table	ターヴォロ tavolo	メーサ mesa	メーザ mesa	ストール стол

ノルウェー語	ラテン語	ギリシャ語	アラビア語	ヘブライ語	中国語	韓国語	エスペラント語
スミンケ sminke	オッフーチャ offucia	カリィニカ καλλυντικά	タジミリ تجميلي	コスメティケー קוסמטיקה	ファジョンピン 化妆品	ファジャンピョム 화장품	コスメティカーノ kosmetikaĵo
クロネ krone	コローナ corona	ステファノス στέφανος	タージュ تاج	ケテル כתר	ワングワン 王冠	ワングァン 왕관	クローノ krono
ティアラ tiara	ティアーラ tiara	ティアラ τιαρα	タージュ تاج	ネゼル נזר	ミエンチュワンタオシー 冕状头饰	ティアラ 티아라	ティアーロ tiaro
ウレーリング ørering	イノーレム inaurem	エリクテール ελικτηρ	クルタ قرط	アギール עגיל	アルフワン 耳环	イオリン 이어링	オレルリンゴ orelringo
ハルスキェーデ halskjede	モニレ monile	オルモス ορμος	クィレダ قلادة	シャルシャルト שרשרת	シアンリエン 项链	モッコリ 목걸이	コリエーロ koliero
アルムボーン armbånd	ブラッキアーレ bracchiate	プセリア ψελια	スィワール سوار	ツティード צמיד	ショウジュオ 手镯	パルッチ 팔찌	ブラツェレート braceleto
リング ring	アヌルス anulus	ダクテュリオス δακτύλιος	ハータム حلقة	タヴァアット טבעת	シエジー 戒指	パンジ 반지	リンゴ ringo
アネング anheng	スタガラミウム stalagmium	クレマシディ κρεμασιδι	キラーダ قلادة	タルヨン תליון	チュイシー 垂饰	ペンデント 펜던트	ペンダージョ pendaĵo
ブロシェ brosje	フィーブラ fibula	ポルペー πορπη	ビリウシュ بروش	メクヴェネー מכבנה	シオンジェン 胸针	ブロチ 브로치	ブローチョ broĉo
マスケ maske	ペルソーナ persona	マスカ μάσκα	キナーウ قناع	マセカー מסכה	ジアミエンジー 假面具	カミョン 가면	マスコ masko
ミューブレ møbler	スペッレクス supellex	エピプラ έπιπλα	アサース أثاث	ラヒティーム רהיטים	ジアンジュウ 家具	カグ 가구	メーブロ meblo
ストール stol	セルラ sella	カレクラ καρέκλα	クルスィー كرسي	クセ כסא	イーズ 椅子	ウィジャ 의자	セージョ seĝo
ブール bord	メンサ mensa	トラペイジ τραπέζι	ジャドワラ طاولة	シュルハン שולחן	チュオズ 桌子	テイブル 테이블	ターブロ tablo

		英語	ドイツ語	フランス語	イタリア語	スペイン語	ポルトガル語	ロシア語
家具	机	デスク desk	シュライブティッシュ Schreibtisch	ビューロー bureau	スクリヴァニーア scrivania	エスクリトーリオ escritorio	エスクリヴァニィア escrivaninha	パールタ парта
	鏡	ミラー mirror	シュピーゲル Spiegel	ミロワール miroir	スペッキョ specchio	エスペホ espejo	エスペリョ espelho	ジェールカロ зеркало
	窓	ウィンドウ window	フェンスター Fenster	フネートル fenêtre	フィネーストラ finestra	ベンターナ ventana	ジャニィア janela	アクノー окно
	円卓	ラウンド・テーブル round table	ルンダー・ティッシュ runder Tisch	ターブル・ロンド table ronde	ターヴォラ・ロトーンダ tavola rotonda	メッサ・レドンダ mesa redonda	メーザ・レドンダ mesa redonda	クルゥーグリィ・ストゥル круглый стол
乗り物	船舶	シップ ship	シッフ Schiff	バトー bateau	ナーヴェ nave	バルコ barco	ナヴィオ navio	スードナ судно
	帆船	セイリング・シップ sailing ship	ゼーゲルシッフ Segelschiff	ヴォワリエ voilier	ヴェリエーロ veliero	ベレーロ velero	ヴェレイロ veleiro	パールスニィエ・スードナ парусное судно
	飛行機	エアプレーン airplane	フルークツォイク Flugzeug	アヴィオン avion	アエーレオ aereo	アビオン avión	アヴィオン avião	サマリョート самолет
	車	カー car	アウト Auto	ヴォワテュール voiture	アーウト auto	コーチェ coche	カッホ carro	アフトマビル автомобиль
	鉄道	レイルウェイ railway	アイゼンバーン Eisenbahn	シュマン・ド・フェール chemin de fer	フェロヴィーア ferrovia	フェロカリ ferrocarril	フェッフォヴィーア ferrovia	ゼレーズニヤ・ドローガ железная дорога
	列車	トレイン train	ツク Zug	トラン train	トレーノ treno	トレン tren	トリィン trem	ポーイスト поезд
	自転車	バイシクル bicycle	ファーラッド Fahrrad	ヴェロ vélo	ビチクレッタ bicicletta	ビシクレータ bicicleta	シィクレーテァ bicicleta	ヴェラシーピィエド велосипед
食料・飲料	香辛料	スパイス spice	ゲヴュルツ Gewürz	エピス épice	スペツィエ spezie	エスペーシア especia	コンディメント condimento	スピェーツィエ специи
	米	ライス rice	ライス Reis	リ riz	リーゾ riso	アロース arroz	アホァース arroz	リース рис

ノルウェー語	ラテン語	ギリシャ語	アラビア語	ヘブライ語	中国語	韓国語	エスペラント語
スクリーヴェブール skrivebord	メンサ mensa	グラフィオン γραφείον	マクタブ مكتب	シュルハン שולחן	シエツータイ 写字台	チェクサン 책상	スクリブターブロ skribtablo
スペイル speil	スペクルム speculum	カトプトロ κατοπτρο	ミルア مرآة	レイ ראי	チンズ 镜子	コウル 거울	スペグューロ spegulo
ヴィンドゥ vindu	フェネーストラ fenestra	パラスィロ παράθυρο	ナフィザ نافذة	ヒルン חלון	チュアンフ 窗户	チャンムン 창문	フェネーストロ fenestro
ルンネボール runde bord	メンサ・ロトゥンダ mensa rotunda	ストロンギリ・トラペザ στρογγυλή τράπεζα	タウィル・マスタディーラ طاولة مستديرة	シュレヘン・アグル שולחן עגול	イエンズオ 圆桌	ウォンタク 원탁	ロンダ・ターブロ ronda Tablo
スキップ skip	ナヴィ navis	ナウス ναυς	サフィーナ سفينة	スフィニ ספינה	チュアンボー 船舶	ソンバク 선박	シーポ ŝipo
セイルボート seilbåt	ナヴィガーンテス・ナヴィ navigantes navis	イスティフォロ ιστιοφόρο	クワラブ・アラブハール قارب الإبحار	スフィニット・テフィレシュ ספינת מפרש	ファンチュアン 帆船	トッペ 돛배	ヴェルシーポ velŝipo
フリュー fly	アエロプラヌム aeroplanum	アエロプラノ αεροπλάνο	ターイラ طائرة	マトス מטוס	フェイジー 飞机	ビヘンギ 비행기	アヴァアディーロ aviadilo
ビール bil	クッルス currus	アマクサ αμαξα	サイヤーラ سيارة	メコニット מכונית	チーチャー 汽车	チャドンチャ 자동차	アウト aŭto
イエルンバネ jernbane	マキーナ・ヴェークトリックス machina vectrix	シディロドロモス σιδηρόδρομος	スィッカ・ハディディヤ سكة حديدية	レコヴット רכבת	ティエダオ 铁道	チョルド 철도	フェルヴォイオ fervojo
トゥーグ tog	アマクソォスティチュウス hamaxostichus	トレーノ τρένο	クィタール قطار	レコヴット רכבת	リエチュー 列车	キチャ 기차	トカイノ trajno
スィッケル sykkel	ビロータ birota	ポディラト ποδήλατο	デラジャ دراجة	オフェニム אופנים	ズウシンチュー 自行车	チャジョンゴ 자전거	ヴィシークロ biciklo
クリッダー krydder	コンディーメントゥム condimentum	アルテューマ αρτυμα	ターバル تابل	タヴリン תבלין	シャンリャオ 香料	ヒャンシンリョ 향신료	スピーツォ spico
リース ris	オリュザ oryza	オリュゾン ορυζον	ウルッズ الأرز	オレズ אורז	ダーミー 大米	サル 쌀	リーゾ rizo

食料・飲料

	英語	ドイツ語	フランス語	イタリア語	スペイン語	ポルトガル語	ロシア語
牛肉	ビーフ beef	リントフライシュ Rindfleisch	ブフ boeuf	マンゾ manzo	カルネ・デ・バカ carne de vaca	ビーフィ Bife	ガヴヤーヂナ говядина
豚肉	ポーク pork	シュバイネフライシュ Schweinefleisch	ポール porc	マイアーレ maiale	セルド cerdo	ポァルコ porco	スヴィニーナ свинина
羊肉	マトン mutton	ハメルフライシュ Hammelfleisch	ムトン mouton	モントーネ montone	コルデーロ cordero	カルネイロ carnéiro	バラーニナ баранина
ハム	ハム ham	シンケン Schinken	ジャンボン jambon	プロシュート prosciutto	ハモーン jamón	プレズント presunto	ヴィッチナー ветчина
チーズ	チーズ cheese	ケーゼ Käse	フロマージュ fromage	フォルマッジョ formaggio	ケッソ queso	ケージョ queijo	スィール сыр
バター	バター butter	ブッター Butter	ブゥール beurre	ブッロ burro	マンテキーリャ mantequilla	マンティガ manteiga	スリボツニヤ・マースラ сливочное масло
牛乳	ミルク milk	ミルヒ Milch	レ lait	ラッテ latte	レーチェ leche	レイチィ leite	マラコー молоко
ケーキ	ケーキ cake	クーヘン Kuchen	ガトー gâteau	トルタ torta	パステール pastel	ボーロ bolo	トールト торт
コーヒー	カフィー coffee	カフェー Kaffee	カフィ café	カッフェ caffè	カフェー café	カフェ café	コーフィヤ кофе
ビール	ビアー beer	ビーア Bier	ビエール bière	ビッラ birra	セルベッサ cerveza	セルベージャ cerveja	ピーヴァ пиво
ワイン	ワイン wine	ヴァイン Wein	ヴァン vin	ヴィーノ vino	ビーノ vino	ヴィンオ vinho	ヴィノ вино
油	オイル oil	エール Öl	ユイル huile	オーリオ olio	アセーイテ aceite	オーリオ óleo	マースラ масло
チョコレート	チョコレート chocolate	ショコラーデ Schokolade	ショコラ chocolat	チョッコラータ cioccolata	チョコラーテ chocolate	ショコラーチィ chocolate	シャカラート шоколад

ノルウェー語	ラテン語	ギリシャ語	アラビア語	ヘブライ語	中国語	韓国語	エスペラント語
ストールフェキェット storfekjøtt	カロー・ブーブラ caro bubula	ボィア βοεια	バカル بقر	バカル בקר	ニウロウ 牛肉	ソゴギ 소고기	ボヴァージョ bovaĵo
スヴィネキェット svinekjøtt	スイーラ suilla	クレアー・コイレイア κρεα χοιρεια	ラヘッマ・ヒンズィール لحم الخنزير	バサル・ハズィール בשר חזיר	ジューロウ 猪肉	テジゴギ 돼지고기	ポルカージョ porkaĵo
ランメキェット lammekjøtt	オヴィーナ ovina	クレアー・アルネイア κρεα αρνεια	ラヘッマ・ダアン لحم الضأن	ケヴェス כבש	ヤンロウ 羊肉	ヤンゴギ 양고기	サファージョ ŝafaĵo
スキンケ skinke	ペルナ perna	コーレー κωλη	ラヘッマ・ヒンズィール لحم الخنزير	バサル・ハズィール בשר חזיר	フオトゥイ 火腿	ハム 햄	シーンコ ŝinko
オスト ost	カーセウス caseus	テューロス τυρος	ジュブン جبن	グビナー גבינה	ニウラオ 乳酪	チージュ 치즈	フロマージョ fromaĝo
スモール smør	ブーテュールム butyrum	ブーテューロン βούτυρον	ズブダ زبدة	ヘムアー חמאה	ナイヨウ 奶油	ポタ 버터	ブテーロ butero
メルク melk	ラク lac	ガラ γάλα	ハリーブ حليب	ハラヴ חלב	ニウナイ 牛奶	ウユ 우유	ラークト lakto
カーケ kake	プラケンタ placenta	プラクース πλακους	カアク كعكة	ウガー עוגה	タンガオ 蛋糕	ケイク 케이크	クーコ kuko
カッフェ kaffe	コッフェウマ coffeum	カフェス καφές	コフア قهوة	ケフェー קפה	カーフェイ 咖啡	コピ 커피	カーフォ kafo
ウール øl	セルヴィージア cervisia	ヴィラ μπύρα	ビイラ بيرة	ビラー בירה	ピージォウ 啤酒	メクジュ 맥주	ヴィエーロ biero
ヴィン vin	ヴィヌマ vinum	クラシィ κρασί	ネビーズ نبيذ	イイエン יין	プータォジゥ 葡萄酒	ワイン 와인	ヴィーノ vino
オリェ olje	オリィウマ oleum	ペトレリィオ πετρέλαιο	ゼヤト زيت	シェメン שמן	ヨウ 油	キリョム 기름	オレーオ oleo
ショコラーデ sjokolade	カカオーティカ cacaotica	ショコラータ σοκολάτα	ショウォクウォレタ شوكولاتة	ショコラダ שוקולד	チァオクーリー 巧克力	チョコリト 초콜릿	チョコラード ĉokolado

食料・飲料

	英語	ドイツ語	フランス語	イタリア語	スペイン語	ポルトガル語	ロシア語
飴	キャンディ candy	ズユズヒカイテン Süßigkeiten	ボンボン bonbon	カラメーッラ caramella	ゴロシーナス golosinas	ドゥルセ doce	カンフィエータ конфета
ビスケット	ビスケット biscuit	ケイクス Keks	ビスキュイ biscuit	ビスコット biscotto	ガリェータス galletas	ビスコイット biscoito	ピチェーニヤ печенье
タバコ	シガレット cigarette	ジガリータ Tabak	シガレット cigarette	シガレーッタ sigaretta	シガリーリョ cigarrillo	シガーホ tabaco	シガリェータ сигарета
酒	リカー liquor	リーカー Likör	リコール Liquor	リクオーレ liquore	ベビダ・アルコーリカ bebida alcohólica	リコール licor	アルカグォール алкоголь
料理	クッキング cooking	コッホン Kochen	キュイジーヌ cuisine	コットゥーラ cottura	コシーナ cocina	クリナリャ culinária	クゥリナリヤ кулинария

ノルウェー語	ラテン語	ギリシャ語	アラビア語	ヘブライ語	中国語	韓国語	エスペラント語
ドロプス drops	ベッラーリア bellaria	カラメーラ καραμέλα	ハルウィ حلوى	ソコリネット סוכריות	イー 饴	サタン 사탕	ボンボーノィ bombonoj
シェクス kjeks	ビスコーク トゥス biscoctus	ビスコート μπισκότο	バスクウィット بسكويت	アウギイェー עוגייה	ビンガン 饼干	ピスキト 비스킷	ビスクヴィート biskvito
トバック tobakk	シガレーッテ tabacum	カプノス καπνός	ティブフ تبغ	タバク טבק	シァンイェン 香烟	タンベ 담배	シガレード tabako
アルコホール alkohol	リークァル liquor	アルコォール αλκοόλ	コホル كحول	アルコホル אלכוהול	ジウ 酒	スル 술	アルコホラーロ alkoholaĵo
マット mat	コックエレ coquere	クジーネス κουζίνες	タベハ طبخ	ヴィシュル בישול	リアォリー 料理	ヨリ 요리	クリアールト kuirarto

数

数	英語	ドイツ語	フランス語	イタリア語	スペイン語	ポルトガル語	ロシア語
数	ナンバー number	ヌマー Nummer	ノンブル nombre	ヌメロ numero	ヌメロ número	ヌーミィロ número	チスロー число
0	ゼロ zero	ヌル null	ゼホ zéro	ゼーロ zero	セロ cero	ゼロ zero	ノーリ ноль
1	ワン one	アイン ein	アン une	ウーノ uno	ウノ uno	ウン um	アジィン один
2	ツー two	ツヴァイ zwei	ドュー deux	ドゥーエ due	ドス dos	ドイス dois	ドヴァー два
3	スリー three	ドライ drei	トロワ trois	トレ tre	トレス tres	トレイス três	トリー три
4	フォー four	フィーア vier	キャトル quatre	クワトロ quattro	クアトロ cuatro	クワトロ quatro	チトィーリヤ четыре
5	ファイブ five	フュンフ fünf	サンク cinq	チンクエ cinque	シンコ cinco	シィンコ cinco	ピャーチ пять
6	シックス six	ゼクス sechs	シス six	セーイ sei	セイス seis	セイス seis	シェースチ шесть
7	セブン seven	ズィーベン sieben	セット sept	セッテ sette	シエテ siete	セッチィ sete	シェーミ семь
8	エイト eight	アハト acht	ユイット huit	オット otto	オチョ ocho	オイト oito	ヴォーシミ восемь
9	ナイン nine	ノイン neun	ヌフ neuf	ノーヴェ nove	ヌエベ nueve	ノーフィ nove	デェーヴィチ девять
10	テン ten	ツェーン zehn	ディ dix	ディエーチ dieci	ディエス diez	デーイス dez	デェーシチ десять
100	ハンドレッド hundred	フンダート hundert	サン cent	チェント cento	シエン cien	セィン cem	ストー сто

ノルウェー語	ラテン語	ギリシャ語	アラビア語	ヘブライ語	中国語	韓国語	エスペラント語
タル tall	ヌメルス numerus	アリスモス αριθμός	アダド عدد	ミスパル מספר	シューツー 数字	ス 수	ノーンブロ nombro
ヌル null	ニヒル nihil	ミデン μηδέν	スィフル صفر	エフェス אפס	リン 零	イン 영	ヌル nul
エーン én	ウーヌム unum	エン έν	ワーヒドゥ واحد	アハット אחד	イー 一	イル 일	ウヌ unu
トゥー to	ドゥオ duo	デュオ δυο	イスナーニ اثنان	シュニム שנים	アル 二	イ 이	ドゥ du
トレ tre	トリア tria	トゥリア τρία	サラーサ ثلاثة	シャロッシュ שלוש	サン 三	サム 삼	トリ tri
フィーレ fire	クァトゥオル quattuor	テッセラ τέσσερα	アルバア أربعة	アルバ ארבע	スー 四	サ 사	クヴァル kvar
フェム fem	クィンクゥエ quinque	ペンデ πέντε	ハムサ خمسة	ハメッシュ חמיש	ウー 五	オ 오	クヴィン kvin
セクス seks	セックス sex	エクス έξ	スィッタ ستة	シェッシュ שש	リウ 六	ユク 육	セス ses
スィウ syv	セプテム septem	エプタ επτά	サブア سبعة	シェバ שבע	チー 七	チル 칠	セプ sep
オッテ åtte	オクトー octo	オクトー οκτώ	サマーニャ ثمانية	シュモネ שמונ	パー 八	パル 팔	オク ok
ニ ni	ノウェム novem	エネア εννέα	ティスア تسعة	テイシャ תשע	ジウ 九	ク 구	ナウ naŭ
ティ ti	デケム decem	デカ δέκα	アシャラ عشرة	エッセル עשר	シー 十	シブ 십	デク dek
フンドレ hundre	ケントゥム centum	ヘカトン εκατόν	ミア مائة	メアー מאה	バイ 百	ベク 백	ツェント cent

数

	英語	ドイツ語	フランス語	イタリア語	スペイン語	ポルトガル語	ロシア語
1000	サウザンド thousand	タウゼント tausend	ミル mille	ミッレ mille	ミル mil	ミウ mil	ティーシチャ тысяча
第一	ファースト first	エアスト erst	プルミエ première	プリモ primo	プリメロ primero	プリメイロ primeiro	ピェールヴィイ первый
第二	セカンド second	ツヴァイト zweit	スゴン second	セコンド secondo	セグンド segundo	セグンド segundo	フトーロイ второй
第三	サード third	ドリット dritt	トロワジエム troisième	テルツォ terzo	テルセロ tercero	テルセイロ terceiro	トリィーツィリ третий
第四	フォース fourth	フィーアト viert	キャトリエム quatrième	クアルト quarto	クアルト cuarto	クワルト quarto	チトヴョール トィイ четвертый
第五	フィフス fifth	フュンフト fünfte	サンキエム cinquième	クイント quinto	キント quinto	キント quinto	ピャートィイ пятый
第六	シックスス sixth	ゼクスト sechst	シジエム sixième	セスト sesto	セクスト sexto	セースト sexto	シストーイ шестой
第七	セブンス seventh	ズィープト siebt	セプチィエム septième	セッティモ settimo	セプティモ séptimo	セーチモ sétimo	シディモーイ седьмой
第八	エイス eighth	アハト acht	ユイッチエム huitième	オッターヴォ ottavo	オクタボ octavo	オイターヴォ oitavo	ヴァシモーイ восьмой
第九	ナインス ninth	ノイント neunt	ヌヴィエム neuvième	ノーノ nono	ノベノ noveno	ノーノ nono	ディビャー トィイ девятый
第十	テンス tenth	ツェーント zehnt	ディジエム dixième	デチモ decimo	デシモ décimo	デースィモ décimo	ディシャー トィイ десятый
二倍	ダブル double	ツヴァイファハ zweifach	ドゥブリ doubler	ドッピョ doppio	ドブレ doble	ドゥプロ duplo	ドゥヴァー ジュディ Дважды
三倍	トリプル triple	ドライファハ dreifach	トリプル triple	トリプロ triplo	トリプレ triple	トリプロ triplo	トゥライモーイ тройной

ノルウェー語	ラテン語	ギリシャ語	アラビア語	ヘブライ語	中国語	韓国語	エスペラント語
トゥーセン tusen	**ミッレ** mille	**キーリア** χίλια	**アルフ** ألف	**エレフ** אלף	**チエン** 千	**チョン** 천	**ミール** mil
フェルステ første	**プリームム** primum	**プロートン** πρώτον	**アルアッワル** الأول	**リション** ראשון	**ディーイー** 第一	**チェイル** 제일	**ウヌア** unua
アンドレ andre	**セクゥンド** secundo	**デフテロン** δεύτερον	**サーニー** ثان	**シェニ** שני	**ディーアル** 第二	**チェイ** 제이	**ドゥア** dua
トレヤ tredje	**テルティウム** tertium	**トリトン** τρίτον	**サーリス** ثالث	**シュリシ** שלישי	**ディーサン** 第三	**チェサム** 제삼	**トリア** tria
フィェルデ fjerde	**クァルトゥム** quartum	**テタルトン** τέταρτον	**ラービウ** رابع	**レピイ** רביעי	**ディースー** 第四	**チェサ** 제사	**クヴァーラ** kvara
フェムテ femte	**クィントゥム** quintum	**ペンプトン** πέμπτον	**ハーミス** خامس	**ハミシ** חמישי	**ディーウー** 第五	**チェオ** 제오	**クヴィーナ** kvina
シェッテ sjette	**セックストゥム** sextum	**エクトン** έκτον	**サーディス** سادس	**シシ** שישי	**ディーリウ** 第六	**チェユク** 제육	**セーサ** sesa
スィウェンデ syvende	**セプティムム** septimum	**エブドモンス** έβδομος	**サービウ** سابع	**シヴィイ** שביעי	**ディーチー** 第七	**チェチル** 제칠	**セーパ** sepa
オッテンデ åttende	**オクターウム** octavum	**オグドォン** όγδοον	**サーミヌ** ثامن	**シュミニ** שמיני	**ディーパー** 第八	**チェパル** 제팔	**オーカ** oka
ニエンデ niende	**ノーヌム** nonum	**エナトン** ένατον	**タースィウ** تاسع	**ティシイ** תשיעי	**ディージウ** 第九	**チェグ** 제구	**ナーワ** naŭa
ティエンデ tiende	**デキムム** decimum	**デカトン** δέκατον	**アルアーシル** العاشر	**アスィリ** עשירי	**ディーシー** 第十	**チェシプ** 제십	**デーカ** deka
ドベルト dobbelt	**ビス** bis	**ディス** δις	**ムラテイニ** مرتين	**ファミーム** פעמיים	**ジアベイ** 加倍	**イベ** 이배	**ドゥブリーギ** duobligi
トレドベルト tredobbelt	**テル** ter	**トゥリス** τρις	**サラースィ** ثلاثي	**シュロシャ・ファミーム** שלוש פעמים	**サンベイ** 三倍	**サンベ** 삼배	**トリオーブラ** triobla

		英語	ドイツ語	フランス語	イタリア語	スペイン語	ポルトガル語	ロシア語
数	大きい	ビッグ big	グロース groß	グラン grand	グランデ grande	グランデ grande	グランディ grande	バリショーイ большой
	小さい	スモール small	クライン klein	プティ petit	ピッコロ piccolo	ペケニョ pequeño	ピケノ pequeno	マーリニキイ маленький
	多い	メニー meny	フィール viel	ボクー beaucoup	モルト molto	ムチョ mucho	ムイト muito	ムノーガ много
	少ない	フュー few	ヴェーニヒ wenig	プ peu	ポーコ poco	ポコ poco	ポゥコ pouco	マーラ мало
	最大限	マキシマム maximum	マクスィムム Maximum	マキシマム maximum	マッシモ massimo	マクシモ máximo	マクシィモ máximo	マークシマム максимум
	最小限	ミニマム minimum	ミニムム Minimum	ミニマム minimum	ミニモ minimo	ミニモ mínimo	ミニモ mínimo	ミーニモム минимум
	無数	ミリアド myriad	ツァールロス zahllos	アンドゥノン ブラーブル indénombrable	ミリーアデ miriade	インヌメラブレ innumerable	イメンシダオ imensidão	ミリアーディ мириады
	無限大	インフィニティ infinity	ウンエントリヒ unendlich	アンフィニ infini	インフィニート infinito	インフィニト infinito	インフィニート infinito	ビスカニェー チナスチ бесконечность
時間全般	時間	タイム time	ツァイト Zeit	ウール heure	テンポ tempo	オラ hora	テーンポ tempo	ヴェリェー ミャ время
	現在	プレゼント present	イェッツト Jetzt	アクチュエル actuel	プレゼンテ presente	プレセンテ presente	プレゼンチ presente	テクーシェン текущий
	過去	パースト past	フェアガンゲ ンハイト Vergangenheit	パッセ passé	パッサート passato	パサド pasado	パッサード passado	プローシロイェ прошлое
	未来	フューチャー future	ツークンフト Zukunft	アヴニール avenir	フトゥーロ futuro	フトゥロ futuro	フトゥロ futuro	ブードゥシェイェ будущее
	いつも	オールウェイズ always	インマー immer	トゥージュール toujour	センプレ sempre	シエンプレ siempre	センプリィ sempre	スェグダー всегда

ノルウェー語	ラテン語	ギリシャ語	アラビア語	ヘブライ語	中国語	韓国語	エスペラント語
ストール stor	**マーグヌム** magnum	**メガ** μεγά	**カビール** كبير	**ガドール** גדול	**ダー** 大	**クダ** 크다	**グランダ** granda
リテン liten	**パルウム** parvum	**ミクロン** μικρόν	**サギール** صغير	**カタン** קטן	**シャオ** 小	**サダ** 작다	**マルグランダ** malgranda
マンゲ mange	**ムルティ** multis	**ポラ** πολλα	**カスィール** كثير	**ハルベ** רבים	**ドゥオ** 多	**マンタ** 많다	**ルーテ** multe
フォー få	**パウク** paucu	**リガ** λίγα	**カリール** قليل	**カテン** מעט	**シャオ** 少	**チョクタ** 적다	**マラルタ** malalta
マクシマルト maksimalt	**マークシムム** maximum	**メギストス** μεγιστος	**アクサー** أقصى	**マクスィシムム** מקסימום	**ツイダーシエンドゥ** 最大限度	**チェデハン** 최대한	**マキシムーマ** maksimuma
ミニマルト minimalt	**ミニムム** minimum	**エラヒストス** ελάχιστος	**アラハッド・アドナ** الحد الأدنى	**ミニムム** מינימום	**ツイディーシエンドゥ** 最低限度	**チェソハン** 최소한	**ミニムーマ** minimuma
ウタリーゲ utallige	**インヌメルム** innumerum	**アナリフミトス** αναριθμητος	**ラー・ユフサー** لا يحصى	**エンスフォール** אינספור	**ウーシュー** 无数	**ムス** 무수	**ミリアード** miriado
ウエンデリ uendelig	**インフィニタース** infinitas	**アペイロン** άπειρον	**レニハーヤ** لانهاية	**エン・ソフ** אין סוף	**ウーシエンダー** 无限大	**ムハンデ** 무한대	**マルフィニーオ** malfinio
ティ tid	**テンプス** tempus	**クロノス** χρόνος	**ワクト** وقت	**ズマン** זמן	**シージエン** 时间	**シカン** 시간	**ホーロ** horo
ノー nå	**プラセンティ** prasent	**ト・パロン** το παρον	**アハリー** حالي	**ヌケーヒ** נוכחי	**シエンザイ** 现在	**ヘジェ** 현재	**ヌーナ** nuna
フォールティード fortid	**プラエタリタ** praeterita	**ト・パレルトン** το παρελθόν	**アルマーディー** الماضي	**ハアブル** העבר	**グオチュー** 过去	**ココ** 과거	**エスンティンテープソ** estinteco
フレムティード fremtid	**ポステリタス** posteritas	**ト・メッロン** το μελλον	**ムスタクバル** مستقبل	**アティッディ** עתידי	**ウェイライ** 未来	**ミレ** 미래	**エストンテープソ** estonteco
アルティ alltid	**センペル** semper	**アエイ** αει	**ダイマ** دائما	**タミッド** תמיד	**ゾンシー** 总是	**ハンサン** 항상	**ティアム** ĉiam

		英語	ドイツ語	フランス語	イタリア語	スペイン語	ポルトガル語	ロシア語
時間全般	一瞬	モーメント moment	アオゲンブリック Augenblick	モマン moment	アッティモ attimo	モメント momento	モメント momento	モーミェント момент
	永遠	エターナル eternal	エーヴィヒカイト Ewigkeit	エテルネル éternel	エテルニタ eternita	エテルノ eterno	エテルノ eterno	ヴェーチニスト вечность
	原初	オリジン origin	ウーアシュプルング Ursprung	オリジンヌ origine	オリージネ origine	オリヘン origen	オリジン origem	プレスカスディーニヤ происхождение
	始まり	ビギニング beginning	アンファング Anfang	デビュ début	イニーツィオ inizio	コミエンソ comienzo	コメッサァ começar	ナーチャラ начало
	終わり	エンド end	エンデ Ende	ファン fin	フィーネ fine	フィナル final	フィナゥ final	カニェーツ конец
	最初	ファースト first	エーアスト erste	プルミエ première	プリモ primo	プリメロ primero	プリメィーロ primeiro	ピェールヴィイ первый
	最後	ラスト last	レッツト letzt	デルニエ dernier	ウルティモ ultimo	ウルティモ último	ウゥチモ último	パスリェーディニ последний
	時代	イーラ era	エーラ Ära	エール ère	エーポカ epoca	エラ era	エラ era	イッポウカ эпоха
	古代	エンシェント ancient	アルタートゥム Altertum	アンシャン ancien	アンティーコ antico	アンティグオ antiguo	アンチィゴ antigo	ドリェーヴニィエ древний
	現代	モダン modern	ゲーゲンヴァルト Gegenwart	モデルヌ moderne	モデルノ moderno	モデルニダー modernidad	モデールノ moderno	サヴリミェーンニイ современный
	新しい	ニュー new	ノイ neu	ヌーヴォー nouveau	ヌオーヴォ nuovo	ヌエボ nuevo	ノーヴォ novo	ノーヴィエァ новое
	古い	オールド old	アルト alt	ヴュー vieux	ヴェッキョ vecchio	ビエホ viejo	ヴェリオ velho	スターリイ старый
時間	季節	シーズン season	ヤーレスツァイト Jahreszeit	セゾン saison	スタジョーネ stagione	エスタシオン estación	イスタサオ estação	シゾーン сезон

ノルウェー語	ラテン語	ギリシャ語	アラビア語	ヘブライ語	中国語	韓国語	エスペラント語
エイエブリック øyeblikk	モーメントゥム momentum	スティグメー στιγμή	ラフザ لحظة	レガ רגע	シュンジエン 瞬间	イルスン 일순	テンペーロ tempero
エヴィヘート evighet	アエテルニタス aeternitas	エオニオティタ αιωνιοτητα	エルエヴァッド الأبد	ネツァッハ נצח	ヨンユエン 永远	ヨンウォン 영원	エテネーソ eterneco
ウール ur	オリーゴー origo	アルヒー αρχή	アスル أعلى	マコール מקור	ユエンシー 原始	ウォンチョ 원초	オリジナーラ originala
スタール start	プリンキピウム principium	アルヒー αρχή	ビダーヤ بداية	ハトハラー ראשון	カイドゥアン 开端	シジャキ 시작	コーメンツ komenci
スルット slutt	フィーニス finis	テロス τέλος	ニハーヤ نهاية	ソフ סוף	モー 末	クッ 끝	フィーノ fino
フェルスト først	プリームム primum	アルヒコ αρχικο	アッワル أول	リション ראשון	ツイチュー 最初	チョウム 처음	ウヌア unua
シスト sist	ポストレームム postremum	テリコ τελικο	アーハル اخر	アハロン סוף,אחרון	ツイホウ 最后	マジマク 마지막	ラーサ lasta
エポケ epoke	エラム heram	アイオーン αιων	アスル عصر	トゥクファ תקופה	シーダイ 时代	シデ 시대	エラオ erao
オールドティード oldtid	アンティークィタス antiquitas	アルヘオ αρχαίο	コディム قديم	アティック עתיק	クーダイ 古代	コデ 고대	アンティクヴァ antikva
モデルネ moderne	モデルヌム modernum	スィンフロノ σύγχρονο	アリヨーム اليوم	モデルニ מודרני	シエンダイ 现代	ヒョンデ 현대	ホディアウェ hodiaŭe
ニュー ny	ノウム novum	ネオス νέος	ジャディード جديد	ハダッシュ חדש	シン 新	セロウン 새로운	ノーバ nova
ガンメル gammel	アンティーク antiqu	パライオン παλαιον	カディーム قديم	ヤシャン ישן	グーラオ 古老	オレトウン 오래된	マローバ malnova
オールスティード årstid	テンプス tempus	ホーラー ωρα	マウスィム موسم	オナー עונה	ジージエ 季节	ケジョル 계절	セゾーノ sezono

時間

	英語	ドイツ語	フランス語	イタリア語	スペイン語	ポルトガル語	ロシア語
春	スプリング spring	フリューリンク Frühling	プランタン printemps	プリマヴェーラ primavera	プリマベラ primavera	プリマビィエラ primavera	ヴェスナー весна
夏	サマー summer	ゾンマー Sommer	エテ été	エスターテ estate	ベラノ verano	ヴィロン verão	リェータ лето
秋	オータム autumn	ヘルブスト Herbst	オートムヌ automne	アウトゥンノ autunno	オトニョ otoño	オートノ outono	オーシェン осень
冬	ウィンター winter	ヴィンター Winter	イヴェール hiver	インヴェルノ inverno	インビエルノ invierno	インビェルノ inverno	ジマー зима
暁	ドーン dawn	モルゲンロート Morgenrot	オーブ aube	アルバ alba	アマネセル amanecer	アマニェセル amanhecer	ラッスヴェート рассвет
日の出	サンライズ sunrise	ゾンネンナアウフカン Sonnenaufgang	ソレイユ・ルヴァン soleil levant	アルバ alba	サリダ・デル・ソル salida del sol	ナセル・ド・ソル nascer do sol	ヴァスホート восход
朝	モーニング morning	モルゲン Morgen	マタン matin	マティーノ mattino	マニャナ mañana	マニャ manhã	ウートラ утро
正午	ヌーン noon	ミッターク Mittag	ミディ midi	メッゾジョルノ mezzogiorno	メディオディア mediodía	メイヨディア meio-dia	ポールチェン полдень
昼間	デイタイム daytime	ターク Tag	ジュルネ journée	ジョルナータ giornata	ディア día	ヂア dia	ディーン день
午後	アフターヌーン afternoon	ナーハミッターク Nachmittag	アプレ・ミディ après-midi	ポメリッジョ pomeriggio	タルデ tarde	タールヂ tarde	パルードニヤ полудня
夕方	イヴニング evening	アーベント Abend	ソワレ soirée	セーラ sera	タルデ tarde	アノイテセル anoitecer	ヴェーチェル вечер
黄昏	トワイライト twilight	アーベマフォン Abenddämmerung	クレプスキュル crépuscule	クレプスコロ crepuscolo	クレプスクロ crepúsculo	ケレプスクロ crepúsculo	スーメルキヤ сумерки
宵	アーリー・イヴニング early evening	アーベント Abend	ソワレ soirée	セラータ serata	アノチェセール anochecer	ペヌンブラ penumbra	ラーンニイ・ヴェーチラム ранним вечером

ノルウェー語	ラテン語	ギリシャ語	アラビア語	ヘブライ語	中国語	韓国語	エスペラント語
ヴォール vår	ウェール ver	エアル εαρ	ラビーウ ربيع	アビーブ אביב	チュンティエン 春天	ポム 봄	プリテンポ printempo
ソンメル sommer	アエスタース aestas	セロス θερος	サイフ صيف	カイツ קיץ	シアティエン 夏天	ヨロム 여름	ソメーロ somero
ヘウスト høst	アウトゥムヌス autumnus	メトポーロン μετοπωρον	サハタ كهولة	スティーヴ סתיו	チウティエン 秋天	カウル 가을	アウトゥーノ Aŭtuno
ヴィンテル vinter	ヒエムス hiems	ケイモーン χειμών	シター شتاء	ホレフ חורף	トンティエン 冬天	ギュウル 겨울	ヴィーント vintro
ダグリ daggry	アウローラ aurora	アウギ αυγή	ファジュル فجر	シャハル שחר	ポーシャオ 破暁	セヨク 새벽	タギィゴ tagiĝo
ソロップガング soloppgang	ソーリス・オルトゥス soils ortus	アナトレー・リーリオ ανατολή ηλίου	シュルークッシャムス شروق الشمس	ズリハー זריחה	リーチュー 日出	イルチュル 일출	スンレビィゴ sunleviĝo
モルゲン morgen	マーネ mane	プロイ πρωί	サバーフ صباح	ボケル בוקר	ザオシャン 早上	アチム 아침	マテェノ mateno
ミッダーグ middag	メリーディエース meridies	メセンブリア μεσημβρια	ズフル ظهيرة	ツォホライム צהריים	チョンウー 中午	チョンオ 정오	タグメェゾ tagmezo
ダグティ dagtid	ディエース dies	メソン・エーマル μεσον ημαρ	ナハール نهار	ヨム יום	バイティエン 白天	ナッ 낮	ドゥンターゲ dumtage
エテルミッダーグ ettermiddag	メルディアーヌス meridianus	デイレー δειλη	バアダッズフル بعد الظهر	アハル・ツォホライム אחר צהריים	シアウー 下午	オフ 오후	ポスタメーゼ posttagmeze
クヴェル kveld	ウェスペル vesper	ヴラズィ βραδυ	マサー مساء	エレヴ ערב	ボームー 薄暮	チョニョク 저녁	ヴェスペーロ vespero
スクムリング skumring	クレプスクルム crepusculum	リコフォス λυκόφως	グルーブッシャムス غروب الشمس	ベン・シュメショット בין שמשות	フアンフン 黄昏	ファンホン 황혼	クレプースコ krepusko
スクムリング skumring	クレプスクルム crepusculum	エスペラー εσπερα	メサ مساء	エレヴ ערב	ワンシャン 晩上	チョニョク 저녁	ベスペーロ vespero

時間

	英語	ドイツ語	フランス語	イタリア語	スペイン語	ポルトガル語	ロシア語
夜	ナイト night	ナハト Nacht	ニュイ nuit	ノッテ notte	ノチェ noche	ノイチ noite	ノーチ ночь
真夜中	ミッドナイト midnight	ミッターナハト Mitternacht	ミニュイ minuit	メッザノッテ mezzanotte	メディアノチェ medianoche	メーヤノイチ meia-noite	ポールノチ полночь
世紀	センチュリー century	ヤールフンダート Jahrhundert	シエークル siècle	セコロ secolo	シグロ siglo	セークロ século	ヴェク век
年	イヤー year	ヤール Jahr	アネ année	アンノ anno	アニョ año	アノ ano	ゴート год
月	マンス month	モーナット Monat	モワ mois	メーゼ mese	メス mes	メイス més	ミェーシャツ месяц
一月	ジャニュアリー January	ヤヌアー Januar	ジャンヴィエ Janvier	ジェンナーヨ Gennaio	エネロ Enero	ジャネイロ Janeiro	ヤンヴァーリ январь
二月	フェブラリー February	フェブルアー Februar	フェヴリエ Février	フェッブラーヨ Febbraio	フェブレロ Febrero	フェヴレイロ Fevereiro	フェブラーリ февраль
三月	マーチ March	メルツ März	マルス Mars	マルツォ Marzo	マルソ Marzo	マールスォ Março	マールト март
四月	エイプリル April	アプリル April	アヴリル Avril	アプリーレ Aprile	アブリル Abril	アブリル Abril	アプリェーリ апрель
五月	メイ May	マイ Mai	メ Mai	マッジョ Maggio	マイオ Mayo	マイオ Maio	マーイ май
六月	ジューン June	ユーニ Juni	ジュワン Juin	ジューニョ Giugno	フニオ Junio	ジューノ Junho	イーユン июнь
七月	ジュライ July	ユーリ Juli	ジュイエ Juillet	ルーリョ Luglio	フリオ Julio	ジュリョ Julho	イーユイ июль
八月	オーガスト August	アウグスト August	アウート Août	アゴスト Agosto	アゴスト Agosto	アグォスト Agosto	アーヴグスト август

ノルウェー語	ラテン語	ギリシャ語	アラビア語	ヘブライ語	中国語	韓国語	エスペラント語
ナット natt	**ノックス** nox	**ニュクス** νύξ	**ライラ** ليل	**ライェール** ליל	**イエワン** 夜晚	**パム** 밤	**ノークト** nokto
ミドナット midnatt	**メソニュクティウム** mesonyctium	**メサイ・ニュクテス** μεσάι νυκτες	**ムンタサフッライル** منتصف الليل	**ハツォット** חצות	**イエバン** 夜半	**チャジョン** 자정	**ノクトメーゾ** noktomezo
オールフンドレ århundre	**サエクロ** saeculo	**エオン** αιών	**カルン** قرن	**メア** מאה	**シージー** 世纪	**セギ** 세기	**ヤクセント** jarcento
オール år	**アンヌス** annus	**エトス** έτος	**スナ** سنة	**シャナー** שנה	**ニエン** 年	**ニョン** 년	**イラーロ** jaro
モーネ måned	**メンシス** mensis	**メーン** μήν	**シャフル** شهر	**ホデッシュ** חודש	**ユエンシー** 月	**ウォル** 월	**モナート** monato
ヤヌアル januar	**ヤヌアリウス** Ianuarius	**ガメーリオーン** Γαμηλιων	**ヤナーイル** يناير	**ヤヌアル** ינואר	**イーユエ** 一月	**イルォル** 한달	**ヤナーロ** Januaro
フェブリアル februar	**フェブルアリウス** Februarius	**アンテステーリオーン** Ανθεστηριων	**フィブラーイル** فبراير	**フェブラル** פברואר	**アルユエ** 二月	**イウォル** 일월	**フェブラーロ** Februaro
マルス mars	**マルティウス** Martius	**エラペーボリオーン** Ελαφηβολιων	**マーリス** مارس	**メルツ** מרץ	**サンユエ** 三月	**サムウォル** 삼월	**マールト** Marto
アプリル april	**アプリーリス** Aprilis	**ムーニュキオーン** Μουνυχιων	**アブリール** ابريل	**アプリル** אפריל	**スーユエ** 四月	**サウォル** 사월	**アプリオ** Aprilo
マイ mai	**マーイウス** Maius	**タルゲーリオーン** Θαργηλιων	**マーユー** مايو	**マイ** מאי	**ウーユエ** 五月	**オウォル** 오월	**マァヨ** Majo
ユニ juni	**ユーニウス** Iunius	**スキロポリオーン** Σκιροφοριων	**ユーニユー** يونيو	**ユニ** יוני	**リウユエ** 六月	**ユウォル** 유월	**ユニオ** Junio
ユリ juli	**クィンティーリス** Quintilis	**ヘカトンバイオーン** Εκατομβαιων	**ユーリユー** يوليو	**ユリ** יולי	**チーユエ** 七月	**チルウォル** 칠월	**ユーリ** July
アウグスト august	**セクスティーリス** Sextilis	**メタゲイトニオーン** Μεταγειτνιων	**アグストゥス** أغسطس	**オグスト** אוגוסט	**バーユエ** 八月	**パルウォル** 팔월	**アウグースト** Augusta

時間

	英語	ドイツ語	フランス語	イタリア語	スペイン語	ポルトガル語	ロシア語
九月	セプテンバー September	ゼプテンバー September	セプタンブル Septembre	セッテンブレ Settembre	セプティエンブレ Septiembre	セテンブル Setembro	シェンチャーブリ сентябрь
十月	オクトーバー October	オクトーバー Oktober	オクトーブル Octobre	オットブレ Ottobre	オクトゥブレ Octubre	オウトゥブル Outubro	アクチャーブリ октябрь
十一月	ノーヴェンバー November	ノヴェンバー November	ノヴァンヴル Novembre	ノヴェンブレ Novembre	ノビエンブレ Noviembre	ノヴェンブル Novembro	ナヤーブリ ноябрь
十二月	ディセンバー December	デツェンバー Dezember	デサンブル Décembre	ディッチェンブレ Dicembre	ディシエンブレ Diciembre	ディゼンブル Dezembro	デェガーブリ декабрь
週	ウィーク week	ヴォッヘ Woche	セメーヌ semaine	セッティマーナ settimana	セマナ semana	セマナ semana	ニデェーリヤ неделя
月曜日	マンデー Monday	モンターク Montag	ランディ Lundi	ルネディ Lunedì	ルネス Lunes	スグンダ・フェイラ Segunda-feira	パニデェーリニク понедельник
火曜日	チューズデー Tuesday	ディーンスターク Dienstag	マルディ Mardi	マルテディ Martedì	マルテス Martes	テルサ・フェイラ Terça-feira	フトールニク вторник
水曜日	ウェンズデー Wednesday	ミットヴォッホ Mittwoch	メルクルディ Mercredi	メルコレディ Mercoledì	ミエルコレス Miércoles	クァルタ・フェイラ Quarta-feira	スリェダー среда
木曜日	サーズデー Thursday	ドンナースターク Donnerstag	ジュディ Jeudi	ジョヴェディ Giovedì	フエベス Jueves	キンタ・フェイラ Quinta-feira	チェトヴェールグ четверг
金曜日	フライデー Friday	フライターク Freitag	ヴァンドルディ Vendredi	ヴェネルディ Venerdì	ビエルネス Viernes	セシタ・フェイラ Sexta-feira	ピャートニツァ пятница
土曜日	サタデー Saturday	ゾンアーベント Sonnabend	サムディ Samedi	サバト Sabato	サバド Sábado	サーバド Sábado	スボータ суббота
日曜日	サンデー Sunday	ゾンターク Sonntag	ディマンシュ Dimanche	ドメニカ Domenica	ドミンゴ Domingo	ドミンゴ Domingo	ヴァスクリシェーニヤ воскресенье
日	デイ day	ターク Tag	ジュール jour	ジョルノ giorno	ディア día	チィア dia	デェーニ день

ノルウェー語	ラテン語	ギリシャ語	アラビア語	ヘブライ語	中国語	韓国語	エスペラント語
セプテンベル september	セプテムベル September	ボエードロミオーン Βοηδρομιων	サブタムバル سبتمبر	セフテムベル ספטמבר	ジウユエ 九月	クウォル 구월	セプテンブロ Septembro
オクトーバー oktober	オクトーベル October	ピュアネプシオーン Πυανεψιων	ウクトゥーバル أكتوبر	オクトベル אוקטובר	シーユエ 十月	シプウォル 십월	オクトーブロ Oktobro
ノヴェンベル november	ノウェムベル November	マイマクテーリオーン Μαιμακτηριων	ヌーファムバル نوفمبر	ノヴェムベル נובמבר	シーイーユエ 十一月	シピルウォル 십일월	ノベーンブロ Novembro
デセンベル desember	デケムベル December	ポセイデオーン Ποσειοδεων	ディーサムバル ديسمبر	ディツェムベル דצמבר	シーアルユエ 十二月	シピウォル 십이월	デセンブロ Decembro
ウケ uke	ヘブドマス hebdomas	ヘヴトマース εβδομς	ウスブーウ أسبوع	シャヴア שבוע	ジョウ 周	チュ 주	セマイノ Semajno
マンダーグ mandag	ディエース・ルーナエ dies Lunae	デフテラ Δευτέρα	ヤウムルイスナイニ يوم الاثنين	ヨム・シェニ יום שני	シンチーイー 星期一	ウォリル 월요일	ルンド Lundo
ティルスダーグ tirsdag	ディエース・マールティス dies Martis	トゥリティ Τρίτη	ヤウムッスラーサー يوم ثلاثاء	ヨム・シュリシ יום שלישי	シンチーアル 星期二	ファリル 화요일	マード Mardo
オンスダーグ onsdag	ディエース・メルクリイー dies Mercurii	テタルティ Τετάρτη	ヤウムルアルビアー يوم أربعاء	ヨム・レヴィイ יום רביעי	シンチーサン 星期三	スリル 수요일	メルクレード Merkredo
トールスダーグ torsdag	ディエース・ヨウィス dies Iovis	ペンプティ Πέμπτη	ヤウムルハミース يوم خميس	ヨム・ハミシ יום חמישי	シンチースー 星期四	モリル 목요일	ヤウド Ĵaùdo
フレダーグ fredag	ディエース・ウェネリス dies Veneris	パラスケヴィ Παρασκευή	ヤウムルジュムア يوم جمعة	ヨム・シーシ יום שישי	シンチーウー 星期五	クミル 금요일	ベンドレド Vendredo
レウルダーグ lørdag	ディエース・サートゥルニー dies Saturni	サヴァト Σάββατο	ヤウムッサブト يوم سبت	ヨム・シャバット יום שבת	シンチーリウ 星期六	トリル 토요일	サバァト Sabato
センダーグ søndag	ディエース・ソーリス dies Solis	キリアキ Κυριακή	ヤウムルアハド يوم أحد	ヨム・リション יום ראשון	シンチーティエン 星期天	イリル 일요일	ディマンソ Dimanĉo
ダーグ dag	ディエース dies	イメーラー ημέρα	ヤウム يوم	ヨム יום	リー 日	ナイ 낮	ターゴ tago

		英語	ドイツ語	フランス語	イタリア語	スペイン語	ポルトガル語	ロシア語
時間	今日	トゥデイ today	ホイテ heute	オージュルドゥイ aujourd'hui	オッジ oggi	オイ hoy	オージェ hoje	シヴォードニャ сегодня
	明日	トゥモロー tomorrow	モルゲン morgen	ドゥマン demain	ドマーニ domani	マニャナ mañana	アマニャン amanhã	ザーヴトラ завтра
	昨日	イエスタデイ yesterday	ゲスターン gestern	イエール hier	イエーリ ieri	アイエル ayer	オンティン ontem	フチラー вчера
空間	存在	イグジスタンス existence	ザイン Sein	エグジスタンス existence	エジステンツァ esistenza	エクシステンシア existencia	エジステンシア existência	スシストヴァヴァーニヤ существование
	位置	ポジション position	ラーゲ Lage	ポジシオン position	ポジツィオーネ posizione	ポシシオン posición	ポジサオン posição	パラジェーニイェ положение
	表	フロント front	フォルダーザイテ Vorderseite	ファス face	フロンテ fronte	アンベルソ anverso	フレンチ frente	フロント фронт
	裏	バック back	リュックザイテ Rückseite	デリエリ derrière	レトロ retro	レベルソ reverso	リヴェース revés	ザード зад
	空白	ブランク blank	ローリング Rohling	ヴィッド vide	ヴォート vuoto	エスパシオ・エン・ブランコ espacio en blanco	エィン・ブランコ em branco	プローヴェル пробел
	軌道	オービット orbit	ウムラウフバーン Umlaufbahn	オルビット orbite	トライエットーリア traiettoria	オルビータ orbita	オールビィタ órbita	アルビィータ орбита
	記号	シンボル symbol	ツァイヒェン Zeichen	シーニュ signe	シンボロ simbolo	シンボロ símbolo	マルカ marca	シンブル символ
	図形	ダイアグラム diagram	ディアグラム Diagramm	ディアグラム diagramme	ディアグランマ diagramma	ディアグラマ diagrama	ダァグラマ diagrama	ディアグラーマ диаграмма
	点	ドット dot	プンクト Punkt	ポワン point	プント punto	プント punto	ポント ponto	トーチカ точка
	線	ライン line	リーニエ Linie	リーニュ ligne	リネア linea	リネア línea	リーニャ linha	リーニヤ линия

ノルウェー語	ラテン語	ギリシャ語	アラビア語	ヘブライ語	中国語	韓国語	エスペラント語
イー ダーグ i dag	**ホディエー** hodie	**テーメロン** τημερον	**アルヤウム** اليوم	**ハヨム** היום	**チンティエン** 今天	**オヌル** 오늘	**ホディアウ** hodiaŭ
イー モルゲン i morgen	**クラース** cras	**アウリオン** αυριον	**ガダン** غدا	**マハール** מחר	**ミンティエン** 明天	**ネイル** 내일	**モールガゥ** morgaŭ
イーゴール i går	**ヘリ** heri	**クテス** χτες	**アムスィ** أمس	**エットモル** אתמול	**ズオティエン** 昨天	**オジェ** 어제	**ヒェーアウ** hieraŭ
エクシステンス eksistens	**エッセ** esse	**オン** ον	**ウジュード** وجود	**キユム** קיום	**ツンザイ** 存在	**チョンジェ** 존재	**エキビスタード** ekzistad
ポシスョン posisjon	**ポシティオ** positio	**テシス** θέσις	**ムーカフ** موقف	**マコム** מקום	**ウェイジー** 位置	**ウィチ** 위치	**ポリジオ** pozicio
フロント front	**フロンス** frons	**プレヴラ** πλευρα	**サタハ** سطح	**パニーム** פנים	**ジョンミエン** 正面	**ヒョ** 표	**タベーロ** tabelo
バック bak	**アーウェルサ** aversa	**ピソ・プレヴラ** πίσω πλευρα	**イラ・アルワラ** إلى الوراء	**アホール** אחור	**ベイミエン** 背面	**ドゥィ** 뒤	**マランダグオ** malantaŭo
トムロム tomrom	**スパーティウマ** spatium	**ケノ** κενό	**ファラハ** فراغ	**レイク** ריק	**クンバイ** 空白	**コンベク** 공백	**スパクセート** spaceto
バネ bane	**オールビィタ** orbita	**トロヒアー** τροχιά	**マダル** مدار	**テスルル** מסלול	**グィダオ** 轨道	**クェド** 궤도	**オルヴィート** orbito
シンボル symbol	**シグヌム** signum	**セーメイオン** σήμειον	**エシャラ** اشارة	**スィモル** סמל	**ジーハオ** 记号	**キホ** 기호	**シンボーロ** simbolo
フィグール figur	**ディアグラムマ** diagramma	**スケーマ** σχημα	**シャクル** شكل	**タルシム** תרשים	**トゥーシエン** 图形	**トヒョン** 도형	**グラフィーカ** grafika
プンクト punkt	**プンクトゥス** punctus	**アクメー** ακμη	**ヌクタ** نقطة	**ネクダー** נקודה	**ディアン** 点	**チョム** 점	**プンクト** punkto
リンイェ linje	**リーネア** linea	**グラミー** γραμμή	**ハット** خط	**カウ** קו	**シエン** 线	**ソン** 선	**リニオ** linio

空間

	英語	ドイツ語	フランス語	イタリア語	スペイン語	ポルトガル語	ロシア語
円	サークル circle	クライス Kreis	セルクル cercle	チェルキョ cerchio	シルクロ círculo	シレクロ círculo	クルーク круг
螺旋	スパイラル spiral	シュピラーレ Spirale	スピラル spirale	スピラーレ spirale	エリセ hélice	エスピラゥ espiral	スピラーリ спираль
球	スフィア sphere	クーゲル Kugel	スフェール sphère	スフェーラ sfera	エスフェラ esfera	エスフェラ esfera	シャール шар
三角	トライアングル triangle	ドライエック Dreieck	トリアングル triangle	トリアンゴロ triangolo	トリアングロ triángulo	トリアングロ triângulo	トリウゴーリニク треугольник
四角	クォドラングル quadrangle	フィーアエック Viereck	キャドラングル quadrangle	クアドランゴロ quadrangolo	クアドリラテロ cuadrilátero	クアドラングロ quadrângulo	チティリョフウゴールニク четырехугольник
正方形	スクエア square	クヴァドラート Quadrat	キャレ carré	クアドラート quadrato	クアドラド cuadrado	クアドランド quadrado	クヴァドラート квадрат
五芒星	ペンタグラム pentagram	ペンタグラム Pentagramm	パンタグラム pentagramme	ペンターコロ pentacolo	ペンタグラマ pentagrama	ペンタグナル pentagonal	ピンタグラーンマ пентаграмма
六芒星	ヘクサグラム hexagram	ヘクサグラム Hexagramm	エグザグラム hexagramme	ステラ・ディ・ダビデ stella di David	エクサグラマ hexagrama	エクサゴナル hexagonal	ギクサグラーンマ гексаграмма
円錐	コーン cone	ケーゲル Kegel	コンヌ cône	コーノ cono	コノ cono	コーニ cone	コーヌス конус
ここ	ヒアー here	ヒーア hier	イシ ici	クイ qui	アキー aquí	アキー aqui	ズデェーシ здесь
上	アップ up	オーベン oben	オー haut	ソプラ sopra	アリバ arriba	アシーマ acima	ヴェルフ верх
下	ダウン down	ウンテン unten	バ bas	ソット sotto	アバホ abajo	ジューゾ juso	ヴニーズ вниз
左	レフト left	リンクス links	ゴーシュ gauche	シニストラ sinistra	イスキエルダ izquierda	エスケルダ esquerda	スリェヴァ слева

ノルウェー語	ラテン語	ギリシャ語	アラビア語	ヘブライ語	中国語	韓国語	エスペラント語
シルケル sirkel	**キルクルス** circulus	**キュクロス** κύκλος	**ダーイラ** دائرة	**イグール** עגל	**ユエン** 圆	**ウォン** 원	**ジークロ** cirklo
スピラール spiral	**コクレアートゥス** cocleatus	**スピラ** σπείρα	**ハラズーン** حلزوني	**サフィルリ** ספירלי	**ルオシュアン** 螺旋	**ナソン** 나선	**スピアーロ** spiralo
クレ kule	**スパエラ** sphaera	**スフェラ** σφαίρα	**クラ** كرة	**カドゥール** כדור	**チウ** 球	**ク** 구	**スフェーロ** sfero
トレカント trekant	**トリアングルム** triangulum	**トゥリゴノン** τρίγωνον	**ムサッラス** مثلث	**メシュラッシュ** משולש	**サンジャオシン** 三角形	**サムガクヒョン** 삼각형	**トリアングーロ** triangulo
フィルカント firkant	**クァドラングルム** quadrangulum	**プラティア** πλατεία	**ムラッバウ** مربع	**リヴア** ריבוע	**スーピャンシン** 四角形	**サガクヒョン** 사각형	**クバクダート** kvadrato
クヴァドラット kvadrat	**クァドラーティオー** quadratio	**テトラゴーノン** τετραγωνο	**ムラッバウ** مربع	**キカル** כיכר	**ジョンファンシン** 正方形	**チョンサガクヒョン** 정사각형	**クバクダート** kvadrato
ペンタグラム pentagram	**ペンタクルム** pentaculum	**ペダルファ** πενταλφα	**ナジュマ・フマースィーヤ** نجمة خماسية	**コハヴ・メフメシャ** כוכב מחומש	**ウージャオシン** 五角星	**オガクビョル** 오각별	**ステロクリラテーロ** stelokvinlatero
ヘクサグラム heksagram	— —	**エクサルファ** εξαλφα	**ナジュマ・スダースィーヤ** نجمة سداسية	**マゲン・ダヴィッド** מגן דוד	**リウジャオシン** 六角星	**ユッガクビョル** 육각별	**ヘクサーグラム** Hexagram
シェグレ kjegle	**コルヌゥス** conus	**コノス** κώνος	**マハルート** مخروط	**コノース** קונוס	**イエントゥイ** 圆锥	**ウォンチュ** 원추	**コヌーソ** konuso
ヘル her	**ヒーク** hic	**エドー** εδώ	**フナー** هنا	**カン** כאן	**チャー** 这儿	**ヨギ** 여기	**ティディエ** ĉi tie
オップ opp	**スープラ** supra	**パノ** πάνω	**ファウカ** فوق	**レマアラー** למעלה	**シャン** 上	**ウィ** 위	**スーペン** supren
ネッド ned	**デオルスゥマ** deorsum	**カト** κάτω	**タフタ** تحت	**レマター** למטה	**シア** 下	**アレ** 아래	**マルスーペン** malsupren
ヴェンストレ venstre	**シニストラ** sinister	**アリステラ** αριστερά	**ヤサール** يسار	**スモール** שמאל	**ヅオ** 左	**オンチョク** 왼쪽	**マルデークスカ** maldekstra

幻想 戦闘 道具 時空 形質 社会 人間 自然

空間

	英語	ドイツ語	フランス語	イタリア語	スペイン語	ポルトガル語	ロシア語
右	ライト right	レヒツ rechts	ドロワ droit	デストラ destra	デレチョ derecho	ヂレイト direito	プラーヴォ право
前	アヘッド ahead	フォルン vorn	ファス face	ダヴァンティ davanti	アデランテ adelante	アンチィ ante	ピェーリト перед
後ろ	ビハインド behind	ヒンテン hinten	デルニエール derrière	ディエトロ dietro	デタラス detrás	アトラス atrás	ザード зад
中心	センター center	ミッテ Mitte	サントル centre	チェントロ centro	セントロ centro	セントロ centro	ツェーントル центр
端	エッジ edge	エッケ Ecke	ボール bord	オールロ orlo	ボルデ borde	エストリミダーヂ extremidade	クラーイ край
近く	ニア near	ナーエ nahe	プレ près	ヴィチーノ vicino	セルカ cerca	ペァルト perto	オークロ около
遠く	ファー far	ヴァイト weit	ロワン loin	ロンターノ lontano	レホス lejos	ロンジ longe	ダリェコー далеко
東	イースト east	オスト Ost	エスト est	エスト est	エステ este	エスシィ este	ヴァストーク восток
西	ウェスト west	ヴェスト West	ウエスト ouest	オーヴェスト ovest	オエステ oeste	オエスシィ oeste	ザーパド запад
南	サウス south	ズューデン Süden	スュド sud	スッド sud	スル sur	スゥ sul	ユーグ юг
北	ノース north	ノルト Nord	ノール nord	ノルド nord	ノルテ norte	ノルチィ norte	シェーヴィル север

ノルウェー語	ラテン語	ギリシャ語	アラビア語	ヘブライ語	中国語	韓国語	エスペラント語
ホイレ høyre	**デクストラ** dexter	**デクスィア** δεξιά	**ヤミーン** يمين	**イェマネー** ימין	**ヨウ** 右	**オロンチョク** 오른쪽	**デークスカ** dekstra
フォラン foran	**アンテリオール** anterior	**ト・プロステン** το προσθεν	**アマーマ** الأمام	**カディーマ** קדימה	**チエン** 前	**アプ** 앞	**アンタウ** antaŭ
バク bak	**ポースト** post	**トゥーピステン** τουπισθεν	**ワラーア** وراء	**アホール** אחור	**ホウ** 后	**ドゥィ** 뒤	**マランタウ** malantaŭ
セントルム sentrum	**ケントルム** centrum	**ケントロン** κέντρον	**マルカズ** مركز	**メルカズ** מרכז	**ジョンシン** 中心	**チュンシム** 중심	**セントオ** centro
カント kant	**オブストペスクーナ** obstupescunt	**エスカトン** εσχατον	**ニハヤ** نهاية	**カツェ** קצה	**ビエン** 边	**クッ** 끝	**フィーノ** fino
ネール nær	**プロペ** prope	**コダ** κοντά	**カリーブ** قرب	**ライード** ליד	**パンビエン** 旁边	**カッカイ** 가까이	**プロキシーメ** proksime
ラングト langt	**ロンゲー** longe	**マクラーン** μακράν	**バイード** بعيد	**ラホーク** רחוק	**ユエンファン** 远方	**モルリ** 멀리	**マルポクシーマ** malproksima
ウスト øst	**オリエーンス** oriens	**アナトレー** ανατολή	**シャルク** المشرق	**ミズラッハ** מזרח	**トン** 东	**トン** 동	**オリエント** oriento
ヴェスト vest	**オッキデーンス** occidens	**デュシス** δύσις	**ガルブ** غرب	**マアラヴ** מערב	**シー** 西	**ソ** 서	**オキシデント** okcidento
ソール sør	**メリーディエース** meridies	**ノトス** νότος	**ジャヌーブ** جنوب	**ダロム** דרום	**ナン** 南	**ナム** 남	**スード** sudo
ノール nord	**セプテントリオー** septentrio	**ボレアース** βόρεας	**シャマール** شمال	**ツァフォン** צפון	**ベイ** 北	**プク** 북	**ノード** nordo

状態

	英語	ドイツ語	フランス語	イタリア語	スペイン語	ポルトガル語	ロシア語
全て	オール all	アレス alles	トゥース tous	トゥット tutee	トド todo	トド todo	フショー все
無	ナッシング nothing	ニヒツ nichts	リヤン rien	ニエンテ niente	ナダ nada	ナダ nada	ニチヴォー ничего
調和	ハーモニー harmony	ハルモニー Harmonie	アルモニー harmonie	アルモニーア armonia	アルモニア armonía	アルモニア harmonia	ガルモーニヤ гармония
混沌	ケイオス chaos	カーオス Chaos	カオ chaos	カオス caos	カオス caos	カオス caos	ハーオス хаос
静寂	サイレンス silence	シュティレ Stille	シランス silence	シレンツィオ silenzio	シレンシオ silencio	シィレンシオ silêncio	ティシャナー тишина
完璧	パーフェクション perfection	フォルコメン Vollkommen	パルフェ parfait	ペルフェッツィオーネ perfezione	ペルフェクト perfecto	ペルフェサオン perfeição	サヴィルシェーンストヴォ совершенство
究極	アルティメット ultimate	レツト letzt	ユルティム ultime	ウールティモ ultimo	フィナル final	イクステルモ extremo	ガニーシュネイ конечный
永続	パーマネンス permanence	ペアマネンツ Permanenz	パハマナンス permanence	ペルマネンツァ permanenza	ペルマネンシア permanencia	ペルマネンシィア permanência	ポストイァンストヴァ постоянство
付与	グラント grant	ギーベン Geben	アコーディ accorder	コンツェーデレ concedere	オトルガル otorgar	コンシェダ conceda	グラント грант
圧縮	コンプレッション compression	コンプレシオン Kompression	コンプレッション compression	コンプレッシオーネ compressione	コンプレシオン compresión	コンプレッセオ compressão	ジェラツィエ сжатие
拡大	エクスパンション expansion	ファーグロサールング Vergrößerung	エクスパンション expansion	エスパンシーネ espansione	エクスパンシオン expansión	エスパンセオ expansão	ロッシェリーニヤ расширение
遠隔	リモート remote	ファーン fern	ディスタン distant	レモート remoto	レホス lejos	リモート remoto	ウダローンニィ удалённый
近接	クローズ close	ナーエ Nähe	ポクシィミティ proximité	アディアツェンツァ adiacenza	プロキシミダ proximidad	プロクィシミダージェ proximidade	ブリィーゾスト близость

ノルウェー語	ラテン語	ギリシャ語	アラビア語	ヘブライ語	中国語	韓国語	エスペラント語
アルト alt	**オムニス** omnis	**パーン** παν	**クッル** كل	**コール** כל	**チュエンブー** 全部	**モドゥ** 모두	**ティーオ** ĉio
インゲニング ingenting	**ニヒル** nihil	**ティポタ** τίποτα	**ラーシャイア** لا شيء	**クルム** כלום	**ウー** 无	**オプスム** 없음	**ネニィノ** nenio
ハルモニ harmoni	**ハルモニア** harmonia	**アルモニア** συμφωνία	**インスィジャーム** انسجام	**ハルモニアー** הרמוניה	**シエディアオ** 协调	**チョファ** 조화	**ハルモニーオ** harmonio
カオス kaos	**カオス** chaos	**カオス** χάος	**ファウダー** فوضى	**トフー・バヴォーブ** תוהו ובוהו	**フントゥン** 混沌	**ホンドン** 혼돈	**カオソ** kaoso
スティルヘット stillhet	**シレンティウム** silentium	**スィオピ** σιωπή	**サマタ** صمت	**シュティカー** שתיקה	**チーチン** 寂静	**チョンジョク** 정적	**シレント** silento
ペルフェクト perfekt	**ペルフェクトゥス** perfectus	**テリオ** τελειό	**カマール** كمال	**シュレムート** שלמות	**ワンメイ** 完美	**ワンビョル** 완벽	**ペェルフェクテーソ** perfekteco
ウルティメイト ultimate	**ウルティミ** ultimi	**アポリュト** απολυτο	**ニハーイイ** نهائي	**シュフェイ** סופי	**ツイジョン** 最终	**クンク** 궁극	**ウルティマーテ** ultimate
エヴィグ evig	**ペルマネンター** permanenter	**モニモティタ** μονιμότητα	**ドワム** دوام	**ネツェフ** נצח	**チュージョウ** 持久	**ヨンジョン** 영존	**ダウラ** daŭra
ギ gi	**ド** do	**プロイコドティーシー** προικοδότηση	**マヌハ** منح	**レヘニーク** להעניק	**ショウエー** 授予	**プヨ** 부여	**ドーヌ** donu
コンプリメレ komprimere	**コンプレッシオ** compressio	**シンピエシ** συμπίεση	**ダハタ** ضغط	**デヒセー** דחיסה	**ヤースォ** 压缩	**アプチュク** 압축	**クンプレーモ** kunpremo
フォシュレ forstørre	**エクスパンシオ** expansio	**エペクタシ** επέκταση	**タウスフ** توسع	**ヘルフヴェー** הרחבה	**クォター** 扩大	**ファクデ** 확대	**エクスパンシーオ** ekspansio
フィェルン fjern	**レモーテ** remote	**マクリノス** μακρινός	**バイド** بعيد	**ミルーク** מרוחק	**ヤオコン** 遥控	**ウォンギョク** 원격	**フォーラ** fora
ネールヘット nærhet	**プロピンクス** propinquus	**パラキメネス** παρακείμενες	**カルバ** قرب	**ケルベー** קרבה	**リンジン** 邻近	**クンジョプ** 근접	**プロキシメーソ** proksimeco

状態

	英語	ドイツ語	フランス語	イタリア語	スペイン語	ポルトガル語	ロシア語
回転	ローテーション rotation	ドリーウンク Drehung	トゥワ tour	ロータッツィオーネ rotazione	ロタシオン rotación	フォーターセォン rotação	ヴラッシェーニヤ вращение
加速	アクセラレーション acceleration	ベシュロイニグング Beschleunigung	アクセラエション accélération	アチェレラツィオーネ accelerazione	アセレラル acelerar	アセレラーセォン aceleração	ウスカリーニヤ ускорение
合体	ユニオン union	フェシュメルツング Verschmelzung	クォーリサンス coalescence	ウーニォネ unione	フシオン fusión	コアレッセンスィア coalescência	スリェーニヤ слияние
分離	セパレーション separation	アプターヌング Abtrennung	セパエション séparation	セパラッツィオーネ separazione	セパラシオン separación	セパラソ separação	ライツェデリーニヤ разделение
振動	ヴァイブレーション vibration	シュヴィングング Schwingung	ヴィブラシオン vibration	ヴィブラッツィオーニ vibrazioni	ビブラシオン vibración	ビブラソン vibração	ヴィヴラーツェ вибрация
偽物	フェイク fake	フェルシュング Fälschung	ファクティス factice	ファルシータ falsita	イミタシオン imitación	ファウスフィカッソ falsificação	ポディエールカ подделка
結晶	クリスタル crystal	クリスタール Kristall	クリスタリザシオン cristallisation	クリスタッロ cristallo	クリスタリサシオン cristalización	クリスタル cristal	クリスタール кристалл
虚無	ナッシングネス nothingness	ニヒツ Nichts	ニアン néant	ニキリーズモ nichilismo	ナーダ nada	ナダ nada	ニヴィツィーヤ небытие
限界	リミット limit	リミット Limit	リミッタ limite	リーミーテ limite	リミテ límite	リミッタール limitar	グラニィーツア граница
自動	オートマティック automatic	オートマティシェ automatische	オトマチクェ automatique	アウトマーティコ automatico	アウトマティコ automático	アウトマチコ automático	アヴトマティチェスキー автоматический
完全	フル full	フォール voll	コンプレ complet	コーンプレータ completa	コンペレタ completa	コンプレート completo	スヴェルシェーンストヴォ совершенство
基本	ベーシス basis	グルント Grund	バイズ base	バーゼ base	フンダメンタル fundamental	バージコ básico	アスノーブニィ основной
波動	アンダレーション undulation	ヴェルンブビガング Wellenbewegung	オンデュレイション ondulation	オーンダ onda	オラ ola	オンダ onda	ディージェニヤ・ヴァルニィ Движение волны

ノルウェー語	ラテン語	ギリシャ語	アラビア語	ヘブライ語	中国語	韓国語	エスペラント語
ロテレ rotere	**ロタティオネ** rotatione	**ロロ** ρολό	**トナウィブ** تناوب	**ロトツィーフ** רוטציה	**ジュァン** 转	**ホエジョン** 회전	**ロタシーオ** rotacio
アクセレレレ akselerere	**アッシェレリエイシオ** acceleratio	**エピタンシシィ** επιτάχυνση	**トゥサリャ** تسارع	**ヘハツェー** ההאצה	**ジァースゥ** 加速	**カソク** 가속	**アクセーロ** akcelo
コンビニレ kombinere	**アドゥノ** aduno	**シネノシィ** συνένωση	**イルティハーム** التحام	**ヘトキブツート** התקבצות	**フゥビン** 合并	**ハプチェ** 합체	**ソアレスセンティーア** coalescencia
セパレレ separere	**セパラーティオ** separatio	**フォリスモス** χωρισμός	**アーズラ** عزل	**ヘフェルデー** הפרדה	**フンリー** 分离	**プンニ** 분리	**ディシーゴ** disiĝo
ヴィブラション vibrasjon	**ヴィブラートゥス** vibratus	**ドニシィー** δόνηση	**アティザズ** اهتزاز	**ルテット** רטט	**チェンドン** 振动	**チンドン** 진동	**ヴィヴラード** vibrado
ファルスク falsk	**ファルスース** falsus	**アポミムシィ** απομίμηση	**ザイフ** زائف	**メグイェフ** מזויף	**イエンピン** 赝品	**カッジャ** 가짜	**ファーケ** fake
クリスタル krystall	**クリスタールマ** crystállum	**クリスタッロ** κρύσταλλο	**ベルウェラ** بلورة	**クリステル** קריסטל	**ジエジン** 结晶	**キョルジョン** 결정	**クリスターロ** kristalo
トムヘット tomhet	**ニヒル** nihil	**ティポタ** τίποτα	**レイヤラ** لا شيء	**クルム** כלום	**シューウー** 虚无	**ホム** 허무	**ノットヒーングネス** nothingness
グレンセ grense	**フィニィトゥス** finitus	**オーリオ** όριο	**ハドゥウド** حدود	**レヘグヴィル・アット** להגביל את	**ジィシエン** 极限	**ハンゲ** 한계	**リーモ** limo
アウトマティスク automatisk	**アウトマートゥス** automatus	**アフトマト** αυτόματο	**テルクアイヤ** تلقائيا	**アウトマティ** אוטומטי	**ズードン** 自动	**チャドン** 자동	**アウトマータ** aŭtomata
フールステンディグ fullstendig	**プレーニ** pleni	**テリィオス** τέλειος	**カメル** كامل	**マレ** מלא	**ワンチュエン** 完全	**ワンジョン** 완전	**コンプレータ** kompleta
グルンレッゲンデ grunnleggende	**フンダメンターリ** fundamentalis	**ヴァシコス** βασικός	**アラサスィヤ** الأساسية	**ヴシシ** בסיסי	**ジーベン** 基本	**キボン** 기본	**フンダメンタ** fundamenta
ベウレ bølge	**ウンダ** unda	**キーマ** κύμα	**モジャ** موجة	**ゲレ** גל	**ブォアー** 波	**パドン** 파동	**オンド** ondo

		英語	ドイツ語	フランス語	イタリア語	スペイン語	ポルトガル語	ロシア語
状態	塊	マス mass	マッセ Masse	マス masse	マサ massa	マァーサー masa	マッサ massa	マァッサ масса
	反射	リフレクション reflection	レフレクシオン Reflexion	リフリクション réflexion	リフレッショーネ riflessione	リフレクシオン reflexión	リフレクセオン reflexão	アトラジェーニヤ отражение
	エネルギー	エナジー energy	エネギー Energie	エネルジー énergie	エーネルズィーア energia	エネルヒア energía	エネルジーア energia	エニィエルギヤ энергия
	電子	エレクトロン electron	エレクトロネン Elektronen	エレクトロン électron	エレトローネ elettrone	エレクトロン electrón	イレートロン elétron	イリクトローン электрон
	燃料	フューエル fuel	クラフトストッフ Kraftstoff	コンビュスティブル combustible	コンブスティービレ combustibile	コンブスティーブレ combustible	コンヴスティーヴィル combustível	トゥーピヴァ топливо
	ゴミ	トラッシュ trash	ミュル Müll	デトリチュス détritus	インモンディーツィア immondizia	バスラ basura	リショ lixo	ムーサル мусор
性質	不滅	インモータリティ immortality	ウンシュテルプリヒカイト Unsterblichkeit	イモルテル immortal	イッモルタリータ immortalità	インモルタル inmortal	イモルタゥ imortal	ビッスミェールツィエ бессмертие
	不変	イミュータブルネス immutableness	ウンフェアエンダーバーレ Unveränderbare	エテルネル éternel	イッムタビリータ immutabilita	インムタビリダー inmutabilidad	イムタヴィルダーヂ imutabilidade	トゥリヴォーガ тревога
	いい	グッド good	グート gut	ボン bon	ベーネ bene	ブエノ bueno	ボン bom	ハローシイ хороший
	悪い	バッド bad	シュレヒト schlecht	モーヴェ mauvais	マーレ male	マーロ malo	マウ mau	プラホーイ плохой
	すばらしい	グレイト great	グロースアルティヒ großartig	マニフィック magnifique	エクセレンテ eccellente	グラン gran	インクリヴィズ incríveis	プリクラースニイ прекрасный
	美しい	ビューティフル beautiful	シェーン schön	ジョリ joli	ベッロ bello	エルモソ hermoso	ボニート bonita	クラシーヴィイ красивый
	かわいい	キュート cute	ヒュプシュ hübsch	ミニオン mignon	カリーノ carino	リンド lindo	アドラーヴェル adorável	ミールィ милый

ノルウェー語	ラテン語	ギリシャ語	アラビア語	ヘブライ語	中国語	韓国語	エスペラント語
クルンプ klump	**ミッサ** missa	**マーザ** μάζα	**クトゥラ** كتلة	**テソー** מסה	**クワィ** 块	**トンオリ** 덩어리	**マーソ** maso
レフレクション refleksjon	**リフレックシオ** reflexio	**アンタナクラシィ** αντανάκλαση	**イナイカース** انعكاس	**ヘシュテクフォット** השתקפות	**ファンシュー** 反射	**パンサ** 반사	**レフレークト** reflekto
エネルギー energi	**エネルジーア** energia	**エネルギ** ενέργεια	**トアカ** طاقة	**アネルギー** אנרגיה	**ナンユァン** 能源	**エネルギー** 에너지	**エネルギーオ** energio
エレクトロン elektron	**エレクトローヌ** electron	**イレクトロニオ** ηλεκτρόνιο	**イレクトロン** إلكترون	**エレクトロン** אלקטרון	**ディエンツー** 电子	**チョンジャ** 전자	**エレクトローノ** elektrono
ドリフストフ drivstoff	**フォーメィズ** fomes	**カーフシマ** καύσιμα	**ワクウド** وقود	**デレク** דלק	**ランリァオ** 燃料	**ヨンリョ** 연료	**ブルラーロ** brulaĵo
セッペル søppel	**クィスクィリアス** quisquilias	**スクピディ** σκουπίδι	**ホラ** هراء	**アシュフェー** אשפה	**ラージー** 垃圾	**スレギ** 쓰레기	**ルーボ** rubo
ウデューデリグ udødelig	**イムモルターリス** immortalis	**アサナト** αθανατο	**フルード** خالد	**アルムティ** אלמותי	**ブーシウ** 不朽	**プミョル** 불멸	**エテネーコソ** eterneco
ウフォランデリグ uforanderlig	**アエテルヌス** aeternus	**エオニオ** αιώνιο	**タハミール** تخميل	**ラー・ネテン・レシュヌーイ** לא נתן לשנוי	**ブービエン** 不变	**プビョン** 불변	**ネサンジェータ** neŝanĝebla
ブラ bra	**ボヌス** bonus	**カロ** καλό	**タイイブ** طيّب	**トーヴ** טוב	**ハオ** 好	**チョタ** 좋다	**ボーナ** bona
ドゥーリグ dårlig	**マールス** malus	**カコ** κακό	**サイア** سيئة	**ラア** רע	**フワイ** 坏	**ナップタ** 나쁘다	**マルボーナ** malbona
ファンタスティスク fantastisk	**マンヌス** magnus	**タウマストン** θαυμάστον	**ハズィーム** عظيم	**ガドール** גדול	**リャオブチー** 了不起	**フルリャンハタ** 훌륭하다	**グランダ** granda
ヴァッカー vakker	**プーリクラ** pulchra	**カロス** καλός	**ジャミール** حميل	**ヤッフェ** יפה	**メイリー** 美丽	**アルムダウン** 아름다운	**ベラ** bela
ソート søt	**ベッルス** bellus	**エウカリス** ευχαρις	**ジャダブ** جذاب	**ヤッフェ** יפה	**クーアイ** 可爱	**クィヨプタ** 귀엽다	**ベレータ** beleta

性質

	英語	ドイツ語	フランス語	イタリア語	スペイン語	ポルトガル語	ロシア語
醜い	アグリィ ugly	ヘスリヒ hässlich	レ laid	ブルット brutto	フェオ feo	フェイオ feio	ウロードリヴィ уродливый
きれい	クリーン clean	ザオバー sauber	プロープル propre	プリート pulito	エルモソ hermoso	ビエロ belo	アチースティス очистить
汚い	ダーティ dirty	シュムッツィヒ schmutzig	サル sale	スポルコ sporco	スシオ sucio	スージョ sujo	グリャーズニイ грязный
強い	ストロング strong	シュタルク starke	フォール fort	フォルテ forte	フエルテ fuerte	フォルチ forte	シーリニイ сильный
弱い	ウィーク weak	シュヴァハ schwach	フェーブル faible	デボレ debole	デビル débil	フラーコ fraco	スラーブィイ слабый
激しい	インテンス intense	ヘフティヒ heftig	アンタンス intense	インテンソ intenso	インテンソ intenso	ヴィオレント violento	インテンシーヴニイ интенсивный
硬い	ハード hard	ハルト hart	デュール dur	ドゥーロ duro	ドゥロ duro	ドゥロ duro	ジョーストキイ жесткий
柔らかい	ソフト soft	ヴァイヒ weich	ムー mou	モルビド morbido	ブランド blando	モーレ mole	ミャーヒキイ мягкий
奇妙	ストレンジ strange	ゼルトザーム seltsam	エトランジュ étrange	ストラーノ strano	エクストラニョ extraño	エストラーニョ estranho	ストラーンニイ странный
放射能	レディオアクティビティー radioactivity	ラディオアクティビテート Radioaktivität	ラディオアクティヴィテ radioactivité	ラディオアッティーヴィタ radioattività	ラディアクティビダド radiactividad	ラジオアチィビィダージ radioatividade	レジオアークツィオネスト радиоактивность
音	サウンド sound	エアトゥネン Ertönen	ソン son	スゥオーノ suono	ソニード sonido	パレセール parecer	ズヴューク звук
深い	ディープ deep	ティフ tief	ポルフォンデ profonde	プロフォンダ profonda	プロフンダ profunda	プロフォンドゥ profundo	グルーヴゥキィ глубокий
希少	レア rare	ラー rar	ラー rare	ラーロ raro	ラーロ raro	ラーロ raro	ディフィツィート дефицит

ノルウェー語	ラテン語	ギリシャ語	アラビア語	ヘブライ語	中国語	韓国語	エスペラント語
スティッグ stygg	**デーフォルミス** deformis	**アスヒモ** άσχημο	**カビーフ** قبيح	**メコアル** מכוער	**ナンカン** 难看	**チュハタ** 추하다	**マルベーラ** malbela
ペン pen	**プールス** purus	**カサロ** καθαρο	**ジャミール** جميل	**ナキー** נקי	**ガンチン** 干净	**ケッテタ** 깨끗하다	**ネーテ** nete
スキッテン skitten	**ソルディダ** sordida	**ヴロミコ** βρώμικο	**カズィル** قذر	**メルフラク** מלוכלך	**ザン** 脏	**ドロプタ** 더럽다	**コータ** kota
ステルク sterk	**フォルティス** fortis	**イスヒローン** ισχυρόν	**カウィー** قوي	**ハザク** חזק	**チアン** 强	**カンハタ** 강하다	**フォールタ** forta
スヴァク svak	**フラギリス** fragilis	**アステネス** ασθενες	**ダイーフ** ضعيف	**アズ** עז	**ルオ** 弱	**ヤカハタ** 약하다	**マルフォールタ** malforta
インテンス intens	**インテンサ** intensa	**ヴィエオ** βιαιο	**シャディード** شديد	**アイントネシビー** אינטנסיבי	**チアンリエ** 强烈	**キョグリョルハタ** 격렬하다	**インテンサ** intensa
ハルド hard	**アダマンテーウス** adamanteus	**スクリロ** σκληρο	**スルブ** صلب	**カシェ** קשה	**チアンイン** 坚硬	**トットカハタ** 딱딱하다	**マモーラ** malmola
ミューク myk	**モーリ** molli	**マラコン** μαλακόν	**ナアム** ناعم	**ラク** רך	**ロウルアン** 柔软	**プドゥロプタ** 부드럽다	**ソーフト** soft
メルケリグ merkelig	**ペレグリーヌス** peregrinus	**パラクセノ** παράξενο	**ガリーブ** غريب	**ムザール** מוזר	**チーミャオ** 奇妙	**キミョハタ** 기묘하다	**ストラーンゲ** strange
ラジオアクティヴィテート radioaktivitet	**ラディオアクティヴィータス** radioactivitas	**ラディエネルギア** ραδιενέργεια	**アルンシャート・アラシャーアイ** النشاط الإشعاعي	**レディアケティヴィオット** רדיואקטיביות	**フーシューナン** 辐射能	**パンサヌン** 방사능	**ラディオアクティヴェーソ** radioaktiveco
リュード lyd	**ソーヌス** sonus	**イホス** ήχος	**サワタ** صوت	**ツェリル** צליל	**イェン** 音	**ソリ** 소리	**ソーノ** sono
デュプ dyp	**プロフンドゥス** profundus	**バスィス** βαθύς	**アミク** عميق	**アトク** עמוק	**シェン** 深	**キッタ** 깊다	**カーラ** rara
シェルデン sjelden	**ラールス** rarus	**スパニョティタ** σπανιότητα	**ナカサ** نقص	**メフソル** מחסור	**ハンジエン** 罕见	**ヒグィ** 희귀	**ラーラ** rara

		英語	ドイツ語	フランス語	イタリア語	スペイン語	ポルトガル語	ロシア語
性質	貫通	ペネトレイション penetration	アイントリンゲン Eindringen	ペネテイション pénétration	ペネトラッツィオーネ penetrazione	ペネトラシオン penetración	ペネトラソン penetração	プレニィークナヴィーエニィエ проникновение
変化	原型	プロトタイプ prototype	プロトティープ Prototyp	プロトティップ prototype	プロトーティポ prototipo	プロトティポ prototipo	プロトーァティポ protótipo	プロタツィープ прототип
	固体	ソリッド solid	フェストケルパー Festkörper	ソリッド solide	ソリド solido	ソリド sólido	ソーリド sólido	トヴョールドィイ твердый
	液体	リキッド liquid	フリュッスィヒカイト Flüssigkeit	リキッド liquide	リクイド liquido	リキド líquido	リーケィド líquido	ジッドコスツ жидкость
	気体	ガス gas	ガース Gas	ギャズ gaz	ガス gas	ガス gas	ガス gás	ガーズ газ
	熱	ヒート heat	ヒッツェ Hitze	シャルール chaleur	カローレ calore	カロル calor	カロル calor	ジャラー жара
	熱い	ホット hot	ハイス heiß	トレ・ショード très chaude	カルド caldo	カリエンテ caliente	クインチィ quente	ジャールキイ жаркий
	温かい	ウォーム warm	ヴァルム warm	ショー chaud	カルド caldo	カリド cálido	クインチィ quente	チョープリイ теплый
	爆発	エクスプロージョン explosion	エクスプロズィオーン Explosion	エクスプロージオン explosion	エスプロジオーネ esplosione	エクスプロシオン explosión	エクスプロザオン explosão	ヴズルィーヴ взрыв
	凍る	フリーズ freeze	フリーレン frieren	グラセ glacer	ギャッチャーレ ghiacciare	コンヘラル congelar	コンジェラール congelar	ザミョールズヌチ замёрзнуть
	冷たい	コールド cold	カルト kalt	フロワ froid	フレッド freddo	フリオ frío	フリオ frio	ハロードニイ холодный
	涼しい	クール cool	キュール kühl	フレ frais	フレスコ fresco	フレスコ fresco	フレースコ fresco	プラフラードニイ прохладный
	煌めき	トゥインクル twinkle	グラスト Glast	サンティユモン scintillement	シンティッリーオ scintillio	センテリェオ centelleo	ブリィロ brilho	シーヤニイェ сияние

ノルウェー語	ラテン語	ギリシャ語	アラビア語	ヘブライ語	中国語	韓国語	エスペラント語
ギェノムトレンゲンデ gjennomtrengende	ペネトラーティオ penetratio	ディアトリトス διάτρητος	トガラギル تغلغل	ヘディレーフ חדירה	チュアンタォウ 穿透	クァントン 관통	ペネトラード penetrado
フォルム form	エグゼンプラー exemplar	プロトタイポ πρωτότυπο	ネモーテジュ نموذج	アブ・ティフォス אב טיפוס	ユエンシン 原型	ウォンヒョン 원형	プロトティーポ prototipo
ファストストフ faststoff	ソリドゥム solidum	ステレオン στερεόν	スルブ صلب	ムツァック מוצק	グーティー 固体	コチェ 고체	ソリーダ solida
ヴェースケ væske	リクィドゥム liquidum	ヒュグロン υγρόν	サーイル سائل	ノゼル נוזל	イエティー 液体	エクチェ 액체	リクファージュ likvaĵo
ガス gass	ガス gas	アトミス ατμις	ガーズ غاز	ガズ גז	チーティー 气体	キチェ 기체	ガッソ gaso
ヴァルメ varme	カロル calor	ピュレトス πυρετος	ハラーラ حرارة	ホム חום	ジアルー 加热	ヨル 열	ヴァーモ varmo
ヴァルム varm	カリドゥス calidus	テルモン θερμον	ハーラ حار	ハム חם	ラー 热	トゴウン 뜨거운	ヴァルメーガ varmega
ヴァルムカイ varm	テピド tepido	セルモス θερμος	ダーフィゥ دافئ	ハム חם	ヌワンフオ 暖和	タットタタ 따뜻하다	ヴァルマ varma
エクスプロション eksplosjon	エールプティオー eruptio	エクリクシス έκρηξις	ナフジール نفجار	ヘトフェツォート התפוצצות	バオジャー 爆炸	ポカル 폭발	エクスプロード eksplodo
フリューセ fryse	ドゥラートゥス duratus	パゴノ πάγωνω	タジャマダ تجمد	レヘクフィア להקפיא	ジエピン 结冰	オルタ 얼다	フロスティ frosti
カルト kald	フリーギドゥム frigidum	プシュークロン ψυχρον	バーリド بارد	カル קר	ロン 冷	チャガウン 차가운	マルヴァールマ malvarma
シェリグ kjølig	フリーグス frigus	ドロセロ δροσερό	バーリド بارد	カリル קריר	リアン 凉	シウォンハタ 시원하다	マルヴァルメータ malvarmeta
グリムト glimt	フルゴル fulgor	ランヴィリズマ λαμπυρισμα	ビライク تألق	ニツヌーツ נצנוץ	グワンマン 光芒	パンジャキム 반짝임	エクビリオン ekbrilon

変化

	英語	ドイツ語	フランス語	イタリア語	スペイン語	ポルトガル語	ロシア語
輝く	シャイン shine	シャイネン scheinen	ブリエ briller	ブリッラーレ brillare	ブリリャル brillar	ブリリャール brilhar	スヴィルカーチ сверкать
吸収	アブソープション absorption	アブソープチオン Absorption	アブソープション absorption	アッソルビメント assorbimento	アブソルシオン absorción	アヴソルセォン absorção	アプソーラプツェン абсорбция
成功	サクセス success	エアフォルク Erfolg	スュクセ succès	スッチェッソ successo	エクシト éxito	スセッソ sucesso	ウスピェーフ успех
失敗	フェイラー failure	ミスエアフォルグ Misserfolg	エシェック échec	インスッチェッソ insuccesso	フラカソ fracaso	フラカッソ fracasso	プラヴァール провал
破壊	ディストラクション destruction	ツェアシュテールング Zerstörung	デストリュクシオン destruction	ディストロルツィオーネ distruzione	デストルクシオン destrucción	デストロイセォン destruição	ウニチタジェーニヤ уничтожение
変化	チェンジ change	フェアエンデルング Veränderung	シャンジュモン changement	カンビャメント cambiamento	カンビオ cambio	ムダンカ mudança	イズミニェーニヤ изменение
衰退	ディクライン decline	フェアファル Verfall	デクラン déclin	デクリーノ declino	デカデンシア decadencia	デクリニョ declínio	ウパードク упадок
滅び	フォール fall	ウンターガング Untergang	シュット chute	デカディメント decadimento	デストルクシオン destrucción	ペルシィル perecer	ギーベリ гибель
暴走	ランページ rampage	ドイヒゲーエン Durchgehen	フゥ fou	フーガ fuga	ディスボカミエント desbocamiento	フジティーヴォ fugitivo	ニーストフストゥヴォレツ неистовствовать
衝撃	ショック shock	シュラッグ Schlag	ショック choc	インプールソ impulso	チョケ choque	ショオーキ choque	ショーク шок
進化	エボリューション evolution	エヴォルツィオーン Evolution	イヴォリュション évolution	エーヴォルツィオーネ evoluzione	エボルシオン evolución	イボルセオ evolução	イヴァリゥーツェン эволюция
退化	ディジェネレーション degeneration	エンタートゥンク Entartung	デヴォリュション dévolution	デジェネラツィオーネ degenerazione	デヘネラシオン degeneración	ディジェネラセオ degeneração	ディギニャラーツェン дегенерация
再生	リジェネレイション regeneration	リゲネラツィオーン regeneration	レジェネレイション régénération	リジェネラツィオーネ rigenerazione	レヘネラシオン regeneración	リプロデュセオ reprodução	ヴォスプロイツヴェズエイニヤ воспроизведение

ノルウェー語	ラテン語	ギリシャ語	アラビア語	ヘブライ語	中国語	韓国語	エスペラント語
シネ skinne	フルゲオー fulgeo	ランヴォ λάμπω	サタア ساطع	ザラッハ מבריק	ファーグワン 发光	ピッナダ 빛나다	ブリーリ brili
アブソルベリング absorbering	エフシオ effusio	アポッロフィシィ απορρόφηση	イムティサース امتصاص	カルイェト קליטה	シーショウ 吸收	フィプス 흡수	アブソルシーオン absorción
スクセス suksess	スッケッスス successus	エウテュケーマ ευτυχημα	ナジャーフ نجاح	ハツラハー הצלחה	チョンゴン 成功	ソンゴン 성공	スクセーソ sukceso
ミスリュッケス mislykkes	デーフェクティオー defectio	アポティヒア αποτυχία	ファシャル فشل	キシャロン כישלון	シーバイ 失败	シルペ 실패	マルスクセーソ malsukceso
エデレグレセ ødeleggelse	デーストルークティオー destructio	カタストロフィ καταστροφή	タドミール تدمير	ヘレス הרס	ポーフワイ 破坏	パゴエ 파괴	デクトゥーオ detruo
エンドリング endring	ムーターティオー mutatio	アラギ αλλαγή	テギール تغيير	ルシヌート לשנות	ビエンフア 变化	ピョンファ 변화	サンジ ŝanĝi
ネットガング nedgang	デキリナーレ declinare	パラクミ παρακυη	タラジャウ تراجع	リルダット לרדת	シュアイトゥイ 衰退	ソエトエ 쇠퇴	マルプロスペーロ malprospero
エデレグレセ ødeleggelse	ペリビ peribit	プトスィ πτώση	カダー قضاء	リェプール ליפול	ミエマン 灭亡	ミョルマン 멸망	ペレイ perei
ラセリ raseri	テメラーリア・インジェッスース temeraria incessus	トレスィ・アグリア τρέξει άγρια	ハラブ هارب	ボルーフ בורח	シィコン 失控	ポグ 폭주	フガンタイン fuĝantajn
ストート støt	オッフェンド offendo	ソック σοκ	サドマ صدمة	ヘレム הלם	チョンリー 冲力	チュンギョク 충격	ショーコ ŝoko
エヴォリューソン evolusjon	エヴォルーシオ evolutio	エクセリキシィ εξέλιξη	トゥタウエル تطور	アヴールツィー אבולוציה	ヤンフア 演化	チンファ 진화	エヴォリースモ evoluismo
デーゲネラション degenerasjon	ディジェネラートゥマ degeneratum	エクフィリズィモス εκφυλισμός	インヘタット انحطاط	ネヨヴン ניוון	トゥイフア 退化	トエファ 퇴화	デェゲネーロ degenero
レゲネレレ regenerere	レネシャーンティア renascentia	アナパラゴギー αναπαραγωγή	テシュギール تشغيل	テクミーフ תקומה	ヴァイション 再生	チェサン 재생	レーンカルニーゴ reenkarniĝo

幻想
戦闘
道具
時空
形質
社会
人間
自然

変化	英語	ドイツ語	フランス語	イタリア語	スペイン語	ポルトガル語	ロシア語
水蒸気	ヴェイパー vapor	ダンプフ Dampf	ヴァプール vapeur	バポーレ・アックエオ vapore acqueo	バポール vapor	ヴァポァ・ヂ・アークア vapor de água	ヴォゥージャノイ・パル водяной пар
歪み	ディストーション distortion	ファーツェルング Verzerrung	ディストォション distorsion	ディストルショーネ distorsione	ディストルシオン distorsión	ディストルセオ distorção	イスカジェーニヤ искажение
転移	トランシション transition	ユーバーガング Übergang	ミティスターズ métastase	トランズィツィオーネ transizione	メタスタシース metástasis	トランジシャオ transição	ミタースタズ метастаз
溶解	ソリューション solution	ルーソング Lösung	ディソリューション dissolution	ソッリメーント scioglimento	ディソルシオン disolución	ディッソルーセオン dissolução	ラストゥヴァリーニヤ растворение
錆	ラスト rust	ロスト Rost	ルーユ rouille	ルッジーネ ruggine	エルンブレ herrumbre	フェルージェン ferrugem	ルジャーチナ ржавчина
強化	レインフォースメント reinforcement	ファーシュテールクング Verstärkung	ルファスマン renforcement	ラフォルツァメント rafforzamento	レフォルサドル reforzador	フォルテレセミィアント fortalecimento	ウクレプリェーニィア укрепление
改造	オルタレーション alteration	エンデルング Änderung	トランスフォメイション transformation	リモデラメーント rimodellamento	レコンストラクシオン reconstrucción	リモデラーソン remodelação	リカンストゥルクスツィエ реконструкция
火	ファイア fire	フォイアー Feuer	フゥー feu	フォーコ fuoco	フエゴ fuego	フォーゴ fogo	アゴーニ огонь
水	ウォーター water	ヴァッサー Wasser	オー eau	アックア acqua	アグア agua	アグア água	ヴァダー воды
土	ソイル soil	ゾワィ soil	ソル sol	スォロ soil	スエロゥ suelo	スォロ suelo	ジムリャー земля
炎	フレイム flame	フランメ Flamme	フラム flamme	フィアンマ fiamma	リャマ llama	シャマ chama	プラーミャ пламя
煙	スモーク smoke	ラオホ Rauch	フュメ fumée	フーモ fumo	ウモ humo	フマール fumar	ドィーム дым
灰	アッシュ ash	アッシェ Asche	サンドル cendres	チェネレ cenere	セニサ ceniza	スィンザ cinza	ピェーピル пепел

ノルウェー語	ラテン語	ギリシャ語	アラビア語	ヘブライ語	中国語	韓国語	エスペラント語
ヴァンダンプ vanndamp	ヴァポールマ vaporum	イー・イラドミー οι υδρατμοί	ブハール・アルマ بخار الماء	アディ・ミム אדי מים	シュイジョンチー 水蒸气	スジュンギ 수증기	アークヴァ・ヴァポーロ akva vaporo
フォルブレングニング forvrengning	クルヴァーティオ curvatio	パラモルフォシー παραμόρφωση	テシュウィヒ تشويه	オルフノット סלפנות	ニゥチー 扭曲	ワイコク 왜곡	ディストールド distordo
オーヴェルガング overgang	メタースタジイ metastasis	メターバシー μετάβαση	エンティッカル انتقال	マヴェル מעבר	チュワンイー 转移	チョニ 전이	メタスタード metastazo
オップリューション oppløsning	ソルゥビリィ solubilis	ディアルマ διάλυμα	タフウィーブ تذويب	ヘテフレクット התפרקות	ロンジエ 溶解	ヨンヘ 용해	ソールヴォ solvo
ルスト rust	アエルーゴ ærugo	スコリア σκωρία	サッダア صدأ	ヘルデー חלודה	シウ 锈	ノク 녹	ルースト rusto
フォルステルクニング forsterkning	コンフォルターナス confortans	エニスシシィ ενίσχυση	タッカウィヤ تقوية	ヘトフズィコット התחזקות	チァンフア 强化	カンファ 강화	プリフォルティーゴ plifortigo
モディフィセリング modifisering	レストウラティーオ restauratio	アナディアモフォシィ αναδιαμόρφωση	エハドアルド إعادة عرض	シフォッツ שיפוץ	ガイヅァオ 改造	ケジョ 개조	レフォールモ reformo
イルド ild	イーグニス ignis	ピュール πυρ	ナール نار	エシュ אש	フオ 火	プル 불	ファイロ fajro
ヴァン vann	アクア aqua	イードル υδωρ	マー ماء	マイム מים	シュイ 水	ムル 물	アークヴォ akvo
ヨル jord	ソルゥム solum	ゲー γη	ベレダ بلد	アダマー אדמה	トゥー 土	フン 흙	グルンド grundo
フラム flamme	フラムマ flamma	プロクス φλός	ラハブ لهب	レヘヴェー להבה	フオイエン 火焰	プルコッ 불꽃	フラーモ flamo
ロイク røyk	フームス fumus	カプノス καπνός	ドゥハーン دخان	アシャン עשן	イエン 烟	ヨンギ 연기	フーモ fumo
アシェ aske	キニス cinis	スタフティ σταχτη	ラマード رماد	エフェル אפר	フイ 灰	ジェ 재	シンドロ cindro

色

	英語	ドイツ語	フランス語	イタリア語	スペイン語	ポルトガル語	ロシア語
色	カラー color	ファルベ Farbe	クルール couleur	コローレ colore	コロール color	コール cor	ツヴェート цвет
白	ホワイト white	ヴァイス weiß	ブラン blanc	ビャンコ bianco	ブランコ blanco	ブランコ branco	ビェールイ белый
黒	ブラック black	シュヴァルツ schwarz	ノワール noir	ネーロ nero	ネグロ negro	プレート preto	チョールニイ черный
赤	レッド red	ロート rot	ルージュ rouge	ロッソ rosso	ロホ rojo	ヴェルメリオ vermelho	クラースニイ красный
緋色	スカーレット scarlet	シャルラハロート scharlachrot	エキャルラット écarlate	スカルラット scarlatto	エスカルラータ escarlata	エスカラーチェ escarlate	アーリイ алый
青	ブルー blue	ブラオ blau	ブルー bleu	ブル blu	アスル azul	アズゥ azul	シーニイ синий
紫	パープル purple	ヴィオレット violett	ヴィオレ violet	ヴィオーラ viola	プルプラ púrpura	ヴィオレッタ violeta	フィアリエータヴィイ фиолетовый
緑	グリーン green	グリューン grün	ヴェール vert	ヴェルデ verde	ベルデ verde	ヴェルデ verde	ジリョーニイ зеленый
黄	イエロー yellow	ゲルプ gelb	ジョーヌ jaune	ジャッロ giallo	アマリリョ amarillo	アマレロ amarelo	ジョールティイ желтый
茶	ブラウン brown	ブラオン braun	マロン marron	マッローネ marrone	マロン marrón	マホン marrom	カリーチニヴィイ коричневый
灰色	グレイ gray	グラオ grau	グリ gris	グリージョ grigio	グリス gris	シンザ cinza	シェールィ серый

ノルウェー語	ラテン語	ギリシャ語	アラビア語	ヘブライ語	中国語	韓国語	エスペラント語
ファルゲ farge	コロル color	クローマ χρώμα	ラウン لون	ツェヴァ צבע	スー 色	サッカル 색깔	コローロ koloro
ヴィット hvit	アルプス albus	レフコン λευκόν	アブヤド أبيض	ラヴァン לבן	バイスー 白色	フィン 흰	ブラーンカ blanka
スヴァルト svart	ニーグルム nigrum	メラン μελαν	アスワド أسود	シャホール שחור	ヘイスー 黑色	コムン 검은	ニーガ nigra
レウド rød	ルベル ruber	コキノス ερυθρον	アフマル أحمر	アドム אדום	ホンスー 红色	ピッカン 빨간	ルータ ruĝa
メウケルーレウド mørkerød	ウェルニークロ vermiculo	アリコ αλικο	キルミズィー قرمزي	アドム אדום	シエンホンスー 鲜红色	チュホン 주홍	スカラート skarlato
ブロー blå	カエルレウス caeruleus	キュアノエイデス κυανοειδες	アズラク أزرق	カホール כחול	ランスー 蓝色	プン 푸른	ブルゥア blua
リッラ lilla	プルプレウス purpureus	ポイニークーン φοινικουν	ウルジュワーニー أرجواني	サゴール סגול	ズースー 紫色	ポラ 보라	プルプルァ purpura
グロン grønn	ウィリディス viridis	クローロン χλωρον	アフダル أخضر	ヤロック ירוק	リュースー 绿色	チョロク 초록	ヴェーダ verda
ギュル gul	フラーウス flavus	クサントン ξανθόν	アスファル أصفر	ツァホーヴ צהוב	フアンスー 黄色	ノラン 노란	フラーバ flava
ブロン brun	ブルンニー brunneis	アイティオピコン αιθιοπικον	ブンニー بني	フム חום	フースー 褐色	カルセク 갈색	ブルーア bruna
グロー grå	シネレオ cinereo	フェオ φαιο	ラマーディー رمادي	アフォール אפור	フイスー 灰色	フェセク 회색	グリーザ griza

分類	日本語	英語	ドイツ語	フランス語	イタリア語	スペイン語	ポルトガル語	ロシア語
国家	国	ネイション nation	ナツィオン Nation	ナシオン nation	ナツィオーネ nazione	ナシオン nación	パイース pais	ストラナー страна
国家	帝国	エンパイア empire	カイザーライヒ Kaiserreich	アンピール empire	インペーロ impero	インペリオ imperio	インペーリオ império	インピェーリヤ империя
国家	王国	キングダム kingdom	ケーニックライヒ Königreich	ロワイヨム royaume	レーニョ regno	レイノ reino	ヘイノ reino	カラリェーヴストヴォ королевство
国家	共和国	リパブリック republic	レプブリーク Republik	レピュブリック république	レプッブリカ repubblica	レプブリカ república	ヘプーブリカ república	リスプーブリカ республика
国家	連邦	フェデレイション federation	ブンデスシュタート Bundesstaat	フェデラシオン fédération	フェデラツィオーネ federazione	フェデラシオン federación	フェデラサオン federação	フィディラーツィヤ федерация
国家	領土	テリトリー territory	ベライヒ Bereich	テリトワール territoire	テリトーリオ territorio	テリトーリオ territorio	テリトリオ território	ティリットゥーリヤ территория
国家	国境	ボーダー border	グレンツェ Grenze	フロンティエール frontière	コンフィーネ confine	フロンテーラ frontera	フロンテイラ fronteira	グラニィースタ граница
社会全般	協会	アソシエーション association	ファバント Verband	アソシアシオン association	アッソチャッツィオーネ associazione	ソシエダド sociedad	アソシアサオ associação	アッソツァーツイエ ассоциация
社会全般	民衆	ピープル people	メンシェン Menschen	プープル peuple	ポーポロ popolo	プエブロ pueblo	ペッソアス pessoas	ナロート народ
社会全般	民族	レイス race	ラッセ Rasse	ラース race	ナッツィオーネ nazione	ラーサ raza	ペッソアス pessoas	プリエーミァ племя
社会全般	安全	セーフティ safety	ズィッヒャーハイト Sicherheit	セキュリテ sécurité	シクレッツァ sicurezza	セグロ seguro	セグランサ segurança	ビザパースノスチ безопасность
社会全般	危険	デンジャー danger	ゲファー Gefahr	ダンジェ danger	ペリーコロ pericolo	ペリグロ peligro	ピリゴ perigo	アパースノスチ опасность
社会全般	独裁	オートクラシィ autocracy	アラインヘルシャフト Alleinherrschaft	ディクタチュール dictature	ディッタトゥーラ dittatura	アウトクラシア autocracia	アウトクラシア autocracia	ディクタートゥーラ диктатура

ノルウェー語	ラテン語	ギリシャ語	アラビア語	ヘブライ語	中国語	韓国語	エスペラント語
ランド land	テッラ terra	ポリーティアー πολιτεια	ブリダ بلد	メディナー מדינה	グオチア 国家	ナラ 나라	ナシオ nacio
インペリウム imperium	インペリアーレム imperialism	ヘーゲモニアー ηγεμονια	イムビラートゥーリーヤ إمبراطورية	イムペリヤ אימפריה	ディーグオ 帝国	チェグク 제국	インペリオ imperio
コンゲリケ kongerike	レーグヌム regnum	バシレイアー βασίλεια	マムラカ مملكة	ハンムレケ הממלכה	ワングオ 王国	ワングク 왕국	レーグノ regno
レピュブリック republikk	レイププリカエ reipublicae	ポリティア πολιτεια	ジュムフーリーヤ جمهورية	レプヴリカ רפובליקה	ゴンフーグオ 共和国	コンファグ 공화국	レスプビリィコ respubliko
フェデラスヨン føderasjon	フォエデレシオ foederatio	オモスポンディア ομοσπονδία	イッティハード اتحاد	フェデラツヤー פדרציה	リエンバン 联邦	ヨンバン 연방	フェデラシィオ federacio
テリトリウム territorium	テリトォリウマ territorium	エダフォス έδαφος	イクリーム إقليم	シェテフ שטח	リントゥ 领土	ヨント 영토	テリトリーオ teritorio
グレンセ grense	テルミヌス terminus	スィノロ σύνορο	ホドウド・スィヤスィーヤ حدود سياسية	ゲブル גבול	グォジン 国境	コッキョン 국경	リーモ limo
フォレニング forening	コンソチャティオ consociatio	エタイリア εταιρία	ジェマヤ جمعية	アムテー עמותה	シエフイ 协会	ヒョプェ 협회	アソシーオ asocio
フォルク folk	オーミネイズ homines	アンスロピ άνθρωποι	ジャマヒール الجماهير	アネシム אנשים	ダーチョン 大众	ククミン 국민	ポポーロ popolo
エトニスクグルッペ etnisk gruppe	ポープルゥス populus	アンソロピー άνθρωποι	スバーク سباق	ヴレク וולק	ミンズゥ 民族	ミンジョク 민족	ナシオ nacio
シッケルヘート sikkerhet	セークールス securus	アスファリア ασφάλεια	サラーマ سلامة	ビタホン ביטחון	アンチュエン 安全	アンジョン 안전	セクレーソ sekureco
ファーレ fare	ペリクルム periculum	キンディノス κίνδυνος	アズマ أزمة	シェクネー סכנה	ウエイシエン 危险	ウィヘム 위험	クリーゾ krizo
ディクタトゥール diktatur	ディクタトゥーラ dictatura	ズィクタトリア δικτατορια	ディクタートゥリーヤ ديكتاتورية	オトクラティヤ אוטוקרטיה	ドゥーツァイ 独裁	トゥケ 독재	アウトスカシィア autocracia

		英語	ドイツ語	フランス語	イタリア語	スペイン語	ポルトガル語	ロシア語
社会全般	飢餓	ハンガー hunger	フンガー Hunger	ファミーヌ famine	ファーメ fame	アンブレ hambre	フォーミ fome	ゴロゥード голод
	秩序	オーダー order	オルドヌンク Ordnung	オルドル ordre	オルディネ ordine	オルデン orden	オルディン ordem	パリャードク порядок
	正義	ジャスティス justice	ゲレヒティヒカイト Gerechtigkeit	ジュスティス justice	ジュスティーツィア giustizia	フスティシア justicia	ジゥスティサ justiça	スプラヴィドリーボスチ справедливость
	平和	ピース peace	フリーデン Frieden	ペ paix	パーチェ pace	パス paz	パス paz	ミール мир
	自由	フリーダム freedom	フライハイト Freiheit	リベルテ liberté	リベルタ libertà	リベルター libertad	リベルダージ liberdade	スヴァボーダ свобода
	危機	クライシス crisis	クリーゼ Krise	クリーズ crise	クリージ crisi	クリシス crisis	クリーズィ crise	クリージス кризис
	豪華	ゴージャス gorgeous	ルクスリエース Luxuriös	マニフィーケ magnifique	ルッスオーゾ lussuoso	ルホソ lujoso	ルーシォ luxo	ロースコシ роскошь
肩書き・職業	海賊	パイレート pirate	ゼーロイバー Seeräuber	ピラット pirate	ピラータ pirata	ピラタ pirata	ピラータ pirata	ピラート пират
	山賊	バンディット bandit	バンディート Bandit	バンディ bandit	バンディート bandito	バンディド bandido	バンチード bandido	バンディート бандит
	盗賊	シーフ thief	ロイバー Räuber	ヴォラール voleur	ラドロ ladro	ラドロン ladrón	ラドロン ladrão	ヴォール вор
	暗殺者	アサシン assassin	アッティンテーター Attentäter	アササン assassin	アッサッシーノ assassino	アセシノ asesino	アッサシノ assassino	ウビーイツァ убийца
	処刑人	エクスキューショナー executioner	シャルフリヒター Scharfrichter	ブロー bourreau	ボーヤ boia	エヘクトル ejecutor	ヴェルドゴ verdugo	パラーチ палач
	英雄	ヒーロー hero	ヘルト Held	エロ héros	エローエ eroe	エロエ héroe	エロイ herói	ギローイ герой

ノルウェー語	ラテン語	ギリシャ語	アラビア語	ヘブライ語	中国語	韓国語	エスペラント語
スルト sult	**ファーメス** fames	**ピーナ** πείνα	**ジョワ** جوع	**ラブ** רעב	**ジーウー** 饥饿	**キア** 기아	**マルサート** malsato
オルデン orden	**オールドー** ordo	**タクスィ** ταξη	**ニザーム** نظام	**セデル** סדר	**ジーシュー** 秩序	**チルソ** 질서	**オールド** ordo
レットフェルディヘート rettferdighet	**ユースティティア** justitia	**デュカイオシュネー** δικαιοσύνη	**アダーラ** عدالة	**ツェデック** צדק	**ジョンイー** 正义	**チョンイ** 정의	**ユステーコ** justeco
フレット fred	**パークス** pax	**イリニ** ειρήνη	**サラーム** سلام	**シャローム** שלום	**フーピン** 和平	**ピョンファ** 평화	**パースォ** paco
フリヘート frihet	**リーベルタース** libertas	**エレウテリアー** ελευθερία	**フッリーヤ** حرية	**ヘルート** חרות	**ツーヨウ** 自由	**チャユ** 자유	**リベレーソ** libereco
クリーセ krise	**ディスクリーメン** discrimen	**クリスィ** κρίση	**アズマ** أزمة	**サカナー** סכנה	**ウェイジー** 危机	**ウィギ** 위기	**クティーゾ** krizo
リュクスス luksus	**スプレンディディ** splendidis	**ポリテリア** πολυτελεια	**ルエッヤ** رائع	**ヌフェラー** נפלא	**シャーチー** 奢侈	**ホファ** 호화	**ルークソ** lukso
ピラット pirat	**ピーラータ** pirata	**ピラティス** πειρατής	**クルサーニ** قرصان	**フィラト** פיראט	**ハイダオ** 海盗	**ヘジョク** 해적	**ピラト** pirato
レウヴェル røver	**ラトローニ** latronis	**リスティ** ληστή	**カーティウ・タリーク** قاطع طريق	**ショデッド** שודד	**シャンゼイ** 山贼	**サンジョク** 산적	**バンディート** bandito
テューヴ tyv	**フーラ** fur	**クレフティス** κλέφτης	**ラサ** لص	**ガナヴ** גנב	**ダオゼイ** 盗贼	**トジョク** 도적	**ステリスト** štelisto
レイエモルダー leiemorder	**シーカーリウス** sicarius	**ドロフォノス** δολοφόνος	**カーティル** قاتل	**ミットナケシュ** מתנקש	**ツークー** 刺客	**アムサルジャ** 암살자	**ムルティースト** murdisto
バデル bøddel	**カールニフェックス** carnifex	**ディミオス** δήμιος	**ジャッラード** جلاد	**タヴーフ** טבח	**チューシェンレン** 处刑人	**チョヒョンイン** 처형인	**エクゼクティスト** ekzekutisto
ヘルト helt	**ヘーロース** heros	**イロアス** ήρωας	**バタル** بطل	**ギボール** גיבור	**インション** 英雄	**ヨンウン** 영웅	**ヘロー** heroo

幻想
戦闘
道具
時空
形質
社会
人間
自然

肩書き・職業

	英語	ドイツ語	フランス語	イタリア語	スペイン語	ポルトガル語	ロシア語
ヒロイン	ヒロイン heroine	ヘルディン Heldin	エロイン héroïne	エロイーナ eroina	エロイナ heroína	エロイナ heroína	ギライーニャ героиня
リーダー	リーダー leader	フューラー Führer	ムナール meneur	カーポ capo	リデル líder	リーヂル líder	リーヂル лидер
主役	プロターゴニスト protagonist	ハオプトロレ Hauptrolle	プロタゴニスト protagoniste	プロタゴニスタ protagonista	プロタゴニスタ protagonista	プロタゴニスタ protagonista	グラーヴナヤ・ローリ главная роль
達人	マスター master	マイスター Meister	メートル maître	エスペルト esperto	マエストロ maestro	メーストソ mestre	マースチェル мастер
先駆者	パイオニア pioneer	フォーアライター Vorreiter	ピオニエ pionnier	ピオニエーレ pioniere	ピオネロ pionero	ピオネイロ pioneiro	ピアニェール пионер
後継者	サクセサー successor	ナーハフォルガー Nachfolger	スュクセサール successeur	スッチェッソーレ successore	スセソル sucesor	スセソル sucessor	プリイェームニク преемник
挑戦者	チャレンジャー challenger	ヘラオスフォルダラー Herausforderer	チャレンジャール challenger	スフィダンテ sfidante	デセフィアンテ desafiante	コンペチドル competidor	チェイリーエンジェル Челленджер
探求者	シーカー seeker	ズーヒャー Sucher	シェルシェール chercheur	チェルカトーレ cercatore	ブスカドル buscador	アパニャドール apannador	イスカーツェル искатель
放浪者	ノーマッド nomad	ノマダ Nomade	ノマッド nomade	ノマデ nomade	ノマダ nómada	ノーマジ nômade	ブラヂャーガ бродяга
助言者	メントーア mentor	ベラーター Berater	マントール mentor	メントレ mentore	メントル mentor	メントル mentor	ナスターヴニク наставник
勝者	ウィナー winner	ズィーガー Sieger	ガニアン gagnant	ヴィンチトーレ vincitore	ガナドール ganador	ヴェンセドル vencedor	パビヂーチェリ победитель
敗者	ルーザー loser	ベズィークター Besiegter	ペルダン perdant	ペルデンテ perdente	ペルデドール perdedor	ペルデドル perdedor	ニューダチニク неудачник
金持ち	リッチ rich	ライヒェ Reiche	リッシュ riche	リッコ ricco	リコ rico	リィコ rico	バガートィイ богатый

ノルウェー語	ラテン語	ギリシャ語	アラビア語	ヘブライ語	中国語	韓国語	エスペラント語
ヘルティネ heltinne	**ヘーローイス** herois	**イロアス** ήρωας	**バタラ** بطلة	**ギボラー** גבורה	**ニュージョージエ** 女主角	**ヨジャ ジュイ ンゴン** 여자 주인공	**ヘロイノ** heroino
レーダー leder	**ドゥクス** dux	**イイェティス** ηγέτης	**ザーイム** زعيم	**マンヒグ** מנהיג	**リンダオ** 领导	**リド** 리더	**ツェーフォ** ĉefo
ホーヴェド ロッレ hovedrolle	**プリーマス** primas	**プロタゴニス ティス** πρωταγωνιστής	**ブトゥーラ** بطل	**ダムート・ラ シート** דמות ראשית	**ジョージエ** 主角	**チュヨク** 주역	**チェフロウロ** ĉefrolulo
エクスペルト ekspert	**マギステル** magister	**アフセンディア** αυθεντια	**カビール** خبير	**アドゥヌ** אדון	**ガオショウ** 高手	**タリン** 달인	**マイストロ** majstro
ピオネル pioner	**プロークル サートル** procursator	**プロトポロス** πρωτοπόρος	**ラーイド** رائد	**ハルーツ** חלוץ	**シエンチュージャ** 先驱者	**ソングジャ** 선구자	**ピオニロ** pioniro
エッテルフェウ ルゲル etterfølger	**スッケーソル** successor	**ディアドコス** διάδοχος	**ハリファ** خليفة	**ヨレシュ** יורש	**ジエバンレン** 接班人	**フギェジャ** 후계자	**ポステウロ** posteulo
ウトフォルドレル utfordrer	**プローウォ カートル** provocator	**ディエクディ キティス** διεκδικητής	**タシャルネ ジャル** تشالنجر	**ヘモットモ デッド** המתמודד	**ティアオジャ ンジャ** 挑战者	**トジョンジャ** 도전자	**ディフィリント** defiinto
ウトフォルスケル utforsker	**クピートル** cupitor	**アナズィトン** αναζητων	**バハセ** باحث	**ショヘル** שוחר	**タンシエン ジア** 探险家	**タムグジャ** 탐구자	**セルチャント** serĉanto
ヴァンドレル vandrer	**ワカブンドゥス** vagabundus	**プトーコス** πτωχος	**タイェ** التائه	**ナヴァド** נוד	**リウランジャ** 流浪者	**パンナンジャ** 방랑자	**ヴァガント** vaganto
ローグディ ヴェル rådgiver	**コンシリアートル** consiliator	**メントル** μεντωρ	**アルナーサフ** الناصح	**フネル** חונך	**グーウェン** 顾问	**チョエンジャ** 조언자	**コンシラント** konsilanto
ヴィンネル vinner	**ウィクトル** victor	**ニキティス** νικητής	**アルファーイズ** الفائز	**メナツェッハ** מנצח	**ションリージャ** 胜利者	**スンジャ** 승자	**ヴェンキーント** venkinto
タペル taper	**ウィークトゥス** victus	**イティメノス** ηττημένος	**ハースィル** خاسر	**マフスィッド** מפסיד	**シーバイジャ** 失败者	**ペジャ** 패자	**マルヴェンキント** malvenkinto
リック rik	**ディウィテス** divites	**プルスィオス** πλούσιος	**ガニー** غني	**アシール** עשיר	**ヨウチエンレン** 有钱人	**プジャ** 부자	**リーチャ** riĉa

肩書き・職業

	英語	ドイツ語	フランス語	イタリア語	スペイン語	ポルトガル語	ロシア語
貧乏	プア poor	アルメ Arme	ポーヴル pauvre	ポヴェロ povero	ポブレ pobre	ポブリ pobre	ビェードニイ бедный
救世主	メサイア messiah	エアレーザー Erlöser	ソヴァール sauveur	サルヴァトーレ salvatore	サルバドル salvador	サウヴァサオン salvação	スパシーチェリ спаситель
愛国者	パトリオット patriot	パトリオート Patriot	パトリオット patriote	パトリオータ patriota	パトリオタ patriota	パトリオタ patriota	パトリオート патриот
反逆者	トレイター traitor	レベル Rebell	トレートル traître	リヴォルトーゾ rivoltoso	インスレクト insurrecto	トライドール traidor	プリダーチェリ предатель
略奪者	プランドラー plunderer	プリュンダラー Plünderer	ピヤー pillard	サッチェッジァトーレ saccheggiatore	デプレダドル depredador	サキアドール saquador	グラーヴィチェリ грабитель
異端者	ヘレティック heretic	ケッツァー Ketzer	エレティック hérétique	エレーティコ eretico	エレティコ herético	ヘレィージ herege	イェリチーク еретик
狂信者	ファナティック fanatic	ファナティカー Fanatiker	ファナティック fanatique	ファナーティコ fanatico	ファナティコ fanático	ファナチコ fanático	ファナーチク фанатик
罪人	クリミナル criminal	フェアブレッヒャー Verbrecher	クリミネル criminel	ペッカトーレ peccatore	クリミナル criminal	クリミノーゾ criminoso	グリェーシェニク грешник
暴君	タイラント tyrant	テュラン Tyrann	ティラン tyran	ティラーノ tiranno	ティラノ tirano	チラノ tirano	ツィラン тиран
国王	キング king	ケーニッヒ König	ロワ roi	レ re	レイ rey	ヘイ rei	カローリ король
王妃	クイーン queen	ケーニギン Königin	レーヌ reine	レジーナ regina	レイナ reina	ハイニャ rainha	カラリェーヴァ королева
皇帝	エンペラー emperor	カイザー Kaiser	アンペラール empereur	インペラトーレ imperatore	エンペラドル emperador	インペラドル imperador	インピラートル император
王子	プリンス prince	プリンツ Prinz	プランス prince	プリンチペ principe	プリンシペ príncipe	プリンスィピ príncipe	プリーンス принц

ノルウェー語	ラテン語	ギリシャ語	アラビア語	ヘブライ語	中国語	韓国語	エスペラント語
ファティグ fattig	パウペル pauper	フトホス φτωχός	ファクル فقر	アニー עני	チオンレン 穷人	カナン 가난	マルリーチャ malriĉa
フレルセル frelser	サルワートル salvotor	スティル σωτήρ	アルマシア المسيح	モシア מושיע	チウシージュ 救世主	クセジュ 구세주	メシオ mesio
パトリオット patriot	パトリオータ patriota	パトリオティス πατριώτης	ワタニー وطني	パトリヨット פטריוט	アイグオジャ 爱国者	エグッカジャ 애국자	パトリオート patrioto
オプローレル opprører	レベリオー rebellio	プロドティス προδότης	ムタマッリド متمرد	ボゲッド בוגד	パントゥ 叛徒	パニョクジャ 반역자	ペルフィドゥーロ perfidulo
プリュンドレル plyndrer	プラエドー praedo	アルパガス αρπαγας	ナッハーブ نهاب	ブッズ בוזז	リュエドゥオジャ 掠夺者	ヤクタルジャ 약탈자	ピラート pirato
シェッター kjetter	ハエレティクス haereticus	エレティコス αιρετικός	ビダハ بدعة	コフェル כופר	イージャオトゥー 异教徒	イダンジャ 이단자	ヘレズーロ herezulo
ファナティケル fanatiker	ファーナーティクス fanaticus	ファナティコス φανατικός	モタアッスィブ متعصب	カナイ קנאי	クワンシンジャ 狂信者	クァンシンジャ 광신자	ファナティクーロ fanatikulo
スィンダー synder	ペッカートル peccator	エグリマティアス εγκληματίας	ハーティア خاطيء	フェリリ פלילי	ヅイレン 罪人	チェイン 죄인	ペクーロ pekulo
テュラン tyrann	ティラーヌス tyrannus	ティラノス τύραννος	タハヒヤ طاغية	ロデン רודן	バオジュン 暴君	ポグン 폭군	ティラーノ tirano
コングエ konge	レークス rex	バシレウス βασιλευς	マリク ملك	メレフ מלך	グオワン 国王	コッワン 국왕	レェゴ reĝo
ドロンニング dronning	レーギーナ regina	ヴァスィリサ βασίλισσα	マリカ ملكة	マルカー מלכה	ワンフェイ 王妃	ワンビ 왕비	レギーノ reĝino
ケイセル keiser	イムペラートル imperator	アフトクラトル αυτοκράτωρ	インピラートゥール إمبراطور	ケイサル קיסר	フワンディー 皇帝	ファンジェ 황제	インペリエーストロ imperiestro
プリンス prins	プリンツェプス princeps	ヴァシロプロ βασιλοπουλο	アミール أمير	ナスィフ נסיך	ワンズ 王子	ワンジャ 왕자	プリンツォ princo

幻想 戦闘 道具 時空 形質 社会 人間 自然

肩書き・職業

	英語	ドイツ語	フランス語	イタリア語	スペイン語	ポルトガル語	ロシア語
王女	プリンセス princess	プリンツェッスィン Prinzessin	プランセス princesse	プリンチペッサ principessa	プリンセサ princesa	プリンセェザ princesa	プリンセーッサ принцесса
君主	モナーク monarch	ヘルシャー Herrscher	モナルク monarque	モナルカ monarca	モナルカ monarca	モナルカ monarca	マナールフ монарх
領主	ロード lord	レーンスヘラー Lehnsherr	セニャール seigneur	フェウダターリオ feudatario	セニョル señor	セニョール senhor	フィアダール феодал
大臣	ミニスター minister	ミニスター Minister	ミニストル ministre	ミニストロ ministro	ミニストロ ministro	ミニストロ ministro	ミニーストル министр
公爵	デューク duke	ヘルツォーグ Herzog	デュック duc	ドゥーカ duca	ドゥケ duque	ドゥケ marquês	ギェールツァグ герцог
侯爵	マークエス marquess	フュルスト Fürst	マルキ marquis	マルケーゼ marchese	マルケス marqués	マルキィス duque	マルキーズ маркиз
男爵	バロン baron	バローン Baron	バロン baron	バローネ barone	バロン barón	バラオン barão	バローン барон
伯爵	アール earl	グラーフ Graf	コント comte	コンテ conte	コンデ conde	コンヂ conde	グラーフ граф
騎士	ナイト knight	リッター Ritter	シュヴァリエ chevalier	カヴァリエーレ cavaliere	カバリェロ caballero	カヴァレイロ cavaleiro	ルィーツァリ рыцарь
教皇	ポープ pope	パープスト Papst	パップ pape	パーパ papa	パパ papa	パパ papa	パーパ папа
枢機卿	カーディナル cardinal	カルディナール Kardinal	キャルディナル cardinal	カルディナーレ cardinale	カルデナル cardenal	カルデァル cardeal	カルディナール кардинал
大司教	アーチビショップ archbishop	エルツビッショフ Erzbischof	アルシェヴェック archevêque	アルチヴェスコヴォ arcivescovo	アルソビスポ arzobispo	アルセビスポ arcebispo	アルヒイェピースコプ архиепископ
司教	ビショップ bishop	ビッショフ Bischof	エヴェック évêque	ヴェスコヴォ vescovo	オビスポ obispo	ビスポ bispo	イェピースコプ епископ

ノルウェー語	ラテン語	ギリシャ語	アラビア語	ヘブライ語	中国語	韓国語	エスペラント語
プリンセッセ prinsesse	レーギーナ regina	バシリス βασιλις	アミーラ أميرة	ネスィハー נסיכה	グンジュー 公主	ワンニョ 왕녀	プリチィーノ princino
モナルク monark	モナルカ monarcha	モナルヒス μονάρχης	マリク ملك	メレフ מלך	チュンズ 君主	クンジュ 군주	モナァルコ monarko
ヘレ herre	ドミヌス dominus	ロルドス λορδος	イクターイ إقطاعي	アドン אדון	リンジュー 领主	ヨンジュ 영주	シニョーロ sinjoro
ミニステル minister	カンケラーリウス canellarius	イプルコス υπουργός	ワズィール وزير	サル שר	ブーチャン 部长	テシン 대신	ミニーストロ ministro
ヘルトゥグ hertug	マルキオーニ marchioni	ドゥカス δούκας	ドゥーク دوق	ドゥカス דוכס	ゴンジュエ 公爵	コンジャク 공작	デューコ duko
マルキ marki	マルキオー marchio	マルキスィオス μαρκησιος	マルキーズ مركيز	マルキズ מרקיז	ホウジュエ 侯爵	フジャク 후작	マルキーゾ markizo
バロン baron	ヴァーロ baro	ヴァロノス βαρώνος	バールーナ بارون	バロン ברון	ナンジュエ 男爵	ナムジャク 남작	バローノ barono
グレヴェ greve	コメス comes	コミス κόμης	ケウァナト كونت	ロゼン רוזן	ボージュエ 伯爵	ペクジャク 백작	グラフォ grafo
リッダー ridder	エクエス eques	ヒッペーラテース ιππηλατης	ファーリス فارس	アビール אביר	チーシー 骑士	キサ 기사	カバリーロ kavaliro
パーヴェ pave	パーパ papa	パパス πάπας	アルバーバー البابا	アフィフィヨール אפיפיור	ジャオフワン 教皇	キョファン 교황	パーポ papo
カルディナル kardinal	カルディナーリス cardinalis	カルディナリオス καρδινάλιος	カルディーナール كاردينال	カルディナル קרדינל	シュージージュージャオ 枢机主教	スギギョン 추기경	カルディナーロ kardinalo
エルケビスコプ erkebiskop	アルキエピスコプス archiepiscopus	アルヒエピスコポス αρχιεπίσκοπος	ムトラーニ مطران	アルヒビショフ ארכיבישוף	ダージュージャオ 大主教	テジュギョ 대주교	チェフェピストローポ ĉefepiskopo
ビスコプ biskop	エピスコプス episcopus	エピスコポス επισκοπος	ウサクィフ أسقف	ビショフ בישוף	ジュージャオ 主教	ジュギョ 주교	エピストローポ episkopo

肩書き・職業

	英語	ドイツ語	フランス語	イタリア語	スペイン語	ポルトガル語	ロシア語
司祭	プリースト priest	プリースター Priester	プレートル prêtre	サチェルドーテ sacerdote	サセルドテ sacerdote	パードゥリ padre	スヴィシェーンニク священник
貴族	ノーブル noble	アーデル Adel	ノーブル noble	ノービレ nobile	ノブレ noble	アリストクラタ aristocrata	アリスタクラート аристократ
奴隷	スレイヴ slave	スクラーヴェ Sklave	エスクラヴ esclave	スキャーヴォ schiavo	エスクラボ esclavo	エスクラボ escravo	ラーブ раб
農夫	ファーマー farmer	バオアー Bauer	アグリキュルトゥール agriculteur	コンタディーノ contadino	アグリクルトル agricultor	ファゼンデイロ fazendeiro	クリスチヤーニン крестьянин
猟師	ハンター hunter	イェーガー Jäger	シャサール chasseur	カッチャトーレ cacciatore	カサドル cazador	カッサドル caçador	アホートニク охотник
漁師	フィッシャーマン fisherman	フィッシャー Fischer	ペッシャール pêcheur	ペスカトーレ pescatore	ペスカドル pescador	ペスカドル pescador	ルイバーク рыбак
医師	ドクター doctor	アールツト Arzt	メドサン médecin	メディコ medico	メディコ médico	ドウトール doutor	ヴラーチ врач
商人	マーチャント merchant	カオフマン Kaufmann	マルシャン marchand	コンメルチャンテ commerciante	コメルシアンテ comerciante	コメルシアンチィ comerciante	クーピェツ купец
行商人	ペドラー peddler	ハウズィーラー Hausierer	コルポルトゥール colporteur	ヴェンディトレ・アンブランテ venditore ambulante	ベンデドル・アンブランテ vendedor ambulante	マスカーチ mascate	ラズノースチク разносчик
船乗り	セイラー sailor	ゼーマン Seemann	マラン marin	マリナーヨ marinaio	マリネロ marinero	マリネィロ marinheiro	マリャーク моряк
旅人	トラヴェラー traveler	ライゼンデ Reisende	ヴォワヤジェール voyageur	ヴィアッジャトーレ viaggiatore	ビアヘロ viajero	ヴィアジャンチェ viajante	プチシェーストヴィンニク путешественник
職人	アーティザン artisan	ハントヴェルカー Handwerker	アルティザン artisan	アルティジャーノ artigiano	アルテサノ artesano	アルテザオン artesão	リミェースリンニク ремесленник
大工	カーペンター carpenter	ツィンマーマン Zimmermann	ムニュイジエ menuisier	カルペンティエーレ carpentiere	カルピンテロ carpintero	カルピンテイロ carpinteiro	プロートニク плотник

ノルウェー語	ラテン語	ギリシャ語	アラビア語	ヘブライ語	中国語	韓国語	エスペラント語
プレスト prest	**サチェドーズ** sacerdos	**パストラス** παστορας	**カヒヌ** كاهن	**コメル** כומר	**ジースゥ** 祭司	**サジェ** 사제	**パロケーストロ** parokestro
アデルスマン adelsmann	**ノービリス** nobilis	**アリストクラテース** αριστοκρατης	**ナビール** نبيل	**アツィール** אצילי	**グイズー** 贵族	**クィジョク** 귀족	**アリストクラート** aristkrato
スラーヴェ slave	**セルウス** servus	**スクラヴォス** σκλαβος	**アブド** عبد	**エヴェド** עבד	**ヌーリー** 奴隶	**ノイェ** 노예	**スクラーヴォ** sklavo
ボンデ bonde	**アグリコラ** agricola	**アグロティス** αγροτης	**ファッラーフ** فلاح	**イカル** איכר	**ノンフ** 农夫	**ノンブ** 농부	**ファミスト** farmisto
イェーゲル jeger	**ウェーナートル** venator	**キニゴス** κυνηγός	**サイヤード** صياد	**ツヤッド** צייד	**リエレン** 猎人	**サニャングクン** 사냥꾼	**チャシスト** ĉasisto
フィスケル fisker	**ピスカートル** piscator	**アリエア** αλιευα	**サイヤードゥッサマク** صياد سمك	**ダヤグ** דיג	**ユーミン** 渔民	**オブ** 어부	**フィシスト** fiŝisto
レーゲ lege	**メディクス** medicus	**イアトロース** γιατρός	**タビーブ** طبيب	**ロフェ** רופא	**イーション** 医生	**ウィサ** 의사	**クラティスト** kuracisto
ハンデルスマン handelsmann	**メルカートル** mercator	**エンポロス** έμπορος	**タージル** تاجر	**ソヘル** סוחר	**シャンレン** 商人	**サンイン** 상인	**コメルティスト** komercisto
ハンデルスライゼンデ handelsreisende	**カウポ** caupo	**プラノズィオス** πλανοιος	**バーイウ・ムタジャッウィル** بائع متجول	**ロケル** רוכל	**シャオファン** 小贩	**ヘンサンイン** 행상인	**コルポールティス** kolportis
ショーマン sjømann	**ナウタ** nauta	**ナフティス** ναύτης	**ビハール** بحار	**スフォン** ספן	**チュワンユエン** 船员	**ソヌン** 선원	**マリスト** maristo
レイゼンデ reisende	**ペレグリナンヌ** peregrinans	**タクスィディオティス** ταξιδιώτης	**ムサーフィル** مسافر	**ヌサー** נוסע	**リュークー** 旅客	**ヨヘンジャ** 여행자	**ヴォヤガント** vojaĝanto
ホーンドヴェルケル håndverker	**アルティフェクス** artifex	**テクニテース** τεχνίτης	**ヒラフィー** حرفي	**ウマン** אומן	**ゴンジアン** 工匠	**チャンイン** 장인	**メティイスト** metiisto
トームレル tømrer	**ファベル** faber	**テクトーン** τεκτων	**ナッジァール** نجار	**ナガル** נגר	**ムージアン** 木匠	**モクス** 목수	**チャルペンティスト** ĉarpentisto

肩書き・職業

	英語	ドイツ語	フランス語	イタリア語	スペイン語	ポルトガル語	ロシア語
石工	メイスン mason	シュタインメッツ Steinmetz	マソン maçon	ムラトーレ muratore	カンテロ cantero	ペデレィロ pedreiro	カーミンシク каменщик
鍛冶屋	ブラックスミス blacksmith	シュミート Schmied	フォルジュロン forgeron	ファッブロ fabbro	エレロ herrero	フェヘィロ ferreiro	クズニェーツ кузнец
仕立屋	テイラー tailor	シュナイダー Schneider	タイヤール tailleur	サルト sarto	サストレ sastre	アゥファヤーチ alfaiate	パルトノーイ портной
料理人	クック cook	コッホ Koch	キュイジニエ cuisiner	クオーコ cuoco	コシネーロ cocinero	コジニェイロ cozinheira	ポーヴァル повар
庭師	ガーデナー gardener	ゲルトナー Gärtner	ジャルディニエ jardinier	ジャルディニエーレ giardiniere	ハルディネロ jardinero	ジャルヂネイロ jardineiro	サドーヴニク садовник
番人	キーパー keeper	ヴェヒター Wächter	ガルディアン gardien	クストーデ custode	グアルディアン guardián	グアルダ guarda	クラニーツェル хранитель
使用人	サーヴァント servant	ディーナー Diener	サルヴィタール serviteur	セルヴォ servo	シルビエンテ sirviente	セルヴオ servo	スルガー слуга
執事	バトラー butler	フェアヴァルター Verwalter	マジョルドム majordome	マッジョルドーモ maggiordomo	マヨルドモ mayordomo	モルドーモ mordomo	ドゥヴァリスキィ дворецкий
女中	メイド maid	ディーンストメートヒェン Dienstmädchen	セルヴァント servante	ドメスティカ domestica	ムカマ mucama	モサ môça	スルジャーンカ служанка
歌手	シンガー singer	ゼンガー Sänger	シャンタール chanteur	カンタンテ cantante	カンタンテ cantante	カントル cantor	ピヴェーツ певец
踊り子	ダンサー dancer	テンツァー Tänzer	ダンスーズ danseuse	バッレリーナ ballerina	バイラリン bailarín	バイラリーナ bailarina	タンツォール танцор
吟遊詩人	ミンストレル minstrel	ファレンダー・ゼンガー fahrender Sänger	メネストレル ménestrel	メネストレッロ menestrello	トロバドル trovador	メネストレゥ menestrel	ミニストリェーリ менестрель
道化師	クラウン clown	クロウン Clown	クルーン clown	パッリャーチォ pagliaccio	パイヤソ payaso	パリヤッソ palhaço	クローウン клоун

ノルウェー語	ラテン語	ギリシャ語	アラビア語	ヘブライ語	中国語	韓国語	エスペラント語
ステイナルバイデル steinarbeider	**マーキオ** machio	**リソクソス** λιθοξοος	**マメル** معمار	**ベナイ** בנאי	**シージアン** 石匠	**ソッコン** 석공	**マソニスト** masonisto
スメド smed	**フェッラーリウス** ferrarius	**スィデラス** σιδερας	**ハッダード** حداد	**ナフハ** נפח	**ティエジアン** 铁匠	**デジャンジャンイ** 대장장이	**フォルジィスト** forĝisto
スクレッダー skredder	**ウェスティートル** vestitor	**ラプティス** ράπτης	**ハイヤート** خياط	**ハヤット** חייט	**ツァイフォン** 裁缝	**チェダンサ** 재단사	**タヨーロ** tajloro
コック kokk	**コクウス** coquus	**マゲイロス** μάγειρος	**タッバーフ** طبخ	**タバッフ** טבח	**チューシー** 厨师	**ヨリサ** 요리사	**クイリスト** kuiristo
ガルトネル gartner	**ホルトゥラーヌス** hortulanus	**ピューティポイメーン** φιτυποιμην	**ブスターニー** بستاني	**ガナン** גנן	**ユエンディン** 园丁	**チョンウォンサ** 정원사	**ジャルデニスト** ĝardenisto
ヴァクト vakt	**クーストース** custos	**フィラカス** φύλακας	**ハーリス** حارس	**ショメル** שומר	**メンウェイ** 门卫	**キョンビウォン** 경비원	**ガルディスト** gardisto
チェネル tjener	**セルウィトル** servitor	**イピレティス** υπηρέτης	**ハーディム** خادم	**メシャレット** משרת	**ヨンレン** 佣人	**サヨンイン** 사용인	**ドゥンギート** dungito
ビュトレル butler	**ケッラーリウス** cellarius	**イコノモス** οικονομος	**カビール・アルハダム** كبير الخدم	**シェル・ミシュキーム** שר משקים	**グワンジア** 管家	**チプサ** 집사	**チェセルヴィスト** ĉefservisto
フシェルプ hushjelp	**アンキッラ** ancilla	**カマリエラ** καμαριερα	**ハーディマ** خادمة	**メシャレット** משרת	**ニューヨンレン** 女佣人	**ハニョ** 하녀	**セルヴィステノ** servistino
サンガー sanger	**カントル** cantor	**オードス** ωδος	**ムガニー** مغن	**ザマル** זמר	**グーショウ** 歌手	**カス** 가수	**カンティステーノ** kantistino
ダンセル danser	**サルタートル** saltator	**オルケーストリス** ορχηστρις	**ラーキス** راقص	**ラクダン** רקדן	**ウーニュー** 舞女	**ムヨンス** 무용수	**ダンシィスト** dancisto
スカル skald	**キタロエドゥス** citharoedus	**ラプソードス** ραψωδος	**シャーイル** شاعر	**ザマル** זמר	**インヨウシーレン** 游吟诗人	**ミニョシイン** 민요시인	**トロバドーロ** trobadoro
クローヴン klovn	**フォッソル** fossor	**イギェロトピオス** γελωτοποιος	**モハリジュ** مهرج	**レーツァン** ליצן	**シァオチャオ** 小丑	**オリットクゥンデ** 어릿광대	**パラースコ** pajaco

		英語	ドイツ語	フランス語	イタリア語	スペイン語	ポルトガル語	ロシア語
肩書き・職業	娼婦	プロスティチュード prostitute	プロスティトゥイアーテ Prostituierte	プロスティチュエ prostituée	プロスティトゥータ prostituta	プロスティトゥタ prostituta	プロスティトゥータ prostituta	プラスチトゥートカ проститутка
	聖職者	プリースト priest	ガイストリヒェ Geistliche	プレートル prêtre	クレーロ clero	クレロ clero	サセルドーチ sacerdote	スビシェーンニク священник
	修道士	モンク monk	メンヒ Mönch	モワヌ moine	モナコ monaco	モンヘ monje	モージ monge	マナーフ монах
	修道女	ナン nun	ノンネ Nonne	サール sœur	モナカ monaca	モンハ monja	イルマ irmã	マナーヒニャ монахиня
	賭博師	ギャンブラー gambler	シュピューラー Spieler	ジュウール joueur	ジョカトーレ giocatore	フガドール jugador	ジョガドール jogador	イグローク игрок
	科学者	サイエンティスト scientist	ヴィッセンシャフトラー Wissenschaftler	サンシフィキ scientifique	センツィアート scienziato	シエンティフィコ científico	スイーンチィスタ cientista	ウチュウァニィ учёный
	囚人	プリゾナー prisoner	ゲファンゲンナー Gefangener	デトニュー détenu	プリジョニエーロ prigioniero	プリシオネーロ prisionero	プリジョネイロ prisioneiro	ザクリューチョニィ заключённый
	音楽家	ミュージシャン musician	ムジカー Musiker	ミュージシアン musicien	ムジチースタ musicista	ムーシコ músico	ムージコ músico	ムゥーズィカント музыкант
	裁判官	ジャッジ judge	リヒター Richter	ジュジュ juge	ジューディチェ giudice	フエース juez	ジュイス juiz	スゥディヤ судья
建物	水族館	アクアリウム aquarium	アクアーリウム Aquarium	アクワリアム aquarium	アークアーリオ acquario	アクワーリオ acuario	アクアーリオ aquário	アクヴァーリウム аквариум
	動物園	ズー zoo	ツー Zoo	ゾー zoo	ゾー zoo	パルケ・ソオロヒコ parque zoológico	ジャルデン・ズーロジコ jardim zoológico	ズァーパルク зоопарк
	城	キャッスル castle	シュロス Schloss	シャトー château	カステッロ castello	カスティリョ castillo	カステロ castelo	ザーモク замок
	宮殿	パレス palace	パラスト Palast	パレ palais	パラッツォ palazzo	パラシオ palacio	パラーシオ palácio	ドヴァリェーツ дворец

ノルウェー語	ラテン語	ギリシャ語	アラビア語	ヘブライ語	中国語	韓国語	エスペラント語
プロスティチュエル prostituert	プロースティブラ prostibula	ポルニ πόρνη	アハウィラ عاهرة	ゾナー זונה	チャンジー 娼妓	チャンニャオ 창녀	プロスティトゥイティノ prostituitino
ゲイスリグ geistlig	クレールス clerus	ヒエレウス ιερευς	カーヒン كاهن	コメル כומר	ジァオシー 教士	ソンジクジャ 성직자	クレリーカ klerica
ムンク munk	モナクス monachus	モナホス μοναχος	ラーヒブ راهب	ナズィール נזיר	シウダオシー 修道士	スドサ 수도사	モナホー monaĥo
ノンネ nonne	モナカ monacha	カログリア καλόγρια	ラーヒバ راهبة	ネズィラー נזירה	シウニュー 修女	スニョ 수녀	モナフィーノ monaĥino
ギャンブラー gambler	アレオ aleo	フェルトペクティス χαρτοπαίχτης	モカメル مقامر	メーメル מהמר	ドゥートゥー 赌徒	トバッククン 도박꾼	ガンベル gambler
ヴィテンスカプスマン vitenskapsmann	シャンティーサ Scientist	エピスティモナス επιστήμονας	アーリム عالم	メダン מדען	クーシエジァ 科学家	コハクジャ 과학자	シチエンティースト sciencisto
ファンゲ fange	キャープトゥス captus	フィラキシメノス φυλακισμένος	スジェイナ سجين	アスィル אסיר	チウファン 囚犯	チェス 죄수	マリヴェルーロ malliberulo
ムジーカー musiker	ムージクス musicus	ムシコス μουσικός	ムスィーカイ موسيقي	ムシファイエ מוסיקאי	インイェジア 音乐家	ウムアッカ 음악가	ムジキースト muzikisto
ドンメル dommer	イウムデクス iudex	ディカスティス δικαστής	クァッダ قاض	ショフェト שופט	シェンパンイェン 审判员	パンサ 판사	ヨギースト juĝisto
アクヴァリウム akvarium	アークアリウマ aquarium	エニディリーオ ενυδρείο	ハルダスルムク حوض السمك	アクリウム אקוריום	シーズーグワン 水族馆	スジョクグァン 수족관	アクヴァリーオ akvario
ディレハーゲ dyrehage	ゾロージカル・オールトゥ zoological horto	ゾーロギコス・キーポス ζωολογικός κήπος	ハダアフ・ハイワン حدائق الحيوان	ゲン・ヘヒウット גן החיות	ドングーユエン 动物园	トンムルウォン 동물원	ゾーパールコ zooparko
スロット slott	カステッルム castellum	ブルーリオン φρουριον	カラ قلعة	メツダー מצודה	チョン 城	ソン 성	カステーロ kastelo
パラス palass	パラーティウム palatium	バシレイオン βασιλειον	カサラ قصر	アルモン ארמון	ゴンディエン 宫殿	クンジョン 궁전	パラークソ palaco

建物

	英語	ドイツ語	フランス語	イタリア語	スペイン語	ポルトガル語	ロシア語
玉座	スローン throne	トローン Thron	トロンヌ trône	トローノ trono	トロノ trono	トロノ trono	トローン трон
塔	タワー tower	トゥルム Turm	トゥワー tour	トッレ torre	トレ torre	トワーヒィ torre	バーシニャ башня
砦	フォート fort	フォーア Fort	フォール fort	フォルティフィカツィオーネ fortificazione	フエルテ fuerte	フォルチェ forte	フォールト форт
教会	チャーチ church	キルヒェ Kirche	エグリーズ église	キエーザ chiesa	イグレシア iglesia	イグレジャ igreja	ツェールクスィ церковь
神殿	テンプル temple	テンペル Tempel	タンプル temple	テンピョ tempio	テンプロ templo	テンプロ templo	フラーム храм
図書館	ライブラリー library	ビブリオテーク Bibliothek	ビブリオテック bibliothèque	ビブリョテーカ biblioteca	ビブリオテカ biblioteca	ビブリオテカ biblioteca	ビブリアチェーカ библиотека
裁判所	コート court	ゲリヒツホーフ Gerichtshof	トリビュナル tribunal	トリブナーレ tribunale	フスガド juzgado	トリブナゥ tribunal	スート суд
病院	ホスピタル hospital	クランケンハオス Krankenhaus	オピタル hôpital	オスペダーレ ospedale	オスピタル hospital	オスピタゥ hospital	バリニーツァ больница
牢獄	プリズン prison	ゲフェングニス Gefängnis	プリゾン prison	カルチェレ carcere	プリシオン prisión	プリゾン prisão	チュリマー тюрьма
酒場	バー bar	クナイペ Kneipe	プブ pub	エノテーカ enoteca	タベルナ taberna	タベルナ taberna	バル бар
宿屋	イン inn	ガストハオス Gasthaus	オーベルジュ auberge	アルベルゴ albergo	ポサダ posada	ポゥザーダ pousada	トラクツィール трактир
屋敷	マンション mansion	ヴォーンハオス Wohnhaus	レジダンス résidence	レジデンツァ residenza	マンシオン mansión	マンサオン mansão	ウサーヂバ усадьба
家	ハウス house	ハオス Haus	メゾン maison	カーザ casa	カーサ casa	カーザ casa	ドム дом

ノルウェー語	ラテン語	ギリシャ語	アラビア語	ヘブライ語	中国語	韓国語	エスペラント語
トローネ trone	**トロヌス** thronus	**スロノス** θρόνος	**アルシュ** عرش	**ケス** כס	**バオヅオ** 宝座	**ワンジャ** 왕좌	**トクォーノ** trono
トーン tårn	**トゥッリス** turrris	**ピュルゴス** πύργος	**ブルジュ** برج	**ミグダル** מגדל	**ター** 塔	**タップ** 탑	**トゥロ** turo
フェストニング festning	**アルクス** arx	**フルリオ** φρούριο	**ハソナ** حصن	**ミブツァル** מבצר	**ヤオサイ** 要塞	**ヨセ** 요새	**フォルト** fuorto
キルケ kirke	**エクレーシア** ecclesia	**エクシアー** εκκλησία	**カニーサ** كنيسة	**クネスィヤー** כנסייה	**ジャオタン** 教堂	**キョフェ** 교회	**ペニェネーヨ** preĝejo
テンペル tempel	**テムプルム** templum	**ナオス** ναός	**マアバド** معبد	**ミクダッシュ** מקדש	**シェンミヤオ** 神庙	**シンジョン** 신전	**テムプロ** templo
ビブリオテク bibliotek	**ビブリオテーカ** bibliotheca	**ビブリオ ティーキィー** βιβλιοθήκη	**マクタバ** مكتبة	**スフィリヤー** ספרייה	**トゥーシュー グワン** 图书馆	**トソグァン** 도서관	**リッベレイオ** librejo
ドムストール domstol	**アトリウム** atrium	**ディカスティリオ** δικαστήριο	**マフカマ** محكمة	**ベート・ミシュ パット** בית משפט	**ファーユエン** 法院	**ポプウォン** 법원	**コォルト** korto
スュケフス sykehus	**ホスピターレ** hospitale	**ノソコミオン** νοσοκομείον	**ムスタシュ ファー** مستشفى	**ベート・ ホリーム** בית חולים	**イーユエン** 医院	**ピョンウォン** 병원	**マルサヌレイオー** malsanulejo
フェングセル fengsel	**カルケル** carcer	**フィラキ** φυλακή	**スィジュン** سجن	**コラ** כלא	**ジエンユー** 监狱	**カミョク** 감옥	**マッリベレイヨー** malliberejo
パブ pub	**タレア** talea	**バール** μπαρ	**バール** بار	**パブ** פאב	**ジウバー** 酒吧	**チュジョム** 주점	**トリンケーイヨ** trinkejo
ヴェルトュース vertshus	**ホスピティウム** hospitium	**パンドヒオ** πανδοχείο	**ナズィラ** نزل	**フネデーク** פונדק	**シャオリュー グワン** 小旅馆	**ヨグァン** 여관	**ガステーヨ** gastejo
ヘレゴール herregård	**マーンシオー** mansio	**アルコンディコン** αρχοντικό	**カサラ** قصر	**アルムゥネ** ארמון	**ジャイユワン** 宅院	**チョテク** 저택	**シンギョドーモ** sinjordomo
フス hus	**ドムス** domus	**スピティ** σπίτι	**バイト** بيت	**バイト** בית	**ファンズ** 房子	**チプ** 집	**ドモ** domo

建物

	英語	ドイツ語	フランス語	イタリア語	スペイン語	ポルトガル語	ロシア語
門	ゲート gate	トーア Tor	ポルト porte	ポルトーネ portone	ポルトン portón	ポルタオン portão	ヴァロータ ворота
扉	ドア door	テューア Tür	ポルト porte	ポルタ porta	プエルタ puerta	ポァルタ porta	ドヴェーリ дверь
厩	ステイブル stable	プフェーアデシュタル Pferdestall	エキュリー écurie	スクデリーア scuderia	エスタブロ establo	エスタブロ estábulo	カニューシニャ конюшни
井戸	ウェル well	ブルンネン Brunnen	プイ puits	ポッツォ pozzo	ポソ pozo	ポッソ Poço	カロージェツ колодец
風車	ウィンドミル windmill	ヴィントミューレ Windmühle	ムーラン・ア・ヴァン moulin à vent	ムリーノ・ア・ヴェント mulino a vento	モリーノ・デ・ビエント molino de viento	モイーニョ・デ・ヴェント moinho de vento	ヴィトリャナーヤ・ミェールニツァ ветряная мельница
水車	ウォーターホイール waterwheel	ヴァッサーミューレ Wassermühle	ムーラン・ア・オー moulin à eau	ムリーノ・ア・ダックア mulino ad acqua	モリーノ・デ・アグア molino de agua	ホダ・ディ・アオルカ roda hidráulica	ヴォードノイェ・カリソー водяное колесо
関所	チェック・ポイント check point	グレンツユーバーガング Grenzübergang	ヴァリエール barrière	ポスト・ディ・コントロッロ posto di controllo	プエスト・デ・コントロル puesto de control	バヒィラ barreira	バリーヤル барьер
橋	ブリッジ bridge	ブリュッケ Brücke	ポン pont	ポンテ ponte	プエンテ puente	ポンチ ponte	モースト мост
運河	カナル canal	カナール Kanal	キャナル canal	カナーレ canale	カナル canal	カナゥ canal	カナール канал
港	ハーバー harbor	ハーフェン Hafen	ポール port	ポルト porto	プエルト puerto	ポァルト porto	ガーヴァン гавань
灯台	ライトハウス lighthouse	ロイヒトトゥルム Leuchtturm	ファール phare	ファーロ faro	ファロ faro	ファロゥ farol	マヤーク маяк
廃墟	ルーインズ ruins	リュイヌン Ruinen	リュインヌ ruine	ロビーネ rovine	ルイナ ruina	ルイナ ruína	ラズヴァーリヌィ развалины
遺跡	リメインズ remains	トリュンマー Trümmer	ヴェスティージ vestiges	リマーネ rimane	レストス restos	レストス restos	ルイーヌィ руины

ノルウェー語	ラテン語	ギリシャ語	アラビア語	ヘブライ語	中国語	韓国語	エスペラント語
ポルト port	**ポルタ** porta	**ピレラ** πυλαι	**バウワーバ** بوابة	**デレット** דלת	**メン** 门	**ムン** 문	**ポルデーゴ** pordego
ダール dør	**ポルタ** porta	**ポルタ** πορτα	**バーブ** باب	**デレット** דלת	**メンフェイ** 门扉	**ムン** 문	**ポールド** pordo
スタル stall	**スタブルム** stabulum	**スタヴロス** σταβλος	**イスタバラット** إسطبلات	**ウルヴァ** אורווה	**マージウ** 马厩	**マルジャン** 말장	**スターロ** stalo
ブロン brønn	**プデワズ** puteus	**プレアル** φρεαρ	**ムワラッド** مورد	**トゥーブ** טוב	**ジン** 井	**ウムル** 우물	**プート** puto
ヴィンドミュレ vindmølle	**モラエ・ウェンティー** molae venti	**アネムーリオン** ανεμόυριον	**ターヒーヌ・ハワイヤ** طواحين هوائية	**タハナット・ルーハ** טחנת רוח	**フォンチャー** 风车	**パラムケビ** 바람개비	**ヴェンツォムエレイヨー** ventomuelejo
ヴァンミュレ vannmølle	**イードゥラレタ** hydraleta	**ネロミロス** νερομυλος	**アルサークィヤ** الساقية	**ガルガル・マイム** טחנת מים	**シュイチャー** 水车	**ムルレ** 물레	**アーヌゥド** azud
トールスタション tollstasjon	**オビチェ** obice	**スィノロ** συνορο	**ハジズ** حاجز	**タハナット・ビコレット** טחנת ביקורת	**グワンアイ** 关隘	**クァンムン** 관문	**コントロルプンクト** kontorolpunkto
ブロ bro	**ポーンス** pons	**ゲビューラ** γέφυρα	**ジスル** جسر	**ゲシェル** גשר	**チャオ** 桥	**タリ** 다리	**ポンツォ** ponto
カナル kanal	**カナリース** canalis	**カナリ** κανάλι	**カナー** قناة	**テアラー** תעלה	**ユンフー** 运河	**ウンハ** 운하	**カナーロ** kanalo
ハヴン havn	**ポルトゥス** portus	**リメーン** λιμάν	**ミーナー** ميناء	**ナメル** נמל	**ガンコウ** 港口	**ハング** 항구	**ハヴェーノ** haveno
フィルトーアン fyrtårn	**パルス** pharus	**ファロス** φᾶρος	**マナーラ** منارة	**ミグダロール** מגדלור	**ドンター** 灯塔	**トゥンデ** 등대	**ルムツゥーロ** lumturo
ロイネル ruiner	**ルイーナ** ruina	**エリピア** ερείπια	**アトラール** أطلال	**シェリディーム** שרידים	**フェイシュー** 废墟	**ペフ** 폐허	**ルイーノイ** ruinoj
ロイネル ruiner	**レリクイア** reliquia	**アポミナリア** απομειναρια	**ビカイヤ** بقايا	**シェリディーム** שרידים	**イーハイ** 遗骸	**ユジョク** 유적	**レェスジョン** restaĵon

		英語	ドイツ語	フランス語	イタリア語	スペイン語	ポルトガル語	ロシア語
建物	迷宮	ラビリンス labyrinth	ラビュリント Labyrinth	ラビリント labyrinthe	ラビリント labirinto	ラベリント laberinto	ラビリント labirinto	ラビリント лабиринт
	競技場	スタジアム stadium	シュターディオン Stadion	スタッド stade	スターディオ stadio	エスタディオ estadio	エスターディオ estádio	スタジオーン стадион
	学校	スクール school	シューラー Schule	イコール école	スコーラ scuola	エスクエラ escuela	エスコーラ escola	シュクーラ школа
	空港	エアポート airport	フルークハーフェン Flughafen	アエロポール aéroport	アエロポールト aeroporto	アエロプエルト aeropuerto	アエロポールト aeroporto	アエラポゥールト аэропорт
場所	首都	キャピタル capital	ハウプトシュタット Hauptstadt	カピタール capital	カピターレ capitale	カピタール capital	カピタゥ capital	スタリーツァ столица
	都市	シティ city	シュタット Stadt	ヴィル ville	チッタ città	シウダー ciudad	シダーヂ cidade	ゴロト город
	村	ヴィレッジ village	ドルフ Dorf	ヴィラージュ village	ヴィラッジォ villaggio	プエブロ pueblo	アウディア aldeia	ディリェーヴニャ деревня
	故郷	ホームランド homeland	ハイマート Heimat	パトリ patrie	パートリア patria	プエブロ・ナタル pueblo natal	パトリア pátria	ローディナ родина
	市場	マーケット market	マルクト Markt	マルシェ marché	メルカート mercato	メルカド mercado	メルカード mercado	ルィーナク рынок
	広場	スクエア square	プラッツ Platz	プラス place	ピャッツァ piazza	プラサ plaza	プラサ praça	プローシェツ площадь
	庭園	ガーデン garden	ガルテン Garten	ジャルダン jardin	ジャルディーノ giardino	ハルディン jardín	ジャルジン jardim	サート сад
	農場	ファーム farm	バオアーンホーフ Bauernhof	フェルム ferme	ファットリーヤ fattoria	カンポ campo	ファゼンダ fazenda	フェールマ ферма
	牧場	パスチャー pasture	ヴァイデ Weide	プレリー prairie	パースコロ pascolo	グランハ granja	パスタージン pastagem	パーストビシェ пастбище

ノルウェー語	ラテン語	ギリシャ語	アラビア語	ヘブライ語	中国語	韓国語	エスペラント語
ラビリント labyrint	**ラビュリントゥス** labyrinthus	**ラヴィリンソス** λαβύρινθος	**マターハ** متاهة	**マボフ** מבוך	**ミーゴン** 迷宫	**ミグン** 미궁	**ラビリンツォ** labirinto
スタディオン stadion	**スタディウム** stadium	**スタディオン** στάδιον	**ムドラジュ** مدرج	**イツタディヨン** אצטדיון	**ビーサイチャン** 比赛场	**キョンギジャン** 경기장	**スタディオーノ** stadiono
スコレ skole	**スコーラ** schola	**スクリィオ** σχολείο	**ムダリサ** مدرسة	**ビト・ヘスフェル** בית הספר	**シエシァオ** 学校	**ハッゴ** 학교	**レルネーヨ** lernejo
フリュプラス flyplass	**アエロポルトゥス** aeroportus	**アエロドミオ** αεροδρόμιο	**マタール** مطار	**ナメル・ヘタヴフェ** נמל התעופה	**ジーチャン** 机场	**コンハン** 공항	**フルグファヴェーノ** flughaveno
ホーヴェスタド hovedstad	**カプト** caput	**ポリス** πολις	**アースィマ** عاصمة	**イール・ビラー** עיר בירה	**ショウドゥー** 首都	**スド** 수도	**チェフーボ** ĉefurbo
ビュー by	**ウルプス** urbs	**ポリ** πολι	**マディーナ** مدينة	**イール** עיר	**チョンシー** 城市	**トシ** 도시	**ウルボ** urbo
ランズビュ landsby	**ウィークス** vicus	**コーメー** χωμη	**カルヤ** قرية	**クファル** כפר	**ツンズ** 村子	**マウル** 마을	**ヴィラーゾ** vilagxo
エームステド hjemsted	**パトリア** patria	**ゲネティラ** γενετειρα	**ムンシャ** منشأ	**ベヨット** בית	**グーシャン** 故乡	**コヒャン** 고향	**ヘイムカーコ** hejmloko
マルケッド marked	**メルカートゥス** mercatus	**アゴラー** αγορά	**スーク** سوق	**シュック** שוק	**シーチャン** 市场	**シジャン** 시장	**メルカート** merkato
プラス plass	**クアドラートゥム** quadratum	**アゴラー** αγορά	**マイダーン** ميدان	**レハヴァー** רחבה	**グワンチャン** 广场	**クァンジャン** 광장	**クヴァドカート** kvadrato
ハーゲ hage	**ホルトゥス** hortus	**アウレー** αυλη	**ハディーハ** حديقة	**ガン** גן	**ユエンリン** 园林	**チョンウォン** 정원	**ガルデーノ** ĝardeno
ゴール gård	**フンドゥス** fundus	**アグロティマ** αγρόκτημα	**マズダア** مزرعة	**ハヴアー** חווה	**ノンチャン** 农场	**ノンジャン** 농장	**ビエーノ** bieno
バイテ beite	**パストゥス** pastus	**ボタネー** βοτανη	**マルハイ** مرعى	**ハヴアー** חווה	**ムーチャン** 牧场	**モクジャン** 목장	**パステイヨ** paŝtejo

		英語	ドイツ語	フランス語	イタリア語	スペイン語	ポルトガル語	ロシア語
場所	道	ロード road	ヴェーク Weg	ルート route	ストラーダ strada	カミノ camino	エストラダ estrada	ダローガ дорога
	墓地	セメタリー cemetery	フリートホーフ Friedhof	シムチエール cimetière	チミテーロ cimitero	セメンテリオ cementerio	セミテリオ cemitério	クラードビシェ кладбище
	聖域	サンクチュアリ sanctuary	ハイリヒトゥーム Heiligtum	サンクチュエール sanctuaire	サントゥアーリョ santuario	サントゥアリオ santuario	サントゥアーリオ santuário	スヴィートィーイェ・ミスター святые места
	植民地	コロニー colony	コロニー Kolonie	コロニー colonie	コローニァ colonia	コロニア colonia	コローニャ colônia	コローニィヤ колония
	大通り	アヴェニュー avenue	アリー Allee	アヴニュ avenue	ヴィアーレ viale	アベニーダ avenida	アヴェニーダ avenida	プロスピィエクト проспект
	公園	パーク park	パーク Park	パルク parc	パールコ parco	パルケ parque	パルキ parque	プァルク парк
経済	財産	フォーチュン fortune	フェアメーゲン Vermögen	フォルチューンヌ fortune	パトリモーニョ patrimonio	フォルトゥナ fortuna	プロプリダーヂ propriedade	サスタヤーニイェ состояние
	富	ウェルス wealth	ライヒトゥーム Reichtum	リシェス richesse	リッケッツァ ricchezza	リケサ riqueza	ヒキィエザ riqueza	バガートストヴォ богатство
	お金	マネー money	ゲルト Geld	アルジャン argent	ソールディ soldi	ディネロ dinero	ディネイロ dinheiro	チェーニギ деньги
	宝	トレジャー treasure	シャッツ Schatz	トレゾール trésor	テゾーロ tesoro	テソロ tesoro	テゾーロ tesouro	サクローヴィシェ сокровище
	贈り物	ギフト gift	ゲシェンク Geschenk	キャドゥー cadeau	レガーロ regalo	レガロ regalo	プレゼンチ presente	パダラク подарок
	褒美	リウォード reward	ベローヌング Belohnung	レコンパンス récompense	リコンペンサ ricompensa	レコンペンサ recompensa	ヘーレコンペンサ recompensar	ナグラーダ награда
	遺産	レガシィ legacy	エルプシャフト Erbschaft	エリタージュ héritage	エレディタ eredità	レガド legado	レガード legado	ナスリェードストヴォ наследство

ノルウェー語	ラテン語	ギリシャ語	アラビア語	ヘブライ語	中国語	韓国語	エスペラント語
ヴェイ vei	**ウィアム** uiam	**オドス** οδος	**タリーク** طريق	**クビッシュ** כביש	**ダオ** 道	**キル** 길	**ヴォイヨー** vojo
キルケゴール kirkegård	**コエメトリウム** coemeterium	**ネクロタフィオ** νεκροταφείο	**マクバラ** مقبرة	**ベート・ヘクヴァロット** בית הקברות	**ムーディー** 墓地	**ミョジ** 묘지	**トムベイヨー** tombejo
ヘリグドム helligdom	**サンクトゥアーリウム** sanctuarium	**ナーオス** ναος	**ムルテジャ** ملتجأ	**カドッシュ** קדש	**ションディー** 圣地	**ソンヨク** 성역	**サンクテイヨー** sanktejo
コロニ koloni	**コローニア** colonia	**アピキア** αποικία	**ムスターミラ** مستعمرة	**ムシュヴェー** מושבה	**ジーミンディー** 殖民地	**シクミンジ** 식민지	**コロニーオ** kolonio
ホーヴェーゲート hovedgate	**ヴァイア・ストレータ** via strata	**レオフォロス** λεωφόρος	**シビル** سبيل	**シェドレー** שדרה	**ダァジエ** 大街	**デロ** 대로	**アヴェヌーオ** avenuo
パルク park	**パルカム** parcum	**パルコ** πάρκο	**ムタナゼ** متنزه	**フェルク** פרק	**ゴンユエン** 公园	**コンウォン** 공원	**パールコ** parko
エイエンドム eiendom	**プロプリエータス** proprietas	**ペリウシア** περιουσια	**サルワ** ثروة	**ネケス** נכס	**ツァイチャン** 财产	**チェサン** 재산	**プロプヤード** propraĵo
リクドム rikdom	**ボナ** bona	**プルトス** πλούτος	**サルワ** ثروة	**オシェル** עושר	**ツァイフー** 财富	**プ** 부	**リチェーツォ** riĉeco
ペンゲル penger	**ペクーニア** pecunia	**フリマタ** χρήματα	**ナクード** نقود	**ケセフ** כסף	**チエン** 钱	**トン** 돈	**モーノ** mono
スカット skatt	**テーサウルス** thesaurus	**スィサヴロス** θησαυρός	**カナズ** كنز	**オツァール** אוצר	**バオウー** 宝物	**ポムル** 보물	**トレゾーロ** trezoro
ガヴェ gave	**タートゥム** datum	**ドロン** δώρον	**ハディーヤ** هدية	**マタナー** מתנה	**リーウー** 礼物	**ソンムル** 선물	**ドナーソ** donaco
ベリューニング belønning	**コムモドゥム** commodum	**アンタミヴィ** ανταμοιβή	**ムカーファア** مكافأة	**レグムール** לגמול	**ジアンリー** 奖励	**サン** 상	**レコンペンスォ** rekompenco
アールヴ arv	**ヘレディウム** heredium	**クレーロス** κληρος	**トゥラース** تراث	**ムルシャット** מורשת	**イーチャン** 遗产	**ユサン** 유산	**ヘレダージョ** heredaĵo

分類	項目	英語	ドイツ語	フランス語	イタリア語	スペイン語	ポルトガル語	ロシア語
経済	資源	リソース resource	ヒルフスクヴェレ Hilfsquelle	ルスルス ressources	リソルサ risorsa	レクルソ recurso	ヘークソルス recursos	リスールスェ ресурсы
	税金	タックス tax	シュトイエン Steuern	アンポット impôt	タッサ tassa	インプエスト impuesto	インポストロ imposto	ナロゥーグ налог
	貨幣	マネー money	ゲルト Geld	モネ monaaie	ソールディ soldi	モネーダ moneda	ジネィロ dinheiro	ヂィーンギャ деньги
	賞金	プライズ prize	プライス Preis	プリ prix	プレーミオ premio	プレーミオ premio	プレーミオ prêmio	プリィツ приз
	仕事	ワーク work	アーバイトゥン arbeiten	ブゾーニュ besogne	ラヴォーロ lavoro	トラバッホ trabajo	トラバリャール trabalhar	ラボータ работа
司法	法	ロウ law	レヒト Recht	ロワ loi	レッジェ legge	レイ ley	レイ lei	ザコーン закон
	罪	クライム crime	フェアブレッヒェン Verbrechen	クリム crime	デリット delitto	ペカド pecado	クリミ crime	プリストゥプリェーニヤ преступление
	罰	パニッシュメント punishment	シュトラーフェ Strafe	ピュニシオン punition	プニツィオーネ punizione	カスティゴ castigo	プンセオン punição	ナカザーニヤ наказание
	償い	アトウンメント atonement	エントシェーディグング Entschädigung	エクスピアシオン expiation	エスピアツィオーネ espiazione	エクスピアシオン expiación	イスパサオン expiação	イスクプレーニヤ искупление
	処刑	エクスキューション execution	ヒンリヒトゥング Hinrichtung	エグゼキュシオン exécution	エゼクツィオーネ・カピターレ esecuzione capitale	エヘクシオン ejecución	エザクサオン execução	ナカザーニヤ наказание
	追放	エグザイル exile	フェアトライブング Vertreibung	エグジル exil	エジーリョ esilio	エクシリオ exilio	エズィリオ exílio	イズグナーニヤ изгнание
	拷問	トーチャー torture	フォルター Folter	トルチュール torture	トルトゥーラ tortura	トルトゥラ tortura	トルトゥラ tortura	プィトゥカ пытка
	檻	ケイジ cage	ゲフェングニス Gefängnis	キャージュ cage	ガッビャ gabbia	ハウラ jaula	カイオラ gaiola	クリェートカ клетка

ノルウェー語	ラテン語	ギリシャ語	アラビア語	ヘブライ語	中国語	韓国語	エスペラント語
レスス ressurs	**リソールサス** resources	**ピゲス** πηγες	**マワーリド** موارد	**ムシャヴィーム** משאבים	**ズーユエン** 资源	**チャウォン** 자원	**リメードィ** rimedoj
スカット skatt	**トリブートゥマ** tributum	**フォーロス** φόρος	**ドリバ** ضريبة	**メス** מס	**シュイジン** 税金	**セグム** 세금	**インポースト** imposto
ヴァルータ valuta	**ペクゥニア** pecunia	**ヒリマタ** χρήματα	**ナクゥド** نقود	**ケセフ** כסף	**フオビー** 货币	**フェペ** 화폐	**モーノ** mono
プレミエ premie	**プレエミウマ** praemium	**ブラヴィオ** βραβείο	**ジェイザ** جائزة	**フェルス** פרס	**ジァンジン** 奖金	**サンクム** 상금	**プレミーオ** premio
アルバイド arbeid	**ネゴーチウマ** negotium	**エレガシア** εργασία	**アミラ** عمل	**ラヴッド** לעבוד	**ゴンズォ** 工作	**イル** 일	**ラヴォロ** laboro
ロウ lov	**レークス** lex	**ノモス** νόμος	**カーヌーン** قانون	**ホック** חוק	**ファー** 法	**ポプ** 법	**レージョ** leĝo
スィンド synd	**ペッカートウム** peccatum	**アマルティア** αμαρτία	**ジャリーマ** جريمة	**ペシャ** פשע	**ズイ** 罪	**チェ** 죄	**ペコ** peko
ストラフ straff	**ポエナ** poena	**ティモリア** τιμωρία	**イカーブ** عقاب	**オネッシュ** עונש	**チョンファー** 惩罚	**ボル** 벌	**プーノ** puno
イェノププレイスニング gjenoppreisning	**エクスピアーティオー** expiatio	**アポイナ** αποινα	**タクフィール** التكفير	**クフェレー** כפרה	**シューズイ** 赎罪	**ボサン** 보상	**コンペンソ** kompenso
ヘンレッテルセ henrettelse	**スプリチウマ** supplicium	**エクテレスィス** εκτέλεσεις	**タンフィーズ** تنفيذ	**ホツァー・レフォール** הוצאה לפועל	**チュースー** 处死	**チョヒョン** 처형	**エクゼクティ** ekzekuti
ウトヴィスニング utvisning	**エクスプルシオ** expulsio	**エクソリア** εξορία	**タラダ** طرد	**ゲルート** גלות	**チュージュウ** 驱逐	**チュパン** 추방	**エクジーロ** ekzilo
トルトゥール tortur	**トルトゥーラ** tortura	**ヴァサニステイリア** βασανιστήρια	**タアズィーブ** تعذيب	**イヌイ** עינוי	**カオウェン** 拷问	**コムン** 고문	**トルトゥーリ** torturi
ブール bur	**キャーヴェア** cavea	**クルヴィ** κλουβί	**カファス** قفص	**クルーヴ** כלוב	**ランズ** 笼子	**カミョク** 감옥	**カージョ** kaĝo

		英語	ドイツ語	フランス語	イタリア語	スペイン語	ポルトガル語	ロシア語
司法	鎖	チェイン chain	ケッテ Kette	シェーヌ chaîne	カテーナ catena	カデナ cadena	カディア corrente	ツェーピ цепь
	絞首台	ガロウズ gallows	ガルゲン Galgen	ポタンス potence	パティーボロ patibolo	オルカ horca	フォルカ forca	ヴィーシリツァ виселица
記録	暗号	サイファー cipher	ゲハイムシュリフト Geheimschrift	シーフル chiffre	チフラ cifra	シフラ cifra	シィフラ cifra	シーフル шифр
	巻物	スクロール scroll	シュリフトロレ Schriftrolle	ルーロー rouleau	ロトロ rotolo	ペルガミーノ pergamino	ホーリィ rolo	スヴィートク свиток
	記録	レコード record	アウフツァイヒヌンク Aufzeichnung	ルジストロル registre	レジストラツィオーネ registrazione	レヒストロ registro	レジストロ registro	ザーピシ запись
	書物	ブック book	ブーフ Buch	リーヴル livre	リブロ libro	リブロ libro	リヴル livro	クニーガ книга
	石板	スレイト slate	シーファターフェル Schiefertafel	タブレット tablette	アルデジア ardesia	ピザラ pizarra	アルドージャ ardósia	スイーフェル шифер
	標章	エンブレム emblem	エンブレーム Emblem	アンブルメ emblème	エンブレーマ emblema	エンブレマ emblema	エンブレマ emblema	エンブリェーマ эмблема
	文字	キャラクター character	ブーフシュターベ Buchstabe	エクリット écrit	スクリット scritto	レトラ letra	カラーチラ caráter	カラクテェル характер
	目印	マーク mark	メルクマール Merkmal	マルク marque	セーニョ segno	マルカ marca	マルカル marcar	アトミエゼス Отметить
	歴史	ヒストリー history	ゲシヒテ Geschichte	イストワール histoire	ストーリャ storia	イストリア historia	イストリア história	イストーリヤ история
	日記	ダイアリー diary	ターグブッホ Tagebuch	ジュルナル journal	ディアーリォ diario	ディアーリオ diario	ディアリオ diário	ニューヴニク дневник
学問	哲学	フィロソフィー philosophy	フィロゾフィー Philosophie	フィロゾフィー philosophie	フィロゾフィーア filosofia	フィロソフィーア filosofía	フィロゾフィーア filosofia	フィラソーフィヤ философия

ノルウェー語	ラテン語	ギリシャ語	アラビア語	ヘブライ語	中国語	韓国語	エスペラント語
レンケ lenke	**カテーナ** catena	**アリスィダ** αλυσίδα	**スィルスィラ** سلسلة	**シェルシェレット** שרשרת	**スオリエン** 锁链	**サスル** 사슬	**チェーノ** ĉeno
ギリョティン giljotin	**フルカス** furcas	**クレマラ** κρεμαλα	**ミシュナカ** مشنقة	**ガルドム** גרדום	**ジャオシンジア** 绞刑架	**チョヒョンデ** 처형대	**ペンデュミーロ** pendumilo
コーデ kode	**クリプトグラフィーア** cryptographic	**クリュプトン** κρυπτον	**サフラ** صفر	**ツォファン** צופן	**ミーマー** 密码	**アモ** 암호	**チーフヤード** ĉifrado
ルール rull	**パルテス** partes	**パピュロス** πάπυρος	**ラッファ** لفة	**メギラー** מגילה	**チョアンジョウ** 卷轴	**トゥルマリ** 두루마리	**エルルーム** rulumu
オップターク opptak	**モヌメントウム** monumentum	**エレコール** ρεκόρ	**スジュラ** سجل	**シェヤー** שיא	**ジールー** 记录	**キロク** 기록	**レコード** rekordo
ボーク bok	**ビブリア** biblia	**ヴィヴリオ** βιβλίο	**キターブ** كتاب	**セフェル** ספר	**シュージー** 书籍	**チェク** 책	**リーブロ** libro
ステイントアヴレ steintavle	**スラーテ** slate	**スキストリトス** σχιστόλιθος	**ティバート・アルファジャリア** طباعة الحجرية	**ツェフェハ** צפחה	**パイビエン** 牌匾	**ソクパン** 석판	**アルデーゾ** ardezo
エムブレム emblem	**エンブレマ** emblema	**エンヴリマ** έμβλημα	**シアール** شعار	**セメル** סמל	**シアンジョン** 象征	**ピョジ** 표지	**エンブレーボ** emblemo
ボクスタヴェル bokstaver	**スクリベーナス** scribens	**グラフィ** γραφή	**ホタブ** خطاب	**オット** אות	**ウェンズ** 文字	**クルジャ** 글자	**カラクテーロ** karaktero
メルケ merke	**ノタ** nota	**スィマズィ** σημαδι	**アラーマ** علامة	**シメン** סימן	**ビャオジー** 标志	**ピョシク** 표식	**マーク** Marku
ヒストリエ historie	**ヒストリア** historia	**イストリア** ιστορία	**ターリーフ** تاريخ	**ヒストリヤー** היסטוריה	**リーシー** 历史	**ヨクサ** 역사	**ヒストリーオ** historio
ダーグボク dagbok	**コメンターリウス** commentarius	**イメロローギオ** ημερολόγιο	**イェウミイェット** يوميات	**ヨメン** יומן	**リージー** 日记	**イルギ** 일기	**タグリーブロ** taglibro
フィロソフィ filosofi	**プヒロソプヒア** philosophia	**フィロソフィアー** φιλοσοφία	**ファルサファ** فلسفة	**フィロソフィヤ** פילוסופיה	**ジャーシュエ** 哲学	**チョルハク** 철학	**フィロロフィーオ** filozofio

		英語	ドイツ語	フランス語	イタリア語	スペイン語	ポルトガル語	ロシア語
学問	医学	メディシン medicine	メディツィーン Medizin	メドゥシーヌ médecine	メディチーナ medicina	シエンシア・メディカ ciencia médica	メヂシーナ medicina	ミディツィーナ медицина
	幾何学	ジオメトリー geometry	ゲオメトリー Geometrie	ジェオメトリー géométrie	ジェオメトリーア geometria	ヘオメトリーア geometría	ジョオメトリア geometria	ギアミェートリヤ геометрия
	数学	マスマティックス mathematics	マテマティーク Mathematik	マテマティック mathématiques	マテマティカ matematica	メテマーティカス matemáticas	マテマーチカ matemática	マチマーチカ математика
	心理学	サイコロジー psychology	ツィヒョロギー Psychologie	シコロジー psychologie	スィコロジーア psicologia	シコロヒア psicología	ピィシコロジア psicologia	スィカロギィヤ психология
	宿題	ホームワーク homework	ハウスアウフガーベン Hausaufgaben	ドゥヴォワール devoir	コンピト compito	デベレス deberes	オーミィオワーキー Homework	ドゥマーシュニィエ・ザドゥアーニィエ домашнее задание
文化・芸術	詩	ポエトリィ poetry	ゲディヒト Gedicht	ポエーム poème	ポエズィーア poesia	ポエーマ poema	ポエジィア poesia	ポイーズィヤ поэзия
	音楽	ミュージック music	ムズィーク Musik	ミュジック musique	ムジカ musica	ムーシカ música	ムージカ música	ムーズィカ музыка
	演劇	シアター theater	テアーター Theater	テアートル théâtre	テアトロ teatro	テアトロ teatro	テアトロ teatro	チアートル театр
	小説	ノヴェル novel	ロマーン Roman	ロマン roman	ロマンゾ romanzo	ノベーラ novela	ホマンスィ romance	ラマーン роман
	本	ブック book	ブーホ Buch	リーヴル livre	リブロ libro	リブロ libro	リーヴロ livro	クニーガ книга
	絵画	ピクチャー picture	マーレライ Malerei	ポンチュア peinture	ピットゥーラ pittura	ピントゥーラ pintura	ピントゥーラ pintura	カルティーナ картина
	彫刻	スカルプチャー sculpture	スクルプトゥーア Skulptur	スキュルテュール sculpture	スクルトゥーラ scultura	エスクルトゥーラ escultura	エスクゥトゥーラ escultura	スクリプトゥーラ скульптура
	ダンス	ダンス dance	タンツ Tanz	ダンス danse	ダンツァ danza	バイレ baile	ダンサ dança	トンスヴァツ танцевать

ノルウェー語	ラテン語	ギリシャ語	アラビア語	ヘブライ語	中国語	韓国語	エスペラント語
メディシン medisin	**メディキーナ** medicina	**イアタリキ** ιατρική	**ティッブ** الطب	**レフアー** רפואה	**イーシュエ** 医学	**ウィハク** 의학	**メディシーノ** medicino
ゲオメトリ geometri	**ゲオーメトリア** geometria	**ゲオーメトリアー** γεωμετρία	**イルムルハンダサ** علم الهندسة	**ギオメトリヤ** גיאומטריה	**ジーフーシュエ** 几何学	**キハハク** 기하학	**ゲオメトリオ** geometrio
マテマティック matematikk	**マテーマティカ** mathematica	**マスマティケー** μαθηματικη	**リヤーディーヤート** رياضيات	**マテマティカー** מתימטיקה	**シューシュエ** 数学	**スハク** 수학	**マテマティーコ** matematiko
プシコロギ psykologi	**シコーロジィーア** psychologia	**スィコロジア** ψυχολογία	**アーリメルナフス** علم النفس	**プシコロギー** פסיכולוגיה	**シンリーシエ** 心理学	**シムリハク** 심리학	**シコロギーオ** psikologio
レクセル lekser	**ドゥイス・コングエ** duis congue	**カーティコン・エーガシア** Κατ 'οίκον εργασία	**ウェジブ** واجب	**シェヤヴリ・ヴィート** שיעורי בית	**ズォイエ** 作业	**スクジェ** 숙제	**ヘンタースコ** hejmtasko
ディクト dikt	**ポエーマ** poema	**プリィマ** ποιημα	**シアルウ** شعر	**シレ** שיר	**シー** 诗	**シ** 시	**ポエジーオ** poezio
ムシック musikk	**ムーシカ** musica	**ムシキィー** μουσική	**ムースィーキー** موسيقى	**ムシカー** מוסיקה	**インユエ** 音乐	**ウムアク** 음악	**ムジーコ** muziko
テーター teater	**ドラーマ** drama	**ドラーマ** δραμα	**マスラヘー** مسرح	**ティアトロン** תיאטרון	**シージュ** 戏剧	**ヨングク** 연극	**ドラーモ** dramo
ローマン bok	**ノーウェ** nove	**ミシストリマ** μυθιστόρημα	**リワーヤ** رواية	**ルメン** רומן	**シャオシュオ** 小说	**ソソル** 소설	**ロマーノ** romano
ボーク roman	**リーブロ** libro	**ビブリオ** βιβλιο	**キターブ** كتاب	**セフェル** ספר	**シュー** 书	**チェク** 책	**リブロ** libro
マレリ maleri	**ピクトゥーラ** pictura	**ゾグラフィキ** ζωγραφική	**スウラ** صورة	**トゥムナー** תמונה	**フイフア** 绘画	**クリム** 그림	**ペントゥラート** pentrato
スクルプトゥール skulptur	**スクルプトゥーラ** sculptura	**イグリプチキ** γλυπτική	**ナハト** نحت	**ピスル** פסל	**ディアオクー** 雕刻	**チョカク** 조각	**スクルプタード** skulptado
ダンス dans	**サルターティオ** saltatio	**オルケーシス** ορχησις	**ラクス** رقص	**リクード** רקוד	**ティアオウー** 跳舞	**デンス** 댄스	**ダンツィ** danci

		英語	ドイツ語	フランス語	イタリア語	スペイン語	ポルトガル語	ロシア語
文化・芸術	悲劇	トラジディ tragedy	トラグーディエ Tragödie	トゥラジェディ tragédie	トラジェーディア tragedia	トラヘーディア tragedia	トラジーディア tragédia	トラギィーヅェヤ трагедия
	喜劇	コメディ comedy	コームーディエ Komödie	コメディ comédie	コメーディア commedia	コメディア comedia	コメーディア comédia	コミディア комедия
	口笛	ホイッスル whistle	プファイフェン pfeifen	シフルマン sifflement	フィースキォ fischio	シルビド silbido	アッソビァ assobiar	スヴィスツィーツ свистеть
	演奏	パフォーマンス performance	ライストゥング Leistung	コンセール concert	スペターコロ spettacolo	アクトゥアシオン・ムシカル actuación musical	アトゥアシャオ atuação	ムズィカリニィ・スピィクタクル музыкальный спектакль
	旋律	メロディ melody	メロディー Melodie	メロディ mélodie	メロディーア melodia	メロディーア melodía	メロディア melodia	メロゥーディア мелодия
	ゲーム・遊び	ゲーム game	シュピール Spiel	ジュー jeu	ジョーコ gioco	フエーゴ juego	ジョーゴ jogo	イグラー игра
スポーツ	サッカー	フットボール football	フースバル Fußball	フットボル football	カルチョ calcio	フットボル fútbol	フチュボゥ futebol	フトボール футбол
	狩猟	ハンティング hunting	ヤークト Jagd	シャッシ chasser	カッチャ caccia	カーサ caza	カーサ caça	アホータ охота
	釣り	フィッシング fishing	アンゲルン Angeln	ペーシャ pêcher	ペスカ pesca	ペスカ pesca	ペスカリア pescaria	ルィバールカ рыбалка
	レスリング	レスリング wrestling	リンゲン Ringen	リュット lutte	ロッタ lotta	ルッチャ lucha	ルタ luta	バリバー борьба
	マラソン	マラソン marathon	マラトンロウフ Marathonlauf	マハトン marathon	マラトーナ maratona	マラトン maratón	マラトーナ maratona	マラフォーン марафон
	乗馬	ライディング riding	ライトクンスト Reitkunst	エキタシオン équitation	エクイタツィオーネ equitazione	エキタシオン equitación	イクタセオン equitação	ヴィルハヴァーヤ・イェズダー верховая езда
	試合	マッチ match	ヴェットカンプゥ Wettkampf	マッチ match	パルティータ partita	パルティード partido	パルチーダ partida	マーッチ матч

ノルウェー語	ラテン語	ギリシャ語	アラビア語	ヘブライ語	中国語	韓国語	エスペラント語
トラゲーディ tragedie	トラゴェディア tragoedia	トラゴディア τραγωδία	マサト مأساة	テラゲディー טרגדיה	ベイジィ 悲剧	ピグク 비극	トラゲディーオ tragedio
コメディ komedie	コーモディア comoedia	コーモーイディアー κωμῳδία	クゥミディヤ كوميديا	クメディーフ קומדיה	シージュー 喜剧	フィグク 희극	コメディーオ komedio
フロイテ fløyte	シビレイシオ sibilatio	スフィリマ σφύριγμα	サファラ صفارة	レシュルーク לשרוק	カオシャオ 口哨	イプスフィパラム 입술휘파람	ファイフォ fajfo
スピッレ spille	ペルフィチェントゥーラ perficientur	エルミネーヴォ ερμηνεύω	アズファ عزف	ヘツゲー הצגה	イエンゾゥ 演奏	ヨンジュ 연주	ルード ludo
メロディ melodi	メロディア melodia	メロディア μελωδία	ロハナ لحن	テネギネー מנגינה	シュアンリー 旋律	ソンユル 선율	メロディーオ melodio
スピル spill	ルードゥス ludus	パイディアー παιδια	ルアバ لعبة	ミスハク משחק	ヨウシー 游戏	ケイム 게임	ルード ludo
フトバル fotball	ペディルディウム pediludium	ポドスフェロ ποδόσφαιρο	クッラトゥルカダム كرة القدم	カドゥレゲル כדורגל	ズーチウ 足球	チュクク 축구	フットバウロ futbalo
ヤクト jakt	ウェーナーティオー venatio	テーレシウス θηρευσις	サイド صيد	ツァイド ציד	ショウリエ 狩猎	サニャン 사냥	チャサード ĉasado
フィスケ fiske	ピスカーティオー piscatio	アリエウティケー αλιευτικη	サイドウッサマク صيد السمك	ダイグ דג	ティアオユー 钓鱼	ナッシ 낚시	フィシュカプタード fisxkaptado
ブリティング bryting	ルクターティオ luctatio	パレー πάλη	ムサーラア مصارعة	ヘタヴクト התאבקות	シュアイジャオ 摔跤	レスルリング 레슬링	ルクト lukto
マラトン maraton	マラートゥン marathon	マラソン μαραθών	マラソーン ماراثون	マラトゥーン מרתון	マーラーソン 马拉松	マラトン 마라톤	マラトーノ maratono
リドニング ridning	エクイタンテス equitantes	イッパシア ιππασία	ルクーブ・アルヒール ركوب الخيل	レヒヴァー רכיבה	チーマー 骑马	スンマ 승마	スルチェヴァリージ surĉevaliĝi
カンプ kamp	ケルターメン certamen	アゴーン αγών	ムバーラー مباراة	ミスハク משחק	ビーサイ 比赛	キョンギ 경기	パルティーオ partio

		英語	ドイツ語	フランス語	イタリア語	スペイン語	ポルトガル語	ロシア語
人間全般	人間	ヒューマン human	メンシュ Mensch	ユマン humain	ウマーノ umano	セル・ウマノ ser humano	ウマノ humano	チェラヴェーク человек
	男	マン man	マン Mann	オム homme	ウォーモ uomo	オンブレ hombre	オーメン homem	ムシュチーナ мужчина
	女	ウーマン woman	フラウ Frau	ファム femme	ドンナ donna	ムヘル mujer	ムリエル mulher	ジェーンシナ женщина
	大人	アダルト adult	エアヴァクセネ Erwachsene	アデュルト adulte	アドゥルト adulto	アドゥルト adulto	アドゥト adulto	ヴズロースルィ взрослый
	子供	チャイルド child	キント Kind	アンファン enfant	バンビーノ bambino	ニニョ niño	クリアンサ criança	リビョーノク ребенок
	赤ん坊	ベイビー baby	ベービ Baby	ベベ bébé	ベベ bebè	ベベー bebé	ベベー bebê	ムラデーニツ младенец
	少年	ボーイ boy	ユンゲ Junge	ギャルソン garçon	ラガッツォ ragazzo	チコ chico	メニーノ menino	マリーチク мальчик
	少女	ガール girl	メートヒェン Mädchen	フィーユ fille	ラガッツァ ragazza	チカ chica	メニーナ menina	デーヴァチカ девочка
	処女	ヴァージン virgin	ユングフラオ Jungfrau	ヴィエルジュ vierge	ヴェルジネ vergine	ビルヘン virgen	ヴィルジンダーヂ virgindade	デーヴストヴニーツア девственница
	孤児	オーフェン orphan	ヴァイゼ Waise	オッフナ orphelin	オールファノ orfano	ウエルファナ huérfana	オルファオ órfão	スィロータ сирота
人生	生	ライフ life	レーベン Leben	ラヴィ vie	ヴィータ vita	ビダ vida	ヴィダ vida	ジーズニ жизнь
	誕生	バース birth	ゲブーアト Geburt	ネサンス naissance	ナシタ nascita	ナシミエント nacimiento	ナシミエント nascimento	ラジデェーニヤ рождение
	成長	グロース growth	ヴァクストゥーム Wachstum	クロワサンス croissance	クレシタ crescita	クレシミエント crecimiento	クレシミエント crescimento	ロースト рост

ノルウェー語	ラテン語	ギリシャ語	アラビア語	ヘブライ語	中国語	韓国語	エスペラント語
メネスケ menneske	**ホモー** homo	**アンウロピノス** ανθρώπινος	**インサーン** إنسان	**アダム** אדם	**レン** 人	**インガン** 인간	**ホーマ** homa
マン mann	**ウィル** vir	**アンドラス** άνδρας	**ラジュラ** رجل	**ゲヴェル** גבר	**ナンレン** 男人	**ナンジャ** 남자	**ヴィーロ** viro
クヴィネ kvinne	**ムリエル** mulier	**ジネカ** γυναίκα	**イムラア** امرأة	**イシャ** אישה	**ニューレン** 女人	**ヨジャ** 여자	**ヴィリーノ** virino
ヴォクセン voksen	**アドゥルタ** adulta	**エンリカス** ενήλικας	**ベルハ** بالغ	**メヴガル** מבוגר	**チョンレン** 成人	**オルン** 어른	**アードゥルトゥ** adolto
バーン barn	**フィリオルマ** filiorum	**ペディ** παιδί	**ティフラ** طفلة	**イェレッド** ילד	**ハイズ** 孩子	**アイ** 아이	**インファーノ** infano
ベイビー baby	**インファンス** infans	**ブレボス** βρεφος	**ラディヤ** رضيع	**ティノック** תינוק	**インアル** 婴儿	**アギ** 아기	**ベーボ** bebo
グット gutt	**プエル** puer	**アゴリ** αγόρι	**サビー** صبي	**イェレッド** ילד	**ナンハイズ** 男孩子	**ソニョン** 소년	**クナーボ** knabo
イェンテ jente	**プエッラ** puella	**コリツィ** κορίτσι	**ベネト** بنت	**ヤルダー** ילדה	**ニューハイズ** 女孩子	**ソニョ** 소녀	**カビーノ** knabino
ヨムフル jomfru	**ウィルゴー** virgo	**パルテノス** παρθένος	**ビクル** بكر	**ベトゥラー** בתולה	**チューニュー** 处女	**チョニョ** 처녀	**ヴィグリーノ** virgulino
フォレルドレース foreldreløs	**オルバ** orbus	**オルファノ** ορφανό	**イェティーム** يتيم	**イェトゥメ** יתום	**グーアル** 孤儿	**コア** 고아	**オールフォ** orfo
リヴ liv	**ウィータ** vita	**ゾィ** ζωή	**ハヤート** حياة	**ハイーム** חיים	**ションミン** 生命	**セン** 생	**ヴィーヴォ** vivo
フェーセル fødsel	**ナティーウィタス** nativitas	**ゲネアー** γένεα	**ウィラーダ** ولادة	**レダー** לדה	**ダンシャン** 诞生	**タンセン** 탄생	**ナスキーゴ** naskiĝo
ヴェクスト vekst	**アウグメントゥム** augmentum	**メガロマ** μεγαλωμα	**ヌムーウ** نمو	**ツェミヒフ** צמיחה	**シャンチャン** 生长	**ソンジャン** 성장	**クレェスコ** kresko

幻想 戦闘 道具 時空 形質 社会 人間 自然

人生

	英語	ドイツ語	フランス語	イタリア語	スペイン語	ポルトガル語	ロシア語
死	デス death	トート Tod	モール mort	モルテ morte	ムエルテ muerte	モルチ morte	スミェールチ смерть
旅	トラベル travel	ライゼ Reise	ヴォワヤージ voyage	ヴィアッジョ viaggio	ビアヘ viaje	ヴィアジャル viajar	プチセーストヴィイェ иутешествие
冒険	アドヴェンチャー adventure	アーベントイアー Abenteuer	アヴァンチュール aventure	アッヴェントゥーラ avventura	アベントゥラ aventura	アヴェントゥラ aventura	プリクリュチェーニイェ приключение
探索	クエスト quest	ズーヘ Suche	ケット quête	リチェルカ ricerca	ブスケダ búsqueda	ブスカ busca	ラッスリェードヴァニイェ расследование
放浪	ワンダー wander	ヴァンデルンク Wanderung	エレ errer	ヴァガボンダッジョ vagabondaggio	ペレグリナヘ peregrinaje	ペレンブラ perambular	スキターニヤ скитание
航海	ナヴィゲーション navigation	シフファート Schiffahrt	ナヴィガシオン navigation	ナヴィガツィオーネ navigazione	ナベガシオン navegación	ナヴェガサオン navegação	ナヴィガーツェン навигация
運命	フェイト fate	シックザール Schicksal	デスティネ destinée	ファート fato	スエルテ suerte	デスティノ destino	スディズバ судьба
宿命	デスティニー destiny	シックザール Schicksal	デスタン destin	デスティーノ destino	デスティノ destino	ファード fado	スディズバ судьба
結婚	マリッジ marriage	ハイラート Heirat	マリアージュ mariage	マトリモーニョ matrimonio	カサミエント casamiento	カザメント casamento	ブラーク брак
失恋	ブロークン・ハート broken heart	ゲブロッヘン・ヘルツェン gebrochene Herzen	クール・ブリゼ coeur brisé	クオレ・インフラント cuore infranto	コラソン・ロト corazón roto	コラサオン・パルチ coração partido	ニシャースナヤ・リュボヴシュ несчастная любовь
葬儀	フューネラル funeral	トラオアーファイアー Trauerfeier	フュライユ Funérailles	フネラーレ funerale	フネラル funeral	フネラゥ funeral	ポーハラヌィ похороны
火葬	クリメーション cremation	アインエッシェルング Einäscherung	クレマシオン crémation	クレマツィオーネ cremazione	クレマシオン cremación	クレマサオン cremação	クリマーツィヤ кремация
土葬	ベリアル burial	エーアトベシュタットゥング Erdbestattung	アンテルモン enterrement	セポルトゥーラ sepoltura	エンティエロ entierro	インマサォ Inumação	ザクハラニーニヤ захоронение

ノルウェー語	ラテン語	ギリシャ語	アラビア語	ヘブライ語	中国語	韓国語	エスペラント語
ダウ død	モルス mors	タナトス θάνατος	マウト موت	マヴェット מוות	スーワン 死亡	チュクウム 죽음	モォルト morto
レイセ reise	ペレグレナリ peregrinari	タクスィーディー ταξίδι	サファル سفر	ティユール טיול	リューシン 旅行	ヨヘン 여행	ヴォヤーギ vojaĝi
エヴェンティール eventyr	ワレバット valebat	ペリペティア περιπέτεια	ムガーマラ مغامرة	ハルパトカー הרפתקה	マオシエン 冒险	モフム 모험	アヴェントゥーロ aventuro
ウトフォルスクニング utforskning	コンクィーシーティオー conquisitio	アナズィティスィ αναζήτηση	バハセ بحث	ヒプース חפוש	タンスオ 探索	タムサク 탐색	セールキ serĉi
ヴァンドリング vandring	ワガーティオー vagatio	ペリプラニスィ περιπλανηση	タジャッウル تجول	ネディダー נדידה	リウラン 流浪	パンラン 방랑	ヴァガード vagadi
ショーレイセ sjøreise	ナウィガティオネ navigatione	プルース πρους	ラハラ رحلة	シイェット שיט	ハンハイ 航海	ハンヘ 항해	ナヴィガーゴ navigado
シェブネ skjebne	ファーティ fati	モイラー μοίρα	マスィール مصير	ゴラル גורל	ミンユン 命运	ウンミョン 운명	ソールト sorto
シェブネ skjebne	ファートゥム fatum	モイラー μοίρα	マスィール مصير	ゴラル גורל	ティエンミン 天命	スクミョン 숙명	ファターロ fatalo
エクテスカプ ekteskap	ヌープティアエ nuptiae	ガモス γάμος	ザワージュ زواج	ハトゥナー חתונה	ジエフン 结婚	キョルホン 결혼	ゲードレェソ geedzeco
シェルービトソルグ kjærlighetssorg	— —	エロティキ・アポゴイテフスィ Ερωτικη απογοητευση	コルブ・メキスウール قلب مكسور	レヴ・シャヴール לב שבור	シーリエン 失恋	イビョル 이별	ロムピータ・コロ rompita koro
ベグラヴェルセ begravelse	フューネレ funere	キズィア κηδεία	マトゥム مأتم	ハルヴァヤー הלוויה	ザンリー 葬礼	チャンリュシク 장례식	フネーブラ funebra
クレマシオン kremasjon	クレマーティオー crematio	アポテフロスィ αποτέφρωση	アハラク・ジェスス・アルムウィティ إحراق جثث الموتى	メシェルフェー משרפה	フオザン 火葬	ファジャン 화장	スレマッシオン cremación
ヨルドベグラヴェルセ jordbegravelse	セペリエンドゥム sepeliendum	エンダフィアズモス ενταφιασμος	ドゥフナ دفن	クヴラー קבורה	トゥーザン 土葬	トジャン 토장	エンツォムビーゴ entombigo

		英語	ドイツ語	フランス語	イタリア語	スペイン語	ポルトガル語	ロシア語
人生	離婚	ディヴォース divorce	シャイドゥング Scheidung	ディバース divorce	ディヴォルツィオ divorzio	ディボォルシオ divorcio	チヴォールスィオ divórcio	ラズヴォート развод
個性	野心	アンビション ambition	エーアガイツ Ehrgeiz	アンビシオン ambition	アンビツィオーネ ambizione	アンビシオン ambición	アンビサオン ambição	アンビーツェア амбиция
	臆病	ティミディティ timidity	ファイクハイト Feigheit	ティミッド timide	コダルド codardo	コバルディア cobardía	チミヂ timido	トルスリーヴィイ трусливый
	無邪気	イノセンス innocence	キントリヒ kindlich	イノソンス innocence	イノセンツァ innocenza	イノセンシア inocencia	イノセンシア inocência	ナイーヴニイ наивный
	素直	オビーディエント obedient	シュリヒト schlicht	オベイサン obéissant	オネスト onesto	フランケーザ franqueza	オベンチ obediente	パスルーシニイ послушный
	純粋	ピュア pure	ライン rein	ピュール pur	プーロ puro	プロ puro	プロ puro	チースティイ чистый
	誠実	オネスト honest	トロイ treu	オネット honnête	シンツェリータ sincerita	シンセロ sincero	シンセロ sincero	イースクリナスト искренность
	狡猾	カンニング cunning	リスティヒ listig	リュゼ ruse	アストーツィア astuzia	アストゥト astuto	アストゥト astuto	カヴァールニイ коварный
	強欲	グリード greed	ハーブギーリヒ habgierig	アヴァール avare	アヴィディータ avidità	アバリシア avaricia	アヴァリエント avarento	ジャードニイ жадный
	怠け者	スラッガード sluggard	ファオルペルツ Faulpelz	フェネアン fainéant	ファーヌローネ fannullone	オルガサン holgazán	プレグイソーゾ preguiçoso	リンチャーイ лентяй
	変人	エキセントリック eccentric	ゾンダーリング Sonderling	エクサントリッキ excentrique	エッチェントリコ eccentrico	エクセントリコ excéntrico	エクセントリコ excêntrico	チュダーク чудак
	おしゃべり	チャタ―ボックス chatterbox	プラオダラー Plauderer	バヴァール bavard	キャッキエローネ chiacchierone	チャルラタン charlatán	タガレアラ tagarela	バルトゥーン болтун
	悪戯好き	ミスチヴァス mischievous	シェルム Schelm	エスピエーグル espiègle	ブルローネ burlone	ピカロ pícaro	マリシオーゾ malicioso	オザルノイ озорной

ノルウェー語	ラテン語	ギリシャ語	アラビア語	ヘブライ語	中国語	韓国語	エスペラント語
スキルスミッセ skilsmisse	ディヴォリティウマ divortium	ディアギジオ διαζύγιο	タラーク طلاق	ゲト גט	リーフン 离婚	イホン 이혼	エクセジーゴ eksedziĝo
アンビション ambisjon	クピディタース cupiditas	ポニロス πονηρός	トゥムーフ طموح	シャフトゥヌト שאפתנות	イエシン 野心	ヤマン 야망	アンビシオ ambicio
ファイグ feig	ティミドゥス timidus	ディロス δειλος	ジュブン جبان	ヴィーシェン ביישן	ダンチエ 胆怯	コプチェイ 겁쟁이	ティメーマ timema
ウッシェルディ uskyldig	インノケーンス innocens	アソオス αθωός	バラア براءة	タム תם	ティエンジェン 天真	スンジン 순진	センマリカ senkulpeco
エールイ ærlig	シンプレックス simplex	スィンカタヴァティコス συγκαταβατικός	ムドゥハン مذعن	ミムシェマ ממושמע	シュンツォン 顺从	スンス 순수	オベエーマ obeema
レーン ren	プールス purus	アグノス αγνος	サーフ صاف	タホール טהור	チュンツイ 纯粹	スンス 순수	プーレ pure
エールイ ærlig	シンケールス sincerus	イリクリニス ειλικρινης	ネズィー نزيه	ヤシェル ישר	チョンシー 诚实	ソンシル 성실	ホネスタン honestan
スルー slu	クランクルム clanculum	コミコス κωμικος	マケラ مكر	アルムミ ערמומי	チャオフオ 狡猾	ギョファク 교활	ルーザ ruza
グローディ grådig	クピドゥス cupidus	アプリストス απληστος	ジャシウ جشع	ハムダン חמדן	タンシン 贪心	タムヨク 탐욕	アヴァレーソ avareco
ラート lat	イーグナーウス ignavus	ヴラディプス βραδυπους	カスール كسل	アツラン עצלן	ランハン 懒汉	ケウルムベンギ 게으름뱅이	ピグルゥーロ pigrulo
ラール rar	クリオースス・コンセールヴォス curiosus conservus	エケンデリコス εκκεντρικός	ガリーブルアトワール غريب الأطوار	ティムホニ תמהוני	グーグワイ 古怪	イサンハンサラム 이상한 사람	ストラングーロ strangulo
プラツォム pratsom	ロクァークス loquax	ラリアー λαλια	サルサラ ثرثرة	ペトペタン פטפטני	リァオティアン 聊天	スダジェンイ 수다쟁이	バビレムーロ babilemulo
ランペーテ rampete	コントゥルバーティオ conturbatio	ピラフティリ πειραχτηρι	モウェズ مؤذ	シュヴァヴ שובב	ワンピー 顽皮	チャンナンクルキ 장난꾸러기	ペトレーマ petolema

個性

	英語	ドイツ語	フランス語	イタリア語	スペイン語	ポルトガル語	ロシア語
ドジ	ステューピッド stupid	ドゥムコプフ Dummkopf	ストゥピッド stupide	ストゥーピド stupido	トルペ torpe	エストゥペド estúpido	ドゥラーク дурак
のろま	ダルウィテッド dull-witted	ゾイマー Säumer	ロゥン lent	オトゥズィータ ottusita	レント lento	エストゥペド estúpido	トゥピーツァ тупица
平凡	オーディナリー ordinary	ゲヴェーンリヒ gewöhnlich	オルディネール ordinaire	バナーレ banale	オルディナリオ ordinario	オルディナリオ ordinário	アブィーチニイ обычный
極端	エクストリーム extreme	エクストレーム extrem	エクストレーム extrême	エストレーモ estremo	エクストレモ extremo	エストリィモ extremo	エクスペリドリメィ экстремальный
悪	ヴァイス vice	ベーゼ Böse	ヴィス vice	ヴィツィオ vizio	マル mal	マウ mal	ヴォルノーイ дурной
善	ヴァーチュ virtue	グーテ Gute	ヴェルチュ vertu	ヴィルトゥ virtù	ビルトゥ virtud	ベン bem	ダブロー добро
上品	エレガンス elegance	エレガンツ Eleganz	ラフィヌン raffiné	エレガンテ elegante	レフィナド refinado	レフィナド refinado	エリガーントノスチ элегантность
下品	ヴァルガリティ vulgarity	フルガリテートゥ Vulgarität	ヴュルギャリテ vulgarité	トリビアーレ triviale	ブルガリダド vulgaridad	ヴガール vulgar	ブルガールノスチ вульгарность
妖艶	ヴァラプシュエス voluptuous	ベツァオバーント bezaubernd	アンソルスラン ensorcelant	アッファシナンテ affascinante	グラモロソ glamoroso	ファッシナサオ fascinação	アバリスチーテェリニイ обольстительный
優雅	グレイス grace	グナーデ Gnade	グラス grâce	グラーツィア grazia	グラシア gracia	エレガンツ elegante	イジャーシストヴォ изящество
高貴	ノーブル noble	アーデル Adel	ノブレス noblesse	ノービレ nobile	ノブレ noble	ノーブレ nobre	ブラガロードニイ благородный
忍耐	パサヴィアレンス perseverance	ゲドゥルト Geduld	ペルセヴェランス persévérance	パツィエンツァ pazeienza	ペルセベランシア perseverancia	ペルセフェランサ perseverança	チルピェーニヤ терпение
野蛮	バーバラス barbarous	バーバライ Barbarei	バルバール barbare	セルヴァッジョ selvaggio	バルバロ bárbaro	バルバロ bárbaro	デーカスチ дикость

ノルウェー語	ラテン語	ギリシャ語	アラビア語	ヘブライ語	中国語	韓国語	エスペラント語
クルーネテ klønete	**プロカーカス・コンセルブス** procax conservus	**ガファズィス** γκαφατζης	**ガビー** غبي	**ティペッシュ** טיפש	**ベン** 笨	**オリソグンシルス** 어리석은 실수	**ストゥルタ** stulta
トレーグ treg	**クンクタートル** cunctator	**アルゴストロフォス** αργοστροφος	**アル・アフバル** الأهبل	**レハーム** להאט	**チードゥン** 迟钝	**トゥンハン** 둔한	**オブトゥーナ・セルブサーナ** obtuza cerbsana
イェンノムスニトリ gjennomsnittlig	**メディオクリス** mediocris	**スィニスィスメノ** συνηθισμένο	**アーディー** عادي	**レギール** רגיל	**ピンファン** 平凡	**ピョンボム** 평범	**メディオーセ** mediocre
エクストレム ekstrem	**エクストリマム** extremam	**アクレオ** άκραιο	**ムタタッリフ** متطرف	**モフェルグ** מופלג	**ジードゥアン** 极端	**ククダン** 극단	**エクストレーメ** extreme
オンド ond	**マールム** malum	**カキア** κακία	**シャッル** شر	**レシャー** רשע	**ツイウー** 罪恶	**ナップン** 나쁜	**マルボーノ** malbonao
ゴー god	**ボヌム** bonum	**アレティ** αρετή	**ジャイェッド** جيد	**トヴァー** טוב	**シャン** 善	**チョウン** 좋은	**ボーナ** bona
ラフィネール raffinert	**エーレガーンス** elegans	**エクレプティスメノ** εκλεπτυσμενο	**ムケラル** مكرر	**エレガント** אלגנט	**ヤージー** 雅致	**サンリュチャン** 상류층	**エレガンテーソ** eleganteco
ヴルゲール vulgær	**イレピドゥス** illepidus	**ヒゼオティタ** χυδαιότητα	**アーミヤ** عامية	**ガス** גס	**ツースー** 粗俗	**ハリュチャン** 하류층	**ブルガレーソ** vulgareco
フォルフェーレンデ forførende	**ペルブランドゥス** perblandus	**サギニ** σαγηνη	**ハラブ** خلاب	**マクシフェート** מכשפת	**シンガン** 性感	**ヨヨム** 요염	**ヘッチェーラ** hechicera
エレガント elegant	**エーレガーンス** elegans	**ハリ** χάρη	**エネルフ** أناقة	**ヘン** חן	**ヨウヤー** 优雅	**ウア** 우아	**エレガンタ** eleganta
エーデル edel	**ノービリス** nobilis	**エギエネス** ευγενες	**モリキー** ملكي	**アツィール** אציל	**ガオグイ** 高贵	**コグィ** 고귀	**ヌーボ** nobla
トールモーディヘート tålmodighet	**ペルセヴェランティアム** perseverantiam	**ヒュポモネー** υπομονή	**サブル** صبر	**ハトゥミディー** התמדה	**レンナイ** 忍耐	**イネ** 인내	**ペルシステーソ** persisteco
バーバリスク barbarisk	**バルバルス** barbarus	**バルバロティタ** βάρβαροτητα	**バラビラ** برابرة	**ヴァルヴァリ** ברברי	**イエマン** 野蛮	**ヤマン** 야만	**バルバライン** barbarajn

個性

	英語	ドイツ語	フランス語	イタリア語	スペイン語	ポルトガル語	ロシア語
優しい	ジェントル gentle	ツァールト zart	ジャンティー gentil	ジェンティーレ gentile	アマーブル amable	アマベール amável	ネルジュニイ нежный
意地悪	スパイトフル spiteful	ボースハフト boshaft	ランキュニエ rancunier	マリツィオーゾ malizioso	マリシオソ malicioso	マウ mau	ズララードニイ злорадный
正直	オネスティ honesty	エーアリヒ ehrlich	オネテェティ honnêteté	オネスタ onestà	オネスティダド honestidad	ホネスティダージェ honestidade	チェースニスト честность
嘘つき	ライアー liar	リューグナー Lügner	マントゥール menteur	ブジャルド bugiardo	メンティロソ mentiroso	メンチロソ mentiroso	ルグーン лгун
残忍	クルーエル cruel	グラオザーム grausam	クリュエル cruel	クルデーレ crudele	デスピアダド despiadado	クルエル brando	ジストーキイ жестокий
温厚	ウォーム warm	グートミューティヒ gutmütig	ドゥー doux	ミータ mite	アファブレ afable	ブレンド quente	ミャーヒキイ мягкий
謙虚	ハンブル humble	ベシャイデン bescheiden	アンブル humble	モデスト modesto	モデスティア modestia	モデスティア modestia	スクロームニイ скромный
傲慢	アロガンス arrogance	ユーバーヘープリヒ überheblich	アロガンス arrogance	アッロガンツァ arroganza	アロガンシア arrogancia	アホガンシア arrogancia	ナドミェーンニイ надменный
快活	チアフル cheerful	ムンター munter	ゲイ gai	アッレグーロ allegro	ホビアル jovial	アレグリ alegre	ヴィショールィ веселый
陰気	グルーミー gloomy	メランコーリッシュ melancholisch	ソンブル sombre	マリンコーニコ malinconico	ペヌンブラ penumbra	メランコリァ melancolia	ムラーチニイ мрачный
頑固	スタバーン stubborn	ハルトネッキヒ hartnäckig	テチュ têtu	カパルビョ caparbio	オブスティナド obstinado	テイモッゾ teimoso	ウプリャーミイ упрямый
不屈	フォーティテュード fortitude	ウンボイクザーム unbeugsam	イネブランラーブル inébranlable	インクロラービレ incrollabile	フォルタレサ fortaleza	デステミード destemido	ニパカリビーマイ непоколебимый
勇敢	ブレイヴ brave	ムーティヒ mutig	クラージュ courageux	コラッジョーゾ coraggioso	バリエンテ valiente	ブラヴーダ bravura	スミェールィ смелый

ノルウェー語	ラテン語	ギリシャ語	アラビア語	ヘブライ語	中国語	韓国語	エスペラント語
スニル snill	**マンスウェトゥマ** mansuetum	**フィリコス** φιλικός	**ラティーフ** لطيف	**イェディドゥーティ** ידידותי	**ウェンフー** 温和	**サンニャンハン** 상냥한	**アファーブラ** afabla
スレム slem	**マリニュースクェ** maligniusque	**カケドゥレヒス** κακεντρεχής	**ディルクヤーニー** ذلك يعني	**カントラニ** קנטרני	**ウーイー** 恶意	**シムスルクッウン** 심술궂은	**マラ・ ファーブラ** malafabla
エールイ ærlig	**プロビータス** probitas	**イリクリニス** ειλικρινης	**アマナ** أمانة	**ヨシャール** יושר	**ジョンジー** 正直	**チョンジク** 정직	**ホネステーソン** honestecon
レウニャー løgner	**メンダークス** mendax	**プセフティス** ψεύτης	**カッザーブ** كذاب	**シャクラン** שקרן	**ピエンズ** 骗子	**コジッマル ジェンイ** 거짓말쟁이	**メンソガーンツォ** mensoganto
グルーソム grusom	**サエワ** saeva	**スクリロス** σκληρός	**ワシャ** وحشية	**アクザル** אכזר	**ツァンレン** 残忍	**チャニン** 잔인	**クルエーラ** kruela
ミルド mild	**マンストゥディネ** mansuetudine	**カロプロエレトス** καλοπροαιρετος	**アーティダール** اعتدال	**ハム** חם	**ウェンホウ** 温厚	**オンファ** 온화	**ミールベ** mildo
イュムック ydmyk	**フミリタス** humilitas	**メトレィオヴロン** μετριοφρων	**タワードゥウ** تواضع	**アナザー** צנוע	**チエンシュー** 谦虚	**ギョムソン** 겸손	**フミラ** humila
アローガント arrogant	**アッロガーンス** arrogans	**スィパスメノス** ξιπασμένος	**ファハラ** فخر	**ヤヒールト** יהירות	**チャオマン** 傲慢	**オマン** 오만	**アロガンテッソ** aroganteco
リヴリー livlig	**イラーレム** hilarem	**ゾイロス** ζωηρος	**ヤユウィヤ** حيوية	**アリーズ** עליז	**クワイフォ** 快活	**ミョンランハン** 명랑한	**ガヤ** gaja
ディステル dyster	**マエローレム** maerorem	**メラホリコス** μελαγχολικος	**カアバ** كآبة	**コデル** קדר	**チョウユェン** 愁云	**ウムウルハン** 음울한	**マルガーヤ** malgaja
スタ sta	**チェルウィカータス** cervicatas	**ピズマ** πεισμα	**アニード** عناد	**アクシャン** עקשן	**ワングー** 顽固	**コジプ** 고집	**オブスティーナ** obstina
ウクエリグ ukuelig	**インウィクトゥム** invictum	**アフティピトス** αχτυπητος	**ジェリダ** جلد	**ビルティ・ メヌツァッハ** בלתי מנוצח	**ブーチュー** 不屈	**プルクチアンヌン** 굴하지 않는	**フォート** forto
モーディ modig	**フォルティス** fortis	**イェネオス** γενναίος	**シャジャーウ** شجاع	**アミッツ** אמיץ	**ヨンガン** 勇敢	**ヨンガム** 용감	**クラーガ** kuraĝa

個性

	英語	ドイツ語	フランス語	イタリア語	スペイン語	ポルトガル語	ロシア語
大胆	オーデイシアス audacious	キューン kühn	オダシュー audacieux	イントレーピド intrepido	アトレビド atrevido	アウダースィア audácia	アトヴァージニイ отважный
無謀	レクレス reckless	ウンベゾンネン unbesonnen	アンプリュダン imprudent	テメラーリョ temerario	テメラリオ temerario	インプロデンチェ imprudente	ビズラッスードニイ безрассудный
大食い	グラットゥン glutton	フレッサー Fresser	グルートン glouton	ギオットーネ ghiottone	グロトン glotón	グルタオン glutão	アブジョーラ обжора
賢い	ワイズ wise	ヴァイゼ weise	サージュ sage	インテッリジェンテ intelligente	サビオ sabio	サービオ sábio	ウームニイ умныи
愚か	フーリッシュ foolish	ドゥム dumm	インサンス insensé	ショッコ sciocco	トント tonto	ボーボ bobo	グルーブィイ глупый
運	ラック luck	グリュック Glück	シャンス chance	フォルトゥーナ fortuna	スエルテ suerte	ソルチェ sorte	ウダーチャ удача
愚鈍	ステューピッディティ stupidity	ドゥムハイト Dummheit	スチュピデティ stupidité	ストゥピディータ stupidità	エストゥピデス estupidez	エストゥピデス estupidez	グルーポスト глупость
孤独な	ロンリー lonely	アインザム einsam	ソリテール solitaire	ソリターリオ solitario	ソリタリオ solitario	ソリターリオ solitário	アヅィノーカ одиноко
卑怯な	カワドリー cowardly	ファイク feig	デロワイアル déloyal	ヴィーリアッコ vigliacco	コバルデ cobarde	コヴァールヂ covarde	トゥルスリーヴァ трусливо
冷酷	クルーエル cruel	グラウザム grausam	フロワ froid	スピエタート spietato	クルエルダー crueldad	インプラカーヴェウ implacável	ジェストーコスチ жестокость
妖艶な	ビウィッチング bewitching	ファーツァウバンデ verzaubernde	アンソルスラン ensorcelant	アッファシナーンテ affascinante	グラモロソ glamouroso	セドゥトール sedutor	チャールイッシェ чарующий
真面目な	シリアス serious	アーンスト ernst	セリュー sérieux	セーリョ serio	セーリオ serio	セーリオ sério	スィリヨーズニィ серьёзный
盲目	ブラインドネス blindness	ブリンドハイト Blindheit	アヴグル aveugle	チェチタ cecità	シエゴ ciego	セゲイラ cegueira	スレプァータァ слепота

ノルウェー語	ラテン語	ギリシャ語	アラビア語	ヘブライ語	中国語	韓国語	エスペラント語
ドリスティ dristig	アウダークス audax	トルミ τόλμη	ジャリー جريء	ノエズ נועז	ダーダン 大胆	テダム 대담	アウダッサ aŭdaca
ウアンスヴァーリ uansvarlig	アウダークス audax	アペリスケプトス απερισκεπτος	ムタハッウィル متهور	ラ・ズィール לא זהיר	ルーマン 鲁莽	ムモ 무모	テメラーラ temerara
ストールスピセル stor spiser	グーラ gula	レマルゴス λαίμαργος	ネヒマ نهم	ズレル זולל	タンシージャ 贪食者	ペブム 배부름	マンゲゲルーロ mangxegemulo
クルーク klok	サピエーンス sapiens	エクシプノス εξυπνος	ザキー ذكي	ハクム חכם	ツォンミン 聪明	ヒョンミョンハン 현명한	サーガ saĝa
ドゥム dum	ストゥルトゥス stultus	イリスィオ ηλιθιο	ムフェル مغفل	ティプシ טיפש	ユーチュン 愚蠢	オリソッタ 어리석다	マルサーガ malsaĝa
リュッケ lykke	フォルトゥーナ fortuna	ティーヒー τυχη	ハッズ حظ	マザル מזל	シンユン 幸运	ウン 운	ボンサーンサ bonŝanca
トレーグ treg	ストルティーティア stultitia	バラケイア βλακεία	ガバー غباء	ティフェシュト טיפשות	ユートゥエン 愚蠢	トゥンハダ 둔하다	ストゥルテークソ stulteco
エンソム ensom	ソリトゥード solitudo	モナチコース μοναχικός	ワハイヤダ وحيدا	ブデド בודד	グードゥー 孤独	コドゥカン 고독한	イゾリータ izolita
ファイグ feig	パルヴィフィチェーンチア parvificentia	アナンドロス άνανδρος	ジャバン جبان	フェーデン פחדן	ベイビィ 卑鄙	ピギョパン 비겁한	マルオヤーラ mallojala
イェルテルーシュ hjerteløs	クルーデリィ crudelis	アディスタクトス αδίστακτος	クアサ قاس	ヘセル・レフミーム חסר רחמים	ランクゥ 冷酷	ネンホカダ 냉혹하다	センコンパータ senkompata
フォルフェーレンデ forførende	ファシナァティオ fascinatio	マゲフティコ μαγευτικό	ハラブ خلاب	マクシフェート מכשפת	ジアオイエン 娇艳	ヨヨムハン 요염한	アモロアルローガ amoroalloga
セリュース seriøs	グラヴィ gravis	ソヴァロース σοβαρός	ハティール خطير	レツィニ רציני	レンチェン 认真	ソンシルハン 성실한	セリオーザ serioza
ブリンド blind	カエチータス caecitas	ティフロシ τύφλωση	アーマ أعمى	アユーヴルン עיוורון	マンムー 盲目	メンモク 맹목	ブリンデーソ blindeco

感覚・感情

	英語	ドイツ語	フランス語	イタリア語	スペイン語	ポルトガル語	ロシア語
味	テイスト taste	ゲシュマック Geschmack	グ goût	グースト gusto	サボール sabor	ゴースト gosto	フクゥース вкус
願望	ウィッシュ wish	ヴンシュ Wunsch	スエ souhait	デジデーリョ desiderio	デセオ deseo	デセージョ desejo	ジェラーニイェ желание
望み	ホープ hope	ホフヌング Hoffnung	エスポワール espoir	スペランツァ speranza	エスペランサ esperanza	エスペランサ esperança	ナデェージツァ надеяться
幸せ	ハピネス happiness	グリュック Glück	ボヌール bonheur	フェリチタ felicità	フェリシダー felicidad	フェリシダーヂ felicidade	スチャースチイェ счастье
不幸	ミスフォーチュン misfortune	ウングリュック Unglück	マルール malheur	スフォルトゥーナ sfortuna	デスグラシア desgracia	デスグラーサ desgraça	ニシャースチイェ несчастье
喜び	ジョイ joy	フロイデ Freude	ジョワ joie	ジョーヤ gioia	アレグリア alegría	アレグリア alegria	ラードスチ радость
誇り	プライド pride	シュトルツ Stolz	フィエリテ fierté	オルゴーリョ orgoglio	オルグリョ orgullo	オルグリオ orgulho	ゴールドスチ гордость
情熱	パッション passion	ライデンシャフト Leidenschaft	パシオン passion	パッショーネ passione	パシオン pasión	パイシャオン paixão	ストラースチ страсть
勇気	カレッジ courage	ムート Mut	クラージュ courage	コラッジョ coraggio	コラヘ coraje	コラジェム coragem	スミェーラスチ смелость
感謝	グラティチュード gratitude	ダンク Dank	グラチチュード gratitude	グラティトゥーディネ gratitudine	グラティトゥ gratitud	アグラデシメント agradecimento	ブラガダールノスチ благодарность
驚き	サプライズ surprise	エアシュタオネン Erstaunen	スュプリーズ surprise	ソルプレーザ sorpresa	ススト susto	スルプレザ surpresa	ウディヴリェーニイェ удивление
感動	エモーション emotion	リュールング Rührung	エモシオン émotion	コンモツィオーネ commozione	インプレシオン impresión	エモサォン emoção	ヴァルニェーニイェ волнение
慈悲	マーシー mercy	バルムヘルツィヒカイト Barmherzigkeit	ミゼリコルド miséricorde	ミゼリコールディア misericordia	フィラントロピア filantropía	ミゼリコールジャ misericórdia	サストラダーニイェ сострадание

ノルウェー語	ラテン語	ギリシャ語	アラビア語	ヘブライ語	中国語	韓国語	エスペラント語
スマク smak	グゥストゥース gustus	ゲフシー γεύση	デウォーク ذوق	タム טעם	ウェイ 味	マット 맛	グゥースト gusto
エンスケ ønske	オプターティオー optatio	エフヒ ευχη	ラハバ رغبة	シェイファー שאיפה	ユエンワン 愿望	ソマン 소망	デズィーリ deziri
ホープ håp	クピディタース cupiditas	エルピス ελπις	アマル أمل	ティクヴァー תקווה	シーワン 希望	ヒマン 희망	ウィーッシュ wish
リュッケ lykke	フェリーキタース felicitas	エヴダイモニアー ευδαιμονια	サアーダ سعادة	オシェル אושר	シンフー 幸福	ヘンボク 행복	フェリーソ feliĉo
ウリュッケ ulykke	ミセリア miseria	ディスティヒア δυστυχια	タイス تعيس	ツァラー צרה	ブーシン 不幸	ブルヘン 불행	マルフェリートゥオ malfeliĉo
グレーデ glede	ラエティティア laetitia	カラー χαρά	ムター متعة	スィムハー שמחה	クワイラー 快乐	キップム 기쁨	ジョイオ ĝojo
ストールテ stolthet	スペルビア superbia	イペルファーニア υπερηφάνια	キブリヤー كبرياء	ガアヴァー גאווה	ズーズンシン 自尊心	チャブシム 자부심	フィエーロ fiero
リーデンスカプ lidenskap	パッシオーニ passionis	パソス πάθος	シャファハ شغف	テシュカー תשוקה	リウチン 热情	ヨルジョン 열정	パシオ pasio
モット mot	フォルティトゥードー fortitudo	アンドレイア ανδρεια	シャジャーア شجاعة	オメツ אומץ	ヨンチー 勇气	ヨンギ 용기	クラーゴ kuraĝo
タクネムリヘート takknemlighet	グラーティア gratia	エフカリスティエス ευχαριστίες	シェケラ شكر	ホダヤー הודייה	ガンシエ 感谢	カムサ 감사	ダンコ danko
オーヴェルラスケルセ overraskelse	アドミーラーティオー admiratio	エクプリクスィ έκπληξη	ダハシャ دهشة	ハフタアー הפתעה	ジンチー 惊奇	ノルラム 놀람	ソルピーゾ surprizo
ベヴェーゲルセ bevegelse	イムプレッサ impressa	シュンキーネーシス συγκίνησις	イサーラ إثارة	レギシュ רגש	ガンドゥン 感动	カムドン 감동	エモシーオ emocio
メドフリエールセ medfølelse	ミセリコルディア misericordia	エレオス έλεος	ラフマ رحمة	レフミーム רחמים	ツーベイ 慈悲	チャビ 자비	コムパート kompato

感覚・感情

	英語	ドイツ語	フランス語	イタリア語	スペイン語	ポルトガル語	ロシア語
悲しさ	サッドネス sadness	トラオアー Trauer	トリステス tristesse	トリステッツァ tristezza	トゥリステサ tristeza	トゥリステーザ tristeza	ピチャーリ печаль
嘆き	グリーフ grief	クラーゲン Klagen	シャグラン chagrin	ラメンタンツァ lamentanza	アフリクシオン aflicción	ドール dor	ガーリェ горе
あきらめ	レジグネイション resignation	フェアツィヒト Verzicht	レジニアシオン résignation	ラッセニャツィオーネ rassegnazione	レシグナシオン resignación	ヘヌンシア renúncia	オツターフカ отставка
退屈	ボーダム boredom	ラングヴァイレ Langeweile	アンニュイ ennui	ノーイァ noia	アブリミエント aburrimiento	アボヒシメント aborrecimento	スクーカ скука
憂鬱	ディプレション depression	メランコリー Melancholie	デプレシオン dépression	デプレッシオーネ depressione	メランコリア melancolía	デプレサオン depressão	ディプレーッシヤ депрессия
絶望	ディスピア despair	フェアツヴァイフルング Verzweiflung	デゼスポワール désespoir	ディスペラツィオーネ disperazione	デセスペランサ desesperanza	デセスペロ desespero	アトチャーヤニイェ отчаяние
寂しさ	ロンリネス loneliness	アインザームカイト Einsamkeit	ソリチュード solitude	マリンコニーア malinconia	ソレダー soledad	ソリターリオン solitário	アディノーティストヴァ одиночество
怒り	アンガー anger	ツォルン Zorn	コレール colère	イーラ ira	イラ ira	イラ ira	グニェーフ гнев
憎しみ	ヘイトレッド hatred	ハス Hass	エーヌ haine	オーディオ odio	オディオ odio	オディオ ódio	ニェーナヴィスチ ненависть
恨み	グラッジ grudge	グロル Groll	ランキュヌ rancune	ランコーレ rancore	レンコル rencor	ハンコル rancor	ダサーダ досада
恥	シェイム shame	シャンデ Schande	オント honte	ヴェルゴーニャ vergogna	ベルグエンサ vergüenza	ヴェルゴニャ vergonha	スティート стыд
後悔	リグレット regret	ロイエ Reue	ルグレ regret	ランマーリコ rammarico	アレペンティミエント arrepentimiento	アヘピンディミィエント arrependimento	サジャリェーニイェ сожаление
恐怖	フィア fear	シュレッケン Schrecken	プール peur	パウーラ paura	ミエド miedo	メード medo	ストラーフ страх

ノルウェー語	ラテン語	ギリシャ語	アラビア語	ヘブライ語	中国語	韓国語	エスペラント語
トリストヘート tristhet	**マエスティティア** maestitia	**スリープスィ** θλίψη	**ハズィナ** حزن	**ツァアル** עצב	**ベイアイ** 悲哀	**スルプム** 슬픔	**マルジョイオ** malĝojo
クラーゲ klage	**マエロル** maeror	**スリープスィ** θλίψη	**ハズィナ** حزن	**ツァアル** צער	**ベイシャン** 悲伤	**ハンタン** 한탄	**ラメント** lamento
ギ オップ gi opp	**アビドケーシオ** abdicatio	**パラドスィ** παραίτηση	**エスティカエラ** استقالة	**ヒトパトゥルート** התפטרות	**ファンチー** 放弃	**ポギ** 포기	**レジーグノ** rezigno
シェドソムヘート kjedsomhet	**イネルティア** inertia	**アニア** ανία	**マラル** ملل	**シアムーム** שעמום	**ウーリャオ** 无聊	**シムシム** 심심	**エヌーオ** enuo
メランコリ melankoli	**メランコリア** melancholia	**カタスリプスィ** κατάθλιψη	**イクティアーブ** اكتئاب	**ディカオン** דכאון	**ヨウユー** 忧郁	**ウウル** 우울	**メランコリーオ** melankolio
フォルトヴィレルセ fortvilelse	**デースペーラーティオー** desperatio	**アペルピスィア** απελπισία	**ヤアス** يأس	**イェウーシュ** יאוש	**チュエワン** 绝望	**チョルマン** 절망	**マレスペーロ** malespero
エンソムヘート ensomhet	**ソリトゥードー** solitudo	**モナクスィア** μοναξιά	**アーズラ** عزلة	**ブディドゥート** בדידות	**ジーモー** 寂寞	**ウェロウム** 외로움	**ソレーソ** soleco
シネ sinne	**イーラ** ira	**スィモス** θυμός	**ガダブ** غضب	**カアス** כעס	**ペンヌー** 愤怒	**プンノ** 분노	**コレーロ** kolero
ハット hat	**オディウム** odium	**ミーソス** μισος	**カラーヒヤ** كراهية	**スィヌアー** שנאה	**ツォンヘン** 憎恨	**チュンオ** 증오	**マラーモ** malamo
ヘヴン hevn	**ドロォラ** dolor	**アフティ** αχτι	**エスティヤー** استياء	**ティナー** טינה	**ユエンヘン** 怨恨	**ウォンマン** 원망	**ランコロン** rankoron
スカム skam	**プドル** pudor	**ドロピ** ντροπή	**ハジュラ** خجل	**ブシャー** בושה	**シウジー** 羞耻	**スチ** 수치	**ホント** honto
アンガー anger	**パエニテーンティア** paenitentia	**メタメレイア** μεταμελεια	**ナダム** ندم	**ハラター** חרטה	**ホウフイ** 后悔	**フフェ** 후회	**ベナウラス** bedaŭras
フリュクト frykt	**フォルミードー** formido	**フォボス** φόβος	**ハウフ** خوف	**パハッド** פחד	**コンジュー** 恐惧	**コンポ** 공포	**ティーモ** timo

		英語	ドイツ語	フランス語	イタリア語	スペイン語	ポルトガル語	ロシア語
感覚・感情	欲望	ディザイア desire	ベギーアデ Begierde	デジール désir	デジデーリョ desiderio	デセオ deseo	デゼージョ desejo	ジェラーニヤ желание
	嫉妬	ジェラシー jealousy	ナイト Neid	ジャルージー jalousie	ジェロージア gelosia	エンビディア envidia	シウーミ ciúme	リェーヴノスチ ревность
	軽蔑	コンテンプト contempt	フェアアハトゥング Verachtung	メプリス mépris	ディスプレッツォ disprezzo	デスプレシオ desprecio	デスプレーゾ desprezo	プリズリェーニヤ презрение
	郷愁	ノスタルジア nostalgia	ハイムヴェー Heimweh	ノスタルジー nostalgie	ノスタルジーア nostalgia	ノスタルヒア nostalgia	ノスタゥジア nostalgia	ナスタリギーヤ ностальгия
	辛苦	ハードシップ hardship	ミューエ Mühe	ディフィキュルテ difficultés	ソッフェレンツァ sofferenza	アプーロ apuro	デセスペランサ desesperança	ストラダーニヤ страдание
	狂気	マッドネス madness	ヴァーンズィン Wahnsinn	フォリー folie	フォッリーア follia	ロコ loco	ロゥクーラ loucura	スマシェストヴィエ сумасшествие
	不安	エンザイエティ anxiety	アングスト Angst	マレーズ malaise	アーンシア ansia	アンシエダ ansiedad	アンシェダージ ansiedade	トゥリヴォーガ тревога
	感情	エモーション emotion	エモツィオーン Emotion	エモシオン émotion	エモツィオーネ emozione	エモシオン emoción	エモサォン emoção	チューヴストヴァ чувство
能力	超人	スーパーマン superman	ユーバーメンシュ Übermensch	シュロム surhomme	スーペルウォーモ superuomo	ソブレウマーノ sobrehumano	スーパーオメン super-homem	スヴェルフチラヴェーク сверхчеловек
	能力	アビリティ ability	フェーイヒカイト Fähigkeit	キャパシテ capacité	アビリタ abilità	アビリダー habilidad	アビリダージェ habilidade	スパソーブノスチ способность
	力	パワー power	マハト Macht	ピュイサンス puissance	ポテーレ potere	ポデル poder	ポディエ poder	モーシ мощь
	腕力	フォース force	クラフト Kraft	ヴィグール vigueur	フォルツァ forza	フエルサ fuerza	フォルサ forçá	シーラ сила
	知識	ノウリッジ knowledge	ケントニス Kenntnis	コネサンス connaissance	コノシェンツァ conoscenza	コノシミエント conocimiento	コニェシメント conhecimento	ズナーニヤ знание

ノルウェー語	ラテン語	ギリシャ語	アラビア語	ヘブライ語	中国語	韓国語	エスペラント語
ベギェール begjær	**クピディタース** cupiditas	**エピュスミアー** επιθυμία	**ラグバ** رغبة	**テシュケー** תשוקה	**ユーワン** 欲望	**ヨクマン** 욕망	**デジーロ** deziro
シャルシ sjalusi	**インウィディア** invidia	**ゼーロテュピアー** ζήλοτυπια	**ハサド** حسد	**キヌアー** קנאה	**トゥージー** 妒忌	**チルト** 질투	**ラルーロ** ĵaluzo
フォラクト forakt	**コンテムプティオー** contemptio	**ペリフロニスィ** περιφρόνηση	**イフティカール** احتقار	**ブズ** בוז	**チンミエ** 轻蔑	**キョンミョル** 경멸	**マレスティーモ** malestimo
レングセル lengsel	**ノスタルギア** —	**ノスタルギア** νοσταλγία	**ハニーン** حنين	**ノスタルギー** נוסטלגיה	**シャンチョウ** 乡愁	**ヒャンス** 향수	**ノスタルディオ** nostalgio
スリト slit	**ウェークサーティオー** vexatio	**ディスコリア** δυσκολία	**アルマ** ألم	**クシーム** קשיים	**シンクー** 辛苦	**コナン** 고난	**アフィリクト** aflikto
ガルスカプ galskap	**インサニアム** insaniam	**トゥレラ** τρελα	**ジュヌーン** جنون	**シガオン** שגעון	**フォンクワン** 疯狂	**クァンギ** 광기	**フレネーゾ** frenezo
ウロ uro	**クーラ** cura	**アニシフィア** ανησυχία	**カリハ** قلق	**ヘレデー** חרדה	**ブーアン** 不安	**プラン** 불안	**アンゴーロ** angoro
フェーレルセ følelse	**アッフェクトゥス** affectus	**パテーマ** παθημα	**アーティファ** عاطفة	**レゲッシュ** רגש	**ガンチン** 感情	**カムジョン** 감정	**エモシーオ** emocio
スーパーメネスケ supermenneske	**エクシミオス・ウマーナ** eximius humana	**イペランスポロス** υπεράνθρωπος	**シウベルマニ** سيوبرمان	**スフェルメン** סופרמן	**チャオレン** 超人	**チョイン** 초인	**スーペルホーモ** superhomo
エヴネ evne	**インゲニウム** ingenium	**デュナミス** δυναμις	**クドラ** قدرة	**ヤコレット** יכולת	**ノンリー** 能力	**ヌンリョク** 능력	**カパーロブロ** kapablo
クラフト kraft	**ポテスタース** potestas	**デュナミス** δυναμις	**クッワ** قوة	**コアッハ** כוח	**リーリャン** 力量	**ヒム** 힘	**ポテンツォ** potenco
ムスケルスツュルケ muskelstyrke	**インドゥーロ** induro	**イスクース** ισχυς	**クウェット・ズィラー** قوة الذراع	**コアッハ** כוח	**ルウリー** 膂力	**パリョク** 팔력	**プノフォールト** pugnoforto
クンスカプ kunnskap	**スキエンティア** scientia	**エピステーメー** επιστημη	**ムアリファ** معرفة	**イェダ** ידע	**チーシー** 知识	**チシク** 지식	**スシーオ** scio

		英語	ドイツ語	フランス語	イタリア語	スペイン語	ポルトガル語	ロシア語
能力	速さ	スピード speed	シュネリヒカイト Schnelligkeit	ヴィテス vitesse	ヴェロチタ velocità	ベロシダー velocidad	ヴェロシタージェ velocidade	スコーラスチ скорость
	力強さ	ストレングス strength	シュテルケ Stärke	フォルス force	ポテンツァ potenza	フエルサ fuerza	フォルサ força	プローチネスツ прочность
	賢さ	ウィズダム wisdom	ヴァイスハイト Weisheit	サジェス sagesse	サッジェッツァ saggezza	サビドゥリア sabiduría	インテリジェンシア inteligência	ムードロスチ мудрость
	努力	エフォート effort	アンシュトレングング Anstrengung	エフォール effort	スフォルツォ sforzo	エスフエルソ esfuerzo	エスフォルソ esforço	ウシーリヤ усилие
	オーラ	オーラ aura	アウラ Aura	オラ aura	アウラ aura	アウラ aura	アゥラ aura	アーウラ аура
	万能	オールマイティー almighty	アルメヒティヒ allmächtig	トゥー・ピュイサン tout puissant	オンニポテンツァ onnipotenza	トドポデロソ todopoderoso	オンポティンティ onipotente	フシェマグーシストヴォ всемогущество
	天才	ジーニアス genius	ゲニー Genie	ジェニー génie	ジェーニョ genio	ヘニオ genio	ジェニオ gênio	ゲーニィ гений
精神	精神	マインド mind	ガイスト Geist	エスプリ esprit	メンテ mente	メンテ mente	エスピリトゥ espirito	ドゥーフ дух
	心	ハート heart	ヘルツ Herz	クール coeur	クオーレ cuore	コラソン corazón	コラサォ coração	シェールツァ сердце
	魂	ソウル soul	ゼーレ Seele	アム âme	アニマ anima	アルマ alma	アゥマ alma	ドゥシャー душа
	記憶	メモリー memory	ゲデヒトニス Gedächtnis	メモワール mémoire	リコルド ricordo	メモリア memoria	メモーリア memória	パーミャチ память
	夢	ドリーム dream	トラオム Traum	レーヴ rêve	ソーニョ sogno	スエニョ sueño	ソーニョ sonho	ミェチター мечта
	悪夢	ナイトメア nightmare	アルプトラオム Alptraum	コシュマール cauchemar	インクボ incubo	ペサディリャ pesadilla	ペサデロ pesadelo	カシュマール кошмар

ノルウェー語	ラテン語	ギリシャ語	アラビア語	ヘブライ語	中国語	韓国語	エスペラント語
ハスティヘート hastighet	ウェロキータス velocitas	タコス ταχος	スルア سرعة	メヒルート מהירות	スードゥー 速度	ソクド 속도	ラピード rapido
ステュルケ styrke	フォルティトゥードー fortitudo	ズィナミ δύναμη	ハヤウィヤ حيوية	コアッハ כוח	チアンドゥー 强度	ヒムチャン 힘찬	フォルツォ forto
クルークヘート klokhet	サピエンティア sapientia	ソフィア σοφία	ザカー ذكاء	ホクマー חכמה	ジーフイ 智慧	チヘ 지혜	サーゴ saĝo
インサッツ innsats	コナートゥス conatus	プロスパシア προσπάθεια	ジャハド جهد	マアマツ מאמץ	ヌーリー 努力	ノリョク 노력	ペーノ peno
アウラ aura	アウラ aura	アヴラ αύρα	ハーラ هالة	ヒラー הילה	チーフェン 气氛	オラ 오라	アウーラ aura
アルシディグ allsidig	オムニポテーンス omnipotens	パニスヒロス πανισχυρος	カーディル・アラー・クッリ・シャイ قادر على كل شيء	コール・ヤコール כל יכול	チュエンノン 全能	マンヌン 만능	チオポーマ ĉiopova
ゲニ geni	インゲニウム ingenium	メガロフィア μεγαλοφυια	アブカリー عبقري	ガオン גאון	ティエンツァイ 天才	チョンジェ 천재	ゲニオ genio
シン sinn	アニムス animus	プネウマ πνεύμα	レワハ روح	ダー דעה	チンシェン 精神	チョンシン 정신	メンソ menso
イェルテ hjerte	メーンス mens	カルディア καρδιά	カルブ قلب	レヴ לב	シンツァン 心脏	マウム 마음	コーロ koro
シェル sjel	アニマ anima	プシューケー ψυχή	レワハ روح	ネシュミー נשמה	フンポー 魂魄	ヨンホン 영혼	アニーモ animo
ミンネ minne	メモリア memoria	ムネーメー μνημη	ズィクラー ذاكرة	ズィカロン זיכרון	ジーイー 记忆	キオク 기억	メモーロ memoro
ドローム drøm	ソムニウム somnium	エニュプニオン ενυπνιον	ハルマ حلم	ハロム חלום	モン 梦	クム 꿈	ソンゴ sonĝo
マレリット mareritt	タンティブス tantibus	エフィアルティス εφιάλτης	カーブース كابوس	スィユート סיוט	ウーモン 恶梦	アクモン 악몽	コスマーロ koŝmaro

		英語	ドイツ語	フランス語	イタリア語	スペイン語	ポルトガル語	ロシア語
精神	理想	アイディアル ideal	イデアール Ideal	イデアル idéal	イデアーレ ideale	イデアル ideal	イデアゥ ideal	イディアール идеал
	幻想	ファンタジー fantasy	ファンタズィー Fantasie	イリュジオン illusion	イッルジオーネ illusione	ファンタシア fantasía	イルサオン ilusão	イリュージヤ иллюзия
	理性	リーズン reason	フェアヌンフト Vernunft	レゾン raison	ラジョーネ ragione	ラソン razón	ハザオン razão	ラッスードク рассудок
	本能	インスティンクト instinct	トリーブ Trieb	アンスタン instinct	イスティント istinto	インスティント instinto	インスティント instinto	インスチーンクト инстинкт
	直感	インテュイション intuition	アインゲーブング Eingebung	アンチュイシオン intuition	イントゥイツィオーネ intuizione	イントゥイシオン intuición	イントゥイサオン intuição	イントゥイーツィヤ интуиция
	意志	ウィル will	ヴィレ Wille	ヴォロンテ volonté	ヴォロンタ volontà	ボルンター voluntad	ヴォンターヂ vontade	ヴォーリャ воля
行動	無意識	アンコンシャス unconscious	ベヴストロス Bewusstlos	アンコンシアン inconscient	インコンサピヴォレッツァ inconsapevolezza	インコンシエンシア inconciencia	インコンスシィエンチ inconsciente	ベッスァズナーツェルニィ бессознательный
	集中	コンセントレーション concentration	コンツェントラティオン Konzentration	コンスタンション concentration	コンチェントラッツィオーネ concentrazione	コンセントラル concentrar	コンセントラッサオン concentração	ソースリダートゥーチェニィ сосредоточени
	救助	レスキュー rescue	レットゥング Rettung	ソヴタージュ sauvetage	アユート aiuto	サルバメント salvamento	リスガッタァ resgatar	スパスィーニヤ спасение
	祈る	プレイ pray	ゲベーテン gebeten	プリエ prier	プレガーレ pregare	レサル rezar	オアラル orar	マリーツァ молиться
	誓う	スウェア swear	シュヴェーレン schwören	ギャージュ gage	ジュラーレ giurare	フラル jurar	プロメテール prometer	ルガースツァ ругаться
	見る	シー see	ゼーエン sehen	ヴワール voir	ヴェデーレ vedere	ベル ver	ヴェール ver	スマトリェーチ смотреть
	聞く	ヒアー hear	ヘーレン hören	アンタンドル entendre	アスコルターレ ascoltare	オイル oir	オウヴィール ouvir	スーリシェチ слышать

ノルウェー語	ラテン語	ギリシャ語	アラビア語	ヘブライ語	中国語	韓国語	エスペラント語
イデアル ideal	**イデア** idea	**イダニコ** ιδανικό	**アルミサーリー** المثالي	**イディアル** אידאל	**リーシャン** 理想	**イサン** 이상	**イデアーロ** idealo
ファンタシ fantasi	**パンタシア** phantasia	**オフサルマパティ** οφθαλμαπατη	**ハヤール** خيال	**アシュラヤー** אשליה	**フワンシャン** 幻想	**フワン** 환상	**ファンタジーオ** fantazio
フォールヌフト fornuft	**レーショナリス・ナトゥーラ** rationalis natura	**ロギスモス** λόγισμος	**アクル** عقل	**ヒガヨン** היגיון	**リーシン** 理性	**イソン** 이성	**ラシーオ** racio
インスティンクト instinkt	**インスティナークトゥス** instinctus	**ピュシス** φυσις	**ガリーザ** غريزة	**イェツェル** יצר	**ベンノン** 本能	**ポンヌン** 본능	**インスティーンクト** instinkto
インツィウション intuisjon	**イントゥイーティオ** intuitio	**ディエスティスィ** διαίσθηση	**ハダサ** حدس	**イントゥイツヤ** אינטואיציה	**ジージエ** 直觉	**チッカン** 직감	**イントゥリシーオ** intuicio
ヴィリェ vilje	**ウォルンタース** voluntas	**ブレーシース** βουλησις	**サウファ** سوف	**ラツィオン** רצון	**イージー** 意志	**ウィジ** 의지	**ヴォーロ** volo
ウンダールベヴィススト underbevissthet	**インシュウス** inscius	**アナイシトス** αναίσθητος	**ファクド・アルウィ** فاقد الوعي	**ヘセル・ヘクレー** חסר הכרה	**ウーイーシー** 无意识	**ムウイシク** 무의식	**センコンシーア** senkonscia
コンセントラスヨン konsentrasjon	**ストゥデーレ** studere	**シンケントロシー** συγκέντρωση	**マルクズィヤ** مركزية	**ヘトレクゾット** התרכזות	**ジィチョン** 集中	**チブジュン** 집중	**コンセントラード** koncentrado
レーニン redning	**エリーピオ** eripio	**ディアーソシー** διάσωση	**エヌカーズ** إنقاذ	**レヘツィル** להציל	**チャンジウ** 抢救	**クジョ** 구조	**サーヴォ** savo
ベ be	**オーラーレ** orare	**プロセウケスタイ** προσεύχομαι	**サラ** صلى	**リットファレル** להתפלל	**チーチウ** 祈求	**キド** 기도	**プレーグ** preĝu
スヴェルゲ sverge	**ユーラーレ** jurare	**ディノ・オルコ** δνω ορκο	**アクサマ** أقسم	**ミシュコーヌ** משכון	**ファーシー** 发誓	**メンセ** 맹세	**ジューリ** ĵuri
セ se	**ウィデーレ** videre	**ホラーン** οραν	**シェハダ** شاهد	**ラアー** ראה	**カン** 看	**ポダ** 보다	**エクヴィーディ** ekvidi
ヘーレ høre	**アウディーレ** audire	**アクオ** ακούω	**イスタマ** استمع	**レシェムー** לשמוע	**ティン** 听	**トゥダ** 듣다	**アーウディ** aŭdi

行動

	英語	ドイツ語	フランス語	イタリア語	スペイン語	ポルトガル語	ロシア語
話す	スピーク speak	シュプレッヒェン sprechen	パルレ parler	パルラーレ parlare	アブラル hablar	ファラール falar	ガヴァリーチ говорить
触る	タッチ touch	ベリューレン berühren	トゥーシェ toucher	トッカーレ toccare	トカル tocar	トカル tocar	カサーツァ касаться
知る	ノウ know	エアファーレン erfahren	コネートル connaître	サペーレ sapere	サベル saber	サベール saber	ズナーチ знать
誤解	ミスアンダースタンディング misunderstanding	ミスフェアシュテントニス Missverständnis	マランタンデュ malentendu	マリンテーゾ malinteso	マレンテンディド malentendido	マレンテンディド mal-entendido	ニダラズーミニヤ недоразумение
笑う	ラフ laugh	ラッヘン lachen	リール rire	リーデレ ridere	レイル reír	ヒール rir	スミヤーツァ смеяться
微笑む	スマイル smile	レッヒェルン lächeln	スリール sourire	ソッリーデレ sorridere	ソンレイル sonreír	ソリール sorrir	ウルィバーツァ улыбаться
泣く	クライ cry	ヴァイネン weinen	プロレ pleurer	ピャンジェレ piangere	リョラル llorar	ショアラール chorar	プラーカチ плакать
歌う	シング sing	ズィンゲン singen	シャンテ chanter	カンターレ cantare	カンタル cantar	カンタール cantar	ピェーチ петь
叫ぶ	シャウト shout	シュライエン schreien	クリエ crier	グリダーレ gridare	グリタル gritar	ブラダール bradar	クリチャーチ кричать
呼ぶ	コール call	ルーフェン rufen	アプレ appeler	キャマーレ chiamare	リャマル llamar	シャマール chamar	ズヴァーチ звать
走る	ラン run	ラオフェン laufen	クリール courir	コッレレ correre	コレル correr	コヘール correr	ビジャーチ бежать
歩く	ウォーク walk	ゲーエン gehen	マルシェ marcher	カンミナーレ camminare	カミナル caminar	アンダール andar	イッチー идти
泳ぐ	スイム swim	シュヴィンメン schwimmen	ナジェ nager	ヌオターレ nuotare	ナダル nadar	ナダール nadar	プラーヴァチ плавать

ノルウェー語	ラテン語	ギリシャ語	アラビア語	ヘブライ語	中国語	韓国語	エスペラント語
スナッケ snakke	**ロクィー** loqui	**レゲイン** λεγειν	**トゥケリモ** تكلم	**ディベル** דיבר	**シュオー** 说	**マルハダ** 말하다	**パローリ** paroli
ベルーレ berøre	**タンゲレ** tangere	**アンギクテ** Αγγίξτε	**アルマサ** المس	**レガット** לגעת	**チューモー** 触摸	**マンジダ** 만지다	**ツゥスー** tuŝu
ヴィテ vite	**スキーレ** scire	**エイデナイ** ειδεναι	**アリマ** علم	**ヤダア** ידע	**ジーダオ** 知道	**アルダ** 알다	**スシーアス** scias
ミスフォルス トーエルセ misforståelse	**ペラペーラム・センサ** perperam sensa	**パレズィギスィ** παρεξήγηση	**アフタア** أخطأ	**イー・ハヴァナー** אי הבנה	**ウーフイ** 误会	**オヘ** 오해	**ミスコムペーノ** miskompreno
レ le	**リーデーレ** ridere	**ゲラーン** γέλαν	**ダヒカ** ضحك	**ツァハック** צחק	**シャオ** 笑	**ウタ** 웃다	**リーディ** ridi
スマイレ smile	**アッリーデーレ** arridere	**ハモゲロ** χαμόγελω	**イブタサマ** ابتسامة	**ヒイエク** חייך	**ウェイシャオ** 微笑	**ミソチダ** 미소 짓다	**スミィレ** smile
グローテ gråte	**フレット** flet	**クライエイン** κλαιειν	**バカー** بكى	**バカー** בכה	**クー** 哭	**ウルダ** 울다	**プローリ** plori
スュンゲ synge	**カネレ** canere	**アーディン** αδειν	**ガンナー** غنى	**シャル** שר	**チャン** 唱	**ノレハダ** 노래하다	**カァンティ** kanti
ロペ rope	**クラーマーレ** clamare	**ボアーン** βοαν	**サラハ** صاح	**ツァック** צעק	**ハンジャオ** 喊叫	**ソリチダ** 소리치다	**クリィリ** krii
カレ ポー kalle på	**ウォカーレ** vocare	**カロ** καλω	**ダーラ** دعا	**カラー** קרא	**ジャオ** 叫	**プロ** 불러	**ヴォーキ** voki
レーペ løpe	**クッレレ** currere	**トレヒ** τρέχει	**シャハラ** شغل	**ラツ** רץ	**パオ** 跑	**ダルダ** 달리다	**クゥーリ** kuri
ゴー gå	**アンブロ** ambulo	**ペルパトウ** περπατώ	**マシャー** مشى	**ハラフ** הלך	**ゾウ** 走	**コタ** 걷다	**マァルシ** marŝi
スヴェンメ svømme	**ナターレ** natare	**コリュポ** κολυμπώ	**サバハ** سبح	**サハー** שחה	**ヨウヨン** 游泳	**スヨンハダ** 수영하다	**ナージ** naĝi

行動

	英語	ドイツ語	フランス語	イタリア語	スペイン語	ポルトガル語	ロシア語
飛ぶ	フライ fly	フリーゲン fliegen	ヴォレ voler	ヴォラーレ volare	ボラル volar	ヴォアール voar	リターチ летать
跳ぶ	ジャンプ jump	シュプリンゲン springen	ソテ sauter	サルターレ saltare	サルタル saltar	プラール pular	プルィーガチ прыгать
抱く	ホールド hold	ウムアルメン umarmen	アンブラッス embrasser	アッブラッチャーレ abbracciare	アブラサル abrazar	アブラッソ abraço	アブニャーチ обнять
寝る	スリープ sleep	シュラーフェン schlafen	ドルミール dormir	ドルミーレ dormire	ドルミル dormir	ドルミル dormir	スパーチ спать
キス	キス kiss	クス Kuss	ベゼ baiser	バーチョ bacio	ベソ beso	ベイジャール beijar	ツィラヴァーツァ целоваться
セックス	セックス sex	ゼクス Sex	セクス sexe	セッソ sesso	セクソ sexo	セクソ sexo	シェークス секс
殴る	ヒット hit	シュラーゲン schlagen	フラッペ frapper	コルピーレ colpire	ペガル pegar	バテル bater	ビーチ бить
蹴る	キック kick	トリット Tritt	クー・ドゥ・ピエ coup de pied	カルチャーレ calciare	パテアル patear	シューター chutá	ウダーリチ ударить
得る	オブテイン obtain	ゲヴィンネン gewinnen	オプトゥニール obtenir	オッテネーレ ottenere	オブテネル obtener	オビテール obter	プルーチェチ получать
失う	ルーズ lose	フェアリーレン verlieren	ペルドル perdre	ペルデレ perdere	ペルデル perder	ペルデル perder	パチリャーチ потерять
発見	ディスカバリー discovery	エントデックング Entdeckung	デクヴェルト découverte	スコペルタ scoperta	デスクブリミエント descubrimiento	デスコベルタ descoberta	アトクルィーチイエ открытие
選択	チョイス choice	ヴァール Wahl	ショワ choix	シェルタ scelta	エレクシオン elección	エスコリア escolha	ヴィーバル выбор
挑戦	チャレンジ challenge	ヘラウスフォルデルング Herausforderung	デフィ défi	スフィーダ sfida	デサフィオ desafío	デザフィアール desafiar	ヴィーゾフ вызов

ノルウェー語	ラテン語	ギリシャ語	アラビア語	ヘブライ語	中国語	韓国語	エスペラント語
フリュ fly	ウォラーレ volare	ペテスタイ πετεσθαι	ターラ طار	アフ עף	フェイ 飞	ナルダ 날다	フルーガス flugas
ホッペ hoppe	サーリエ salie	ペーダーン πηδαν	カファザ قفز	カファツ קפץ	ティアオ 跳	ツィダ 뛰다	サールティ salti
オムファーヴネ omfavne	テネント tenent	アスパスマタ ασπασματα	アラヌカ عانق	ヒベック חיבק	バオ 抱	アンダ 안다	ブラクーミ brakumi
スヴェ sove	ソームス somnus	カタクリネスタイ κατακλινεσθαι	ナーマ نوم	ヤシェン ישו	シュイ 睡	チャダ 자다	ドルミ dormi
キス kyss	オスクラレートゥル oscularetur	フィリマ φιλημα	クブラ قبلة	ニシェック נישק	ウェン 吻	キス 키스	キーサス kisas
セックス sex	セクスゥム sexum	スィヌスィア συνουσια	ジャナサ جنس	セックス סקס	シンジャオ 性交	セクス 섹스	セークソォ sekso
スロー slå	フェリーレ ferire	フティパオ χτυπαω	ダラバ ضرب	ヒカー היכה	ダー 打	テリダ 때리다	バーティス batis
スパーケ sparke	カルチターレ calcitrare	クロツァオ κλωσαω	ラキラ ركلة	バアット בעט	ティー 踢	チャダ 차다	ピエディバルティ piedbati
オップノー oppnå	カピレ capire	ペルノ παιρνω	カサバ كسب	キベル קיבל	ドゥー 得	オット 얻다	アキーリ akiri
ミステ miste	ペルデレ perdere	ハノ χάνω	ファカダ فقد	イベッド איבד	シー 失	イッタ 잃다	ペールディ perdi
オップダーゲルセ oppdagelse	インウェンティオ inventio	ヘウレシス ευρεσις	イクティシャーフ اكتشاف	タグリット תגלית	ファーシエン 发现	パルゴン 발견	マルコーヴォ malkovro
ヴァルグ valg	エーレークティオー electio	ハイレシス αιρεσις	イフティヤール اختيار	ブレラー ברירה	シュエンザー 选择	ソンタク 선택	エレクト elekto
ウトフォルドリン utfordring	プローウォカーティオー provocatio	プロクレーシス πρόκλησις	タハッディ تحدي	エトガル אתגר	ティアオジャン 挑战	トジョン 도전	デフィーリ defii

行動	英語	ドイツ語	フランス語	イタリア語	スペイン語	ポルトガル語	ロシア語
誘惑	テンプテーション temptation	フェアフューグング Verführung	タンタシオン tentation	テンタツィオーネ tentazione	テンタシオン tentación	テンタサオン tentação	サブラーズィエ соблазн
謝る	アポロジャイズ apologize	アポロギッツェ apologize	エクスキュージィ excuser	スクザールスィ scusarsi	ディスクルパルセ disculparse	デスクゥパー desculpar	イズビニャーツァ извиняться
食べる	イート eat	エッセン essen	モゥジィ manger	マンジャーレ mangiare	コメール comer	コメル comer	イェスチ есть
遊ぶ	プレイ play	シュピーレン spielen	ジュィ jouer	ジョカーレ giocare	フガル jugar	ジョガール jogar	イグラーツ играть
立つ	スタンド stand	シュテーエン stehen	デヴ debout	スターレ・イン・ピエーディ stare in piedi	エスタル・デ・ピエ estar de pie	サポゥーチ suporte	スタイャーツ стоять
座る	シット sit	ズィッツェン sitzen	アスワー asseoir	セデーレ sedere	センタルセ sentarse	センタールシ sentar-se	サヅィーツァ садиться
這う	クロール crawl	クリーヒェン kriechen	ランピー ramper	ストゥリッシャーレ strisciare	アラストゥラルセ arrastrarse	ハスデージャ rastejar	ポールヅァツ ползать
続く	フォロー follow	フォルゲン folgen	コンティニュエ continuer	セグイーレ seguire	セギール seguir	セギュィル seguir	プロドールヅェーツ продолжать
葬る	バリー bury	ファーグラーベン vergraben	アンテレ enterrer	セッペリーレ seppellire	エンテラル enterrar	エンテハール enterrar	クロニィーツ хоронить
狙い	エイム aim	ツィエル Ziel	ビュット but	スコーポ scopo	オブヘティボ objetivo	ビザール visar	ツィール цель
読書	リーディング reading	リーズン Lesen	リクチュア lecture	レットゥーラ lettura	レクトゥラ lectura	リトゥーラ leitura	ツェティーニィエ чтение
削除する	リムーヴ remove	エントフェルネン entfernen	シュプリメ supprimer	エリミナーレ eliminare	ボラル borrar	モビール remover	ウダリーチ удалить
捨てる	ディスカード discard	ヴェックヴェルフェン wegwerfen	ランセ lancer	ブッターレ・ヴィーア buttare via	ティラール tirar	ジョガー・フォアラ jogar fora	ヴィーブルスィッツ выбросить

ノルウェー語	ラテン語	ギリシャ語	アラビア語	ヘブライ語	中国語	韓国語	エスペラント語
フリステルセ fristelse	**セードゥクティオー** seductio	**デレアスモス** δελεασμος	**エグラ** إغراء	**ピトゥイ** פיתוי	**ヨウフオ** 诱惑	**ユホク** 유혹	**テント** tento
ウンスキュルドニング unnskyldning	**デプレカレントゥーア** deprecarentur	**アポログーメイ** απολογούμαι	**アタドゥラ** إعتذر	**レヘトネツェル** להתנצל	**ダオチエン** 道歉	**サガハダ** 사과하다	**パルロンヴェーディ** pardonpeti
スピセ spise	**コーメデ** comede	**ファオ** φάω	**アカラ** أكل	**レサヴッド** לסעוד	**チー** 吃	**モクダ** 먹다	**マンギ** manĝi
レケ leke	**ルーデレ** ludere	**パイゾ** παίζω	**ライバ** لعب	**シェヘク** שחק	**ワン** 玩	**ノルダ** 놀다	**ルーディ** ludi
ストー stå	**スト** sto	**シコノマイ** σηκώνομαι	**ワカファ** وقف	**ロムド** לעמוד	**デュアン** 站	**ソダ** 서다	**スターリ** stari
シッテ sitte	**セデオ** sedeo	**カソマイ・カト** κάθομαι κάτω	**ジャラサ** جلس	**レシュベット** לשבת	**ヅオ** 坐	**アンタ** 앉다	**シーディ** sidi
クラベ krabbe	**エレポ** erepo	**エーポ** έρπω	**ザハファ** زحف	**レズィフール** לזחול	**パー** 爬	**キダ** 기다	**カンピ** rampi
フォルトセット fortsette	**セクントゥーラ** sequuntur	**エクサソリフォ** εξακολουθώ	**タバ** تابع	**ラクーヴ** לעקוב	**ジーシュゥ** 继续	**イオジダ** 이어지다	**セークヴ** sekvu
ベーグラヴェ begrave	**セペリオ** sepelio	**エンタフィアゾ** ενταφιάζω	**ドゥフナ** دفن	**レキヴール** לקבור	**マイザン** 埋葬	**チャンリーシン** 장례식	**セプルーティ** sepulti
シクテ sikte	**プロポージトゥーマ** propositum	**スコポス** σκοπός	**ハダファ** هدف	**ヘメトレー** המטרה	**ミャオジュン** 瞄准	**ノリギ** 노리기	**セルディレークティ** celdirekti
レシング lesing	**レクティオ** lectio	**アナグノシィ** ανάγνωση	**クィラア** قراءة	**クレヤー** קריאה	**ドゥーシュー** 读书	**トクソ** 독서	**レガード** legado
スレッテ slette	**レムベオ** removeo	**アパリィフォ** απαλείφω	**ハダファ** حذف	**レフシール** להסיר	**シャンチュウ** 删除	**ソジョハダ** 삭제하다	**フォルストレーキ** forstreki
カステ kaste	**アビーチオ** abicio	**ペターオ** πετάω	**ネベダ** نبذ	**レーシェリル** להשליך	**ディゥチー** 丢弃	**ポリダ** 버리다	**フォジェーティ** forĵeti

		英語	ドイツ語	フランス語	イタリア語	スペイン語	ポルトガル語	ロシア語
行動	押す	プッシュ push	シーベン schieben	プッセ pousser	プレーメレ premere	エンプハール empujar	インペィンサ imprensa	ナジュリィマイツ нажимать
行動	学ぶ	ラーン learn	ラーネン lernen	アプランドル apprendre	インパラーレ imparare	アプレンデール aprender	アプレンディール aprender	ウチィーッツァ учиться
行動	威圧	コーレシャン coercion	ネーティグング Nötigung	コラシーション coercition	コーエルチッツィオーネ coercizione	コエルシオン coerción	コエルセオン coerção	プリヌーシュジェーニィエ принуждение
行動	隠す	ハイド hide	ファベールゲン verbergen	キャシィ cacher	ナスコーンデレ nascondere	エスコンデル esconder	エスコンディル esconder	スクルヴァーツィ скрывать
行動	束縛	バインド bind	ビンドゥング Bindung	リィエ lier	レガーレ legare	エスクラビドゥ esclavitud	エスクレヴィデオン escravidão	オーグルニツェーニヤ ограничение
行動	忘却	オブリヴィオン oblivion	フェアゲッセン Vergessen	ウブリ oubli	オブリーオ oblio	オルビド olvido	エスクェシミエント esquecimento	ザブヴェーニイェ забвение
行動	覚醒	アウェイクニング awakening	アオフヴァッヘン Aufwachen	エヴェイユ éveil	リスヴェーリョ risveglio	デスペルタール despertar	アコルダール acordar	プラブジチェーニヤ иробуждение
関係	集団	グループ group	グルッペ Gruppe	トルーパ troupe	グルッポ gruppo	グルーポ grupo	ポプラセオ população	グルーパ группа
関係	同士	フェロー fellow	ゲノッセ Genosse	キャマハード camarade	コンパーニョ compagno	コンパネェーロ compañero	コンパネェイロ companheiro	トバリッシュ товарищ
関係	信頼	トラスト trust	フェアトラオエン Vertrauen	コンフィアンス confiance	フィドゥーチャ fiducia	コンフィアンサ confianza	コンフィアンサ confiança	ダヴェーリヤ доверие
関係	愛	ラブ love	リーベ Liebe	アムール amour	アモーレ amore	アモル amor	アモール amor	リュービチ любить
関係	友情	フレンドシップ friendship	フロイントシャフト Freundschaft	アミチエ amitié	アミチーツィア amicizia	アミスター amistad	アミザーヂ amizade	ドルージュバ дружба
関係	憧れ	ロンギン longing	ゼーンズフト Sehnsucht	アスピラシオン aspiration	アスピラツィオーネ aspirazione	アドミラシオン admiración	サウダーヂ saudade	ストリムリェーニヤ стремление

ノルウェー語	ラテン語	ギリシャ語	アラビア語	ヘブライ語	中国語	韓国語	エスペラント語
トリッケ trykke	**インスタント** instant	**ピエシー** πίεση	**ダハタ** ضغط	**レリフツ** ללחוץ	**トゥイ** 推	**ヌルダ** 누르다	**プーシ** puŝi
レーレ lære	**ディッセレ** discere	**マーセテ** μάθετε	**ダラサ** درس	**レルムッド** ללמוד	**シュエ** 学	**ペウダ** 배우다	**レールニ** lerni
プレス press	**クンポールシオ** compulsio	**エクヴィアズモス** εκβιασμός	**イカラア** إكراه	**ケフィイェー** כפייה	**ヤーリー** 压力	**ウィアプ** 위압	**ドミーナ** domina
スキュレ skjule	**アブスコンデ** absconde	**クリィヴォ** κρύβω	**アフファ** أخفى	**レヘスティール** להסתיר	**イェンビー** 隐蔽	**スムギダ** 숨기다	**カーシ** kaŝi
ビンディング binding	**コーアルチーティオ** coercitio	**ドゥリア** δουλεία	**アブゥディヤ** عبودية	**シャブッド** שעבוד	**シュウフウ** 束缚	**ソクバク** 속박	**カテーノ** kateno
グレムセル glemsel	**イムメモラティオー** immemoratio	**リスィ** λήθη	**ナスヤーニ** نسيان	**シフハー** שכחה	**ワンジー** 忘记	**マンガク** 망각	**フォルゲーソ** forgeso
オップヴォーコニング oppvåkning	**アローサル** arousal	**アフィプニスィ** αφύπνιση	**アストイコザ** استيقظ	**ヒットオレルート** התעוררות	**シン** 醒	**カクソン** 각성	**マルドールマ** maldorma
グルッペ gruppe	**グレックス** grex	**オマダ** ομάδα	**ジェマー** جماعة	**オクロシイェー** אוכלוסייה	**ジートゥワン** 集团	**チプタン** 집단	**グルーポ** grupo
メド med	**コレーガ** collega	**シントロフォス** σύντροφος	**ラフィーク** رفيق	**ヘヴール** חבר	**トンチー** 同志	**ソロ** 서로	**カマラード** kamarado
ティリット tillit	**コンフィード** confido	**ピスティス** πιστις	**スィカ** ثق	**ビタホン** ביטחון	**シンライ** 信赖	**シンリョ** 신뢰	**フィーディ** fidi
シェールリヘット kjærlighet	**アモル** amor	**エロース** ερως	**フッブ** حب	**アハヴァ** אהבה	**アイ** 爱	**サラン** 사랑	**アーマス** amas
ヴェンスカップ vennskap	**アミーキティア** amicitia	**フィリア** φιλία	**サダーカ** صداقة	**イェディドゥート** ידידות	**ヨウチン** 友情	**ウジョン** 우정	**アミケッソ** amikeco
ベウンドリング beundring	**アドラティーオ** adoratio	**ヒーメロス** ιμερος	**シャウク** شوق	**ガアグイーム** געגועים	**チョンジン** 憧憬	**トンギョン** 동경	**ソピーロ** sopiro

関係

	英語	ドイツ語	フランス語	イタリア語	スペイン語	ポルトガル語	ロシア語
尊敬	リスペクト respect	アハトゥンク Achtung	レスペ respect	リスペット rispetto	レスペト respeto	ヘスペイト respeito	ウヴァジェーニヤ уважение
家族	ファミリー family	ファミーリエ Familie	ファミーユ famille	ファミーリャ famiglia	ファミリア familia	ファミーリア família	シミヤー семья
夫婦	マリード・カップル married couple	エーエパール Ehepaar	クープ couple	コッピャ coppia	パレハ pareja	カザル casal	スプルーギ супруги
夫	ハズバンド husband	エーエマン Ehemann	エプー époux	マリート marito	マリド marido	マリード marido	ムーシュ муж
妻	ワイフ wife	エーエフラオ Ehefrau	エプーズ épouse	モーリェ moglie	ムヘル mujer	エスポーザ esposa	ジェナ жена
祖父	グランドファーザー grandfather	グロースファーター Großvater	グラン・ペール grand père	ノンノ nonno	アブエロ abuelo	アヴォ avô	デェードゥシカ дедушка
祖母	グランドマザー grandmother	グロースムッター Großmutter	グラン・メール grand mère	ノンナ nonna	アブエラ abuela	アヴォ avó	バーブシカ бабушка
親	ペアレント parent	エルターン Eltern	パラン parent	ジェニトーレ genitore	パドレス padres	パイス pais	ラディーテェリ родитель
父	ファーザー father	ファーター Vater	ペール père	パードレ padre	パドレ padre	パイ pai	アチェーツ отец
母	マザー mother	ムッター Mutter	メール mère	マードレ madre	マドレ madre	マイン mãe	マーチ мать
おじ	アンクル uncle	オンケル Onkel	オンクル oncle	ヅィーオ zio	ティーオ tío	チオ tio	ヂャーヂャ дядя
おば	アント aunt	タンテ Tante	タント tante	ヅィーア zia	ティーア tía	チア tia	チョーチャ тетя
兄弟	ブラザー brother	ブルーダー Bruder	フレール frère	フラテッロ fratello	エルマノス hermanos	イルマオン irmão	ブラート брат

ノルウェー語	ラテン語	ギリシャ語	アラビア語	ヘブライ語	中国語	韓国語	エスペラント語
レスペクト respekt	**レスペトゥー** respectu	**セヴァス** σεβας	**イフティラーム** احترام	**カヴード** כבוד	**ツンジン** 尊敬	**チョンギョン** 존경	**レスペクト** respekto
ファミリエ familie	**ファミリア** familia	**イコゲニア** οικογένεια	**アハイラ** عائلة	**ミシュパハー** משפחה	**ジアズー** 家族	**カジョク** 가족	**ファミリーオ** familio
エクテパル ektepar	**コニュアグム** coniugum	**ゼウゴス** ζευγος	**ザウジャーニ** زوجان	**ズーグ・ナスイ** זוג נשוי	**フーチー** 夫妻	**プブ** 부부	**ゲーゾイ** geedzoj
エクテマン ektemann	**ウィル** vir	**シジゴス** σύζυγος	**ザウジュ** زوج	**バアル** בעל	**ジャンフ** 丈夫	**ナムピョン** 남편	**エードゥボ** edzo
コネ kone	**ウクソル** uxor	**ギュナイカ** γυναίκα	**ザウジャ** زوجة	**イシャ** אישה	**チーズ** 妻子	**アネ** 아내	**エドリーノ** edzino
ベステファール bestefar	**アウス** avus	**パッポス** παππος	**ジャッド** جد	**サバ** סבא	**ズーフー** 祖父	**ハラボジ** 할아버지	**アーヴォ** avo
ベステモール bestemor	**アウィア** avia	**テーテー** τηθη	**ジャッダ** جدة	**サヴタ** סבתא	**ズームー** 祖母	**ハルメオニ** 할머니	**アヴィーノ** avino
フォーレルデル forelder	**パレーンス** parens	**ゴニス** γονεις	**エラバー** الآباء	**ホリー** הורה	**フームー** 父母	**プモ** 부모	**ゲパートロイ** gepatroj
ファール far	**パテル** pater	**パテラス** πατέρας	**ワーリド** والد	**アヴ** אב	**フーチン** 父亲	**アボジ** 아버지	**パートロ** patro
モール mor	**マーテル** mater	**メーテール** μητέρ	**ワーリダ** والدة	**エム** אמ	**ムーチン** 母亲	**オモニ** 어머니	**パトリーノ** patrino
オンケル onkel	**パトルウス** patruus	**スィオス** θείος	**アンム** عم	**ドッド** דוד	**シューシュー** 叔叔	**サムチョン** 삼촌	**オンクロ** onklo
タンテ tante	**アミタ** amita	**スィア** θεία	**アンマ** عمة	**ドダー** דודה	**グーグ** 姑姑	**イモ / コモ** 이모 / 고모	**オンクリーノ** onklino
ブレドレ brødre	**フラーテル** frater	**アデルフォス** αδελφός	**アハ** أخ	**アヒー** אח	**ションディー** 兄弟	**ヒョンジェ** 형제	**フラート** frato

関係

	英語	ドイツ語	フランス語	イタリア語	スペイン語	ポルトガル語	ロシア語
姉妹	**シスター** sister	**シュヴェスター** Schwester	**サール** soeur	**ソレッラ** sorella	**エルマナス** hermanas	**イルマ** irmã	**シストラー** сестра
双子	**ツインズ** twins	**ツヴィリング** Zwillinge	**ジュモー** jumeaux	**ジェメッリ** gemelli	**メリソス** mellizos	**ジェメオス** gêmeos	**ブリズニェーツ** близнецы
息子	**サン** son	**ゾーン** Sohn	**フィス** fils	**フィーリョ** figlio	**イホ** hijo	**フィリオ** filho	**スィン** сын
娘	**ドーター** daughter	**トホター** Tochter	**フィーユ** fille	**フィーリャ** figlia	**イハ** hija	**フィリア** filha	**ドーチ** дочь
末裔	**ディセンダント** descendant	**ナーハコメ** Nachkomme	**デサンダン** descendant	**ディッシェンデンツァ** discendenza	**デセンディエンテ** descendiente	**デセンディエンチ** descendente	**パトーモク** потомок
恋人	**ラヴァー** lover	**ゲリープテ** Geliebte	**アムルー** amoureux	**イナモラート** innamorato	**アマンテ** amante	**アマンチ** amante	**リュボーヴニク** любовник
婚約者	**フィアンセ** fiance	**フェアロープテ** Verlobte	**フィアンセ** fiancé	**フィダンツァート** fidanzato	**プロメティド** prometido	**ノイヴォ** noivo	**ジニーフ** жених
敵	**エネミー** enemy	**ファイント** Feind	**エネミ** ennemi	**ネミーコ** nemico	**エネミゴ** enemigo	**イニミーゴ** inimigo	**ヴラーグ** враг
味方	**サポーター** supporter	**アンヘンガー** Anhänger	**パルティザン** partisan	**ソステニトーレ** sostenitore	**アリアド** aliado	**アミーゴ** amigo	**スタローンニク** сторонник
好敵手	**ライバル** rival	**リヴァーレ** Rivale	**リヴァル** rival	**リヴァーレ** rivale	**リバル** rival	**ヒヴァゥ** rival	**サピェールニク** соперник
師匠	**マスター** master	**レーラー** Lehrer	**メートル** maître	**マエストロ** maestro	**プロフェソル** profesor	**メーストリィ** mestre	**マーステエル** мастер
弟子	**ディサイプル** disciple	**シューラー** Schüler	**ディシプリン** disciple	**ディシェーポロ** discepolo	**アプレンディス** aprendiz	**ディシープロ** discípulo	**ウチェニーク** ученик
友達	**フレンド** friend	**フロイント** Freund	**アミ** ami	**アミーコ** amico	**アミーゴ** amigo	**アミーゴ** amigo	**ドルーグ** друг

ノルウェー語	ラテン語	ギリシャ語	アラビア語	ヘブライ語	中国語	韓国語	エスペラント語
シュストレ søstre	ソロル soror	アデルフィ αδελφή	オフト أخت	アハニト אחות	ジエメイ 姐妹	チャメ 자매	フラティーノ fratino
テヴィリンゲル tvillinger	ゲミニー gemini	ディディモス δίδυμος	トワマニ توأمان	テオミーム תאומים	シュアンバオタイ 双胞胎	ツァンドンイ 쌍둥이	ゲメーエロイ ĝemeloj
ソン sønn	フィーリウス filius	イオス υιός	ウブナ ابن	ベン בן	アルズ 儿子	アドゥル 아들	フィーロ filo
ダッテル datter	フィーリア filia	スィガテール θυγατηρ	イブナ ابنة	イルデー ילדה	ニューアル 女儿	テル 딸	フィリーノ filino
エッテルコンメル etterkommer	ネポース nepos	アポゴノス απόγονος	アルサリール السليل	ヌツェル נצר	ホウイー 后裔	フソン 후손	ポステウーロ posteulo
シェールステ kjæreste	アマートゥル amator	エラストス εραστος	ハビーブ حبيب	メオハヴ מאהב	リエンレン 恋人	ヨヌイン 연인	アマント amanto
フォルローヴェデ forlovede	スポーンスクェ sponsoque	アラヴォニアスティコス αρραβωνιαστικός	ハティーブ خطيب	アルス ארוס	ティンホァンチャ 订婚者	ヤクホンジャ 약혼자	フィランチョ fianĉo
フィエンデ fiende	イニミークス immicus	エフスロス εχθρός	アドゥーウ عدو	オイェヴ אויב	ディーレン 敌人	チョク 적	マラミーコ malamiko
アリエルト alliert	ソーチム socium	スィマホス συμμαχος	ハリフ حليف	トメク תומך	ジーチージャ 支持者	トンリョ 동료	クンルダント kunludanto
リヴァル rival	アエムロ aemulo	アンタゴニスティス ανταγωνιστης	ムナーフィス منافس	イリーヴ יריב	トゥイショウ 对手	ライボル 라이벌	リバーロ rivalo
メントール mentor	ドクトル doctor	ダスカロス δασκαλος	マーリム معلم	アドーヌ אדון	シーフ 师傅	ススン 스승	マィエストロ majstro
エレヴ elev	ディスキプルス discipulus	フォイテーテース φοιτητης	アルマリード المريد	タルミッド תלמיד	ディーズ 弟子	テジャ 제자	ディスチープロ disĉiplo
ヴェン venn	アミークス amicus	フィロス φίλος	サディーク صديق	ハヴェル חבר	ポンヨウ 朋友	チング 친구	アミーコ amiko

分類	項目	英語	ドイツ語	フランス語	イタリア語	スペイン語	ポルトガル語	ロシア語
関係	相棒	パートナー partner	パルトナー Partner	パルトネール partenaire	コンパーニョ compagno	ソシオ socio	カマラーダ camarada	パルトニョール партнер
	一行	パーティ party	トルッペ Truppe	グループ groupe	グルッポ gruppo	グルポ grupo	グルーポ grupo	パールチヤ партия
	出会い	ミーティング meeting	ベゲーグヌング Begegnung	ランコントル rencontrer	インコントロ incontro	エンクエントロ encuentro	エンコントロ encontro	フストリェーチャ встреча
	別れ	パーティング parting	アップシート Abschied	セパラシオン sépareation	セパラツィオーネ separazione	デスペディダ despedida	デスペチーダ despedida	アッシュタヴァーニイェ расставание
	再会	リユニオン reunion	ヴィーダーゼーエン Wiedersehen	ルトロヴァイユ retrouvailles	リウニョーネ riunione	レエンクエントロ reencuentro	ヘエンコントロ reencontro	ボスエージニーニヤ воссоединение
	約束	プロミス promise	フェアシュプレッヒェン Versprechen	プロメス promesse	プロメッサ promessa	プロメサ promesa	プロメァッサ promessa	アビシャーニイェ обещание
	絆	ボンド bond	バンデ Bande	リアン lien	レガーメ legame	ラソ lazo	ヴィンクロ vínculo	ウーズィ узы
	祖先	アンセスター ancestor	フォアファー Vorfahr	アンセートル ancêtre	プロジェニトーレ progenitore	アンテパサード antepasado	アンテパサッド antepassado	プリィエドック предок
	いとこ	カズン cousin	フェッター Vetter	クザン cousin	クジーノ cugino	プリーモ primo	プリモ primo	ドゥラユーロズニィ・ブラット двоюродный брат
人体	体	ボディ body	ケルパー Körper	コール corps	コルポ corpo	クエルポ cuerpo	コルポ corpo	チェーロ тело
	頭	ヘッド head	コップフ Kopf	テット tête	テスタ testa	カベサ cabeza	カベッサ cabeça	ガラヴァー голова
	顔	フェイス face	ゲズィヒト Gesicht	ヴィザージュ visage	ファッチャ faccia	カラ cara	ホスト rosto	リツォー лицо
	髪	ヘア hair	ハール Haar	シュヴー cheveux	カペッリ capelli	カベリョ cabello	カベッロ cabelo	ヴォーラセ волосы

ノルウェー語	ラテン語	ギリシャ語	アラビア語	ヘブライ語	中国語	韓国語	エスペラント語
パートネル partner	**ソキウス** socius	**エタイロス** εταίρος	**ラフィーク** رفيق	**シュタフ** שותף	**フオバン** 伙伴	**パトヌ** 파트너	**クヌゥロ** kunulo
フォールゲ følge	**パルス** pars	**スィドロフィア** συντροφια	**ハザバ** حزب	**ケブツァー** קבוצה	**イートゥアンレン** 一团人	**イルヘン** 일행	**パルティーオ** partio
ムーテ møte	**ディニュマ** dignum	**シナンディシ** συνάντηση	**リカー** لقاء	**レフグーシュ** לפגוש	**シャンジエン** 相见	**マンナム** 만남	**レンコント** renkonto
ファルヴェル farvel	**ディグレディアントス** digredientes	**コーリスモス** χωρίσμος	**ワダーウ** وداع	**プリダー** פרידה	**リービエ** 离别	**イビョル** 이별	**レヴィディ** revidi
ギェンスィン gjensyn	**コングレディーヌス・デヌオ** congrediris denuo	**エパネノスィ** επανενωση	**ジェマーシメル** جمع شمل	**ペギシャット・メフズール** פגישת מחזור	**チョンフォン** 重逢	**チェホエ** 재회	**クンヴェーノ** kunveno
レフテ løfte	**プローミッスス** promissus	**イェポスケスィ** υπόσχεση	**ワウダ** وعد	**ハヴタハー** הבטחה	**ユエディン** 约定	**ヤクソク** 약속	**プロメーソ** promeso
ボーンド bånd	**ウィンクラ** vincula	**デスモス** δεσμός	**ラーブト** رباط	**ケシュル** קשר	**ニウダイ** 纽带	**インヨン** 인연	**リギーオ** ligilo
フォーレドレ forfedre	**アンテチェッソル** antecessor	**プロゴノス** πρόγονος	**セレファ** سلف	**アヴ・キディムーン** אב קדמון	**ズウシエン** 祖先	**チョサン** 조상	**プラウーロ** praulo
フェッテル/クシネ fetter/kusine	**コンソヴリヌス** consobrinus	**エクサデルフォス** εξάδελφος	**アブナハム** ابن عم	**ドデン** דודן	**ビャオチエ** 表姐	**サチョン** 사촌	**クーゾ** kuzo
クロップ kropp	**コルプス** corpus	**ソーマ** σώμα	**ベドゥナ** بدن	**グフ** גוף	**シェンティー** 身体	**モム** 몸	**コールポ** korpo
ホーデ hode	**カプト** caput	**ケファリ** κεφάλη	**ラアサ** رأس	**リョッシュ** ראש	**トウ** 头	**モリ** 머리	**カーポ** kapo
アンシクト ansikt	**ファキエース** facies	**プローポ** πρόσωπο	**ワジュフ** وجه	**パニーム** פנים	**リエン** 脸	**オルグル** 얼굴	**ヴィラーゴ** vizaĝo
ホール hår	**ピルス** pilus	**マリッア** μαλλιά	**シャアル** شعر	**セアロット** שערה	**トウファー** 头发	**モリカラク** 머리카락	**ハラーロ** hararo

人体

	英語	ドイツ語	フランス語	イタリア語	スペイン語	ポルトガル語	ロシア語
額	フォアヘッド forehead	シュティルン Stirn	フロン front	フロンテ fronte	フレンテ frente	テスタ testa	ローブ лоб
眉	アイブロウ eyebrow	アオゲンブラオエ Augenbraue	スルシル sourcil	ソプラッチーリョ sopracciglio	セハ ceja	ソブランセリア sobrancelha	ブローシ бровь
目	アイ eye	アオゲ Auge	オイユ oeil	オッキョ occhio	オホ ojo	オリオ olho	グラーズ глаз
瞳	ピューピル pupil	プピレ Pupille	プリュネル prunelle	プピッラ pupilla	プピラ pupila	プピラ pupila	ズラチョーク зрачок
頬	チーク cheek	バッケ Backe	ジュー joue	グアンチャ guancia	メヒリャ mejilla	ボッシッェイシャ bochecha	シカー щека
耳	イヤー ear	オーア Ohr	オレイユ oreille	オレッキョ orecchio	オレハ oreja	オレリア orelha	ウーハ ухо
鼻	ノーズ nose	ナーゼ Nase	ネ nez	ナーゾ naso	ナリス nariz	ナリス nariz	ノース нос
口	マウス mouth	ムント Mund	ブーシュ bouche	ボッカ bocca	ボカ boca	ボーカ boca	ロート рот
唇	リップ lip	リッペ Lippe	レーヴル lèvre	ラッブロ labbro	ラビオス labios	ラービオ lábio	グーブィ губы
舌	タン tongue	ツンゲ Zunge	ラング langue	リングア lingua	レングア lengua	リングア língua	ヤズィーク язык
歯	トゥース tooth	ツァーン Zahn	ダン dent	デンテ dente	ディエンテ diente	デンチ dente	ズーブ зуб
顎	チン chin	キン Kinn	マントン menton	メント mento	マンディブラ mandíbula	ケイショ queixo	パトバローダク подбородок
髭	ビアード beard	バールト Bart	バルブ barbe	バルバ barba	バルバ barba	バールバ barba	バラダー борода

ノルウェー語	ラテン語	ギリシャ語	アラビア語	ヘブライ語	中国語	韓国語	エスペラント語
パンネ panne	**フローンス** frons	**メトーポン** μέτωπον	**ジャブハ** جبهة	**メツァッハ** מצח	**ウートウ** 额头	**イマ** 이마	**フルゥント** frunto
エイエンブリン øyenbryn	**スペルキリウム** supercilium	**フリュディ** φρύδι	**アルハジュベイニ** الحاجبين	**ガバー** גבה	**メイマオ** 眉毛	**ヌンップ** 눈썹	**ブローヴォ** brovo
エイエ øye	**オクルス** oculus	**マティ** μάτι	**アイン** عين	**アイン** עין	**イエンジン** 眼睛	**ヌン** 눈	**オクーロ** okulo
プピル pupill	**プーピラ** pupilla	**マスィティス** μαθητής	**ティルミドゥフ** تلميذ	**テルミド** תלמיד	**トンコン** 瞳孔	**ヌンドンジャ** 눈동자	**プピーオ** pupilo
キン kinn	**マクシーラム** maxillam	**パレイア** παρεια	**ハッド** خد	**レヒー** לחי	**リエンジア** 脸颊	**ボル** 볼	**ヴァンゴ** vango
エーレ øre	**アウリス** auris	**ウース** ους	**ウズン** إذن	**オゼン** אוזן	**アルトゥオ** 耳朵	**クィ** 귀	**オレーロ** orelo
ネセ nese	**ナースス** nasus	**リース** ρις	**アニファ** أنف	**アフ** אף	**ビーズ** 鼻子	**コ** 코	**ナーゾ** nazo
ムン munn	**オース** os	**ストマ** στόμα	**ファム** فم	**ペー** פה	**ツイ** 嘴	**イプ** 입	**ブーソ** buŝo
レッペル lepper	**ラビウム** labium	**ケイロス** χείλος	**シャファホ** شفاه	**サファー** שפה	**ツイチュン** 嘴唇	**イプスル** 입술	**リーポ** lipo
トゥンゲ tunge	**リングア** lingua	**グーロッタ** γλώττα	**リサーン** لسان	**ラション** לשון	**シャートウ** 舌头	**ヒョ** 혀	**ランゴ** lango
テンネル tenner	**デーンス** dens	**ドンティ** δόντι	**ダラサ** ضرس	**シェン** שן	**ヤー** 牙	**イッパル** 이빨	**デンツォ** dento
シェーヴェ kjeve	**マークシッラ** mentum	**ゲネイオン** γενειον	**ザクン** ذقن	**サンテル** סנטר	**フー** 颌	**トク** 턱	**メンツォーノ** mentono
バート bart	**バルバ** barba	**ゲネイアダ** γενειάδα	**リフヤ** لحي	**ザカン** זקן	**フーシュー** 胡须	**スヨム** 수염	**バールボ** barbo

人体

	英語	ドイツ語	フランス語	イタリア語	スペイン語	ポルトガル語	ロシア語
首	ネック neck	ハルス Hals	クー cou	コッロ collo	クエリオ cuello	ペスコソ pescoço	シェーヤ шея
喉	スロート throat	ケーレ Kehle	ゴルジュ gorge	ゴーラ gola	ガルガンタ garganta	ガルガンタ garganta	ゴールロ горло
肩	ショルダー shoulder	シュルター Schulter	エポール épaule	スパッラ spalla	オンブロ hombro	オンブロ ombro	プリチョー плечо
腕	アーム arm	アルム Arm	ブラ bras	ブラッチョ braccio	ブラソ brazo	ブラッソ braço	ルカー рука
肘	エルボウ elbow	エルボーゲン Ellbogen	クード coude	ゴミト gomito	コド codo	コトヴェロ cotovelo	ルーコチ локоть
手首	リスト wrist	ハントゲレンク Handgelenk	ポワニエ poignet	ポルソ polso	ムニェカ muñeca	プゥソ pulso	ザピャースチイェ запястье
手	ハンド hand	ハント Hand	マン main	マーノ mano	マノ mano	マオン mão	ルカー рука
拳	フィスト fist	ファオスト Faust	ポワン poing	プーニョ pugno	プニョ puño	プーニョ punho	クラーク кулак
掌	パーム palm	ハントテラー Handteller	ポム paume	パルモ palma	パルマ・デ・ラ・マノ palma de la mano	パゥマ palma	ラドーニ ладонь
指	フィンガー finger	フィンガー Finger	ドワ doigt	ディート dito	デド dedo	デド dedo	パーリツ палец
親指	サム thumb	ダオメン Daumen	プース pouce	ポリッチェ pollice	プルガル pulgar	ポレガル polegar	バリショーイ・パーリツ большой палец
人差し指	インデックス・フィンガー index finger	ツァイゲフィンガー Zeigefinger	アンデックス index	インディチェ indice	インディセ índice	デド・インディカドル dedo indicador	ウカザーチリニイ・パーリツ указательный палец
中指	ミドル・フィンガー middle finger	ミッテルフィンガー Mittelfinger	マジョール majeur	メーディオ medio	デド・メディオ dedo medio	デド・メーディオ dedo médio	スリェードニイ・パーリツ средний палец

ノルウェー語	ラテン語	ギリシャ語	アラビア語	ヘブライ語	中国語	韓国語	エスペラント語
ハール hals	**コッルム** collum	**アウケーン** αυχην	**ウヌク** عنق	**ガロン** גרון	**ボーズ** 脖子	**モク** 목	**ヌーコ** nuko
ストルペ strupe	**グットゥル** gutter	**ライモス** λαιμός	**ハルク** حلق	**ガロン** גרון	**サンズ** 嗓子	**モッグモン** 목구멍	**クォールゴ** gorĝo
スクルデル skulder	**ウメルス** umerus	**オーモス** ώμος	**カティフ** كتف	**カテフ** כתף	**ジエン** 肩	**オッケ** 어깨	**シュールトコ** ŝultro
アルム arm	**ブラキウム** brachium	**ブラーキオーン** βραχιων	**ズィラーウ** ذراع	**ズロア** זרוע	**グーボ** 胳膊	**パル** 팔	**プラーコ** brako
アルブエ albue	**クビト** cubito	**アイコーン** αγκών	**ミルファク** مرفق	**マルベク** מרפק	**ジョウ** 肘	**パルッムチ** 팔꿈치	**クブート** kubuto
ホンドレッド håndledd	**カァルピ** carpi	**カルポス** καρπος	**ミアサム** معصم	**シュレシュ・カフ・ヤッド** שורש כף יד	**ショウワンズ** 手腕子	**ソンモク** 손목	**ポイノ** pojno
ホン hånd	**マヌス** manus	**ケリ** χέρι	**ヤド** يد	**ヤッド** יד	**ショウ** 手	**ソン** 손	**マノン** manon
ニュトネーヴェ knyttneve	**プーグヌス** pugnus	**ピュグメー** πυγμη	**カブダ** قبضة	**エグロフ** אגרוף	**チュエントウ** 拳头	**チュモク** 주먹	**プーギノ** pugno
ホンフラテ håndflate	**パルマ** palma	**パラーメー** παλάμη	**カッフ** كف	**カフ・ヤッド** ךף יד	**ショウジャン** 手掌	**ソンバダ** 손바닥	**パールモ** palmo
フィンガー finger	**ディギトゥス** digitus	**ダクテュロス** δάκτυλος	**イスバウ** إصبع	**エツヴァ** אצבע	**ショウジー** 手指	**ソンガラク** 손가락	**フィーンゴ** fingro
トムメル tommel	**ポレックス** pollex	**アンディキラス** αντίχειρας	**イブハーム** إبهام	**アグダル** אגודל	**ムージー** 拇指	**ウンジ** 엄지	**ディクフィーンゴ** dikfingro
ペケフィンガー pekefinger	**インデックス** index	**ディクティス** δείκτης	**サッバーバ** سبابة	**エツヴァ** אצבע	**シージー** 食指	**コムジ** 검지	**インデクソ・フィーンゴ** indekso fingro
ラングフィンガー langfinger	**ディギトゥス・メディウス** digitus medius	**メサイオ・ダクティロ** μεσαιο δαχτυλο	**ウォスティー** وسطى	**ツェルデハ** צרדה	**ジョンジー** 中指	**チュンジ** 중지	**メエラ・フィーンゴ** meza fingro

人体

	英語	ドイツ語	フランス語	イタリア語	スペイン語	ポルトガル語	ロシア語
薬指	リング・フィンガー ring finger	リングフィンガー Ringfinger	アニュレール annulaire	アヌラーレ anulare	アヌラル anular	デド・アヌラル dedo anular	ビジミァーンニイ・パーリツ безымянный палец
小指	リトル・フィンガー little finger	クライナーフィンガー Kleinenfinger	オリキュレール auriculaire	ミーニョロ mignolo	メニケ meñique	デジーニョ dedinho	ミジーニェッツ мизинец
爪	ネイル nail	ナーゲル Nagel	オングル ongle	ウンギャ unghia	ウニャ una	ウーニャ unha	ノーガチ ноготь
胸	チェスト chest	ブルスト Brust	ポワトリンヌ poitrine	ペット petto	ペチョ pecho	ペイト peito	グルドナーヤ・クリェトカ грудная клетка
乳房	ブレスト breast	ブルスト Brust	サン sein	セーノ seno	セノ seno	セーヨ seio	グルーチ грудь
背中	バック back	リュッケン Rücken	ド dos	スキエーナ schiena	エスパルダ espalda	コスタス costas	スピナー спина
腰	ウェスト waist	ヒュフテ Hüfte	タイユ taille	アンカ anca	カデラ cadera	クアドゥリゥ quadril	プイスニーツァ поясница
腹	アブドゥメン abdomen	バオホ Bauch	アブドメン abdomen	パンチャ pancia	ビエンテレ vientre	バヒーガ Barriga	ジヴォート живот
へそ	ネイヴェル navel	ナーベル Nabel	ノンブリル nombril	オンベリーコ ombelico	オンブリゴ ombligo	ウンビーゴ umbigo	プポーク пупок
脚	レッグ leg	バイン Bein	ジャンブ jambe	ガンバ gamba	ピエルナス piernas	ピェルナ perna	ナガー нога
腿	サイ thigh	オーバーシェンケル Oberschenkel	キュイス cuisse	コーシャ coscia	ムスロ muslo	コッシャ coxa	ビドロー бедро
膝	ニー knee	クニー Knie	ジュヌー genou	ジノッキョ ginocchio	ロディリャ rodilla	ジョエリオ joelho	カリェーナ колено
くるぶし	アンクル ankle	クネッヒェル Knöchel	シュヴィーユ cheville	カヴィーリャ caviglia	トビリョ tobillo	トルノゼロ tornozelo	シーカロトカ щиколотка

ノルウェー語	ラテン語	ギリシャ語	アラビア語	ヘブライ語	中国語	韓国語	エスペラント語
リングフィンガー ringfinger	**ディギトゥス・アーヌラーリ** digitus annularis	**ダクティリダス** δαχτυλιδας	**ビンスィル** بنصر	**クミツァー** קמיצה	**ウーミンジー** 无名指	**ヤクジ** 약지	**リンゴ・フィーンゴ** ringo fingro
リレフィンガー lillefinger	**ディギトゥス・ミニムス・マヌゥス** digitus minimus manus	**ダクティラキ** δαχτυλακι	**ヒンサル** خنصر	**ゼレット** זרת	**シャオジー** 小指	**セッキソンガラク** 새끼손가락	**マルガーンダ・フィーンゴ** malgranda fingro
ネグル negl	**ウングイス** unguis	**オニュクス** ονυζ	**ザフィラ** ظفر	**ムスムレ** מסמר	**ジージャ** 指甲	**ソントップ** 손톱	**ナイリ** najli
ブリスト bryst	**ペクトゥス** pectus	**ステートス** στήθος	**サドル** صدر	**ハゼー** חזה	**ション** 胸	**カスム** 가슴	**ブルースト** brusto
ブリスト bryst	**マムマ** mamma	**マストス** μαστος	**セディ** ثدي	**シャッド** שד	**ルーファン** 乳房	**ユパン** 유방	**マーモ** mamo
リッグ rygg	**ドルスム** dorsum	**ノートン** νωτον	**ザフル** ظهر	**ブーゼルフ** בחזרה	**ベイ** 背	**トゥン** 등	**レエーン** reen
ミッヤ midje	**ルンバーリ** lumbalis	**イスキア** ισχια	**ワサト** وسط	**グダル** גודל	**ヤオ** 腰	**ホリ** 허리	**タリーオ** talio
マーゲ mage	**アブドーメン** abdomen	**キリャ** κοιλιά	**バトゥナ** بطن	**ベテン** בטן	**トゥーズ** 肚子	**ペ** 배	**アブドメーノ** abdomeno
ナブレ navle	**ウムビリークス** umbilicus	**オンファロス** ομφαλός	**スッラ** سرة	**タブール** טבור	**トゥーチー** 肚脐	**ペッコプ** 배꼽	**ウンビリーコ** umbiliko
バイン bein	**クルース** crus	**スケロス** σκελος	**サーク** ساق	**レゲル** רגל	**トゥイ** 腿	**ダリ** 다리	**クルーノ** kruro
ロール lår	**フェムル** femur	**メーロス** μηρός	**ファヒズ** فخذ	**ヤレフ** ירך	**ダートゥイ** 人腿	**ネッジョクダリ** 넓직다리	**フェムーロ** femuro
クネ kne	**ゲヌー** genu	**ゴニュ** γόνυ	**ルクバ** ركبة	**ベレフ** ברך	**シー** 膝	**ムニップ** 무릎	**ゲヌーオ** genuo
アンケル ankel	**タアルス** talus	**スピュロン** σφυρον	**エルカーヘル** الكاحل	**カルソル** קרסול	**フワイ** 踝	**バルムッ** 발목	**マレオーロ** maleolo

人体

	英語	ドイツ語	フランス語	イタリア語	スペイン語	ポルトガル語	ロシア語
足	フット foot	フース Fuß	ピエ pied	ピエーデ piede	ピエ pie	ペー pé	ストパ стопа
かかと	ヒール heel	フェルゼ Ferse	タロン talon	タッローネ tallone	タロン talón	カゥカニャル calcanhar	ピャトゥカ пятка
皮膚	スキン skin	ハオト Haut	ポー peau	ペッレ pelle	ピエル piel	ペーリィ pele	コージャ кожа
心臓	ハート heart	ヘルツ Herz	クール coeur	クオーレ cuore	コラソン corazón	コラサオン coração	シェールツェ сердце
骨	ボーン bone	クノッヘン Knochen	オス os	オッソ osso	ウエソ hueso	オッソ osso	コースチ кость
血	ブラッド blood	ブルート Blut	サン sang	サングエ sangue	サングレ sangre	サンゲ sangue	クロービ кровь
長髪	ロング・ヘア long hair	ランゲ・ハーラ lange Haare	シュヴァ・ロン cheveux longs	カペローネ capellone	カベリョ・ラルゴ cabello largo	カヴィロ・ロングス cabelos longos	ディリーネ・ヴォローシェ Длинные волосы
短髪	ショート・ヘア short hair	クルツェ・ハーラ kurze Haare	シュヴァ・クゥ cheveux courts	ラパータ rapata	カベリョ・コルト cabello corto	コレヘイタ colheita	カロートキユ・ヴォローシェ Короткие волосы
急所	ヴァイタル・ポイント vital point	ヴィヒティガー・プンクト wichtiger Punkt	ポゥ・ヴィタル point vital	プント・ヴィッターレ punto vitale	プント・ビタル punto Vital	ポント・ヴィタール ponto vital	ズィーツニィノ・ヴァージェヌール・トーツェク жизненно важную точку
子宮	ユーティラス uterus	ゲベーアムッター Gebärmutter	ユテリュス utérus	ウーテロ utero	ウテロ útero	ウチロ útero	マートゥカ матка
脳	ブレイン brain	ゲヘーアン Gehirn	セルヴォ cerveau	チェルベッロ cervello	セレーブロ cerebro	セーリブロ cérebro	モゥースク мозг
睫毛	アイラッシュ eyelashe	ヴィンパーム Wimpern	シル cil	シッリョ ciglio	ペスターニャス Pestañas	ペスタナス pestanas	リスニィッツィ ресницы
まぶた	アイレイド eyelid	アウゲンリッド Augenlid	ポピエール paupière	パールペブレ palpebre	パールパド párpado	パーゥピブラ pálpebra	ヴィエーコ веко

ノルウェー語	ラテン語	ギリシャ語	アラビア語	ヘブライ語	中国語	韓国語	エスペラント語
フォット fot	**ペース** pes	**プース** πόυς	**カディマ** قدم	**レゲル** רגל	**ジャオ** 脚	**パル** 발	**ピエード** piedo
ヘール hæl	**カルカーニオ** calcaneo	**プテルナ** πτέρνα	**カアブ** كعب	**アケブ** עקב	**ジャオホウゲン** 脚后跟	**パルディクッチ** 발뒤꿈치	**カルカノン** kalkanon
フッド hud	**クティス** cutis	**デルマ** δέρμα	**ジルド** جلد	**オール** עור	**ピーフ** 皮肤	**ピブ** 피부	**ハーウト** haŭto
イェルテ hjerte	**コル** cor	**カルディア** καρδιά	**カルブ** قلب	**レヴ** לב	**シンザン** 心脏	**シンジャン** 심장	**コッロ** koro
ベン ben	**オッセ** osse	**オステオン** οστεον	**アザーム** عظم	**エツェム** עצם	**グートウ** 骨头	**ピョ** 뼈	**オースト** osto
ブロー blod	**サングィス** sanguis	**アイマ** αίμα	**ダム** دم	**ダム** דם	**シュエイー** 血液	**ピ** 피	**サンゴ** sango
ラングトホール langt hår	**クム・カピリ** cum capilli	**タ・マクリア・マッリア** Τα μακριά μαλλιά	**アシュール・アラトゥイール** الشعر الطويل	**シェイアール・アルーク** שיער ארוך	**チャンファー** 长发	**キンメリ** 긴머리	**ロンガ・ハラーロ** longa hararo
コルトホール kort hår	**ピーリス・ブラウィーブス** pilis brevibus	**コンタ・マッリア** κοντά μαλλιά	**マフスール** محصول	**イブル** יבול	**ドゥアンファー** 短发	**チャッウンメリ** 짧은머리	**マロンガ・ハーロ** mallonga haro
ソールバル sårbar	**プンクトゥム・ウィターリ** punctum vitalis	**ゾティカ・オルガナ** ζωτικά όργανα	**ヌクタット・ハヤウィヤ** نقطة حيوية	**ネクデー・ヘヨニット** נקודה חיונית	**ヤォハイ** 要害	**ヤクジョム** 약점	**エセンサ・プンクト** esenca punkto
リヴモール livmor	**ウテロ** utero	**ミートラ** μήτρα	**ラヒマ** رحم	**レヘム** רחם	**ズーゴン** 子宫	**チャグン** 자궁	**ウテーロ** utero
ヒェルネ hjerne	**セレブルゥマ** cerebrum	**エンケファロス** εγκέφαλος	**ディマーフ** دماغ	**メヴ** מוח	**ナオ** 脑	**ノウ** 뇌	**セールヴォ** cerbo
エイェヴィッペル øyevipper	**シーリア** cilia	**ヴレファリデス** βλεφαρίδες	**ラメシャ** رمش	**リミム** ריסים	**ジエマオ** 睫毛	**ソンヌンサップ** 속눈썹	**オクルハーロイ** okulharoj
エイェロック øyelokk	**パァルペブラ** palpebra	**タ・ブレファラ** Τα βλέφαρα	**ジャフン** جفن	**アファフィイーム** עפעפיים	**イエンピィ** 眼皮	**ヌンゴップ** 눈꺼풀	**パルペーブロ** palpebro

健康状態・生理現象

	英語	ドイツ語	フランス語	イタリア語	スペイン語	ポルトガル語	ロシア語
復活	リザレクション resurrection	アオフエアシュテーウング Auferstehung	レズュレクシオン résurrection	リスレツィオーネ resurrezione	レスレクシオン resurrección	ヘースヘーサオン ressurreição	バスクリシェーニイェ воскресение
けが	インジュリー injury	フェアレッツング Verletzung	トマチーズマ traumatisme	フェリータ ferita	レシオン lesión	フェリダ ferida	ウシーブ ушиб
傷	ウーンド wound	ヴンデ Wunde	ブレシュール blessure	フェリータ ferita	エリダ herida	フェリミエント ferimento	ラーナ рана
傷跡	スカー scar	ナルベ Narbe	シカトリス cicatrice	チカトリーチェ cicatrice	シカトリス cicatriz	シカトリス cicatriz	シュラーム шрам
事故	アクシデント accident	ウンファル Unfall	アクシダン accident	インチデンテ incidente	アクシデンテ accidente	アシデンチェ acidente	プライッシェーストヴィイェ происшествие
病気	イルネス illness	クランクハイト Krankheit	マラディ maladie	マラッティーア malattia	エンフェルメダー enfermedad	デュエンサ doença	バリェーズニ болезнь
痛み	ペイン pain	シュメルツ Schmelz	ドゥラー douleur	ドローレ dolore	ドロル dolor	ドール dor	ボーリ боль
熱病	フィーヴァー fever	フィーバー Fieber	フィエーヴル fièvre	フェッブレ febbre	フィエブレ fiebre	フィエブリ febre	リハラートカ лихорадка
感染	インフェクション infection	アンシュテックング Ansteckung	アンフェクシオン infection	インフェツィオーネ infezione	コンタヒオ contagio	インフェクサオン infecção	インフェークツィヤ инфекция
治す	ヒール heal	ハイレン heilen	ゲリール guérir	グアリーレ guarire	クラル curar	クラル curar	ヴィーリチチ вылечить
治療	キュアー cure	クーア Kur	トレットマン traitement	クーラ cura	クラ cura	クラル curar	リチェーニイェ лечение
風邪	コールド cold	エーケルトング Erkältung	リューム rhume	インフルエーンツァ influenza	レスフリーオ resfrío	フリオ frio	プラストゥーダ простуда
めまい	ヴァティゴー vertigo	シュヴィンデル Schwindel	ヴェルティージュ vertige	ヴェルティージニ vertigini	ベルティゴ vértigo	トントゥーラ tontura	グロヴクルージェニエ головокружение

ノルウェー語	ラテン語	ギリシャ語	アラビア語	ヘブライ語	中国語	韓国語	エスペラント語
イェノップスタンデルセ gjenoppstandelse	レッスッレークティオー ressurrectio	アナスタシ ανάσταση	キヤマー قيامة	テヒート・ムテイーム תחיית מתים	フーフオ 复活	プファク 부활	レヴィヴィーゾ reviviĝo
スカデ skade	ラエシオー laesio	トラフマティスモス τραυματισμος	ジュルフ جرح	ペッツァ פצע	シャンハイ 伤害	ダチダ 다치다	レーゴ lezo
ソール sår	ウヌス vulnus	プリギ πληγή	ジュルフ جرح	ペッツァ פצע	シャン 伤	サンチョ 상처	ヴーンド vundo
アール arr	キカートリックス cicatrix	ウリ ουλή	ナディバ ندب	ツァレケット צלקת	シャンハン 伤痕	サンチョヒョンタ 상처흉터	シカートコ cikatro
ウリュッケ ulykke	アクシデンス accidens	アティヒマ ατύχημα	ハーディス حادث	テヴナー תאונה	シーグー 事故	サゴ 사고	アクシデント akcidento
スィクドム sykdom	モルブス morbus	ノソス νόσος	マラド مرض	マハラー מחלה	ビン 病	ピョン 병	マルサーノ malsano
スメルテ smerte	ドロル dolor	ポノス πόνος	アラム ألم	ケエヴ כאב	タントン 疼痛	アプム 아픔	ドローロ doloro
フェーバー feber	フェブリス febris	ピレトス πυρετός	フンマー حمى	フーム חום	ルービン 热病	ヨルビョン 열병	フェーブロ febro
インフェクション infeksjon	コンタギオー contagio	モリンスィ μολυνση	アドゥイ عدوى	ズィフーム זיהום	ガンラン 感染	カミョン 감염	インフェークトォ infekto
ヘルブレーデ helbrede	サナーレ sanare	セラペヴォ θεραπευω	シファ شفاء	リペー רפא	ジーユー 治愈	チリョハダ 치료하다	レサニーギ resanigi
ベハンドリング behandling	クーラーティオー curatio	セラピア θεραπεία	イラージュ علاج	リプイ טיפול	ジーリャオ 治疗	チリョ 치료	クラーシ kuraci
フォルキューレルセ forkjølelse	フリィグ frigus	カタルゥース καταρρους	ズカーム زكام	ケル קר	ガンマオ 感冒	カムギ 감기	マルヴァールマ malvarma
スヴィンメルヘート svimmelhet	ヴェルティーゴ vertigo	ザーリ ζάλη	ドウハ دوخة	シヘフルット סחרחורת	トウイン 头晕	オジロウム 어지러움	ヴェルティーゴン vertiĝon

健康状態・生理現象

	英語	ドイツ語	フランス語	イタリア語	スペイン語	ポルトガル語	ロシア語
ためいき	サイ sigh	ゾイフツァー Seufzer	スピール soupir	ソスピーロ sospiro	ススピロ suspiro	ススピロ suspiro	ウズドーフ вздох
声	ヴォイス voice	シュティンメ Stimme	ヴォワ voix	ヴォーチェ voce	ボス voz	ヴォース voz	ゴーロフ голос
悲鳴	スクリーム scream	ゲシュライ Geschrei	クリ cri	ストゥリーロ strillo	グリト grito	グリタール gritar	クリーク крик
唸り声	ベロウ bellow	シュテーネン Stöhnen	グロンドモン grondement	ジェミト gemito	アラリド alarido	ベハール berrar	ルィチャーニイェ рычание
囁き	ウィスパー whisper	ゲフリュスター Geflüster	ミュルミュール murmurer	スッスッロ sussurro	ムルムリョ murmullo	ススッハール sussurrar	ショーパト шепот
いびき	スノーア snore	シュナルヒェン Schnarchen	ロンフルモン ronflement	ルッサメント russamento	ロンキド ronquido	ホンコ ronco	フラープ храп
あくび	ヨーン yawn	ゲーネン Gähnen	バイユモン bâillement	スバディーリョ sbadiglio	ボステソ bostezo	ボセジャール bocejar	ジェヴァーチ зевать
くしゃみ	スニーズ sneeze	ニーゼン Niesen	エテルニュモン éternuement	スタルヌート starnuto	エストルヌド estornudo	エスピッホ espirros	チーハニィエ чихание
汗	スウェット sweat	シュバイス Schweiß	スュウール sueur	スドーレ sudare	スドル sudor	スワル suar	ポート пот
涙	ティアー tear	トレーネ Träne	ラルム larme	ラクリマ lacrima	ラグリマ lágrima	ラーグリマ lágrima	スリザー слеза
息	ブレス breath	アーテム Atem	スーフル souffle	レスピーロ respiro	レスピラシオン respiración	ヘスピラサオン respiração	ドィハーニイェ дыхание
大便	ストゥール stool	コート Kot	エクスクレモン excrément	カッカ cacca	カカ caca	フェィズィス fezes	カル кал
尿	ユーリン urine	ハルン Harn	ユリーヌ urine	ウリーナ urina	ピス pis	ウリナ urina	マチャー моча

ノルウェー語	ラテン語	ギリシャ語	アラビア語	ヘブライ語	中国語	韓国語	エスペラント語
スック sukk	**インゲミーシェ** ingemisce	**ストノス** στονος	**タナッフド** تنهد	**アナハー** אנחה	**タンシー** 叹息	**ハンスム** 한숨	**ススピィーゴ** suspiro
ステンメ stemme	**ウォークス** vox	**フォーニー** φωνή	**サウト** صوت	**コール** קול	**ションイン** 声音	**モクソリ** 목소리	**ヴォーチョ** voĉo
スクリク skrik	**クィリーターティオー** quiritatio	**ウルリャフト** ουρλιαχτο	**サルハ** صرخ	**ルツェルハー** לצרוח	**チンジャオション** 惊叫声	**ビミョン** 비명	**クリエーティ** krieti
クヌール knurr	**チルクムギモ** circumgemo	**ヴォンギト** βογκητο	**テデームラ** تذمر	**ガアー** געה	**ホウジャオ** 吼叫	**ウルブジッム** 울부짖음	**ムーギ** muĝi
ヴィスケ hviske	**ススッルス** susurrus	**プシシロス** ψίθυρος	**ハムサ** همس	**レフシャー** לחוש	**ディーユーション** 低语声	**ソクサギム** 속삭임	**フルーストリ** flustri
スノーキング snorking	**ステルティト** stertit	**ロンコス** ρόγχος	**シャヒール** شخير	**ネヒルニー** נחרני	**ハン** 鼾	**コル ゴルダ** 코를 고르다	**ローンキ** ronki
イェスプ gjesp	**オースキターティオー** oscitatio	**カズモウリト** χασμουρητό	**タサーウブ** تثاءب	**ピフーク** פהוק	**ハーチエン** 哈欠	**ハプム** 하품	**オスセーガス** oscedas
ニース nys	**ステルヌーターティオー** sternutatio	**プタルモス** πταρμος	**アトサ** عطس	**イトゥッシュ** עיטוש	**ペンティー** 喷嚏	**チェチェギ** 재채기	**スネージング** sneezing
スヴェッテ svette	**スードル** sudor	**イドロース** ιδρώς	**アリカ** عرق	**ゼアー** זיעה	**ハン** 汗	**トァム** 땀	**スヴィーティ** ŝviti
トーレル tårer	**ラクリマ** lacrima	**ダクリュオン** δακρυον	**ドゥムーウ** دمع	**ディムアー** דמעה	**イエンレイ** 眼泪	**ヌンムル** 눈물	**ラァルモ** larmo
プスト pust	**ハリトゥス** halitus	**プノイ** πνοή	**タンフス** تنفس	**ネシマー** נשימה	**コウチー** 口气	**スム** 숨	**スピーロン** spiron
アヴフェーリング avføring	**フェチャイザ** feces	**コプラナ** κόπρανα	**ビラーズ** براز	**ツォアー** צואה	**ダービエン** 大便	**デベン** 대변	**フェカージョ** fekaĵo
ウリン urin	**ウーリーナ** urina	**ウラ** ούρα	**バウル** بول	**シェテン** שתן	**ニャオ** 尿	**ソベン** 소변	**ウリーノ** urino

分類	項目	英語	ドイツ語	フランス語	イタリア語	スペイン語	ポルトガル語	ロシア語
自然全般	自然	ネイチャー nature	ナトゥーア Natur	ナチュール nature	ナトゥーラ natura	ナトゥラレサ naturaleza	ナトゥレーザ natureza	プリローダ природа
	万物	ユニヴァース universe	ウニヴェルズム Universum	ユニヴェール univers	ウニヴェルソ universo	ウニベルソ universo	ウニベルソ universo	フシリェーンナヤ вселенная
	物質	マター matter	ディング Dinge	マチエール matière	マテリア materia	マテリア materia	マテーリア matéria	ヴィシストヴォー вещество
	元素	エレメント element	エレメント Element	エレマン élément	エレメント elemento	エレメント elemento	エレメント elemento	イリミェーント элемент
	空気	エア air	ルフト Luft	エール air	アリア aria	アイレ aire	アール ar	ヴォーズドゥフ воздух
	大気	アトモスフィア atmosphere	アトモスフェーレ Atmosphäre	アトモスフェール atmosphère	アトモスフェーラ atmosfera	アトモースフェラ atmósfera	アトモスフェラ atmosfera	アトモスフェーラ атмосфера
	夕焼け	サンセット sunset	アーベントロート Abendrot	コンシェ・デ・ソレイユ coucher de soleil	トラモント tramonto	アタルデセル atardecer	ポル・ド・ソゥ pôr do sol	ザカート закат
宇宙	満月	フル・ムーン full moon	フォルモーント Vollmond	プレーヌ・リュヌ pleine lune	プレニルーニオ pulenilunio	ルナ・リェナ luna llena	ルア・シェイア Lua Cheia	パルナルニーイェ полнолуние
	新月	ニュー・ムーン new moon	ノイモーント Neumond	ヌーベル・リュヌ nouvelle lune	ノビルーニオ novilunio	ルナ・ヌエバ luna nueva	ルア・ノーバ Lua nova	ノヴァルーニイェ новолуние
	蝕	イクリプス eclipse	エクリプセ Eklipse	エクリプス éclipse	エクリッシ eclissi	エクリプセ eclipse	エクリフィスィ eclipse	ザトミェーニイェ затмение
	世界	ワールド world	ヴェルト Welt	モンド monde	モンド mondo	ムンド mundo	ムンド mundo	ミール мир
	宇宙	コスモス cosmos	コスモス Kosmos	コスモス cosmos	コズモ cosmo	コスモス cosmos	コースモス cosmos	コースマス космос
	銀河	ギャラクシー galaxy	ガラクスィー Galaxy	ギャラクシー galaxie	ガラッシア galassia	ガラクシア galaxia	ガラーキシア galáxia	ガラークチカ галактика

ノルウェー語	ラテン語	ギリシャ語	アラビア語	ヘブライ語	中国語	韓国語	エスペラント語
ナトゥール natur	ナートゥーラ natura	フィシ φύση	タビアフ طبيعة	テヴァ טבע	ズーラン 自然	チャヨン 자연	ナトゥーロ naturo
アルト alt	オムニア omnia	カスティ καθετί	アルケウン الكون	イェクム יקום	ワンウー 万物	マンムル 만물	キィ・アージョイ ĉiuj aĵoj
マテリエ materie	マーテリア materia	イリ ύλη	マーッダ مادة	ホメル חומר	ウージー 物质	ムルチル 물질	スブスタンコ substanco
エレメント element	エレメントゥム elementum	ストイケイオン στοιχείον	ウンスル عنصر	エレメント אלמנט	ユエンスー 元素	ウォンソ 원소	エレメント elemento
ルフト luft	アーエール aer	アエル αηρ	ハワー هواء	アヴィール אוויר	コンチー 空气	コンギ 공기	アエーロ aero
アトモスフェーレ atmosfære	アトモォスフェッラ atmosphaera	アトモスフェラー ατμόσφαιρα	ジャウ جو	アヴィール אוויר	ダーチー 大气	デギ 대기	アトモスフェーロ atomosfero
ソールネッダング solnedgang	クレポスクゥルマ crepusculum	イリオウ・ディシス ηλιου δυση	グルーブッシャムス غروب الشمس	シュキアット・シェメシュ שקיעת שמש	ワンシア 晚霞	ノウル 노을	スンスビーロ sunsubiro
フールモーネ fullmåne	ルーナ・プレーナ luna plena	パンセーリノウス πανσέληνος	バドル・カーメル بدر كامل	ヤレアッハ・マレ ירח מלא	マンユエ 望月	ボルムダル 보름달	プレルーノ plenluno
ニューモーネ nymåne	ルーナ・ノワ luna nova	ヌーメニアー νουμηνια	ヒラール هلال	モラッド מולד	シンユエ 新月	セダル 새달	ノブルーノ novluno
フォームエルケルセ formørkelse	エクリープスィス eclipsis	エクリプスィ έκλειψη	フスーフ كسوف	レハフィール להאפיל	リーシー 日食	イルシク 일식	エクリープソ eklipso
ヴェルデン verden	ムンドゥス mundus	コスモス κόσμος	アーレム عالم	オーラム עולם	シージエ 世界	セギェ 세계	モンド mondo
ヴェルデンスロンメト verdensrommet	コスモス cosmos	コスモス κόσμος	ファダア فضاء	イェクム יקום	ユージョウ 宇宙	ウジュ 우주	コースモ kosmo
ガラクセ galakse	ガラクシアス galaxias	ガラクスィアス γαλαξίας	マジャッラ مجرة	ガラクスィヤ גלקסיה	インフー 银河	ウネ 은하	ギャラクシーオ galaksio

宇宙

	英語	ドイツ語	フランス語	イタリア語	スペイン語	ポルトガル語	ロシア語
太陽系	ソーラー・システム solar system	ゾンネンズュステーム Sonnensystem	システム・ソレール système solaire	システマ・ソラーレ sistema solare	システマ・ソラル sistema solar	システマ・ソラル sistema solar	ソールニチナヤ・シスチェーマ солнечная система
天の川	ミルキー・ウェイ milky way	ミルヒシュトラーセ Milchstraße	ヴォワ・ラクテ voie lactée	ヴィア・ラッテア via Lattea	ビア・ラクテア vía láctea	ヴィア・ラクテア Via Láctea	ムリェーチニイ・プーチ Млечный Путь
太陽	サン sun	ゾンネ Sonne	ソレイユ Soleil	ソーレ Sole	ソル sol	ソル sol	ソーンツェ солнце
月	ムーン moon	モーント Mond	リュヌ Lune	ルーナ Luna	ルナ luna	ルア lua	ルーナ Луна
星	スター star	シュテルン Stern	エトワール étoiles	ステッラ stella	エストレリャ estrella	エストリャレ estrela	ズヴィズダー звезда
地球	アース earth	エーアデ Erde	テール Terre	テッラ Terra	ティエラ Tierra	テーハ Terra	ジムリャー земля
火星	マーズ mars	マルス Mars	マルス Mars	マルテ Marte	マルテ Marte	マルチ Marte	マールス Марс
水星	マーキュリー mercury	メルクーア Merkur	メルキュール Mercure	メルクーリョ Mercurio	メルクリオ Mercurio	メルクリオ Mercúrio	ミルクーリイ Меркурий
木星	ジュピター jupiter	ユーピター Jupiter	ジュピター Jupiter	ジョーヴェ Giove	フピテル Júpiter	ジュピテル Júpiter	ユピーチル Юпитер
金星	ヴィーナス venus	ヴェーヌス Venus	ヴェニュス Vénus	ヴェネレ Venere	ベヌス Venus	ヴェーヌス Vênus	ヴィニェーラ Венера
土星	サターン saturn	ザトゥルン Saturn	サチュルヌ Saturn	サトゥルノ Saturno	サトゥルノ Saturno	サトゥルノ Saturno	サトゥールン Сатурн
天王星	ウラヌス uranus	ウーラヌス Uranus	ユラニュス Uranus	ウラーノ Urano	ウラノ Urano	ウラノ Urano	ウラーン Уран
海王星	ネプチューン neptune	ネプトゥーン Neptun	ネプチューンヌ Neptune	ネットゥーノ Nettuno	ネプトゥノ Neptuno	ネトゥノ Netuno	ニプトゥーン Нептун

ノルウェー語	ラテン語	ギリシャ語	アラビア語	ヘブライ語	中国語	韓国語	エスペラント語
ソルスィステメット solsystemet	**シュステーマ・ソーラーレ** systema solare	**イリアコン・システィマ** ηλιακόν σύστημα	**アルマジュムーアトゥッシャムスィーヤ** المجموعة الشمسية	**マアレヘット・シェメッシュ** מערכת שמש	**タイヤンシー** 太阳系	**テヤンケ** 태양계	**スンシステーモ** sunsistemo
メルケヴェイエン Melkeveien	**オルビス・ラクトゥエス** orbis lacteus	**ガラクスィアス** γαλαξίας	**ダルブル・ラッダバーナ** درب التبانة	**シュヴィール・ヘーラヴ** שביל החלב	**ティエンフー** 天河	**ウネス** 은하수	**ラークタ・ベイオ** lakta vojo
ソール sol	**ソール** sol	**ヘーリオス** ήλιος	**シャムス** شمس	**シェメッシュ** שמש	**タイヤン** 太阳	**テヤン** 태양	**スーノ** suno
モーネ måne	**ルーナ** luna	**セレーネー** σεληνη	**カムラ** قمر	**ヤレアッハ** ירח	**ユエリアン** 月亮	**タル** 달	**ルーノ** luno
ステリュネ stjerne	**ステッラ** stella	**アステール** αστηρ	**ナジュム** نجوم	**コハブ** כוכב	**シンシン** 星星	**ピョル** 별	**ステーロ** stelo
ヨルデン jorden	**テラエ** terrae	**ゲー** Γη	**アラダ** أرض	**カドゥール・ハアレツ** כדור הארץ	**ディーチウ** 地球	**チグ** 지구	**テロ** Tero
マルス Mars	**マールス** Mars	**アレース** Άρης	**ミッリーフ** مريخ	**マアディーム** מאדים	**フオシン** 火星	**ファソン** 화성	**マルソ** Marso
メルクル Merkur	**メルクリウス** Mercurius	**ヘルメース** Ερμης	**ウターリド** عطارد	**ケスフィーム** כספית	**シュイシン** 水星	**スソン** 수성	**メルクーロ** Merkuro
ユーピテル Jupiter	**ユピテル** Juppiter	**ゼウス** Ζευς	**ムシュタリー** مشتري	**ヨフィテル** יופיטר	**ムーシン** 木星	**モクソン** 목성	**ユピテーロ** Jupitero
ヴェーヌス Venus	**ウェヌス** Venus	**アフロディーティ** Αφροδίτη	**ズハーラ** الزهرة	**ウノス** ונוס	**ジンシン** 金星	**クムソン** 금성	**ヴェニューソ** Venuso
サトゥルン Saturn	**サートゥルヌス** Saturnus	**クロノス** Κρόνος	**ザハラ** زحل	**シャブタイ** שבתאי	**トゥーシン** 土星	**トソン** 토성	**サートゥン** Saturn
ウラヌス Uranus	**ウーラヌス** Uranus	**ウーラノス** Ουρανός	**ウーラーヌースー** اورانوس	**ウラヌス** אורנוס	**ティエンワンシン** 天王星	**チョンワンソン** 천왕성	**ウラーノ** Urano
ネプトゥン Neptun	**ネプトゥーヌス** Neptunus	**ポセイドーン** Ποσειδών	**ナブトゥーン** نبتون	**ネプトゥン** נפטון	**ハイワンシン** 海王星	**ヘワンソン** 해왕성	**ネプトゥーノ** Neptuno

宇宙

	英語	ドイツ語	フランス語	イタリア語	スペイン語	ポルトガル語	ロシア語
冥王星	プルートゥ pluto	プルート Pluto	プリュートン Pluton	プルトーネ Plutone	プルトン Plutón	プルタオン Plutão	プルトーン Плутон
彗星	コメット comet	コメート Komet	コメット comète	コメータ cometa	コメタ cometa	コメタ cometa	カミェータ комета
流れ星	シューティング・スター shooting star	シュテルンシュヌッペ Sternschnuppe	エトワール・フィラント étoile filante	ステッラ・カデンテ stella cadente	エストレリャ・フガス estrella fugaz	エストレッラ・カデンチェ estrela cadente	パーダユシャヤ・ズヴィズダー падающая звезда
隕石	メテオライト meteorite	メテオーア Meteor	メテオリット météorite	メテオリーテ meteorite	メテオリト meteorito	メテオリトゥ meteorito	ミェチアリート метеорит
衛星	サテライト satellite	ザテリーテン Satelliten	サテリート satellite	サテッリテ satellite	サテーリテ satélite	サテーリチ satélite	スプートニク спутник
次元	ディメンション dimension	ディーメンジオン Dimension	ディマンシオン dimension	ディメンショーネ dimensione	ディメンシオン dimensión	ディメンソン dimensão	イズミリィーニェ измерение
星屑	スターダスト stardust	シュターメンシュタウプ Sternenstaub	アマ・デトワール amas d'ëtoiles	ポールヴェレ・ディ・ステッレ polvere di stelle	エスタルダスト stardust	スタルドスチ stardust	ズベルツェナヤ・プゥリ звездная пыль
重力	グラヴィティ gravity	シュヴェラクラフト Schwerkraft	グラヴィタシオン gravitation	グラヴィタツィオーネ gravitazione	グラベダド gravedad	グラヴィダーヂェ gravidade	チャージェスチ тяжесть
三日月	クレセント・ムーン crescent moon	ハルプモーンド Halbmond	クロワッサン croissant	クリッシェンテ crescente	ルーナ・クレシエンテ luna creciente	ルア・クレッセンチ lua crescente	プルミィースェツ полумесяц
星明かり	スターライト starlight	シュテルネンリヒト Sternenlicht	リュエール・デ・ゼトワール lumière des étoiles	キャローレ・デッレ・スッテレ chiarore delle stelle	ルス・デ・ラス・エストエレリャス luz de las estrellas	ルス・ダス・エストレリャス luz das estrelas	スヴェート・ズヴョースト свет звезд
アルタイル	アルタイル Altair	アルターイル Altair	アルタイール altair	アルタイール Altair	アルタイル Altair	アルタイル Altair	アリタイール Альтаир
シリウス	シリウス Sirius	ズィーリオス Sirius	シリウス sirius	シーリョ Sirio	シリオ Sirio	シリウス Sírius	シーリウス Сириус
デネブ	デネブ Deneb	デネブ Deneb	デネブ deneb	デネブ Deneb	デネブ Deneb	デネヴ deneb	ディニェーブ Денеб

ノルウェー語	ラテン語	ギリシャ語	アラビア語	ヘブライ語	中国語	韓国語	エスペラント語
プルート Pluto	プルートー Pluto	プルートーン Πλούτων	ブルートゥー بلوتو	プルート פלוטו	ミンワンシン 冥王星	ミョンワンソン 명왕성	プルトゥーノ Plutono
コメット komet	コメーテース cometes	コメーテース Κομήτης	ムザンナブ مذنب	シャヴィット שביט	フイシン 彗星	ヘソン 혜성	コメート kometo
スュエルネスクッド stjerneskudd	ステッラ・トランスウォランス stella transvolans	ディアトン・アスティア διάττων αστήρ	ナイザク نيزك	コハヴ・ノフェル כוכב נופל	リウシン 流星	ユソン 유성	パファード・ステーロ pafado stelo
メテオリット meteoritt	メテオリーテース meteorites	メテオリティス μετεωρίτης	ハジャル・ネイズカヤ حجر نيزكي	メテオリット מטאוריט	ユンシー 陨石	ウンソク 운석	メテオリート meteorito
サテリット satellitt	サテェレス satelles	ドリーフォロス δορυφόρος	カムラ قمر	ルニーン לווין	ウェイシン 卫星	インゴンウィソン 인공위성	サテリート satelito
ディメンスヨン dimensjon	— —	ディアスタシィー διάσταση	バウダ بعد	メメッド ממד	ウェイ 维	チャウン 차원	ディメンシーオ dimensio
スュエルネストゥヴ stjernestøv	プールヴィ・シデーレウス pulvis sidereus	コズミキ・コニス κοσμικη κονις	サテラダサット ستاردست	ヘズィーフ הזיה	シンチェンハオ 星塵號	ピョルトンビョル 별똥별	スタールドスト stardust
テュングデクラフト tyngdekraft	グラヴィータス gravitas	ヴァリティタ βαρύτητα	ホトーラ خطورة	クヘ・メシケー כוח משיכה	ジョンリー 重力	チュングリョク 중력	グラヴィート gravito
ハールヴモーネ halvmåne	ルーナル・クレッシェーナ lunar crescent	セレーネー・アエクソメネー σεληνη αεξομενη	アラヒラール・アルクマル الهلال القمر	セヘル・イェルーフ סהר ירח	ユェヤー 月牙	サミルダル 삼일달	ルナールコ・ルーノ lunarko luno
スュエルネクラール stjerneklar	ルークス・ステッラエ lux stellae	アストロフェギャ αστροφεγγιά	モダ・ベルニジューン مضاء بالنجوم	オル・コハビーム אור כוכבים	シングワン 星光	ピョルピッ 별빛	ステルーモ stellumo
アルタイル Altair	アルタイル Altair	アルタイル Αλταιρ	ヌサル نسر	アルタイル אלטאיר	チエンニウシン 牵牛星	アルタイル 알디이르	アルターイ Altair
シリウス Sirius	シリウス Sirius	スィリオス Σειριος	シリウース سيريوس	アヴレーク אברק	ティエンランズオ 天狼星	シリウス 시리우스	シリウーソ Siriuso
デネブ Deneb	デネブ Deneb	デネブ Ντενεμπ	デニブ دينيب	デネヴ דנב	テンジンスー 天津四	デネブ 델타	デーネブ Deneb

宇宙

	英語	ドイツ語	フランス語	イタリア語	スペイン語	ポルトガル語	ロシア語
ベガ	ヴェガ Vega	ヴェーガ Wega	ヴェガ Véga	ヴェーガ Vega	ベガ Vega	ヴェガ Vega	ヴェーガ Вега
フォーマルハウト	フォーマルハウト Fomalhaut	フォーマルハオト Fomalhaut	フォマロー fomalhaut	フォマラウト Fomalhaut	フォマルハウト Fomalhaut	フォマルハウチ Fomalhaut	ファマリガーウト Фомальгаут
北極星	ポラリス Polaris	ポラールシュテルン Polarstern	ポラリス Polaris	ステッラ・ポラーレ Stella Polare	エストレリャ・ポラル Estrella polar	エストレリャ・ポラル êstrela polar	パリャールナヤ・ズヴィズダー Полярная звезда
牡羊座	アリエス Aries	ヴィッダー Widder	ベリエ Bélier	アリエーテ Ariete	アリエス Aries	アーリス Áries	アヴェーン Овен
牡牛座	タウラス Taurus	シュティーア Stier	トロー Taureau	トーロ Toro	タウロ Tauro	トウロ Touro	チリェーツ Телец
双子座	ジェミニ Gemini	ツヴィリング Zwillinge	ジュモー Gémeaux	ジェメッリ Gemelli	ヘミニス Géminis	ジェミオス Gêmeos	ブリズニツィー Близнецы
蟹座	キャンサー Cancer	クレープス Krebs	キャンサール Cancer	カンクロ Cancro	カンセル Cáncer	カンセル Câncer	ラーク рак
獅子座	レオ Leo	レーヴェ Löwe	リオン Lion	レオーネ Leone	レオ Leo	レオン Leão	リェーヴ Лев
乙女座	ヴァーゴウ Virgo	ユングフラオ Jungfrau	ヴィエルジ Vierge	ヴェルジネ Vergine	ビルゴ Virgo	ヴィルジェン Virgem	デェーヴァ Дева
天秤座	ライブラ Libra	ヴァーゲ Waage	バランス Balance	ビランチャ Bilancia	リブラ Libra	リブラ Libra	ヴィスィー Весы
蠍座	スコーピオ Scorpio	スコルピオーン Skorpion	スコルピオン Scorpion	スコルピョーネ Scorpione	エスコルピオ Escorpio	エスコルピオン Escorpião	スカルピオーン Скорпион
射手座	サジタリウス Sagittarius	シュッツェ Schütze	サジテール Sagittaire	サジッターリョ Sagittario	サヒタリオ Sagitario	サジターリオ Sagitário	ストリリェーツ Стрелец
山羊座	カプリコーン Capricorn	シュタインボック Steinbock	カプリコルヌ Capricorne	カプリコルノ Capricorno	カプリコルニオ Capricornio	カプリコルニオ Capricórnio	カジローク Козерог

ノルウェー語	ラテン語	ギリシャ語	アラビア語	ヘブライ語	中国語	韓国語	エスペラント語
ヴェーガ Vega	**リラ** Lyra	**ヴェガス** Βεγας	**アンナスルルワーカ** النسر الواقع	**ヴェガ** וגה	**チーニーシン** 织女星	**ベガ** 베가	**ヴェーガ** Vega
フォーマルハウト Fomalhaut	**ピィーシィ・アウストリーニ** Piscis Austrini	**フォルマルハウト** Φορμαλχαουτ	**ファムルフート** فم الحوت	**フォマルホット** פומאלהוט	**ペイルオシーメン** 北落师门	**ポルマルハウト** 포름호트	**フォーマルホート** Fomalhot
ノールストエルネン Nordstjernen	**ステーラ・ポラーリ** Stella Polaris	**ポロス** Πολος	**ビウレリース** بولاريس	**フォラリス** פולאריס	**ベイジーシン** 北极星	**プックソン** 북극성	**ポルーサ・ステーロ** Polusa Stelo
ヴェーエン Væren	**アリエース** Aries	**クリーオス** Κριός	**ブルジュルハマル** برج الحمل	**タレー** טלה	**バイヤンズズオ** 白羊座	**ヤンジャリ** 양자리	**アリエーソ** Arieso
テューレン Tyren	**タウルス** Taurus	**タウロス** Ταύρος	**ブルジュッサウル** برج الثور	**ショール** שור	**ジンニウズオ** 金牛座	**ファンソジャリ** 황소자리	**タウロ** Tauro
トヴィリンゲネ Tvillingene	**ゲミニー** Gemini	**ディディモイ** Δίδυμοι	**ブルジュルジャウザー** برج الجوزاء	**テオミーム** תאומים	**シュアンズズオ** 双子座	**サンドンイジャリ** 쌍둥이자리	**ゲェミニ** Gemini
クレプセン Krepsen	**カンケル** Cancer	**カルキノス** Καρκίνος	**ブルジュルサラターン** برج السرطان	**サルタン** סרטן	**ジュウシエズオ** 巨蟹座	**ケジャリ** 게자리	**カンクーロ** Kankro
レウェン Løven	**レオー** Leo	**レオーン** Λέων	**ブルジュルアサド** برج الأسد	**アリエ** אריה	**シーズズオ** 狮子座	**サジャジャリ** 사자자리	**レオ** leo
ヨムフルエン Jomfruen	**ウィルゴー** Virgo	**パルテノス** Παρθένος	**ブルジュルアズラー** برج العذراء	**ベトゥラー** בתולה	**チューニューズオ** 处女座	**チョヌジャリ** 처녀자리	**ヴィーゴ** virgo
ヴェクテン Vekten	**リーブラ** Libra	**ジュゴン** Ζυγόν	**ブルジュルミーザーン** برج الميزان	**モズニーム** מאזנים	**ティエンチョンズオ** 天秤座	**チョンチョンジャリ** 천칭자리	**フント** Funto
スコルピオネン Skorpionen	**スコルピウス** Scorpius	**スコルピオス** Σκορπιός	**ブルジュルアクラブ** برج العقرب	**アクラヴ** עקרב	**ティエンシエズオ** 天蝎座	**チョンガルジャリ** 전갈자리	**スコルピーオ** Skorpio
スュッテン Skytten	**サギッターリウス** Sagittarius	**トクソテース** Τοξότης	**ブルジュルカウス** برج القوس	**ケシェット** קשת	**シャーショウズオ** 射手座	**サスジャリ** 사수자리	**サジタリーオ** Sagitario
ステインブッケン Steinbukken	**カプリコルヌス** Capricornus	**トラゴス** Τραγος	**ブルジュルジャドイ** برج الجدي	**グディ** גדי	**モージエズオ** 摩羯座	**ヨムソジャリ** 염소자리	**カプリコーノ** Kaprikorno

		英語	ドイツ語	フランス語	イタリア語	スペイン語	ポルトガル語	ロシア語
宇宙	水瓶座	アクエリアス Aquarius	ヴァッサーマン Wassermann	ヴェルソー Verseau	アックアーリョ Acquario	アクアリオ Acuario	アクアーリオ Aquário	ヴァダリェーイ Водолей
	魚座	パイシーズ Pisces	フィッシェ Fische	プワソン Poissons	ペーシ Pesci	ピスシス Piscis	ペイシェス Peixes	ルィーブィ Рыбы
	北斗七星	ビッグ・ディッパー Big dipper	グローセ・ベーア Große Bär	グラン・シャリオ grand Chariot	オルサ・マッジョーレ Orsa maggiore	オサ・マヨル Osa Mayor	グランジ・カゥロ Grande carro	バリシャーヤ・ミドヴェーディツァ Большая Медведица
自然現象	光	ライト light	リヒト Licht	リュミエール lumière	ルーチェ luce	ルス luz	ルス luz	スビェート свет
	影	シャドウ shadow	シャッテン Schatten	オンブル ombre	オンブラ ombra	ソンブラ sombra	ソンブラ sombra	チェーニ тень
	闇	ダークネス darkness	ドゥンケルハイト Dunkelheit	ソンブル sombre	ブーヨ buio	オスクロ oscuro	エスクリダオ escuridão	チムナター темнота
	日光	サンライト sunlight	ゾンネンシャイン Sonnenschein	リュミエール・デュ・ソレイユ lumière du soleil	ルチェ・ソラーレ luce solare	ライオ・デ・ソル rayo de sol	ルス・ソラール luz solar	ソールニチニイ・スヴェート солнечный свет
	月光	ムーンライト moonlight	モーントシャイン Mondschein	クレール・ドゥ・リュヌ clair de lune	キャロ・ディ・ルーナ chiaro di luna	クラロ・デ・ルナ claro de luna	ルアル luar	ルーンニイ・スヴェート лунный свет
	蜃気楼	ミラージュ mirage	ルフトシュピーゲルング Luftspiegelung	ミラージュ mirage	ミラッジョ miraggio	エスペヒスモ espejismo	ミラジェン miragem	ミラージ мираж
	陽炎	ヒート・ヘイズ heat haze	ヒッツェシュライアー Hitzeschleier	ブリュム・ドゥ・シャルール brume de chaleur	フォスキーア・ディ・カローレ foschia di calore	カリマ calima	ヴァガ・デ・カロゥ Vaga de calor	イズノーイエ・マリェーバ знойное марево
	オーロラ	オーロラ aurora	アオローラ Aurora	オロル aurore	アウローラ aurora	アウロラ Aurora	アウロラ aurora	シェーヴィルナイェ・シヤーニイェ северное сияние
	さざなみ	リップル ripple	クロイゼルン Kräuselung	リッド rides	インクレスパトゥーラ increspatura	オンダ onda	オンドゥラサオ ondulação	リャービ рябь
	波	ウェイヴ wave	ヴェレ Welle	ヴァーグ vague	オンダ onda	オラ ola	オンダ onda	ヴァルナー волна

ノルウェー語	ラテン語	ギリシャ語	アラビア語	ヘブライ語	中国語	韓国語	エスペラント語
ヴァンマンネン Vannmannen	アクアーリウス Aquarius	ヒュドロコオス Υδροχόος	ブルジュッダルゥ برج الدلو	ドゥリ דלי	シュイビンズオ 水瓶座	ムルピョンジャリ 물병자리	アクヴァリーオ Akvario
フィスケネ Fiskene	ピスケース Pisces	イクテュエス Ιχθύες	ブルジュルフート برج الحوت	ダギーム דגים	シュアンユーズオ 双鱼座	ムルコジジャリ 물고기자리	フィーソ Fiŝo
カールスヴォーゲン Karlsvognen	セプテントリオ Septentrio	アルクトス Άρκτος	ドゥッベル・アクバル الدب الأكبر	ドゥベー・ギドゥレー דובה גדולה	ベイドウチーシン 北斗七星	プッドチルソン 북두칠성	グランダ・ウチーノ Granda Ursino
リュース lys	ルークス lux	フォース φως	ヌール نور	オール אור	グワン 光	ピッ 빛	ルーモ lumo
スュィュッゲ skygge	ウムブラ umbra	スキアー σκιά	ズィラ ظل	ツェル צל	インズ 影子	クリムジャ 그림자	オンブロ ombro
モーケ mørke	オプスクーリタース obscuritas	スコティニヤ σκοτεινια	マザラム مظلم	ホシェフ אפל	ヘイアン 黑暗	ウム 어둠	マルーモ mallumo
ソルスキン solskinn	ルークス・ソーリ lux solis	イリアコ・フォース ηλιακό φως	ドア・アッシャムス ضوء الشمس	オル・シェメシュ אור שמש	リーグワン 日光	ヘッビチ 햇빛	スンルーモ sunlumo
モーネリュス månelys	ルークス・ルーナエ lux lunae	ランプラ・セレーネー λαμπρα σεληνη	ドア・アルカマル ضوء القمر	オル・フレヴネ אור הלבנה	ユエグワン 月光	ダルッピチ 달빛	ルンルーモ lunlumo
ショミラーゲ sjømirage	シミレークラーム simulacrum	アンティカトプトリスモス αντικατοπτρισμος	サラーブ سراب	ミラーズ מיראז	シェンジン 蜃景	シングル 신기루	ミラーゾ miraĝo
ヴァルメ varme	— —	カタフニア καταχνια	ダバーブ・ハララ الضباب الحرارة	ウベフ・フーム אובך חום	ルーラン 热浪	ヘッサル 햇살	ヴァルモ・マルクラーロ varmo malklaro
ノールドリュス nordlys	アクイローリス・ルミナリア aquilonis luminaria	セラス σελας	シャヒフ・コトベヤ شفق قطبي	ゾヘル・コデヴ זוהר קוטבי	ジーグワン 极光	オロラ 오로라	アウローロ aŭroro
スモーボールゲル småbølger	フルクティクールス flucticulus	クリュドーニオン κλυδωνιον	アルモイジャート المويجات	エドゥーフ אדוה	リエンイー 涟漪	サザナミ 파문	オンデト ondeto
ボールゲ bølge	ウンダ unda	キューマ κύμα	マウジャ موجة	ガル גל	ボーラン 波浪	パド 파도	オンド ondo

		英語	ドイツ語	フランス語	イタリア語	スペイン語	ポルトガル語	ロシア語
自然現象	渦	ヴォーテクス vortex	ヴィアベル Wirbel	トゥルビヨン tourbillon	ヴォルティチェ vortice	ボルティセ vórtice	ボルティスィ vórtice	ヴァダヴァロート водоворот
	氷	アイス ice	アイス Eis	グラス glace	ギャッチョ ghiaccio	イエロ hielo	ジェロ gelo	リョート лед
	閃光	フラッシュ flash	ブリッツ Blitz	エクレール éclair	バッリオーレ bagliore	デステリョ destello	クラーロン clarão	フスプシカ вспышка
	つらら	アイシクル icicle	アイスツァップフェン Eiszapfen	グラソン glaçon	ギアッチォーロ ghiacciolo	カランバノ carámbano	シンシェーロ sincelo	サースゥリカ сосулька
	雫	ドロップ drop	トロップフェン Tropfen	ロジ rosée	ゴーッチャ goccia	ゴタ gota	ゴタ gota	カープリャ капля
気象	突風	ガスト gust	ベー Bö	ラファール rafale	ラッフィカ raffica	ラーファガ ràfaga	ハジャダ rajada	パルイーフ порыв
	天気	ウェザー weather	ヴェッター Wetter	タン temps	テンポ tempo	ティエンポ tiempo	テンポ tempo	パゴーダ погода
	空	スカイ sky	ヒンメル Himmel	シエル ciel	チェーロ cielo	シエロ cielo	セウー céu	ニェーボ небо
	晴れ	ファイン fine	シェーネス・ヴェッター schönes Wetter	ボー beau	セレーノ sereno	ブエン・ティエンポ buen tiempo	アクラーラル aclarar	ヤースナヤ・パゴーダ ясная погода
	雲	クラウド cloud	ヴォルケ Wolke	ニュアージュ nuage	ヌヴォラ nuvola	ヌベ nube	ヌーヴェン nuvem	オーブラカ облако
	曇り	クラウディ cloudy	ベデックト bedeckt	ニュアジュー nuageux	ヌヴォローゾ nuvoloso	ヌブラド nublado	ヌブラード nublado	オーブラチニィ облачный
	雨	レイン rain	レーゲン Regen	プリュイ pluie	ピョッジャ pioggia	リウビア lluvia	シューヴァ chuva	ドーシチ дождь
	嵐	ストーム storm	シュトルム Storm	タンペット tempête	テンペスタ tempesta	トルメンタ tormenta	テンペスターチ tempestade	ブーリャ буря

ノルウェー語	ラテン語	ギリシャ語	アラビア語	ヘブライ語	中国語	韓国語	エスペラント語
ヴィルヴェル virvel	**ウェルテックス** vertex	**ディニ** δίνη	**ドゥーワマ** دوامة	**マアルボレット** מערבולת	**ウォリュオ** 涡流	**スヨンドリ** 소용돌이	**ヴォールテクス** vortex
イス is	**グラキエース** glacies	**クリュスタッロス** κρυσταλλος	**ジャリード** جليد	**ケラハ** קרח	**ピン** 冰	**オルウム** 얼음	**グラシオ** glacio
ブリンク blink	**ミコ** mico	**アナラピ** αναλαμπη	**フラーシュ** فلاش	**フラッシュ** פלאש	**シャングワン** 闪光	**ピョンゲ** 번개	**フルミーロ** fulmilo
イスタップ istapp	**スティーリア** stiria	**パゴクリスタロス** παγοκρύσταλλος	**ケトレ・スルジヤ・メドラート** كتلة ثلجية مدلاة	**ネティーフ・ケルフ** נטיף קרח	**ピンヅー** 冰柱	**コドゥルム** 고드름	**サランヴァーノ** carámbano
ドローペ dråpe	**グッタ** gutta	**スタゴニディオン** σταγονιδίων	**カトラ** قطرة	**イェリダー** ירידה	**シュエディ** 水滴	**ムルバンウル** 물방울	**グート** guto
ヴィンドカスト vindkast	**ウェントゥス・アクタンティ** ventus iactanti	**プノエー** πνοη	**アアスィファ** عاصفة	**メシュヴ** משב	**チェンファン** 阵风	**トルプン** 돌풍	**ヴェントプーソ** ventopuŝo
ヴェール vær	**テンペスタース** tempestas	**ケイロス** καιρός	**タクス** طقس	**メゼグ・アヴィル** מזג אוויר	**ティエンチー** 天气	**ナルッシ** 날씨	**ヴェテーロ** vetero
ヒンメル himmel	**カエルム** caelum	**ウラノス** ουρανός	**サマー** سماء	**シャミーム** שמים	**ティエンゴン** 天空	**ハヌル** 하늘	**チィエーロ** ĉielo
ソルスキン solskinn	**フビーザ** phoebus	**アイトリアー** αιθρια	**タック・スワディハ** الطقس واضحة	**バヒール** בהיר	**チンティエン** 晴天	**マルム** 맑음	**ベーラ** bela
スキー sky	**ヌーベース** nubes	**ネポス** νεφος	**サハーバ** سحابة	**アナン** ענן	**ユン** 云	**クルム** 구름	**ヌーボ** nubo
オーヴェルスキェト overskyet	**ヌービロースス** nubilosus	**シンネフィア** συννεφιά	**ガーイム** غائم	**メウナン** מעונן	**インティエン** 阴天	**フリム** 흐림	**ヌベーサ** nubeca
レイン regn	**プルウィア** pluvia	**ヒェートス** υετος	**マタル** مطر	**ゲシェム** גשם	**ユウ** 雨	**ピ** 비	**プルーヴィ** pluvi
ストゥルム storm	**テンペスタース** tempestas	**スィエラ** θυελλα	**アアスィファ** عاصفة	**セアラー** סערה	**フォンユウ** 风雨	**ポクポン** 폭풍	**ストールモ** ŝtormo

		英語	ドイツ語	フランス語	イタリア語	スペイン語	ポルトガル語	ロシア語
気象	大嵐	テンペスト tempest	ゲヴィッター Gewitter	ウラガン ouragan	カッティーヴォ・テンポラーレ cattivo temporale	テンペスター tempestad	テンペスターヂ tempestade	ウラガーン ураган
	風	ウィンド wind	ヴィント Wind	ヴァン vent	ヴェント vento	ビエント viento	ヴェント vento	ヴェーチル ветер
	強風	ゲイル gale	シュタルカー・ヴィント starker Wind	クー・ドゥ・ヴァン coup de vent	ヴェンタータ ventata	ベンダバル vendaval	ベンタニア ventania	シールニイ・ヴェーチル сильный ветер
	そよ風	ブリーズ breeze	ブリーゼ Brise	ブリーズ brise	ブレッザ brezza	ブリサ brisa	ブリザ brisa	ヴィチローク ветерок
	凪	カーム calm	ヴィント シュティレ Windstille	カルム calme	カールマ calma	カルマ calma	カルマ calma	シチーリ штиль
	雪	スノー snow	シュネー Schnee	ネージュ neige	ネーヴェ neve	ニエベ nieve	ネーヴィ neve	スニェーグ снег
	吹雪	スノーストーム snowstorm	ゲシュテーバー Gestöber	タンペット・ドゥ・ネージュ tempête de neige	トルメンタ tormenta	ネバダ nevada	ヌヴァスカ nevasca	ミチェーリ метель
	雷	サンダー thunder	ドンナー Donner	フードゥル foudre	トゥオーノ tuono	トルエノ trueno	トロヴァオン trovão	グローム гром
	稲妻	ライトニング lightning	ブリッツ Blitz	エクレール éclair	フォールゴレ folgore	レランパゴ relámpago	ヘランパゴ relâmpago	モールニヤ молния
	霧	フォグ fog	ネーベル Nebel	ブリュイヤール brouillard	ブルーマ bruma	ニエブラ niebla	ネヴィーロ nevoeiro	トゥマーン туман
	霞	ミスト mist	ドゥンスト Dunst	ブリュム brume	ネッビャ nebbia	ネブリナ neblina	ネビリナ neblina	ドィムカ дымка
	虹	レインボウ rainbow	レーゲンボーゲン Regenbogen	アルク・アン・シエル arc-en-ciel	アルコバレーノ arcobaleno	アルコ・イリス arco iris	アルコ・イリス arco-íris	ラードゥガ радуга
災害	天災	ディザスター disaster	カタストローフェ Katastrophe	デザストル désastre	ディザストロ disastro	デサストレ・ナトゥラル desastre natural	デザストリ・ナトゥラル desastre natural	スチヒーイナイェ・ビェートストヴィイェ стихийное бедствие

ノルウェー語	ラテン語	ギリシャ語	アラビア語	ヘブライ語	中国語	韓国語	エスペラント語
ウヴェール uvær	テンペスタース tempestas	スィエラ θύελλα	アアスィファ عاصفة	セアラー סערה	バオフォンユウ 暴风雨	テポン 대풍	ヴェンテーゴ ventego
ヴィン vind	ウェントゥス ventus	アネモス άνεμος	リアーフ رياح	ルーアッハ רוח	フォン 风	パラム 바람	ヴェント vento
クラフティ ヴィン kraftig vind	ポーテンス・ウェントゥース potens ventus	フルトゥナ φουρτούνα	リアーフ・アルコーウィア رياح القوية	セアラー סערה	ダーフォン 大风	カンポン 강풍	ヴェンテーゴ ventego
ブリース bris	ウェントゥルス ventulus	アウラー αυρα	ナスィーム نسيم	ルーアッハ רוח	ウェイフォン 微风	サンドルパラム 산들바람	ブリーゾ brizo
ヴィンスティレ vindstille	トランクィリタース tranquillitas	ガレーネー γαληνη	フドゥー هدوء	ヘフゲー הפוגה	フォンピンランジン 风平浪静	ポジョゲ 보조개	センヴェント senvento
スネー snø	ニックス nix	キオーン χιόνι	サルジュ ثلج	シャレグ שלג	シュエ 雪	ヌン 눈	ネーゴ neĝo
スネーストゥルム snøstorm	ベントス・ニヴァーリ ventus nivalis	ニファス νιφας	アースィファ・サルジーヤ عاصفة الثلجية	スファト・シュラギ סופת שלג	バオフォンシュエ 暴风雪	ヌンボラ 눈보라	ネジュブロヴァード neĝblovado
トルデン torden	トニトゥルス tonitrus	ブロンテー βροντή	バルク برق	バラック ברק	レイ 雷	ピョンゲ 번개	トンドロ tondro
リュン lyn	フルグル fulgur	アストラペー αστραπή	バルク برق	バラック ברק	シャンディエン 闪电	ピョンゲ 번개	フールモ fulmo
トーケ tåke	ネブラ nebula	オミクレー ομίχλη	ダバーブ ضباب	アラフェル ערפל	ウー 雾	アンゲ 안개	ネブーロ nebulo
トーケ tåke	ネブラ nebula	オミクレー ομίχλη	ダバーブ ضباب	アラフェル ערפל	シア 霞	アンゲ 안개	ネブーロ nebulo
レグンボエ regnbue	イリ iris	イーリス ιρις	カウス・クザフ قوس قزح	ケシェット קשת	ホン 虹	ムジゲ 무지개	チィエラルコ ĉielarko
ナトゥール カタストロフェ naturkatastrofe	クラーデ clade	カタストロフィ καταστροφή	カーリサ كارثة	アソン・テヴァ אסון טבע	ティエンミエ 天灾	チョンジェ 천재	カタストロフォ katastrofo

		英語	ドイツ語	フランス語	イタリア語	スペイン語	ポルトガル語	ロシア語
災害	台風	タイフーン typhoon	タイフーン Taifun	ティフォン typhon	ティフォーネ tifone	ティフォン tifón	トゥファオン tufão	タイフーン тайфун
	竜巻	トルネード tornado	ヴィントホーゼ Windhose	トルナード tornade	トルナード tornado	トルナド tornado	トルナード tornado	タルナーダ торнадо
	洪水	フラッド flood	ホッホヴァッサー Hochwasser	イノンダシオン inondation	イノンダツィオーネ inondazione	イヌンダシオン inundación	イヌンダセオン inundação	ナヴォドニェーニェ наводнение
	日照り	ドラウト drought	デュレ Dürre	セッシュレス sécheresse	シッチタ siccità	セキア sequía	セーカ seca	ザースハ засуха
	雪崩	アヴァランシュ avalanche	ラヴィーネ Lawine	アヴァランチ avalanche	ヴァランガ valanga	アバランチャ avalancha	アバランシ avalanche	ラヴィーナ лавина
	噴火	イラプション eruption	アオスブルフ Ausbruch	エリュプシオン éruption	エルツィオーネ eruzione	エルプシオン erupción	エルプサオン erupção	イズビルジェーニイェ извержение
	地震	アースクエイク earthquake	エーアトベーベン Erdbeben	トランブルマン・ドゥ・テール tremblement de terre	テッレモート terremoto	テレモト terremoto	テヒモァト terremoto	ジェムリトリシェーニイェ землетрясение
地形	穴	ホール hole	ロッホ Loch	トゥルゥー trou	ブーカ buca	アグヘロ agujero	ブラーコ buraco	ドゥラ дыра
	陸	ランド land	ラント Land	テール terre	テッラ terra	ティエラ tierra	テーラ terra	スシャ суша
	大地	グラウンド ground	ボーデン Boden	ソル sol	テッラ terra	テレノ terreno	テーハ terra	ジムリャー земля
	地平線	ホライズン horizon	ホリゾント Horizont	オリゾン horizon	オリッゾンテ orizzonte	オリソンテ horizonte	オリソンチ horizonte	ガリゾーント горизонт
	森	フォレスト forest	ヴァルト Wald	フォレ forêt	フォレスタ foresta	ボスケ bosque	ボスキ bosque	リェース лес
	密林	ジャングル jungle	ジュンゲル Dschungel	ジャングル jungle	ジュングラ giungla	フングラ jungla	セゥヴァ selva	グストーイ・リェース густой лес

ノルウェー語	ラテン語	ギリシャ語	アラビア語	ヘブライ語	中国語	韓国語	エスペラント語
テューフォン tyfon	**テューポーン** typhon	**テューポース** τυφώς	**ターイフーン** تايفون	**タイフン** טיפון	**タイフォン** 台风	**テポン** 태풍	**タイフーノ** tajfuno
トルナード tornado	**トゥルボー** turbo	**ケイモーン** χειμων	**アサール** اعصار	**トルナド** טורנדו	**ロンチュアンフォン** 龙卷风	**ホイリ** 회오리	**トルナード** tornado
フロム flom	**イヌンダーティオー** inundatio	**プリミラ** πλημμύρα	**ファヤダーン** فيضان	**マブール** מבול	**フォンシュイ** 洪水	**ホンス** 홍수	**イヌンド** inundo
トーケ tørke	**シッキタース** siccitas	**クスィラスィア** ξηρασία	**ジャファフ** جفاف	**バツォレット** בצורת	**ガンハン** 干旱	**カム** 가뭄	**セケーツォ** sekeco
スネースクレッド snøskred	**ニウィス・ルイナ** nivis ruina	**キオノスティヴァダ** χιονοστιβάδα	**インヒヤール・ジャリーディー** انهيار ثلجي	**マポレット・シュラギーム** מפולת שלגים	**シュエポン** 雪崩	**ヌンサテ** 눈사태	**ラヴァンゴ** lavango
ヴォルカヌトブルッド vulkanutbrudd	**エールプティオー** eruptio	**エクリクスィ** έκρηξη	**スワラニ** ثوران	**ヒットパルツート** התפרצות	**ペンフオ** 喷火	**プンファ** 분화	**エルプツィオ** erupcio
ヨルドシェルヴ jordskjelv	**テッラエモートゥス** terraemotus	**スィスモス** σεισμός	**ズィルザール** زلزال	**レイダット・アダマー** רעידת אדמה	**ディージェン** 地震	**チジン** 지진	**テルトレーモ** tertremo
フール hull	**フォラーメヌ** foramen	**オピー** οπή	**ホフラ** حفرة	**ホル** חור	**シエ** 穴	**クモン** 구멍	**トゥルーオ** truo
ラン land	**テッラ** terra	**クスィラ** ξηρα	**アルド** أرض	**ヤヴァシャー** יבשת	**ルーディー** 陆地	**ユクジ** 육지	**テーロン** teron
ヨル jord	**テッラ** terra	**エダフォス** έδαφος	**アルド** أرض	**ヤヴァシャー** יבשת	**ダーディー** 大地	**テジ** 대지	**コンティネント** kontinento
ホリソン horisont	**ホリゾーン** horizon	**オリゾーン** ορίζων	**ウフク** أفق	**オフェック** אופק	**ディーピンシエン** 地平线	**チピョンソン** 지평선	**ホリゾント** horizonto
スクー skog	**シルワ** silva	**ヒューレー** υλη	**ガーバ** غابة	**ヤアル** יער	**シェンリン** 森林	**スップ** 숲	**アルバーロ** arbaro
ユンゲル jungel	**デンシターテ・サルトゥース** densitate saltus	**ゾウンクラ** ζούγκλα	**ガーバ・カスィーファ** غابة كثيفة	**ジュンゲル** ג'ונגל	**ミーリン** 密林	**ミルム** 밀림	**ĝangalo** ĝangalo

幻想 戦闘 道具 時空 形質 社会 人間 自然

地形

	英語	ドイツ語	フランス語	イタリア語	スペイン語	ポルトガル語	ロシア語
丘	ヒル hill	ヒューゲル Hügel	コリーンヌ colline	コッリーナ collina	コリナ colina	コリーナ colina	ホールム холм
高原	プラトー plateau	ホッホエーベネ Hochebene	プラトー plateau	アルトピャーノ altopiano	メセタ meseta	プラナゥト planalto	プラスカゴーリイエ плоскогорье
平野	プレイン plain	エーベネ Ebene	プレーヌ plaine	ピャヌーラ pianura	リャヌラ llanura	プラニースィ planície	ラヴニーナ равнина
草原	プレーリー prairie	ヴィーゼ Wiese	プレリー prairie	プラテリーア prateria	プラデラ pradera	プラダリーア pradaria	ルーク луг
荒野	ウェストランド wasteland	エーデ Öde	ランド lande	ランダ landa	デシエルト desierto	ブレージョ brejo	プースタシ пустошь
砂漠	デザート desert	ヴューステ Wüste	デゼール désert	デゼルト deserto	デシエルト desierto	デゼァルト deserto	プストィーニャ пустыня
オアシス	オアシス oasis	オアーゼ Oase	オアジス oasis	オアジ oasi	オアシス oasis	オアージス oásis	アージス оазис
山	マウンテン mountain	ベルク Berg	モンターニュ montagne	モンターニャ montagna	モンタニャ montaña	モンターニャ montanha	ガラ гора
谷	ヴァリー valley	タール Tal	ヴァレ vallée	ヴァッレ valle	バリエ valle	ヴァーリ vale	ダリーナ долина
崖	クリフ cliff	シュタイルハング Steilhang	ファレーズ falaise	ルーペ rupe	アカンティラド acantilado	ペンニャシコ penhasco	ウチョース утёс
火山	ヴォルケーノ volcano	ヴルカーン Vulkan	ヴォルカン volcan	ヴルカーノ vulcano	ボルカン volcán	ヴゥカオン vulcão	ヴルカーン вулкан
火口	クレイター crater	クラーター Krater	クラテール cratère	クラテーレ cratere	クラテル cráter	クラテーラ cratera	クラーテル кратер
洞窟	ケイヴ cave	ヘーレ Höhle	グロット grotte	グロッタ grotta	クエバ cueva	カヴェルナ caverna	ピシェーラ пещера

ノルウェー語	ラテン語	ギリシャ語	アラビア語	ヘブライ語	中国語	韓国語	エスペラント語
オース ås	**コッリス** collis	**オクトス** οχθος	**タッル** تل	**ギヴアー** גבעה	**シャオシャン** 小山	**オンドク** 언덕	**モンテート** monteto
プラタ platå	**プラートゥ** plateau	**プラクス** πλαξ	**ハドバ** هضبة	**ヘフレリ** ההררי	**ガオユエン** 高原	**コウォン** 고원	**アルテベナージョ** altebenaĵo
スレッテ slette	**カムプス** campus	**ペディオン** πεδιον	**アディヤ** عادي	**ミショール** מישור	**ピンユエン** 平原	**ピョンヤ** 평야	**エヴェナージョ** ebenaĵo
グレスレッテ gresslette	**プラートゥム** pratum	**レイモーン** λειμών	**マルジュ** مرج	**アドミット・ミルエ** אדמת מרעה	**ツァオユエン** 草原	**チョウォン** 초원	**ヘルベーヨ** herbejo
ヴィルマルク villmark	**インヴィオ** invio	**エリミア** ερημιά	**バッリーヤ** برية	**シュママー** שממה	**フワンイエ** 荒野	**ファンヤ** 황야	**ソヴァゲイヨ** soxaĝejo
ウェルケン ørken	**デザルト** deserto	**エリモス** έρημος	**サハラー** صحراء	**ミッドバル** מדבר	**シャーモー** 沙漠	**サマク** 사막	**デゼールト** dezerto
オアセ oase	**オアシス** oasis	**オアシス** όασις	**ワーハ** واحة	**ナヴェー** נוה	**リョウジュウ** 绿洲	**オアシス** 오아시스	**オアーゾ** oazo
フェル fjell	**モンス** mons	**ヴォウノ** βουνό	**ジャバル** جبل	**ハル** הר	**シャン** 山	**サン** 산	**モント** monto
ダル dal	**ワレース** valles	**ナポス** ναπος	**ワアダ** واد	**エメック** עמק	**シャングー** 山谷	**ケゴク** 계곡	**ヴァーロ** valo
クリッペ klippe	**ルーペ** rupe	**グレモス** γκρεμός	**ジュルフ** جرف	**ツック** צוק	**シュエンヤー** 悬崖	**チョルビョク** 절벽	**クリーフォ** klifo
ヴォルカン vulkan	**ウルカヌス** vulcanus	**イファイスティオ** ηφαίστειο	**ブルカーン** بركان	**ハル・ガアシュ** הר געש	**フオシャン** 火山	**ファサン** 화산	**ヴルカーノ** vulkano
クラテル krater	**クラーテール** crater	**クラーテール** κρατήρ	**フーハ・ブルカーニャ** فوهة البركان	**メクテシュ** מכתש	**フオシャンコウ** 火山口	**ファグ** 화구	**クラテーロ** kratero
フレ hule	**スペールンカ** spelunca	**スペーライオン** σπήλαιον	**カフフ** كهف	**メアラー** מערה	**ドンシュエ** 洞穴	**トングル** 동굴	**カヴェールノ** kaverno

地形

	英語	ドイツ語	フランス語	イタリア語	スペイン語	ポルトガル語	ロシア語
鉱山	マイン mine	ベルクヴェルク Bergwerk	ミーヌ mine	ミニエーラ miniera	ミナ mina	ミナ mina	ルドニーク рудник
地底	グラウンド・ネディア ground nadir	ウンターエアデ Untererde	ステラン souterrain	モンド・ソンメルソ mondo sommerso	スブムンド submundo	スビテレニーオ subterraneo	ポヅズィヤムニィ подземный
川	リヴァー river	フルス Fluss	リヴィエール rivière	フィウーメ fiume	リオ rio	ヒオ rio	リカー река
小川	ストリーム stream	バッハ Bach	リュイソー ruisseau	リガッニョロ rigagnolo	アロヨ arroyo	ヒアーショ riacho	ルチェーイ ручей
浸食	イロウジョン erosion	エロズィオーン Erosion	エロジオン érosion	エロジオーネ erosione	エロシオン erosión	エロザオン erosão	エロージヤ эрозия
滝	ウォーターフォール waterfall	ヴァッサーファル Wasserfall	キャスキャード cascade	カスカータ cascata	カスカダ cascada	カショエイラ cachoeira	ヴァダパート водопад
淵	プール pool	ティーフェ Tiefe	バッサン bassin	アックア・プロフォンダ acqua profonda	レマンソ remanso	アビーズモ abismo	プロポァィスト пропасть
河口	エスチュアリー estuary	ミュンドゥング Mündung	アンブシュール embouchure	エストゥアーリョ estuario	エストゥアリオ estuario	エストアリオ estuário	エーストゥーリィ эстуарий
湖	レイク lake	ゼー See	ラック lac	ラーゴ lago	ラゴ lago	ラーゴ lago	オージラ озеро
池	ポンド pond	タイヒ Teich	エタン étang	スターニョ stagno	ラグナ laguna	ラゴーア lagoa	プルート пруд
泉	スプリング spring	クヴェレ Quelle	ソース source	フォンテ fonte	マナンティアル manantial	フォンチ fonte	イストーチェニク источник
沼	マーシュ marsh	ズンプフ Sumpf	マレ marais	パンターノ pantano	パンタノ pantano	パンタノ pântano	バロータ болото
海	シー sea	ゼー See	メール mer	マーレ mare	マル mar	マール mar	モーリェ море

ノルウェー語	ラテン語	ギリシャ語	アラビア語	ヘブライ語	中国語	韓国語	エスペラント語
グルヴェ gruve	フォディーナ fodina	オリヒオ ορυχείο	モナジム منجم	シェルイェ שלי	クアンシャン 矿山	クァンサン 광산	ミネーヨ minejo
ウンダーヨル underjord	テラム・ナディア terram nadir	イポギオス υπόγειος	タフトゥルアルド تحت الارض	メフテレット מחתרת	ディーシァ 地下	チハ 지하	スブテーラ subtera
エルヴ elv	フルーメン flumen	ポタモス ποτάμος	ナフル نهر	ナハル נהר	フー 河	カン 강	リヴェーロ rivero
ベック bekk	リーウス fluviolus	ポタミオン ποταμιον	ガハディエル غدير	ナハル נהר	シャオフー 小河	シネ 시내	リヴェレート rivereto
エロション erosjon	エーローシオー erosio	ズィアヴロスィ διάβρωση	タッアクル تآكل	シェヒフィーフ שחיקה	ジンシー 侵蚀	チムシク 침식	エロジーオ erozio
フォス foss	カタラクタ cataracta	カタッラクテース καταρρακτης	シャッラール شلال	アパル・マイム מפל מים	プーブー 瀑布	ポクポ 폭포	アクヴォハーロ akvofalo
クールペン kulpen	ヴォラーゴ vorago	レカニ λεκάνη	ハウィヤ هاوية	ブレカー ברכה	シュイタン 水塘	ウンドンイ 웅덩이	プロフンダージョ profundaĵo
エルヴェムニング elvemunning	アエストゥアリオ aestuario	エクヴォリ εκβολή	マサッブ・ナフル مصب النهر	シェフェフ שפך	フーコウ 河口	ハグ 하구	エンフルエーヨ enfluejo
インシェ innsjø	ラクス lacus	リムネー λίμνη	ブハイラ بحيرة	アガム אגם	フウ 湖	ホス 호수	ラーゴ lago
ダム dam	スタグヌム stagnum	テルマ τελμα	ビルカ بركة	アガム אגם	チーズ 池子	ヨンモト 연못	ラゲット lageto
キルデ kilde	フォーンス fons	クレーネー κρηνη	ナフラ نافورة	マクール מקור	チュエンシュイ 泉水	サム 샘	フォント fonto
ミュル myr	パーレェス palus	エロス ελος	ムスタンカウ مستنقع	アガム אגם	ジャオザー 沼泽	ヌプ 늪	マールチョ marĉo
ハーヴ hav	マレ mare	タラッサ θάλασσα	バフラ بحر	ヤム ים	ハイ 海	パダ 바다	マーロ maro

		英語	ドイツ語	フランス語	イタリア語	スペイン語	ポルトガル語	ロシア語
地形	大洋	オーシャン ocean	オツェアーン Ozean	オセアン océan	オチェアーノ oceano	オセアノ océano	オセアーノ oceano	アキアーン океан
	砂浜	ビーチ beach	ザント シュトラント Sandstrand	プラージュ plage	スピャッジャ spiaggia	プライア playa	プライア praia	プリャージ пляж
	湾	ベイ bay	ゴルフ Golf	ベ baie	バーイア baia	バイーア bahía	バイア baia	ザリーヴ залив
	島	アイランド island	インゼル Insel	イル île	イゾラ isola	イスラ isla	イリヤ ilha	オーストラフ остров
	海峡	チャネル channel	メーアエンゲ Meerenge	キャナル canal	カナーレ canale	エストレーチョ estrecho	エストレイト estreito	プラリーフ пролив
	氷山	アイスバーグ iceberg	アイスベルグ Eisberg	イスベルグ iceberg	ギャッチャーヨ ghiacciaio	アイスベルク iceberg	イスベルギ icebergue	アーイスビェルク айсберг
鉱物	石	ストーン stone	シュタイン Stein	ピエール pierre	ピエトラ pietra	ピエドラ piedra	ペードラ pedra	カーミニ камень
	岩	ロック rock	フェルゼン Felsen	ロッシュ roche	ロッチャ roccia	ロカ roca	フォーシャ rocha	スカラー скала
	大理石	マーブル marble	マルモア Marmor	マルブル marbre	マルモ marmo	マルモル mármol	マールモリ mármore	ムラーマル мрамор
	石膏	プラスター plaster	ギプス Gips	アルバートル albâtre	ジェッソ gesso	イエソ yeso	ジェィソ gesso	ギープス гипс
	泥	マッド mud	シュラム Schlamm	ブー boue	ファンゴ fango	バロ barro	ラマ lama	グリャージャ грязи
	粘土	クレイ clay	レーム Lehm	アルジル argile	アルジッラ argilla	アルシリャ arcilla	バッホ barro	グリーナ глина
	溶岩	ラーヴァ lava	ラーヴァ Lava	ラーヴ lave	ラーヴァ lava	ラバ lava	ラヴァ lava	ラーヴァ лава

ノルウェー語	ラテン語	ギリシャ語	アラビア語	ヘブライ語	中国語	韓国語	エスペラント語
ハーヴ hav	オーケアヌス Oceanus	オーケアノス ωκεανός	ムヒート المحيط	ヤム ים	ハイヤン 海洋	テヤン 대양	オセアーノ oceano
サンドストラン sandstrand	リートゥス litus	アクティ ακτη	シャーティ شاطئ	ホフ חוף	ハイタン 海滩	モレサジャン 모래사장	プラーゴ plaĝo
ブクト bukt	シヌス sinus	コルポス κόλπος	ハリージュ خليج	ミフラツ מפרץ	ハイアン 海湾	マン 만	ゴルフェート golfeto
エイ øy	イーンスラ insula	ネーソス νησος	ジャズィーラ جزيرة	イー אי	ダオ 岛	ソム 섬	インスーロ insulo
スンド sund	フレトゥム fretum	ステノポロス στενοπορος	マディーク مضيق	メツァル מצר	ハイシア 海峡	ヘヒョプ 해협	マルコーロ markolo
イスフェル isfjell	モーナス・グラッチャーリス mons glacialis	パゴヴノン παγόβουνον	ジャバル・ジャリード جبل جليد	カルホン קרחון	ビンシャン 冰山	ピンサン 빙산	グラツィモント glacimonto
スタイン stein	ラピス lapis	リトス λιθος	ハジャラ حجر	エヴェン אבן	シートウ 石头	ドル 돌	ストーノ ŝtono
クリッペ klippe	ルーペス rupes	ヴラフォス βράχος	サフラ صخرة	ルーク רוק	イエンシー 岩石	パウィ 바위	ローコ roko
マーモル marmor	マルモル marmor	マルマロス μάρμαρος	ルハーム رخام	シャイッシュ שיש	ダーリーシー 大理石	テリソク 대리석	マルモーロ marmoro
ギプス gips	ギュプスム gypsum	ギュプソス γύψος	ジェス جص	バハット בהט	シーガオ 石膏	ソコ 석고	ギプソ gipso
ギョルメ gjørme	ルトゥム lutum	ボルボロス βορβορος	ティーン طين	ボツ בוץ	ニィ 泥	チンボク 진흙	スィリーモ ŝlimo
レイレ leire	ルトゥム luturn	ピーロス πηλός	ティーン طين	ティット טיט	ニエントゥー 粘土	チョント 점토	アルギーロ argilo
ラヴァ lava	ラーワ lava	ラヴァ λάβα	ハムマ حمم	ラヴァー לבה	ロンイエン 熔岩	ヨンアム 용암	ラーフォ lafo

		英語	ドイツ語	フランス語	イタリア語	スペイン語	ポルトガル語	ロシア語
鉱物	石炭	コール coal	コーレ Kohle	シャルボン charbon	カルボーネ carbone	カルボン carbón	カルヴァオン carvão	ウーガリ уголь
	鉱物	ミネラル mineral	ミネラール Mineral	ミネラル minéral	ミネラーレ minerale	ミネラル mineral	ミネラル mineral	ミニラール минерал
	金	ゴールド gold	ゴルト Gold	オール or	オーロ oro	オロ oro	オウロ ouro	ゾールタ золото
	銀	シルヴァー silver	ズィルバー Silber	アルジャン argent	アルジェント argento	プラタ plata	プラータ prata	シリブロー серебро
	銅	カッパー copper	クプファー Kupfer	キュイーヴル cuivre	ラーメ rame	コブレ cobre	コーブリィ cobre	ミェーチ медь
	鉄	アイアン iron	アイゼン Eisen	フェール fer	フェッロ ferro	イエロ hierro	フェーホ ferro	ジリェーゾ железо
	鉛	レド lead	ブライ Blei	プロン plomb	ピョンボ piombo	プロモ plomo	シュンボ chumbo	スヴィニェーツ свинец
	白金	プラティナム platinum	プラーティーン Platin	プラティヌ platine	プラーティノ platino	プラティノ platino	プラチーナ platina	プラーチナ платина
	鋼	スティール steel	シュタール Stahl	アシエ acier	アッチャーヨ acciaio	アセロ acero	アソォ aço	スターリ сталь
	青銅	ブロンズ bronze	ブローンセ Bronze	ブロンズ bronze	ブロンゾ bronzo	ブロンセ bronce	ブロンゼ bronze	ブローンザ бронза
宝石	宝石	ジェム gem	エーデル シュタイン Edelstein	ジェム gemme	ジェーンメ gemme	ヘマ gema	ジェマ gema	ドラガツェーンニイ・カーミニ драгоценный камень
	宝玉	ジュエル jewel	クライノート Kleinod	スフェール sphère	ジョイエッロ gioiello	ホヤ joya	ジョイア jóia	ドラガーツェニィスト драгоценность
	アメジスト	アメジスト amethyst	アメテュスト Amethyst	アメティスト améthyste	アメティースタ ametista	アマティスタ amatista	アメチスタ ametista	アミチースト аметист

ノルウェー語	ラテン語	ギリシャ語	アラビア語	ヘブライ語	中国語	韓国語	エスペラント語
クル kull	カルクルス calculus	アントラクス άνθραξ	ファフム فحم	ペヘム פחם	メイ 煤	ソクタン 석탄	カルボ karbo
ミネラル mineral	ミネラーレ minerale	オリクト ορυκτό	マァディナ معدن	ミネラル מינרל	クアングウ 矿物	クァンムル 광물	ミネラーロ mineralo
グル gull	アウルム aurum	フリソス χρυσός	ザハブ ذهب	ザハヴ זהב	ジン 金	クム 금	オーロ oro
ソールブ sølv	アルゲントゥム argentum	アルギュロス αργυρος	フィッダ فضة	ケセフ כסף	イン 银	ウン 은	アルジェント arĝento
コッペル kobber	クプルム cuprum	カルコス χαλκός	ヌハース نحاس	ネホシェット נחושת	トン 铜	クリ 구리	クプラ kupra
イェルン jern	フェッルム ferrum	シデーロス σίδηρος	ハディード حديد	バルゼル ברזל	ティエ 铁	チョル 철	フェロ fero
ブリ bly	プルムブム plumbum	モリュヴドス μολυβδος	ラサース رصاص	レフビール להוביל	チィエン 铅	ナプ 납	プルムボ plumbo
プラチナ platina	プラティヌム platinum	レフコクリソス λευκοχρυσος	ブラーティーヌ بلاتين	プラティナ פלטינה	バイジン 白金	ペックム 백금	プラテーノ plateno
ストール stål	カリュプス chalybs	アツァリ ατσαλι	フラース فولاذ	プラダー פלדה	ガンティエ 钢铁	カンチョル 강철	スターロ ŝtalo
ブロンス bronse	アエス aes	カルコウ Χαλκού	ブルーンズ برونز	アラッド ארד	チントン 青铜	チョンドン 청동	ブロンゾ bronzo
エーデルステン edelsten	ゲムマ gemma	リトス λιθος	ジョハラ جوهرة	テクシート תכשיט	バオシー 宝石	ポソク 보석	ゲーモ gemo
ユヴェル juvel	ゲムマ gemma	スフェラ σφαίρα	ジョハラ جوهرة	テクシート תכשיט	バオチウ 宝球	ポオク 보옥	ジュヴェーロ juvelo
アメティスト ametyst	アメテュストゥス amethystus	アメテュストス αμέθυστος	ジャマシュト جمشت	アフラマー אחלמה	ズーシュイジン 紫水晶	チャスジョン 자수정	アメティスト ametisto

宝石

	英語	ドイツ語	フランス語	イタリア語	スペイン語	ポルトガル語	ロシア語
雲母	マイカ mica	グリンマー Glimmer	ミカ mica	ミーカ mica	ミカ mica	ミーカ mica	スリュダー слюда
エメラルド	エメラルド emerald	スマラクト Smaragd	エメロード émeraude	ズメラルド smeraldo	エスメラルダ esmeralda	エズメラゥダ esmeralda	イズムルート изумруд
オニキス	オニキス onyx	オーニュクス Onyx	オニクス onyx	オニチェ onice	オニクス ónix	オーニクス ônix	オーニクス оникс
オパール	オゥパール opal	オパール Opal	オパール opale	オパーレ opale	オパロ ópalo	オパラ opala	アパール опал
ガーネット	ガーネット garnet	グラナート Granat	グルナ grenat	グラナート granato	グラナテ granate	グラナーダ granada	グラナート гранат
琥珀	アンバー amber	ベルンシュタイン Bernstein	アンブル ambre	アンブラ ambra	アンバル ámbar	アンバル âmbar	ヤンターリ янтарь
サファイア	サファイア sapphire	ザフィーア Saphir	サフィール saphir	ザッフィロ zaffiro	サフィロ zafiro	サフィラ safira	サプフィール сапфир
珊瑚	コーラル coral	コラレ Koralle	コライユ corail	コラッロ corallo	コラル coral	コラゥ coral	カラール коралл
真珠	パール pearl	ペルレ Perle	ペルル perle	ペルラ perla	ペルラ perla	ペロッラ pérola	ジェームチュク жемчуг
水晶	クリスタル crystal	クリスタル Kristall	クリスタル cristal	クリスタッロ cristallo	クアルソ cuarzo	クリスタル cristal	クリスタール кристалл
ダイヤモンド	ダイヤモンド diamond	ディアマント Diamant	ディアモン diamant	ディアマンテ diamante	ディアマンテ diamante	ディアマンチ diamante	アルマース алмаз
トパーズ	トパーズ topaz	トパース Topas	トパーズ topaze	トパーツィオ topazio	トパシオ topacio	トパージョ topázio	タパース топаз
トルコ石	ターコイズ turquoise	テュルキース Türkis	テュルコワーズ turquoise	トゥルケーゼ turchese	トゥルケサ turquesa	トゥルケーザ turquesa	ビリュザー бирюза

ノルウェー語	ラテン語	ギリシャ語	アラビア語	ヘブライ語	中国語	韓国語	エスペラント語
ムスコヴィット muskovitt	ムスコーヴィーテ muscovite	マルマリギアス μαρμαρυγίας	ガラー・アルスムク غراء السمك	ネツイェツ נציץ	ユンムー 云母	ウンノ 운모	グリィーモ glimo
スマラーグ smaragd	スマラグドゥス smaragdus	スマラグドス σμαράγδος	ズムルッド زمرد	バレケット ברקת	ルーバオシー 绿宝石	エメラルド 에메랄드	スメラルド smeraldo
オニュクス onyks	オニュクス onyx	オニハス όνυχας	アハクウィク・イヤマニ عقيق يماني	ショハム שוהם	ガオマーナオ 缟玛瑙	オンチョンソク 온천석	オニクソ onikso
オパール opal	オパルス opalus	オパッリオス οπάλλιος	ウーバール أوبال	オパル אופל	タンバイシー 蛋白石	オパル 오팔	オパーロ opalo
グラナート granat	ガルネートゥス garnetus	グラナティス γρανατης	アルハクイーク العقيق	ノフェク נופך	シーリウシー 石榴石	カネット 가넷	グレナート grenato
ラヴ rav	スチーヌマ succinum	エーレクトロ ήλεκτρο	カフラマーン كهرمان	インバル ענבר	フーポー 琥珀	ホバク 호박	アンブロ ambro
サフィール safir	サッピールス sapphirus	サピロス σαπφιρος	ヤークート・アズラク ياقوت أزرق	サピール ספיר	ランバオシー 蓝宝石	サパイオ 사파이어	サフィーロ safiro
コラール korall	コーラリウム corallium	コラッリオン κοράλλιον	マルジャーン مرجان	アルモグ אלמוג	シャンフー 珊瑚	サホ 산호	コラーライ koralaj
ペルレ perle	マルガーリータ margarita	マルガリーテース μαργαριτης	ルウルウ لؤلؤ	プニナー פנינה	チェンジュー 珍珠	チンジュ 진주	ペーロ perlo
クリスタール krystall	クリスタッルム crystallum	クリュスタッロス κρύσταλλος	バッルウラ بلور	ゲビシュ גביש	シュイジン 水晶	スジョン 수정	クリスターロ kristalo
ディアマント diamant	アダマース adamas	アダマース αδαμας	マース ماس	ヤハロム יהלום	ズアンシー 钻石	ダイアモンド 다이아몬드	ディアマント diamanto
トパース topas	トパージオン topazion	トパゾス τοπάζος	トゥバズ توباز	トパズ טופז	フアンユウ 黄玉	トパズ 토파즈	トパーゾ topazo
トゥルキス turkis	トパーズス topazus	カライス καλλαις	ファイルーズ فيروز	ムルフィズ טורקיז	リュウソンシー 绿松石	トルキソク 터키석	トルキーソ turkiso

		英語	ドイツ語	フランス語	イタリア語	スペイン語	ポルトガル語	ロシア語
宝石	翡翠	ジェイド jade	ヤーデ Jade	ジャッド jade	ジャーダ giada	ハデ jade	ジャーヂ jade	ニフリート нефрит
	瑪瑙	アガト agate	アハート Achat	アガット agate	アガタ agata	アガタ ágata	アガタ ágata	アガート агат
	ルビー	ルビー ruby	ルビーン Rubin	リュビ rubis	ルビーノ rubino	ルビー rubí	フビ rubi	ルビーン рубин
植物全般	植物	プラント plant	プフランツェ Pflanze	プラント plante	ピャンタ pianta	プランタ planta	プランタ planta	ラステェーニイェ растение
	木	ツリー tree	バオム Baum	アルブル arbre	アルベロ albero	アルボル árbol	アールヴォィリ árvore	デェーリヴァ дерево
	根	ルート root	ヴルツェル Wurzel	ラシーヌ racine	ラディーチェ radice	ライス raíz	ハイス raiz	コーリニ корень
	幹	トランク trunk	シュタム Stamm	トロン tronc	トロンコ tronco	タリオ tallo	トロンコ tronco	ストヴォール ствол
	枝	ブランチ branch	ツヴァイク Zweig	ラモー rameau	ラーモ ramo	ラマ rama	ガーリオ galho	ヴェートカ ветка
	葉	リーフ leaf	ブラット Blatt	フォイユ feuille	フォーリャ foglia	オハ hoja	フォリア folha	リースト лист
	蔓	ヴァイン vine	ランケ Ranke	セルマン sarment	ヴィティッチョ viticcio	ビド vid	ヴィデイラ videira	ラザー лоза
	種子	シード seed	ケルン Kern	セマンス semence	セーメ seme	セミリャ semilla	セメンチ semente	シェーミャ семя
	芽	スプラウト sprout	カイム Keim	ジェルム germe	ジェンマ gemma	ブロテ brote	ブロート brôto	パビェーク побег
	蕾	バド bud	クノスペ Knospe	ブルジェオン bourgeon	ボーッチョ boccio	イエマ yema	ボタォ botão	ブトン бутон

ノルウェー語	ラテン語	ギリシャ語	アラビア語	ヘブライ語	中国語	韓国語	エスペラント語
ジェード jade	ペントラ・ネフリィーティカ petra nephritica	ネフリティス νεφρίτης	イェシム يشم	ヤルカン ירקן	フェイツイ 翡翠	ピチェ 비취	ヤード jado
アガート agat	アカーテース achates	アハティス αχάτης	アキーク عقيق	バルカット ברקת	マーナオ 玛瑙	マナオ 마노	アガト agato
ルビー rubin	カルブンクルス carbunculus	ルヴェニ ρουμπίνι	ヤークート ياقوت	オデム אודם	ホンバオシー 红宝石	ルビー 루비	ルベーノ rubeno
プランテ plante	プランタ planta	ピュトン φυτόν	ナバート نبات	ツェマッハ צמח	ジーウー 植物	シクムル 식물	プラント planto
トレ tre	アルボル arbor	デンドロン δένδρον	シャジャラ شجرة	エッツ עץ	シュー 树	モク 목	アルボ arbo
ロット rot	ラーディックス radix	リゾーマ ρίζωμα	ジャザラ جذر	ショレッシュ שורש	ゲン 根	プリ 뿌리	ラディコ radiko
スタメ stamme	トルンクス truncus	ステレコス στελεχος	ジェザー جذع	ゲザ גזע	シューガン 树干	ジュルギ 줄기	トルンコ trunko
グレン gren	ラームス ramus	オゾス οζος	ファルウ فرع	アナフ ענף	シュージー 树枝	カジ 가지	ブランツォ branĉo
ブラッド blad	フォリウム folium	ピュッロン φύλλο	ワラク ورق	アレー עלה	イエ 叶	イプ 잎	フォリーオ folio
スリング slyng	ヴィーティー vitis	アヒロ αχυρο	クルマ كرمة	ゲフォン גפן	マン 蔓	ドングル 덩굴	ビンヴェルーヨ vinberujo
フリュー frø	セメンテム sementem	スペルマ σπερμα	ベスラ بذرة	ゼラ זרע	チュンズ 种子	シサッ 씨앗	セーモ semo
スピレ spire	プルナーラ pullulant	ヴラスタリ βλαστάρι	ブルウム برعم	ネヴァット נבט	ヤー 芽	サク 싹	ジェールモ ĝermo
ノップ knopp	ゲムマ gemma	カリュクス καλυξ	ブルウム برعم	ヘネツ הנץ	フワレイ 花蕾	コッポンオリ 꽃봉오리	ブルゾーノ burĝono

		英語	ドイツ語	フランス語	イタリア語	スペイン語	ポルトガル語	ロシア語
植物全般	花	フラワー flower	ブルーメ Blume	フルール fleur	フィオーレ fiore	フロル flor	フロル flor	ツヴィトーク цветок
	花びら	ペトル petal	ブリューテンブラット Blütenblatt	ペタル pétale	ペタロ petalo	ペタロ pétalo	ペータラ pétala	リピストーク лепесток
	茸	マッシュルーム mushroom	ピルツ Pilz	シャンピニオン champignons	フンゴ fungo	オンゴ hongo	コグメーロ cogumelo	グリープ гриб
	苔	モス moss	モース Moos	ムース mousse	ムスキョ muschio	ムスゴ musgo	ムスゴ musgo	モーフ мох
樹木	糸杉	サイプレス cypress	ツュプレッセ Zypresse	シプレ cyprès	チプレッソ cipresso	シプレス ciprés	シプレスシ cipreste	キパリース кипарис
	楓	メープル maple	アーホルン Ahorn	エラーブル érable	アチェロ acero	アルセ arce	バールド bordo	クリョーン клен
	月桂樹	ローレル laurel	ロアベーアバオム Lorbeerbaum	ロリエ laurier	アッローロ alloro	ラウレル laurel	ロウロ louro	ラーヴル лавр
	桜	チェリー・ツリー cherry tree	キルシュバオム Kirschbaum	スリジエ cerisier	チリエージョ ciliegio	セレソ cerezo	セレジィラ cerejeira	ヴィーシニャ Вишня
	白樺	ホワイト・バーチ white birch	ビルケ Birke	ブーロー・ブラン bouleau blanc	ベトゥッラ betulla	アベドゥル・ブランコ abedul blanco	ベドゥエイロ・ブランコ vidoeiro branco	ビリョーザ берёза
	椿	カメリア camellia	カメーリエ Kamelie	キャメリア camélia	カメーリャ camelia	カメリア camelia	カメーリア camélia	カミェーリヤ камелия
	トネリコ	アッシュ・ツリー ash tree	エッシェ Esche	フレーヌ frêne	フラッシノ frassino	フレスノ fresno	フレイショ freixo	ヤーセニ ясень
	ナラ	オーク oak	アイヒェ Eiche	シェーヌ chêne	クエルチャ quercia	ロブレ roble	カルバーリョ carvalho	ドゥーブ дуб
	柊	ホリー holly	シュテヒパルメ Stechpalme	ウー houx	アグリフォーリョ agrifoglio	アセボ acebo	アゼヴィーニョ azevinho	パドゥブ падуб

ノルウェー語	ラテン語	ギリシャ語	アラビア語	ヘブライ語	中国語	韓国語	エスペラント語
ブロムスト blomst	**フロース** flos	**アントス** άνθος	**ズハラ** زهرة	**パラッハ** פרח	**フワ** 花	**コッ** 꽃	**フローロ** floro
クロンブラッド kronblad	**ペタルム** petalum	**ペタロン** πετάλων	**アラバタラ・ナバット** البتلة نبات	**アレー・コテレット** עלה כותרת	**フワバン** 花瓣	**コッイプ** 꽃잎	**ペターロ** petalo
ソップ sopp	**フングス** fungus	**ミュケース** μυκης	**フェタラ** فطر	**ピツゥリヨット** פטריות	**モーグ** 蘑菇	**ピョソト** 버섯	**フゥンゴ** fungo
モセ mose	**ブリュオピュタ** bryophyta	**ブリュオン** βρύων	**トゥフルブ** طحلب	**アツォット** אזוב	**チンタイ** 青苔	**イッキ** 이끼	**ムゥスコ** musko
バールリンド barlind	**クプレッスス** cupressus	**キュパリットス** κυπαρίττος	**サルー** سرو	**ブロッシュ** ברוש	**バイシュー** 柏树	**ジャトヌ** 잣나무	**チプレーソ** cipreso
レュン lønn	**アチェールニ** acernis	**スフェンダミ** σφενδαμι	**カイカブ** قيقب	**エデル** אדר	**フォンシュー** 枫树	**タンプンナム** 단풍나무	**アクセーロ** acero
ラウルベール laurbær	**ラウルス** laurus	**ダプネー** δάφνη	**ガーラ** غار	**ダフナー** דפנה	**ユエグイシュー** 月桂树	**ロジュマリ** 로즈마리	**ラウロ** laŭro
キルセベールブロムスト kirsebærblomst	**ケラスス** cerasus	**ケラソス** κερασος	**カラズ** كرز	**プリート・ドゥベドゥビーム** פריחת דובדבן	**イェンシュ** 樱树	**ポッナム** 벚나무	**サクーロ** sakuro
ビョルク bjørk	**アールブム・ベートゥラ** album betula	**アスプリ・シミダ** ασπρη σημυδα	**バトゥーラン** بتولا	**リヴネー** ליבנה	**バイフワ** 白桦	**カムナム** 카밤나무	**ベトゥーロ** betulo
カメリア kamelia	**カッメリア** camellia	**カメリア** καμέλια	**カーミーリヤー** كاميلية	**カメリヤ** קמליה	**シャンチャー** 山茶	**トンバックナム** 동백나무	**カメリーオ** kamelio
レュンネトレ lønnetre	**フラクシヌス** fraxinus	**フラムリャ** φλαμουρια	**シャジレット・アルラマッド** شجرة الرماد	**エフェル** אפר	**チャンイエチー** 梣叶槭	**ソナム** 소나무	**フラクセーノ** frakseno
エイク eik	**クェルクス** quercus	**ヴェラニディア** βελανιδια	**バッルート** بلوط	**アロン** אלון	**リー** 栎	**チャムナム** 참나무	**クヴェールコ** kverko
ヒバ hiba	**イーレクス** ilex	**アルクドプルナロ** αρκουδοπουρναρο	**アリクス・シャジラ** الإيلكس شجرة	**アデル・ミツォイエ** אדר מצוי	**ジョンシュー** 柊树	**トトナム** 돗나무	**イレークソ** ilekso

		英語	ドイツ語	フランス語	イタリア語	スペイン語	ポルトガル語	ロシア語
樹木	藤	ウィステリア wisteria	グリュツィーニエ Glyzinie	グリシーヌ glycine	グリーチネ glicine	グリシナ glicina	グリシーニア glicinias	グリツィーニヤ глицинии
	菩提樹	リンデン linden	リンデンバオム Lindenbaum	ティヨル tilleul	ティーリォ tiglio	ティロ tilo	チリア tilia	リーパ липа
	松	パイン pine	キーファー Kiefer	パン pin	ピーノ pino	ピノ pino	ピンノ pinho	サスナー сосна
	木蓮	マグノリア magnolia	マグノーリエ Magnolie	マグノリア magnolia	マニョーリャ magnolia	マグノリア magnolia	マギノーリア magnólia	マグノーリヤ магнолия
	椰子	ココナッツ coconut	コーコスパルメ Kokospalme	ココティエ cocotier	パルマ palma	ココ coco	パゥメイラ palmeira	パァーリゥマ пальма
	柳	ウィロウ willow	ヴァイデ Weide	ソール saule	サーリチェ salice	サウセ sauce	サウゲイロ salgueiro	イーヴァ ива
	ライラック	ライラック lilac	フリーダー Flieder	リラ lilas	リッラ lilla	リラ lila	リラス lilás	シリェーニ сирень
	サボテン	キャクタス cactus	カクトゥス Kaktus	カクチュス cactus	カクトゥス cactus	カクトゥス cactus	カークトゥ cacto	カークトゥス кактус
	竹	バンブー bamboo	バンブス Bambus	バンブー bambou	バンブ bambù	バンブー bambú	バンブ bambu	バンブーク бамбук
果実	銀杏	ギンコゥ ginkgo	ギンコ Ginkgo	ノワ・ド・ジャンコ noix de ginkgo	ジーンゴ ginkgo	ヌエース・デ・ヒンゴ nuez de gingko	ジンチーゴゥ ginkgo	ギィーンガ гинкго
	アンズ	アプリコット apricot	アプリコーゼ Aprikose	アブリコ abricot	アルビコッカ albicocca	アルバリコケ albaricoque	ダマスコ damasco	アブリコース абрикос
	イチジク	フィグ fig	ファイゲ Feige	フィギエ figue	フィーコ fico	イゴ higo	フィーゴ figo	インジール инжир
	オリーブ	オリーヴ olive	オリーヴェ olive	オリーブ olive	オリーヴァ oliva	オリバ oliva	オリーヴァ oliva	アリーフカ оливка

ノルウェー語	ラテン語	ギリシャ語	アラビア語	ヘブライ語	中国語	韓国語	エスペラント語
ブローレン blåregn	ウィスティーリア wisteria	グリシナ γλυσινα	ウィスターリヤー ستارية	ヴィステルヤ ויסטריה	ズートン 紫藤	ドングル 덩굴	ヴィステリーオ visterio
ボーディトレ bodhitre	ティリア tilia	フィリラ φιλύρα	ザイザフーン زيزفون	ティルヤ טיליה	プーティーシュー 菩提树	ポリス 보리수	ティリーオ tilio
フール furu	ピーヌス pinus	ペフケー πεύκη	サナウバル صنوبر	ツヌベル צנובר	ソンシュー 松树	ソナム 소나무	ピーノ pino
マグノリア magnolia	マニョーリア magnolia	マグノリア μαγνολία	マグヌーリア مغنولية	マゲノルヤ מגנוליה	ムーラン 木兰	モクラン 목란	マグノリーア magnolia
ココスネット kokosnøtt	パルマ palma	ポイニクス φοινιξ	シャジレット・ナフル شجرة النخل	ココス קוקוס	イエズ 椰子	ヤジャナム 야자나무	パールモ palmo
セルジェ selje	サリーチェズ salices	イーテアー ιτιά	サフサーフ صفصاف	アラヴァ ערבה	リウシュー 柳树	ボドナム 버드나무	サリーコ saliko
スィリン syrin	リーラク lilac	パスハリャ πασχαλιά	ライラカ ليلك	リラッフ לילך	ディンシャン 丁香	ライラク 라일락	シィリンゴ siringo
カクトゥス kaktus	カークトゥース cactus	カクトス κάκτος	サッバール صبار	ココトス קקטוס	シエンレンジャン 仙人掌	ソニンジャン 선인장	カクト kakto
バンブス bambus	ハルゥンド・インディカ harundo indica	カラモス・インディコス καλαμος ινδικος	カイズラニ خيزران	バンブーク במבוק	ジューズ 竹子	デナム 대나무	ヴァンブーオ bambuo
ギンクゴ ginkgo	ジーングオ ginkgo	ズィンコ τζίνγκο	アルジュンケ・アルスィニヤ الجنكة الصينية	ギネク גינקו	インシン 银杏	ウンヘンナム 은행나무	ギンクゴ ginkgo
アプリコス aprikos	ペルスィクム persicum	ベリコッコ βερίκοκκο	ミシュミシュ مشمش	ミシュミシュ משמש	シン 杏	サルグ 살구	アプリコート abrikoto
フィーケン fiken	フィークス ficus	シューコン σύκον	ティーン تين	テエナー תאנה	ウーフワシュー 无花果	ムファグァ 무화과	フィーゴ figo
オリヴェン oliven	オリーワ oliva	エリヤ ελιά	ザイトゥーン زيتون	ザイト זית	ガンラン 橄榄	オルリブ 올리브	オリヴァールド olivarbo

		英語	ドイツ語	フランス語	イタリア語	スペイン語	ポルトガル語	ロシア語
果実	胡桃	ウォールナット walnut	ヴァルヌス Walnuss	ノワイエ noyer	ノーチェ noce	ヌエス nuez	ノゲイラ nogueira	グリェーツキイ・アリェーフ грецкий орех
	ザクロ	ポメグラネト pomegranate	グラナートアプフェル Granatapfel	グルナドゥ grenade	メログラーノ melograno	グラナダ granada	ホーマ romã	グラナート гранат
	スモモ	プルーン prune	プフラオメ Pflaume	プリューヌ prune	プルーニョ prugno	シルエラ ciruela	プルヌス・サリシナ prunus salicina	スリーヴァ слива
	ブドウ	グレイプ grape	ヴァイン Wein	レサン raisin	ウーヴァ uva	ウバ uva	ウーヴァ uva	ヴィナグラート виноград
	桃	ピーチ peach	プフィルズィヒ Pfirsich	ペッシェ pêche	ペスコ pesco	ドゥラスノ durazno	ペッセゴ pêssego	ピェールシク персик
	リンゴ	アップル apple	アプフェル Apfel	ポミエ pommier	メーラ mela	マンサナ manzana	マッサ maçã	ヤーブラカ яблоко
	レモン	レモン lemon	ツィトローネ Zitrone	シトロン citron	リモーネ limone	リモン limón	リマオン limão	リモーン лимон
	メロン	メロン mellon	ミローネ Melone	ムロン mellon	メローネ melone	メロン melón	メロン mellon	ディーニィエ дыня
	苺	ストロベリー strawberry	エーアトベーレ Erdbeere	フレーズ fraise	フラゴーラ fragola	フレサ fresa	モランゴ morango	クルブニーカ клубника
草花	草	グラス grass	グラース Gras	エルブ herbe	エルバ erba	パスト pasto	カピン capim	トラヴァー трава
	朝顔	モーニング・グローリー morning glory	ヴィンデ Winde	ヴォリュビリス volubilis	イポメーア ipomea	イポメア ipomoea	イポモエア ipomoea	イープミヤ ипомея
	アヤメ	アイリス iris	イーリス Iris	イリス iris	イリス iris	リリオ lirio	イリス iris	イーリス ирис
	カーネーション	カーネーション carnation	ネルケ Nelke	ウイエ œillet	ガローファノ garofano	クラベル clavel	クラーヴォ cravo	グヴァズディーカ гвоздика

ノルウェー語	ラテン語	ギリシャ語	アラビア語	ヘブライ語	中国語	韓国語	エスペラント語
ヴァルネット valnøtt	**ユーグラーンス** juglans	**カリュオン** καρυον	**ジャウズ** جوز	**エゴズ** אגוז	**フータオ** 核桃	**ホドゥ** 호두	**ユーガンダールヴォ** juglandarbo
グラナーテプレ granateple	**グラナトゥム** granatum	**ロアー** ρόα	**ルンマーン** رمان	**リモン** רמון	**シーリウ** 石榴	**ソクリュ** 석류	**グラナタールヴォ** granatarbo
プロメ plomme	**プルーヌス** prunus	**プルームノン** προυμνον	**バルクーク** برقوق	**シャズィフ** שזיף	**リーズ** 李子	**チャドゥ** 자두	**プルーノ** pruno
ドロウ drue	**ウヴァス** uvas	**ラクス** ραξ	**イナブ** عنب	**エヌブ** ענב	**プーダオ** 葡萄	**ポド** 포도	**ヴィンヴェーロ** vinbero
フェルスケン fersken	**マルゥム・ペリクシクマ** malum persicum	**ペルシコス** περσικος	**フーフ** خوخ	**アファルセック** אפרסק	**タオシュー** 桃树	**ポクスンア** 복숭아	**ペルシーコ** persiko
エプレ eple	**マールス** malus	**メーロン** μήλον	**トゥッファーフ** تفاح	**タフアッハ** תפוח	**ピングオ** 苹果	**サグァ** 사과	**ポモ** pomo
シトロン sitron	**レッモン** limon	**キトロン** κιτρον	**レメン** ليمون	**リモン** לימון	**ニンモン** 柠檬	**レモン** 레몬	**シトローノ** citrono
メロン melon	**ククゥミス・メロ** cucumis melo	**ペポニ** πεπονι	**シャマン** شمام	**—** —	**ティエングァ** 甜瓜	**メロン** 멜론	**メローノ** melono
ヨルドベール jordbær	**フラーグム** fragum	**フラウラ** φράουλα	**ファラーウラ** فراولة	**トゥート** תות	**ツァオメイ** 草莓	**ツルギ** 딸기	**フラーゴ** frago
グレス gress	**ヘルバ** herba	**ポアー** ποα	**アシャブ** عشب	**ダシャ** דשא	**ツァオ** 草	**プル** 풀	**ヘールボ** herbo
アサガオ asagao	**イポモエア・ニレ** ipomoea nil	**ペリコクラダ** περικοκλάδα	**ムジェドゥ・アサバアフ** مجد الصباح	**ハヴァルヴァル** חבלבל	**チエンニウフワ** 牵牛花	**ナンチョ** 남초	**ファルビート** farbito
イリス iris	**エンサータ** ensata	**イーリス** ιριç	**サウィスナ・ズーハラ** سوسن زهرة	**ケシュティット** קשתית	**チャンプー** 菖蒲	**アイリス** 아이리스	**イリード** irido
ネリック nellik	**カリオーフィルス** caryophyllus	**ガリファロ** γαρύφαλλο	**カランフル シャッヤ** قرنفل شائع	**ツィポレン** צפורן	**カンナイシン** 康乃馨	**カネイション** 카네이션	**ディアント** dianto

草花

	英語	ドイツ語	フランス語	イタリア語	スペイン語	ポルトガル語	ロシア語
菊	クリセンサマム chrysanthemum	クリュザンテーメ Chrysantheme	クリザンテーム chrysanthème	クリザンテーモ crisantemo	クリサンテモ crisantemo	クリザンチモ crisântemo	フリザンテーマ хризантема
クロッカス	クロッカス crocus	クロクス Krokus	クロキュス crocus	クロコ croco	アサフラン azafrán	クロクゥス crocus	クロークス крокус
クローバー	クローヴァー clover	クレー Klee	トレーフル trèfle	トリフォーッリォ trifoglio	トレボル trébol	トリェボ trevo	クリェービル клевер
芥子	ポピィ poppy	モーン Mohn	パヴォ pavot	パパーヴェロ papavero	アマポラ amapola	パポウラ papoula	マーク мак
桜草	プリムローズ primrose	シュリュッセルブルーメ Schlüsselblume	プリムヴェール primevère	プリームラ primula	プリムラ primula	プリームラ prímula	プリームラ примула
水仙	ナーシサス narcissus	ナルツィッセ Narzisse	ナルシス narcisse	ナルチーゾ narciso	ナルシソ narciso	ナルシーゾ narciso	ナルツィース нарцисс
スミレ	ヴァイオレット violet	ファイルヒェン Veilchen	ヴィオレット violette	ヴィオーラ viola	ビオレタ violeta	ヴィオレータ violeta	フィアールカ фиалка
大麻	ヘンプ hemp	ハンフ Hanf	シャンヴル chanvre	カナパ canapa	カニャモ cáñamo	カニャモ cânhamo	カナプリャー конопля
チューリップ	チューリップ tulip	トゥルペ Tulpe	チュリップ tulipe	トゥリパーノ tulipano	トゥリパン tulipán	トゥリパ tulipa	チュリパーン тюльпан
トリカブト	アコナイト aconite	シュトゥルムフート Sturmhut	アコニ aconit	アコーニト aconito	アコニト acónito	アコーニトゥ acônito	アコーニェト аконит
ナデシコ	ダイアンサス dianthus	ネルケ Nelke	ウイエ Œillet	ディアーント dianto	ディアントース dianthus	ダントゥス dianthus	グヴァズディーカ гвоздика
蓮	ロータス lotus	ロートス Lotus	ロチュス lotus	ロート loto	ロト loto	ロートゥス nelumbo nucifera	ロータス лотос
ヒナギク	デイジー daisy	ゲンゼブリュームヒェン Gänseblümchen	マルグリット marguerite	マルゲリータ margherita	マルガリタ margarita	マルガリーダ margarida	マルガリートカ маргаритка

ノルウェー語	ラテン語	ギリシャ語	アラビア語	ヘブライ語	中国語	韓国語	エスペラント語
クリサンテムム krysantemum	クリューサンテムム chrysanthemum	クリサンセモン χρυσάνθεμον	ウクホウェン أقحوان	ヘルツィット חרצית	ジューフワ 菊花	クギファ 국화	クリザンテーモ krizantemo
クローカス krokus	クロォックス crocus	クロコス κρόκος	ザアファラーン زعفران	カルコム כרכום	ファンフォンファ 番紅花	クロッカス 크로커스	クロクーソ krokuso
クルーヴァー kløver	トリフォリウム trifolium	トリフェリ τριφύλλι	ネフル نفل	ティルタン תלתן	サンイエツァオ 三叶草	クロバ 클로버	トリフォリーオ trifolio
セネップ sennep	パパーウェル papaver	パパルナ παπαρούνα	ザフラトゥルハシュハーシュ زهرة الخشخاش	ペレグ פרג	インスーフワ 罌粟花	キョジャ 겨자	パパヴセーモ papavsemo
プリムラ primula	プリームラ・セボンリィ primula sieboldii	プリムラ πριμουλα	ザフラトゥッラビーウ زهرة الربيع	レカフェット רקפת	インツァオ 櫻草	ナパルッカム 나팔꽃	プリモーロ primolo
ポースケリリエ påskelilje	ナルキッスス narcissus	ナルキッソス νάρκισσος	ナルジュソ نرجس	ナルキス נרקיס	シュイシエン 水仙	スセンファ 수선화	ナルキーソ narciso
フィオル fiol	ヴィオラ viola	イオン ιον	バナフサジュ بنفسج	オグル סגול	ジンツァイ 堇菜	チェビッコッ 제비꽃	ヴィオロ violo
ハンプ hamp	カルナビィ cannabis	カナヴィ κάνναβη	キンナブ قنب	カナビス קנבוס	ダーマー 大麻	デマ 대마	カナーヴォ kanabo
トリパン tulipan	トゥリパ tulipa	トゥリパ τουλίπα	フザーミー خزامى	ツィヴオニ צבעוני	ユージンシャン 郁金香	トゥリプ 튤립	チュリーポ tulipo
ムンケハット munkehatt	アコニートゥム aconitum	アコニト ακονίτο	アルビーシュ البيش	フネク・ドヴ חונק דוב	ウートウ 乌头	ベクイル 백일홍	アクソニート acónito
ネリック nellik	ディアントゥス dianthus	ディアンソス διανθος	— —	ツィポレン צפורן	シーズー 石竹	クギファ 국화	ディアント dianto
ロートゥス lotus	ロートウス lotus	ロートス λωτός	ルートゥス لوتس	ロトゥス לוטוס	リエンフワ 莲花	ヨン 연	ロトゥーソ lotuso
テュセンフリード tusenfryd	ベリス・ペラルーニ bellis perennis	マルガリタ μαργαρίτα	ウクホウェン أقحوان	ハヌニット חננית	チュージュー 雏菊	コベラ 거베라	レカンテート lekanteto

		英語	ドイツ語	フランス語	イタリア語	スペイン語	ポルトガル語	ロシア語
草花	ヒマワリ	サンフラワー sunflower	ゾンネンブルーメ Sonnenblume	トゥルネソル tournesol	ジラソーレ girasole	ヒラソル girasol	ジラソゥ girassol	パトソールチニク подсолнечник
	ユリ	リリー lily	リーリエ Lilie	リス lis	ジーリョ giglio	リリオ lirio	リーリオ lírio	リーリヤ лилия
	ラベンダー	ラヴェンダー lavender	ラヴェンデル Lavendel	ラヴァンド lavande	ラヴァンダ lavanda	ラバンダ lavanda	ラバンダ lavanda	ラヴァーンダ лаванда
	蘭	オーキッド orchid	オルヒデー Orchidee	オルキデ orchidée	オルキデーア orchidea	オルキデア orquídea	オルキデア orquídea	アルヒデーヤ орхидея
	薔薇	ローズ rose	ローゼ Rose	ロジエ rosier	ローザ rosa	ロサ rosa	ホーザ rosa	ローザ роза
	紫陽花	ハイドレンジャー hydrangea	ホーテンズィーエン Hortensien	オルタンシア hortensia	オールテンシア ortensia	オルテンシア hortensia	オルティンシア hortênsia	ゴルテテーニズィヤ гортензия
農作物	玉ねぎ	オニオン onion	ツィーベル Zwiebel	オニオン oignon	チポッラ cipolla	セボリャ cebolla	セヴォーラ cebola	ルーク лук
	野菜	ベジタブル vegetable	ゲミューゼ Gemüse	レギューム légumes	ヴェルドゥーラ verdura	ベヘタル vegetal	ベルドゥラ verdura	オーヴォッシェ овощи
	穀物	グレイン grain	ゲトライデ Getreide	グラン grain	グラーニ grani	セレアル cereal	グラオン grão	ジルナーヴィーイェ зерновые
	小麦	ウィート wheat	ヴァイツェン Weizen	ブレ blé	グラーノ grano	トリーゴ trigo	トリゴ trigo	プシェニーツァ пшеница
	大麦	バーリー barley	ゲルステ Gerste	オルジュ orge	オルゾ orzo	セバーダ cebada	セヴァダ cevada	ヤチミェーニ ячмень
	穂	イール ear	シュピッツェ Spitze	エピ épi	スピーガ spiga	エスピガ espiga	オヴィド ouvido	ウーハ ухо
	豆	ビーン bean	ボーネ Bohne	ポワ pois	ファッジォーロ fagiolo	レグンブレ legumbre	フェイジョインス feijões	ファッソールィ фасоль

ノルウェー語	ラテン語	ギリシャ語	アラビア語	ヘブライ語	中国語	韓国語	エスペラント語
ソルシッケ solsikke	**ヘーリアンデス** helianthes	**イリアンソス** ηλιανθος	**アッバードゥッシャムス** عباد الشمس	**ママニット** חמנית	**シャンリークイ** 向日葵	**ヘバラギ** 해바라기	**スンフローロ** sunfloro
リリエ lilje	**リーリウム** lilium	**クリノン** κρίνον	**ザンバカ** زنبق	**ショシャナ** שושן	**バイフー** 百合	**ベクハプ** 백합	**リリーオ** lilio
ラヴェンデル lavendel	**ラバンドラ** lavandula	**レヴァンダ** λεβάντα	**フザーミー** خزامي	**アゾヴヨン** אזוביון	**ションイーツァオ** 薰衣草	**ラベンダー** 라벤더	**ラヴェンド** lavendo
オルキデ orkidé	**オルキス** orchis	**オルキス** ορχις	**クーサイ** خصي	**サフラヴ** סחלב	**ラン** 兰	**ナンチョ** 난초	**オルキデオ** orkideo
ロゼ rose	**ロサ** rosa	**ロドン** ροδον	**ワルダ** وردة	**ヴェレッド** ורד	**メイグイフワ** 玫瑰花	**チャンミ** 장미	**コーゾ** rozo
ホルテンシア hortensia	**イーベレンジ** hydrangea	**イドラギィア** υδραγεία	**アルクウィビヤ・クウィブ・ミヤ** الكوبية كوب مياه	**ヒドランゲー** הידראנגאה	**シウチウファ** 绣球花	**スグク** 수국	**ヒドランゲーオ** hidrangeo
ルーク løk	**シェパ** cepa	**クレミディ** κρεμμύδι	**バサル** بصل	**ヴェツェル** בצל	**ヤンツォン** 洋葱	**ヤンパ** 양파	**セーポ** cepo
グリュンサケール grønnsaker	**オルス** olus	**ラカノン** λαχανον	**ハドラーワート** خضروات	**イェラコット** ירקות	**シューツァイ** 蔬菜	**チェソ** 채소	**レゴーモ** legomo
コーン korn	**フルーメントゥム** frumentum	**シートス** σιτος	**フブーブ** حبوب	**デガン** דגן	**グーウー** 谷物	**コクムル** 곡물	**グレーノ** greno
フヴェテ hvete	**トリーティクム** triticum	**ピューロス** πυρος	**カムハ** قمح	**ヘター** חטה	**シャオマイ** 小麦	**ミル** 밀	**トリティーコ** tritiko
ビュッグ bygg	**ホルデウム** hordeum	**クリーテー** κριθη	**シャイール** شعير	**セオラー** שעורה	**ダーマイ** 大麦	**ポリ** 보리	**ホルデオ** hordeo
アクス aks	**スピーカ** spica	**スタヒィ** στάχυ	**エゼン** إذن	**オズィン** אוזן	**スイ** 穗	**イサク** 이삭	**スピーコ** spiko
ベヌ bønne	**ファーバ** faba	**ファソリア** φασόλια	**ファウスウリア** فاصوليا	**シャナイット** שעועית	**ドウ** 豆	**コン** 콩	**ファーヴォ** fabo

幻想
戦闘
道具
時空
形質
社会
人間
自然

		英語	ドイツ語	フランス語	イタリア語	スペイン語	ポルトガル語	ロシア語
農作物	ニンニク	ガーリック garlic	クノブラウフ Knoblauch	アイエ ail	アッリョ aglio	アッホ ajo	アリヨ alho	チェスノゥーク чеснок
	木綿	コットン cotton	バウムヴォーレ Baumwolle	コトン coton	コトーネ cotone	アルゴドン algodón	アルゴドン algodão	クラップルゥーク хлопок
	トマト	トマト tomato	トマートゥン Tomaten	トマート tomate	ポモドーリ pomodori	トマテ tomate	トマティス tomates	ポァミドゥル помидор
動物全般	遠吠え	ハウル howl	ホイレン Heulen	ユルルモン hurlement	ウルラート ululato	アウリャル aullar	ウィーヴォ uivo	ヴォーイ вой
	咆哮	ローア roar	ゲブリュル Gebrüll	リュジスモン rugissement	ルッジート ruggito	ルヒル rugir	フジド rugido	リョーヴ рев
	動物	アニマル animal	ティーア Tier	アニマル animal	アニマーレ animale	アニマル animal	アニマゥ animal	ジヴォートナイェ животное
	獣	ビースト beast	ベスティエ Bestie	ベット bête	ベスティア bestia	ベスティア bestia	ビァスタ besta	ズヴェーリ зверь
	卵	エッグ egg	アイ Ei	ウフ oeuf	ウオーヴァ uova	ウエボ huevo	オーヴォス ovos	イェッツァ яйца
	家畜	ライヴストック livestock	ヴィー Vieh	アニマル・ドメスティーク animal domestique	ベスティアーメ bestiame	アニマル・ドメスティコ animal doméstico	ペキュアーリア pecuária	スクォート скот
動物（部位）	角	ホーン horn	ホルン Horn	コルヌ corne	コルノ corno	クエルノ cuerno	コァルノ côrno	ローク рог
	牙	ファング fang	ファング Fang	クロ croc	ザンナ zanna	コルミリョ colmillo	プレザ presa	クルィーク клык
	鉤爪	タロン talon	クラオエ Klaue	セール serres	アルティーリョ artiglio	ガラ garra	ガハ garra	コーガチ коготь
	触手	テンタクル tentacle	フューラー Fühler	タンタキュル tentacule	テンターコロ tentacolo	テンタークロ tentáculo	テンタクロゥ tentáculo	シューパリツェ щупальце

ノルウェー語	ラテン語	ギリシャ語	アラビア語	ヘブライ語	中国語	韓国語	エスペラント語
フヴィトルク hvitløk	セイレヴム sativum	スコルド σκόρδο	ソウム ثوم	ショム שום	ダースァン 大蒜	マヌル 마늘	アイロ ajlo
ボムール bomull	グッシピウマ gossypium	ヴァンヴァキ βαμβάκι	コタン قطن	コトネー כותנה	ミァン 棉	モクファ 목화	コトノ kotono
トマト tomat	リコペリシクゥマ lycopersicum	ントマテス ντομάτες	タマテン طماطم	アゲブニヴット עגבניות	シーホンシ 西红柿	トマト 토마토	トマート tomato
ウーリング uling	ウルラーメン ululamen	ウリャフト ουρλιαχτο	ウワー عواء	イェララー יללה	ハオ 嗥	ムルリ ジタ 멀리 짖다	ジェメーグ gxemegu
ブローリング brøling	ルゼーナス rugiens	ヴリヒスモス βρυχηθμός	ハディール هدير	シャアガー שאגה	パオシャオ 咆哮	ポヒョ 포효	ムーギ muĝi
デュール dyr	アニマーリア animalia	ゾーオン ζώον	ハヤワーン حيوان	ハヨーフ חיה	ドンウー 动物	トンムル 동물	アニマーロ animalo
デュール dyr	ベースティア bestia	クティノス κτηνος	ワフシュ وحش	ハヨーフ חיה	ショウレイ 兽类	ジムスン 짐승	ヴェースト besto
エッグ egg	オヴマ ovum	アフガ αυγά	ベヤダ بيض	ヴィツィム ביצים	ジーダン 鸡蛋	タルッカル 달걀	オーヴォ ovo
フスデュール husdyr	イウメーンタ iumenta	クティノトロフィア κτηνοτροφία	マーシェヤ ماشية	バリー・ヒイェム בעלי חיים	ジァチュー 家畜	カチュク 가축	ブルートイ brutoj
ホルン horn	コルヌ cornu	ケラス κέρας	カルン قرن	ツォフェル צופר	ジヤオ 角	プル 뿔	コルノ korno
タン tann	デンテス dentes	カウリオドゥース χαυλιοδους	ナーバ ناب	ニヴ ניב	リヤオヤー 獠牙	ヤン 앙	デンテーゴ dentego
クロ klo	ウングラ ungula	ニヒ νύχι	マハリブ مخالب	トフェル טפר	ジュア 爪	ガルゴリ 갈고리	ガラ garra
テンタッケル tentakkel	アンテナ antenna	プロカーミ πλοκάμι	メジュス・ネバット مجس نبات	ズロア זרוע	チューショウ 触手	チョクス 촉수	テンタクロ tentaklo

動物（部位）

	英語	ドイツ語	フランス語	イタリア語	スペイン語	ポルトガル語	ロシア語
尾	テイル tail	シュヴァンツ Schwanz	クー queue	コーダ coda	コラ cola	カウダ cauda	フヴォースト хвост
たてがみ	メイン mane	メーネ Mähne	マヌ mane	クリニエーラ criniera	メレナ melena	ジューバ juba	グリーヴァ грива
ひづめ	フーフ hoof	フーフ Huf	サボ sabot	ツォッコロ zoccolo	ペスニャ pezuña	カスコ casco	カプィータ копыто
毛皮	ファー fur	フェル Fell	フリュール fourrure	ペッリッチャ pelliccia	ピエル piel	ペーリ pele	シェールスチ шерсть
羽毛	フェザー feather	フェーダー Feder	プリュヌ plume	ピューマ piuma	プルマス plumas	ペッナ pena	ピロー перо
翼	ウィング wing	フリューゲル Flügel	エル ailier	アーラ ala	アラ ala	アーザ asa	クルィロー крыло
くちばし	ビーク beak	シュナーベル Schnabel	ベック bec	ベッコ becco	ピコ pico	ビーコ bico	クリューヴ клюв
鱗	スケイル scale	シュッペ Schuppe	エカイユ écaille	スカーッリァ scaglia	エスカマ escama	エスカーラ escala	チシュヤー чешуя
ひれ	フィン fin	フロッセ Flosse	ナジョワール nageoire	ピンナ pinna	アレタ aleta	バルバターナ barbatana	プラヴニーク плавник
水掻き	ウェブ web	シュヴィムハオト Schwimmhaut	パルミュール palmure	フェトゥッキア fettuccia	メンブラナ membrana	テーヤ teia	ピリポーンカ перепонка
甲羅	シェル shell	リュッケンシルト Rückenschild	キャラパス carapace	カラパーチェ carapace	カパラソン caparazón	コンシャ concha	カラーポクス карапакс
吸盤	サッカー sucker	ザオクナップフ Saugnapf	ヴァントゥーズ ventouse	ヴェントーザ ventosa	ベントサ ventosa	ヴェントーザ ventosa	プリソースカ присоска

哺乳類

	英語	ドイツ語	フランス語	イタリア語	スペイン語	ポルトガル語	ロシア語
シマウマ	ゼブラ zebra	ツィーバー Zebra	ゼーブル zèbre	ゼーブラ zebra	セーブラ cebra	ゼブラ zebra	ズィーブラ зебра

ノルウェー語	ラテン語	ギリシャ語	アラビア語	ヘブライ語	中国語	韓国語	エスペラント語
ハレ hale	**カウダ** cauda	**ウラ** ουρά	**ザヤラ** ذيل	**ザナヴ** זנב	**ウェイバー** 尾巴	**コリ** 꼬리	**ヴォスト** vosto
タテガミ manke	**ユゥバ** juba	**カイテー** χαίτη	**アハルフェル フルス** عرف الفرس	**ラアマー** רעמה	**ゾン** 鬃	**ガルギ** 갈기	**コルハーロ** kolhararo
ヒズメ kloven	**ウングラ** ungula	**オプリ** οπλή	**ハーフィル** حافر	**パルセフ** פרסה	**ティー** 蹄	**パルグッ** 발굽	**フーフォ** hufo
ペルス pels	**ペッリス** pellis	**デルマ** δερμα	**ファルウ** فرو	**パルヴァー** פרוה	**マオピー** 毛皮	**モピ** 모피	**フェロ** felo
フェール fjær	**ペンナ** penna	**プテラ** πτερα	**リーシャ** ريشة	**ノツァー** נוצה	**ユーマオ** 羽毛	**キッテル** 깃털	**プルマーロ** plumaro
ヴィンゲ vinge	**アーラ** ala	**プテリュクス** πτερυξ	**ジャナーフ** جناح	**カナフ** כנף	**イー** 翼	**ナルゲ** 날개	**フルギーロ** flugilo
ネッブ nebb	**ロストロ** rostro	**ランフォス** ραμφος	**ミンカール** منقار	**マコール** מקור	**フイ** 喙	**プリ** 부리	**ヴェコ** beko
スキェル skjell	**スクァーマ** squama	**レピ** λέπι	**ハラシフ・アルソムク** حراشف السمك	**スレム** סולם	**リン** 鳞	**ピヌル** 비늘	**スクラーモ** skvamo
フィンネ finne	**ピンナ** pinna	**プテリギオ** πτερύγιο	**ジアニファ** زعنفة	**サンピール** סנפיר	**チー** 鳍	**チヌロミ** 지느러미	**ナジロ** naĝilo
スヴェンネ フェッタ svømmeføtter	**メンブラーナ** membrana	**ステガノプース** στεγανοπυς	**ミジュダフ** مجداف	**スネフィール** סנפיר	**プー** 蹼	**ムルカルキ** 물갈퀴	**パドレ** paddle
スカル skall	**テースタ** testa	**カヴキ** καβουκι	**コディファ** قذيفة	**ペゲツ** פגז	**チャオ** 壳	**トゥングッキル** 등껍질	**カラパーツォ** karapaco
スゲコップ sugekopp	**アケタープルム** acetabulum	**プロボスキデス** προβοσκιδες	**イブラフ** إبله	**コス・イェニカ** כוס יניקה	**シーパン** 吸盘	**フィプァン** 흡반	**クーポ** kupo
セブラ sebra	**エクウス・グレヴィ** equus grevyi	**ゼブラ** ζέβρα	**ハイマール・アルワハシュ** حمار الوحش	**ゼブラー** זברה	**バンマー** 斑马	**オルックマル** 얼룩말	**ゼーブロ** zebro

哺乳類

	英語	ドイツ語	フランス語	イタリア語	スペイン語	ポルトガル語	ロシア語
犬	ドッグ dog	フント Hund	シヤン chien	カーネ cane	ペロ perro	カショッホ cachorro	サバーカ собака
番犬	ウォッチドッグ watchdog	ヴァハフント Wachhund	シヤン・ドゥ・ギャルド chien de garde	カネ・ダ・グアルディア cane da guardia	ペロ・グアルディアン perro guardián	カオン・ヂ・グアルダ cão de guarda	スタラジヴォーイ・ピョース сторожевой пес
猟犬	ハウンド hound	ヤークトフント Jagdhund	シヤン・ドゥ・シャッス chien de chasse	ブラッコ bracco	ペロ・デ・カサ perro de caza	カオン・ヂ・カサ cão de caça	アホートニチヤ・サバーカ охотничьи собаки
猫	キャット cat	カッツェ Katze	シャ cat	ガット gatto	ガト gato	ガト gato	コーシカ кошка
山猫	ワイルドキャット wildcat	ヴィルトカッツェ Wildkatze	シャ・ソヴァージュ chat sauvage	リーンチェ lince	ガト・モンテス gato montés	ガト・セゥヴァジェン gato selvagem	ディーカヤ・コーシカ дикая кошка
馬	ホース horse	プフェーアト Pferd	シュヴァル cheval	カヴァッロ cavallo	カバリオ caballo	カヴァーロ cavalo	ローシャチ лошадь
牛	キャトル cattle	シュティーア Stier	ボヴァン bovin	ムッカ mucca	バカ vaca	ガード gado	ブィーク бык
豚	ピッグ pig	シュヴァイン Schwein	コション cochon	マヤーレ maiale	セルド cerdo	ポルコ porco	シヴィニヤー свинья
羊	シープ sheep	シャーフ Schaf	ムートン mouton	ペコラ pecora	オベハ oveja	カルネイロ carneiro	アヴツァー овца
山羊	ゴート goat	ツィーゲ Ziege	シェーヴル chèvre	カプラ capra	カブラ cabra	カブラ cabra	カザー коза
ラクダ	キャメル camel	カメール Kamel	シャモー chameau	カンメッロ cammello	カメリオ camello	カメッロ camelo	ヴィルブリュード верблюд
鹿	ディア deer	ヒルシュ Hirsch	セルフ cerf	チェルヴォ cervo	シエルボ ciervo	セルヴォ cervo	アリェーニ олень
猪	ボア boar	エーバー Eber	サングリエ sanglier	チンギャーレ cinghiale	ハバリー jabalí	ジャヴァリー javali	カバーン кабан

ノルウェー語	ラテン語	ギリシャ語	アラビア語	ヘブライ語	中国語	韓国語	エスペラント語
フンド hund	**カニス** canis	**キュオーン** κυων	**ケレバ** كلب	**ケレヴ** כלב	**ゴウ** 狗	**ケ** 개	**フンド** hundo
ヴァクトフンド vakthund	**プレシド・カニス** praesidio canis	**マンドロスキロ** μαντροσκυλο	**カルブルヒラーサ** كلب الحراسة	**ケレヴ・シュミラー** כלב שמירה	**カンジアゴウ** 看家狗	**ギョンビギョン** 경비견	**コルトフンド** kortohundo
ヤクトフンド jakthund	**カニス・ウェーナーティクス** canis venaticus	**キニゴスキロ** κυνηγόσκυλο	**ケレバ** كلب	**ケレヴ・ツァイド** כלב ציד	**リエゴウ** 猎狗	**サニャンケ** 사냥개	**チャシュフンド** ĉashundo
カット katt	**フェーレース** feles	**アイルーロス** αιλουρος	**カッタ** قط	**ハトゥール** חתול	**マオ** 猫	**コヤンイ** 고양이	**カート** kato
ゴーペ gaupe	**リュンクス** lynx	**リンクス** λυγξ	**ワシャカ** وشق	**ハトゥール・バル** חתול בר	**シャンマオ** 山猫	**サンコヤンイ** 산고양이	**ソバージャ・カート** sovaĝa kato
ヘスト hest	**エクウス** equus	**ヒッポス** ιππος	**ヒサーン** حصان	**スース** סוס	**マー** 马	**マル** 말	**チェバーロ** ĉevalo
クー ku	**ボース** bos	**アゲラダ** αγελαδα	**バカラ** بقرة	**バカル** בקר	**ニウ** 牛	**ソ** 소	**ボーヴォ** bovo
グリス gris	**スース** sus	**ヒュース** υς	**ヒンズィール** خنزير	**ハズィール** חזיר	**ジュー** 猪	**テジ** 돼지	**ポールコ** porko
ソウ sau	**オベス** oves	**プロヴァトン** πρόβατον	**ハルーフ** خروف	**ケヴェス** כבש	**ヤン** 羊	**ヤン** 양	**サフォ** ŝafo
ゲイト geit	**カペル** caper	**トラゴス** τραγος	**マーイザ** ماعز	**エズ** עז	**シャンヤン** 山羊	**ヨムソ** 염소	**カプロ** kapro
カメル kamel	**カメールス** camelus	**カメロース** καμήλος	**ジャマラ** جمل	**ガマル** גמל	**ルオトゥオ** 骆驼	**ナクタ** 낙타	**キャメーロ** kamelo
ヒョルト hjort	**ケルウス** cervus	**エラポス** ελάφος	**アイル** أيل	**ツェヴィー** צבי	**ルー** 鹿	**サスム** 사슴	**セールヴォ** cervo
ヴィルスヴィン villsvin	**アプルム** aprum	**カプロス** κάπρος	**ヒンズィール・バッリー** خنزير بري	**ハズィール** חזיר	**イエジュー** 野猪	**メッドウィ** 멧돼지	**アプコ** apro

哺乳類

	英語	ドイツ語	フランス語	イタリア語	スペイン語	ポルトガル語	ロシア語
犀	ライナセラス rhinoceros	ナースホルン Nashorn	リノセロス rhinocéros	リノチェロンテ rinoceronte	リノセロンテ rinoceronte	ヒノセロンチ rinoceronte	ナサローク носорог
カバ	ヒポポタマス hippopotamus	ニールプフェーアト Nilpferd	イポポタム hippopotame	イッポポータモ ippopotamo	イポポタモ hipopótamo	イポポターモ hipopótamo	ギッパパターム гиппопотам
猿	モンキー monkey	アッフェ Affe	サンジュ singe	シンミャ scimmia	モノ mono	マカコ macaco	アビジヤーナ обезьяна
狐	フォックス fox	フクス Fuchs	ルナール renard	ヴォルペ volpe	ソロ zorro	ハポーザ raposa	リサー лиса
狸	ラクーン・ドッグ raccoon dog	マルダーフント Marderhund	シヤン・ヴィヴラン chien viverrin	カネ・プローチョネ cane procione	マパチェ mapache	テシューゴ texugo	イエノタヴィードナヤ・サバーカ енотовидная собака
カワウソ	オター otter	オッター Otter	ルートル loutre	ロントラ lontra	ヌトゥリア nutria	ロントラ lontra	ヴィードラ выдра
狼	ウルフ wolf	ヴォルフ Wolf	ルー loup	ルーポ lupo	ロボ lobo	ローボ lobo	ヴォールク волк
虎	タイガー tiger	ティーガー Tiger	ティーグル tigre	ティーグレ tigre	ティグレ tigre	チグリ tigre	チーグル тигр
獅子	ライオン lion	レーヴェ Löwe	リオン lion	レオーネ leone	レオン león	レアオン leão	リェーヴ лев
豹	レパード leopard	レオパルト Leopard	レオパール leopard	パンテーラ pantera	レオパルド leopardo	レオパルド leopardo	リアパールト леопард
熊	ベア bear	ベーア Bär	ウルス ours	オルソ orso	オソ oso	ウルソ urso	ミドヴェーチ медведь
兎	ラビット rabbit	ハーゼ Hase	ラパン lapin	コニーリョ coniglio	コネホ conejo	コエッリオ coelho	クローリク кролик
鼠	マウス mouse	マオス Maus	スリ souris	トーポ topo	ラタ rata	ハト rato	ムィーシ мышь

ノルウェー語	ラテン語	ギリシャ語	アラビア語	ヘブライ語	中国語	韓国語	エスペラント語
ネショルン neshorn	リノチェロティス rhinocerotis	リーノケロース ρινόκερως	カルカッダン كركدن	カルナフ קרנף	シーニウ 犀牛	サジャ 사자	リノセーロ rinocero
フロデスト flodhest	ヒッポポタムス hippopotamus	ヒッポポタムス ιπποπόταμος	ファラスンナフル فرس النهر	ヒポー היפו	フーマー 河马	ハマ 하마	ヒポポターモ hipopotamo
アペ ape	シーミャ simia	ピテーコス πιθηκος	クルド قرد	コフ קוף	ホウズ 猴子	ウォンスンイ 원숭이	シミーオ simio
レヴ rev	ウルペース vulpes	アローペークス αλωπηξ	サアラブ ثعلب	シュアル שועל	フーリ 狐狸	ヨウ 여우	ヴァルポ vulpo
グレヴリング grevling	カニス・ラクーン canis raccoon	トロコス τροχος	ラークーナ راكون	ラクン רקון	ハオズ 貉子	ノグリ 너구리	ニクテレウト nikterеŭto
オテル oter	ルートラ lutra	エニドリス ενυδρις	カダーハ قضاعة	ルトゥラー לוטרה	シュイター 水獭	スダル 수달	ルトロ lutro
ウルヴ ulv	ルプス lupus	リュコス λύκος	ズィブ ذئب	ゼエヴ זאב	ラン 狼	ヌクデ 늑대	ルーポ lupo
ティガー tiger	ティグリス tigris	ティグリス τίγρις	ナムラ نمر	ナメル נמר	フー 虎	ホランイ 호랑이	ティーグロ tigro
レーヴ løve	レオー leo	レオーン λεων	カシャーム قشعم	アリイェ אריה	シーズ 狮子	サジャ 사자	レオノ leono
レオパルド leopard	レオパルドゥス leopardus	パンテル πανθηρ	アルナムル النمر	ナメル נמר	バオ 豹	ヒョボム 표범	パンテーロ pantero
ビョルン bjørn	ウルスス ursus	アルクトス αρκτος	ドゥッブ دب	ドヴ דוב	ション 熊	コム 곰	ウールソ urso
ハレ hare	レプス lepus	ダシュプース δασυπους	アルナブ أرنب	アルナヴ ארנב	トゥー 兔	トッキ 토끼	クニークロ kuniklo
ムス mus	ムース mus	ミュース μυς	ファアル فأر	アフバル עכבר	ラオシュ 老鼠	チュイ 쥐	ラート rato

分類		英語	ドイツ語	フランス語	イタリア語	スペイン語	ポルトガル語	ロシア語
哺乳類	リス	スクィーラル squirrel	アイヒヘルンヒェン Eichhörnchen	エキュロイユ écureuil	スコヤットロ scoiattolo	アルディリア ardilla	エスキーロ esquilo	ビェールカ белка
	モグラ	モウル mole	マオルヴルフ Maulwurf	トープ taupe	タルパ talpa	トポ topo	トゥペイラ toupeira	クロート крот
	蝙蝠	バット bat	フレーダーマオス Fledermaus	ショーヴル・スリ chauve-souris	ピピストレッロ pipistrello	ムルシエラゴ murciélago	モルセーゴ morcêgo	リトゥーチャヤ・ムィーシ летучая мышь
	象	エレファント elephant	エレファント Elefant	エレファン éléphant	エレファンテ elefante	エレファンテ elefante	エレファンチ elefante	スローン слон
	アザラシ	シール seal	ゼーフント Seehund	フォック phoque	フォーカ foca	フォカ foca	フォーカ foca	チュリーン тюлень
	アシカ	シー・ライオン sea lion	ゼーレーヴェ Seelöwe	オタリ otarie	オターリャ otaria	レオン・マリノ león marino	レアオ・マリンノ leão marinho	マルスキィー・リーヴィ морские львы
爬虫・両生類	蛙	フロッグ frog	フロッシュ Frosch	グルヌイユ grenouille	ラーナ rana	ラーナ rana	サーポ sapo	リグーシカ лягушка
	蛇	サーペント serpent	シュランゲ Schlange	セルパン serpent	セルペンテ serpente	セルピエンテ serpiente	セルペンツィ serpente	ズミヤー змея
	毒蛇	ヴァイパー viper	ギフトシュランゲ Giftschlange	ヴィペール vipère	ヴィーペラ vipera	ビボラ víbora	ヴィーボラ víbora	ヤダヴィータヤ・ズミヤー ядовитая змея
	トカゲ	リザード lizard	アイデクセ Eidechse	レザール lézard	ルチェルトラ lucertola	ラガルティハ lagartija	ラガルト lagarto	ヤーシリツァ ящерица
	ワニ	クロコダイル crocodile	クロコディール Krokodil	クロコディル crocodile	コッコドリッロ coccodrillo	ココドゥリロ cocodrilo	クロコヂィーロ crocodilo	クラカディール крокодил
	亀	タートル turtle	シルクレーテ Schildkröte	トルチュ tortue	タルタルーガ tartaruga	トルトゥガ tortuga	タルタルーガ tartaruga	チリパーハ черепаха
軟体動物	カタツムリ	スネイル snail	シュネッケ Schnecke	エスカルゴ escargot	キョッチョラ chiocciola	カラコル caracol	カラコロゥ caracol	ウリートカ улитка

ノルウェー語	ラテン語	ギリシャ語	アラビア語	ヘブライ語	中国語	韓国語	エスペラント語
エコルン ekorn	スキウールス sciurus	スキウーロス σκίουρος	スィヌジャーブ سنجاب	スナイ סנאי	ソンシュー 松鼠	タラムチュ 다람쥐	シチウーロ sciuro
ムルドヴァルプ muldvarp	タルパ talpa	スカロプス σκαλοψ	アルホルド الخلد	ハファルフェレット חפרפרת	イエンシュー 鼹鼠	トゥデジ 두더지	タルポ talpo
フラガームス flaggermus	ウェスペフレティーリオー vespertilio	ニュクテリス νυκτερις	アルファハフィーシュ الخفافيش	バット בת	ビエンフー 蝙蝠	パクジュ 박쥐	ヴェスペールト vesperto
エレファント elefant	エレパントゥス elephantus	エレファース ελέφας	フィール فيل	ピール פיל	ダーシアン 大象	コッキリ 코끼리	エレファント elefanto
セル sel	ポーカ phoca	フォーケー φωκη	ハタマ ختم	フートム חותם	ハイバオ 海豹	ムルッケ 물개	フォーコ foko
シューレーヴェ sjøløve	オタリナーエ otariinae	サラシオス・レオン θαλασσιος λεων	アサド・アルバハル أسد البحر	アリ・ヤム ארי הים	ハイシー 海狮	パダサジャ 바다사자	オレルフォーコ orelfoko
フロスク frosk	ラーナ rana	バトラコス βάτραχος	ダフダウ ضفدع	ツファルデア צפרדע	チンワー 青蛙	ケグリ 개구리	ラーノ rano
スランゲ slange	セルペンス serpens	フィディ φίδι	スアバーン ثعبان	ナハッシュ נחש	シャー 蛇	ベム 뱀	セルペント serpento
ギフトスランゲ giftslange	セプス seps	オヒャ οχιά	アフア・サームム أفعى سامة	ツェファ צפע	ドゥーシャー 毒蛇	トクサ 독사	ヴィプーロ vipuro
エューグレ øgle	ラチェールタ lacerta	サヴラ σαύρα	シハリア سحلية	レタアー לטאה	シーイー 蜥蜴	クィットゥラミ 귀뚜라미	ラクセールト lacerto
クロコディレ krokodille	クロコディールス crocodilus	クロコディロス κροκόδειλος	ティムサーハ تمساح	タニーム תנין	ウーユー 鳄鱼	アケ 악어	クロコディウーロ krokodilo
スキルパッデ skilpadde	テーストゥードゥー testudo	ケローネー χελωνη	スラフファート سلحفاة	ツァヴ צב	ウーグウイ 乌龟	コブク 거북	テストゥード testudo
スネール snegl	コクレア cochlea	コクリアース κοχλιας	ハラズーン حلزون	シャヴルール שבלול	ウォニウ 蜗牛	タルペンイ 달팽이	ヘリーコ heliko

	英語	ドイツ語	フランス語	イタリア語	スペイン語	ポルトガル語	ロシア語
軟体動物 ナメクジ	スラグ slug	ナックトシュネッケ Nacktschnecke	リマス limace	ルマーカ lumaca	バボサ babosa	レィズマ lesma	スリージニ слизень
鳥類 鳥	バード bird	フォーゲル Vogel	ワゾー oiseau	ウッチェッロ uccello	アベ ave	パッサロ pássaro	プチーツァ птица
渡り鳥	マイグレイトリー・バード migratory bird	ツークフォーゲル Zugvogel	ワイズ oiseaux	ウッチェッロ・ミグラトーレ uccello migratore	アベ・ミグラトリア ave migratoria	パッサロ・ミグラトリオ pássaro migratório	ピリリョートナヤ・プチーツァ перелётная птица
水鳥	ウォーターファウル waterfowl	ヴァッサーフォーゲル Wasservögel	ソヴァジンヌ sauvagine	ウッチェッロ・アックアーティコ uccello acquatico	アベ・アクアティカ ave acuática	アヴェ・アクアーチカ ave aquática	ヴーダプルァヴーシェ водоплавающие
猛禽	ラプター raptor	ラオプフォーゲル Raubvogel	ラパス rapace	ウッチェッロ・ラパーチェ uccello rapace	アベ・デ・ラピニャ ave de rapiña	アヴェ・チ・ハピニャ ave de rapina	ヒーシナヤ・プチーツァ хищная птица
鷲	イーグル eagle	アードラー Adler	エーグル aigle	アークイラ aquila	アギラ águila	アギャ águia	アロール орёл
鷹	ホーク hawk	ファルケ Falke	フォーコン faucon	ファルコ falco	アルコン halcón	カヴィアオン gavião	ヤーストリィプ ястреб
隼	ファルコン falcon	ヴァンダーファルケ Wanderfalke	フォーコン・ペレラン faucon pèlerin	ファルコ・ペッレグリーノ falco pellegrino	アルコン halcón	ファゥカオ falcão	ソーカル сокол
梟	オウル owl	オイレ Eule	シュエット chouette	チヴェッタ civetta	ブオ búho	コルジャ coruja	サヴァー сова
カラス	クロウ crow	クレーエ Krähe	コルボー corbeau	コルヴォ corvo	クエルボ cuervo	コルヴォ corvo	ヴァローナ ворона
雀	スパロウ sparrow	シュペルリング Sperling	モワヌー moineau	パッセロ passero	ゴリオン gorrión	パルダゥ pardal	ヴァラビェーイ воробей
燕	スワロウ swallow	シュヴァルベ Schwalbe	イロンデル hirondelle	ロンディネ rondine	ゴロンドリナ golondrina	イングォソール engolir	ラースタチカ ласточка
鳩	ピジョン pigeon	タオベ Taube	ピジョン pigeon	ピッチョーネ piccione	パロマ paloma	ポンバ pomba	ゴールビ голубь

ノルウェー語	ラテン語	ギリシャ語	アラビア語	ヘブライ語	中国語	韓国語	エスペラント語
スネグレ snegle	リーマークス limax	ギムノサリアガス γυμνοσάλιαγκας	レホゥイー رخوي	シャヴルール שבלול	クオユー 蛞蝓	ミンタルペンイ 민달팽이	リマーコ limako
フール fugl	アウィス avis	オルニス ορνις	タイル طائر	ツィポール צפור	ニャオ 鸟	セ 새	ヴリード birdo
トレックフール trekkfugl	アウィグス・ミゲランティブス avibus migrantibus	プラネトス・オルニス πλανητος ορνις	ターイル・ムハージル طيور مهاجر	オフォット・ノディット ציפור נודדת	ホウニャオ 候鸟	チョルセ 철새	ミグロビールド migrobirdo
ヴァーデフール vadefugl	フリカス fulix	ユドゥルヴィオ・プテノ υδρόβιο πτηνό	ターイル・マーイー طيور مائي	オフォット・マイム עופות מים	シュイニャオ 水鸟	ムルセ 물새	アクロビールド akvobirdo
ローフール rovfugl	アヴィス・ラパックス avis rapax	アルパクティコ αρπακτικο	ラベトウル رابتور	オフォット・ドルスイーム עופות דורסים	モンチン 猛禽	メングム 맹금	ラボビールド rabobirdo
エュルン ørn	アクィラ aquila	アエトス αετος	ヌサル نسر	ネシュル נשר	ジュウ 鹫	トクスリ 독수리	アーグロ aglo
ファルク falk	アチーピタル accipiter	ゲラキ ιεραζ	サクル صقر	ネツ נץ	イン 鹰	メ 매	ファルコ falko
ファルコン falkon	ファルコ falco	タクシディアリコ・ゲラキ ταξιδιαρικο γερακι	サクル صقر	バズ בז	スン 隼	ソンゴルメ 송골매	ファルコ falco
ウグレ ugle	ノークトゥアム noctuam	グラウクス γλαυξ	ブーマ بومة	ヤンシュフ ינשוף	マトウイン 猫头鹰	プンイ 부엉이	グーフォ gufo
クローケ kråke	コルウス corvus	コローネー κορωνη	グラーブ غراب	オレヴ עורב	ウーヤー 乌鸦	カマグリ 까마귀	コールヴォ korvo
スプルヴ spurv	パッセル passer	ストルートス στρουθος	ウスフール عصفور	ドゥロール דרור	マーチュエ 麻雀	チャムセ 참새	パセーロ pasero
スヴァール sval	ヒルンドー hirundo	ケリードーン χελιδόν	スヌーヌ سنونو	レヴルーア לבלוע	イエンズ 燕子	チェビ 제비	ヒルンド hirundo
ドゥー due	コルムバ columba	ペリステラー περιστέρα	ハママ حمامة	ヨナー יונה	グーズ 鸽子	ビドルギ 비둘기	コロンボ kolombo

鳥類

	英語	ドイツ語	フランス語	イタリア語	スペイン語	ポルトガル語	ロシア語
雉	フェズント pheasant	ファザーン Fasan	フザン faisan	ファジャーノ fagiano	ファイサン faisán	ファンサオン faisão	ファザーン фазан
ヒバリ	ラーク lark	レルヒェ Lerche	アルエット alouette	アッロードラ allodola	アロンドラ alondra	コトヴィア cotovia	ジャーヴァラノク жаворонок
鴨	ワイルド・ダック wild duck	エンテ Ente	キャナール・ソヴァージュ canard sauvage	アナトラ anatra	パト・シルベストレ pato silvestre	パート pato	ディーカヤ・ウートカ дикая утка
白鳥	スワン swan	シュヴァーン Schwan	シーニュ cygne	チーニョ cigno	シスネ cisne	シズニィ cisne	リェービチ лебедь
鶴	クレイン crane	クラーニヒ Kranich	グルー grue	グル gru	グルリャ grulla	グルーア grua	ジュラーヴリ журавль
鷺	ヘロン heron	ライアー Reiher	エロン héron	アイロネ・チェネリーノ airone cenerino	ガルサ garza	ガルサ garça	ツァープリャ цапля
カモメ	ガル gull	メーヴェ Möwe	ムエット mouette	ガッビャーノ gabbiano	ガビオタ gaviota	ガイヴォタ gaivota	チィーカ чайка
コウノトリ	ストーク stork	シュトルヒ Storch	シゴーニュ cigogne	チコーニャ cicogna	シグエニャ cigüeña	セゴーニャ cegonha	アイィスト аист
アホウドリ	アルバトロス albatross	アルバトロス Albatros	アルバトロス albatros	アールバトロ albatro	アルバトロス albatros	アルバトロス albatroz	アリバトロース альбатрос
鶏	チキン chicken	フーン Huhn	プーレ poulet	ポーロ pollo	ガリナ gallina	ガルニャ galinha	クーリツァ курица
アヒル	ダック duck	ハウスエンテ Hausente	キャナール canard	アナトラ・ドメスティカ anatra domestica	パト pato	パート pato	ウートカ утка
七面鳥	ターキー turkey	トルートフーン Truthahn	ダンド dinde	タッキーノ tacchino	パボ pavo	ペルー peru	インデューク индюк
ガチョウ	グース goose	ガンス Gans	オワ oie	オーカ oca	ガンソ ganso	ガンソ ganso	グーシ гусь

ノルウェー語	ラテン語	ギリシャ語	アラビア語	ヘブライ語	中国語	韓国語	エスペラント語
ファーサン fasan	**パーシアーヌス** phasianus	**パーシアーノス** φασιανος	**タッダルジュタエル** التدرج طائر	**パスヨン** פסיון	**イエジー** 野鸡	**クォン** 꿩	**ファザーノ** fazano
ラルケ lerke	**アラウダ** alauda	**コリュドス** κορυδός	**クッバラ** قبرة	**エフロニ** עפרוני	**ユンチュエ** 云雀	**チャムセ** 참새	**アラウド** alaŭdo
アンド and	**アナス** anas	**ネーッタ** νηττα	**バッタ** بط	**バルヴァズ** ברווז	**ヤー** 鸭	**オリ** 오리	**ソバガナーソ** sovaĝanaso
スヴァーネ svane	**オロル** olor	**キュクノス** κύκνος	**ベジュワ** بجعة	**バルブール** ברבור	**ティエンウー** 天鹅	**ベクジョ** 백조	**シグノ** cigno
トラーネ trane	**グルース** grus	**ゲラノス** γερανός	**クルキー** كركي	**メヌープ** מנוף	**フー** 鹤	**ハク** 학	**グルーオ** gruo
ヘーグレ hegre	**アルデア** ardea	**エロズィオス** ερωδιός	**バラシューン** بلشون	**アナファー** אנפה	**ルー** 鹭	**ペクロ** 백로	**アルデーオ** ardeo
モーケ måke	**ラールム** larum	**ラロス** λάρος	**ナウラス** نورس	**シャハフ** שחף	**オウ** 鸥	**カルメギ** 갈매기	**メーヴォ** mevo
ストルク stork	**キコーニア** ciconia	**ペラルゴス** πελαργός	**ラクラカ** لقلق	**イビス** איביס	**グワン** 鹳	**ファンセ** 황새	**チコニーオ** cikonio
アルバトロス albatross	**アルバートゥルス** albatrus	**ディオミディア** διομηδεια	**カトラス** قطرس	**アルバトロス** אלבטרוס	**シンティエンオウ** 信天翁	**アルラクジョ** 알락조	**アルバトロース** albatros
ヘーネ høne	**プルム** pullum	**コトプロ** κοτόπουλο	**ダジャージャ** دجاج	**オフ** עוף	**ジー** 鸡	**タッコ** 닭	**ココ** koko
アンド and	**アナス** anas	**ネーッサ** νήσσα	**バッタ** بط	**バルヴァズ** ברווז	**ヤー** 鸭	**オリ** 오리	**アナーソ** anaso
カルクン kalkun	**トゥールカ** turcia	**ガロプラ** γαλοπουλα	**ディーク・ルーミー** ديك رومي	**トルキー** טורקיה	**フオジー** 火鸡	**チルミョンジョ** 칠면조	**メレアーグロ** meleagro
ゴース gås	**アーンセル** anser	**ケーン** χήν	**ワザ** وزة	**オーゼ** אוזה	**ウー** 鹅	**コウィ** 거위	**アンセーロ** ansero

		英語	ドイツ語	フランス語	イタリア語	スペイン語	ポルトガル語	ロシア語
鳥類	オウム	パロット parrot	パパガイ Papagei	ペロケ perroquet	パッパガッロ pappagallo	ローロ loro	パパガヨ papagaio	パプガーイ попугай
	孔雀	ピーコック peacock	プファオ Pfau	ポン paon	パヴォーネ pavone	パボ・レアル pavo real	パゾン pavão	パヴリーン павлин
	ダチョウ	オストリッチ ostrich	シュトラオス Strauß	オートリュシュ autruche	ストゥルッツォ struzzo	アベストルス avestruz	アヴェストルス avestruz	ストラーウス страус
	ペンギン	ペンギン penguin	ピングイーン Pinguin	パンゴワン pingouin	ピングイーノ pinguino	ピングイノ pingüino	ピンギン pinguim	ピングィーン пингвин
	ナイチンゲール	ナイチンゲール nightingale	ナハティガル Nachtigall	ロシニョル rossignol	ウズィニョーロ usignolo	ルイセニョール ruiseñor	ロウシノロウ rouxinol	ソラヴィー соловей
	カッコウ	クク cuckoo	クッコック Kuckuck	ククー coucou	クークーロ cuculo	クコ cuco	クーコ cuco	ククゥーシュカ кукушка
水棲動物	魚	フィッシュ fish	フィッシュ Fisch	プワゾン poisson	ペーシェ pesce	ペス pez	ペイシェ peixe	ルィーバ рыба
	ウナギ	イール eel	アール Aal	アンギーユ anguille	アングィッラ anguilla	アンギーラ anguila	エンギーア enguia	ウーゴリ угорь
	鮭	サーモン salmon	ラックス Lachs	ソモン saumon	サルモーネ salmone	サルモン salmón	サゥマオン salmão	ラソーシ лосось
	ナマズ	キャットフィッシュ catfish	ヴェルス Wels	シリュール silure	ペーシェ・ガット pesce gatto	シルーロ siluro	バーグリ bagre	ソーム сом
	マグロ	ツナ tuna	トゥーンフィッシュ Thunfisch	トン thon	トンノ tonno	アトゥーン atún	アトゥン atum	トゥニェーツ тунец
	イルカ	ドルフィン dolphin	デルフィーン Delfin	ドーファン dauphin	デルフィーノ delfino	デルフィーン delfín	ゴルフィーニョ golfinho	ディリフィーン дельфин
	鯨	ホエール whale	ヴァール Wal	バレーヌ baleine	バレーナ balena	バリエナ ballena	バレイア baleia	キート кит

ノルウェー語	ラテン語	ギリシャ語	アラビア語	ヘブライ語	中国語	韓国語	エスペラント語
パペグェイエ papegøye	**プシッタクス** psittacus	**プシッタコス** ψιττακος	**バブハー** ببغاء	**トゥキー** תוכי	**インウー** 鹦鹉	**エンムセ** 앵무새	**パパーゴ** papago
ポーフール påfugl	**パーウォー** pavo	**タオース** ταως	**ターウース** طاووس	**タヴァス** טווס	**コンチュエ** 孔雀	**コンジャク** 공작	**パーヴォ** pavo
ストルツ struts	**ストゥルティオーネム** struthionem	**メガス・ストルートス** μεγας στρουθος	**ナアーム** نعام	**イヤナー** יען	**トゥオニャオ** 鸵鸟	**タジョ** 타조	**ストルート** struto
ピングヴィン pingvin	**スペィニッシュフォルメーザ** sphenisciformes	**ピングイノス** πιγκουίνος	**ビトリーク** بطريق	**ピングヴィン** פינגווין	**チーウー** 企鹅	**ペンギン** 펭귄	**ピングヴェーノ** pingveno
ナッテルガール nattergal	**ルスキニア** luscinia	**アイドーニ** αηδόνι	**アンダリーブ** عندليب	**ゼミル** זמיר	**イエイン** 夜莺	**ナイティンゲイル** 나이팅게일	**ナイチンガーロ** najtingalo
ギューク gjøk	**ククゥルス** cuculus	**クゥコス** κούκος	**アビラホ** أبله	**クッキーフ** קוקייה	**ブウグゥ** 布谷	**ポックギ** 뻐꾸기	**クコーロ** kukolo
フィスク fisk	**ピスキス** piscis	**イクテュース** ιχθυς	**サメキ** سمك	**ダグ** דג	**ユー** 鱼	**ムルコギ** 물고기	**フィーソ** fiŝo
オール ål	**アングイラム** anguillam	**エンケリュス** εγχελυς	**サアバーヌルマー** ثعبان الماء	**ツァロファハ** צלופח	**マンユー** 鳗鱼	**ジャンオ** 장어	**アンジーロ** angilo
ラクス laks	**サルモー** salmo	**ソロモス** σολομός	**サルムーン** سلمون	**サルモン** סלמון	**グイ** 鲑	**ヨノ** 연어	**サルモ** salmo
カットフィスク kattfisk	**シルールス** silurus	**イコプサロ** λυκόψαρο	**サメキ・アルサルウル** سمك السلور	**スファムヌン** שפמנון	**ニエンユー** 鲶鱼	**メギ** 메기	**シルーロ** siluro
トゥンフィスク tunfisk	**テュンヌス** thynnus	**スィンノス** θυννος	**トゥーナ** تونة	**トゥナー** טונה	**ジンチアンユー** 金枪鱼	**チャムチ** 참치	**チヌーソ** tinuso
デルフィン delfin	**デルピーヌス** delphinus	**デルフィーニ** δελφίνι	**ドゥルフィーン** دلفين	**ドルフィン** דולפין	**ハイトゥン** 海豚	**トルゴレ** 돌고래	**デルフェーノ** delfeno
ヴァール hval	**バーラエナ** balaena	**ファライナ** φάλαινα	**ホウェット** حوت	**レヴィタヤン** לווייתן	**ジンユー** 鲸鱼	**コレ** 고래	**ヴァレーノ** baleno

幻想
戦闘
道具
時空
形質
社会
人間
自然

		英語	ドイツ語	フランス語	イタリア語	スペイン語	ポルトガル語	ロシア語
水棲動物	シャチ	キラー・ホエール killer whale	シュヴェーアトヴァール Schwertwal	エポラール épaulard	オルカ orca	オルカ orca	オルカ orca	カサートカ косатка
	鮫	シャーク shark	ハイ hai	ルカン requin	スクアーロ squalo	ティブロン tiburón	トゥバラオン tubarão	アクーラ акула
	イカ	スクイッド squid	ディンテンフィッシュ Tintenfisch	キャラマール calmar	セッピャ seppia	カラマル calamar	ルーラ lula	カリマール кальмар
	タコ	オクトパス octopus	クラーケ Krake	プルプ poulpe	ポールポ polpo	プルポ pulpo	ポゥロフォ polvo	アシミノーク осьминог
	貝	シェル shell	ムッシェル Muschel	コキヤージュ coquillage	コンキーリャ conchiglia	アルメハ almeja	コンシャ concha	アバルーシュカ оболочка
	蟹	クラブ crab	クラッベ Krabbe	クラブ crabe	グランキョ granchio	カングレホ cangrejo	カラゲージョ caranguejo	クラープ краб
	海老	シュリンプ shrimp	ガルネーレ Garnele	クルヴェット crevette	ガンベレット gamberetto	カマロン camarón	カマロン camarão	クリヴェートカ креветка
虫	昆虫	インセクト insect	インゼクト Insekt	アンセクト insecte	インセット insetto	インセクト insecto	インセート inseto	ナシコーマイェ насекомое
	小虫	バグ bug	ケーファー Käfer	アンセクト insecte	インセット insetto	ビチョ bicho	ビージョ bicho	ヴカーシュカ букашка
	虫	ワーム worm	ヴルム Wurm	ヴェール ver	ヴェルメ verme	グサノ gusano	ヴェルム verme	チェールヴィ червь
	幼虫	ラーヴァ larva	ラルフェ Larve	ラルヴ larve	ラルヴァ larva	ラルバ larva	ラルヴァ larva	リチーンカ личинка
	繭	コクーン cocoon	ココーン Kokon	ココン cocon	ボッツォロ bozzolo	カプリョ capullo	カズゥロ casulo	コーカン кокон
	蛹	ピューパ pupa	プッペ Puppe	クリザリッド chrysalide	プーパ pupa	クリサリダ crisálida	プーパ pupa	クーカルカ куколка

ノルウェー語	ラテン語	ギリシャ語	アラビア語	ヘブライ語	中国語	韓国語	エスペラント語
スペックホッゲル spekkhogger	オゥルカ orca	オルキ ορκη	アルフートゥルカーティル الحوت القاتل	カトラン קטלן	フージン 虎鯨	ボムコレ 범고래	オールコ orko
ハイ hai	スクウアァルゥス squalus	ガレオス γαλεος	サマクルキルシュ سمك القرش	カリッシュ כריש	シャーユー 鯊鱼	サンオ 상어	シャルコ ŝarko
ブレックスプルト blekksprut	ローリゴ lolligo	カラマーリ καλαμάρι	ハッバール حبار	カラマリ קלמארי	モーユー 墨鱼	オジンゴ 오징어	セピオ sepio
ブレックスプルト blekksprut	ポリプス polypus	ポリュプース πολυπους	ウフトゥブート أخطبوط	タムヌン תמנון	ジャンユー 章鱼	ムノ 문어	ポルポ polpo
スキェル skjell	コーンチャ concha	ストゥリディ στρειδι	マハーラ مَحارة	フォギザ פגז	ベイ 贝	チョゲ 조개	コンクーロ konkulo
クラッベ krabbe	カンケル cancer	カルニコス καρνικος	サラターナ سلطعون	サルタン סרטן	シエ 蟹	ケ 게	クラーヴォ krabo
レーケ reke	スクィーラ squilla	アスタコス αστακος	ジャンバリー جمبري	ハスィロン חסילון	シア 虾	セウ 새우	サリコーコィ salikokoj
インセクト insekt	イーンセクトゥム insectum	エントマ εντομα	ハシャラ حشرة	ヘレック חרק	クンチョン 昆虫	コンチョン 곤충	インセークト insekto
インセクト insekt	キーメックス cimex	ゾイフィオ ζωυφιο	ハシャラ حشرة	ヘレック חרק	シャオクンチョン 小昆虫	ベルレ 벌레	シーモ cimo
インセクト insekt	ウェルミス vermis	スクリキ σκουλήκι	ドゥーダ دودة	ヘレック חרק	ルーチョン 蠕虫	ベルレ 벌레	ヴェルモ vermo
ラルヴェ larve	ラールア larua	プロニムフィ προνυμφη	ヤラハ يرقة	ザハル זחל	ヨウチョン 幼虫	ユチョン 유충	ラールヴォ larvo
ココング kokong	テグミーネ tegmine	ヴォンヴィクス βομβυξ	シャルナハ شرنقة	ゴレム גולם	ジアン 茧	コチ 고치	ココーノ kokono
プッペ puppe	プーパ pupa	クリューサッリス χρυσαλλίς	ハーディラ خادرة	ゴレム גולם	ヨン 蛹	ポンデギ 번데기	プーポ pupo

虫	英語	ドイツ語	フランス語	イタリア語	スペイン語	ポルトガル語	ロシア語
蟻	アント ant	アーマイゼ Ameise	フォルミ fourmi	フォルミーカ formica	オルミガ hormiga	フォルミガ formiga	ムラヴェーイ муравей
蚊	モスキート mosquito	ミュッケ Mücke	ムスティック moustique	ザンザーラ zanzara	モスキト mosquito	モスキット mosquito	カマール комар
蛾	モス moth	ナハトファルター Nachtfalter	パピヨン・ドゥ・ニュイ papillon de nuit	ファレーナ falena	ポリリャ polilla	マリポーザ mariposa	ムォール моль
カブトムシ	ビートル beetle	ナースホルンケーファー Nashornkäfer	ビータル beetle	スカラベーオ scarabeo	エスカラバホ escarabajo	ベゾウロ besouro	ジューク жук
カマキリ	マンティス mantis	ゴッテスアンベーテリン Gottesanbeterin	マント・レリジューズ mante religieuse	マンティデ mantide	マンティス mantis	ロウヴァ・ア・デウス louva-a-deus	バゴーモル богомол
クワガタムシ	スタグ・ビートル stag beetle	ヒルシュケーファー Hirschkäfer	リュカヌ・セラ・ヴロン lucane celf-volant	チェルヴォ・ヴォランテ cervo volante	ルカニダエ lucanidae	ベゾゥル・チ・ヴェアド besouro de veado	ジューク・アリェーニ жук-олень
コオロギ	クリケット cricket	グリレ Grille	クリケ criquet	グリッロ grillo	グリリョ grillo	グリロ grilo	スヴィルチョーク сверчок
コガネムシ	チェファー chafer	ゴルトケーファー Goldkäfer	スカラベ scarabé	スカラベーディ scarabeidi	エスカラバホ・デ・オロ escarabajo de oro	ベゾウロ besouro	モィスキー・ジューク майский жук
ゴキブリ	コックローチ cockroach	キッヒェンシャーベ Küchenschabe	キャファール cafard	スカラファッジョ scarafaggio	クカラチャ cucaracha	パラータ barata	タラカーン таракан
蝉	シケイダ cicada	ツィカーデ Zikade	シガール cigale	チカーラ cicala	シガラ cigarra	シガッハ cigarra	ツィカーダ цикада
蝶	バタフライ butterfly	シュメッターリング Schmetterling	パピヨン papillon	ファルファッラ farfalla	マリポサ mariposa	ボルボレッタ borboleta	バーブチカ бабочка
テントウムシ	レディーバグ ladybug	マリーエンケーファー Marienkäfer	コキシネル coccinelle	コッチネッラ coccinella	マリキータ mariquita	ジョアニーナ joaninha	ボージヤ・カローヴカ божья коровка
トンボ	ドラゴンフライ dragonfly	リベレ Libelle	リベリュル libellule	リベッルラ libellula	リベルラ libélula	リベルラ libélula	ストリィカザー стрекоза

ノルウェー語	ラテン語	ギリシャ語	アラビア語	ヘブライ語	中国語	韓国語	エスペラント語
マウル maur	フォルミーカ formica	ミュルメークス μυρμήξ	ナミラ نمل	ネマラー נמלה	マーイー 蚂蚁	ケミ 개미	フォルミーコ formiko
ミュッグ mygg	クレックス culex	クヌピ κουνούπι	バウダ بعوضة	ヤトゥーシュ יתוש	ウェンズ 蚊子	モギ 모기	モスキート moskito
モール møll	ティニア tinea	ヘーピオロス ηπιολος	ファラーシャ فراش	アッシュ עש	ウー 蛾	ナビ 나비	ノクトパピリーオ noktopapilio
ホルンビレ hornbille	スカラベウス scarabaeus	カンタロス κανθαρος	フンフサー خنفساء	ヒプシット חיפושית	ドゥージャオシエン 獨角仙	チャンスクドギ 장수구더기	スカラーヴォ skarabo
マンティス mantis	マントデア mantodea	マンティス μαντις	フルス・アルナビ فرس النبي	グマル・シュロモー גמל שלמה	タンラン 螳螂	サマグリ 사마귀	マント manto
ヒョルテビレ hjortebille	チャルブス・ブルークス cervus bruchus	リカニデス λυκανιδες	フンフサー・アルアイール خنفساء الأيل	ヒプシット・アヤル חיפושית אייל	チァオシンチョン 鍬形蟲	ワンサスムベルレ 왕사슴벌레	コルノスカラーヴォ kornoskarabo
シリス siriss	グリーロス gryllus	アクリス ακρις	スルスル صرصر	カリキット קריקט	シーシュワイ 蟋蟀	トマベム 도마뱀	グリーオ grilo
スカラベ skarabé	ミメーラ・スプレーンダン mimela splendens	メーロロンテー μηλολονθη	アルジャアール الجعل	ザハブ・バーグ זהב באג	ジングイズ 金龟子	クムサクッタンベルレ 금색딱정벌레	マイスカラーヴォ majskarabo
カケルラック kakerlakk	ブラータム blattam	カツァリダ κατσαρίδα	スルスル صرصور	ティカク מקק	ジャンラン 蟑螂	パキベルレ 바퀴벌레	ブラート blato
シュッケル sykkel	キカーダ cicada	テッティクス τεττιξ	ズィーズ زيز	ツェルツェル צרצר	シャン 蝉	メミ 매미	チカード cikado
ソンメルフール sommerfugl	パピリオー papilio	プシューケー ψυχη	ファラーシャ فراشة	パルパル פרפר	フーデイエ 蝴蝶	ナビ 나비	パピリーオ papilio
マリホーネ marihøne	コッチネーラ coccinella	コキネリ κοκκινελλη	ダアスーカ دعسوقة	パラット・モシェ・ラベーヌ פרת משה רבנו	ピャオチョン 瓢虫	ムダンベルレ 무당벌레	コクチネーロ kokcinelo
エイェンスティッケ øyenstikker	リベールラ libellula	リヴェルリ λιβελλουλη	ヤアスーブ يعسوب	シャピリット שפירית	チンティン 蜻蜓	チャムジャリ 잠자리	リヴェーロ libelo

虫	英語	ドイツ語	フランス語	イタリア語	スペイン語	ポルトガル語	ロシア語
蝿	フライ fly	フリーゲ Fliege	ムーシュ mouche	モスカ mosca	モスカ mosca	モスカ mosca	ムーシャ мухи
蜂	ビー bee	ビーネ Biene	ゲップ guêpe	アーペ ape	アベハ abeja	アベリア abelha	チューラ пчела
ミツバチ	ハニービー honeybee	ビーネ Biene	アベイ abeille	アーペ ape	アベハ abeja	アベリア abelha	チューリィ пчелы
バッタ	グラスホッパー grasshopper	ホイシュレッケ Heuschrecke	ソートレル sauterelle	カヴァッレッタ cavalletta	サルタモンテス saltamontes	ガフェニョト gafanhoto	クズニィーチェク кузнечик
蛍	ファイアフライ firefly	グリューヴュルムヒェン Glühwürmchen	リュシオル luciole	ルッチョラ lucciola	ルシエルナガ luciérnaga	ピリランポ pirilampo	スヴェルトゥリャーク светляк
蜘蛛	スパイダー spider	シュピンネ Spinne	アレニエ araignée	ラーニョ ragno	アラニャ araña	アラーニャ aranha	パウーク паук
ムカデ	センティピート centipede	タオザントフューサー Tausendfüßler	ミル・パット mille-pattes	チェントピエーディ centopiedi	シエンピエス ciempiés	セントペーヤ centopéia	ソロコゥーノシュカ сороконожка
ダニ	ティック tick	ツェッケ Zecke	ティック tique	アーカロ acaro	ガラパタ garrapata	カハパト carrapato	クリェーシ клещ
ヒル	リーチ leech	ブルートエーゲル Blutegel	サンスュ sangsue	サングイスーガ sanguisuga	サンギフエラ sanguijuela	サンゲスーガ sanguessuga	ピヤーヴカ пиявка

ノルウェー語	ラテン語	ギリシャ語	アラビア語	ヘブライ語	中国語	韓国語	エスペラント語
フルー flue	**ムスカ** musca	**ミガ** μύγα	**タヤラーン** طيران	**ズバーブ** זבוב	**ツァンイン** 苍蝇	**パリ** 파리	**ムーソ** mušo
ビエ bie	**アピス** apis	**メリサ** μέλισσα	**ナフラ** نحل	**ツルアー** צרעה	**フォン** 蜂	**ベル** 벌	**アヴェーロ** abelo
ホンニンビエ honningbie	**アピス・メリーフェラ** apis mellifera	**メリッタ** μελιττα	**ナフラ** نحل	**デヴォラー** דבורה	**ミーフォン** 蜜蜂	**クルベル** 꿀벌	**アヴェーロ** abelo
グレスホッペ gresshoppe	**ロクースタ** locusta	**アクリダ** ακρίδα	**ジャラード** جراد	**ハガヴ** חגב	**ツァオマン** 草蜢	**メッドゥギ** 메뚜기	**アクリードォ** akrido
イルドフルエ ildflue	**チチンネーラ** cicindela	**ランピリス** λαμπυρις	**ヤラアー** يراعة	**ガフリリット** גחלילית	**インフオチョン** 萤火虫	**バンディップリ** 반딧불이	**ランピーロ** lampiro
エッデルコップ edderkopp	**アラーネア** aranea	**アラクネ** αράχνη	**アンカブート** عنكبوت	**アカヴィッシュ** עכביש	**ジジュー** 蜘蛛	**コミ** 거미	**アラネーオ** araneo
トゥーセンバイン tusenbein	**ケンティペダ** centipeda	**スコロペンドラ** σκολοπενδρα	**ハリシュ** حريش	**マルベ・ラグライム** מרבה רגלים	**ウーゴン** 蜈蚣	**タルペンイ** 달팽이	**スコロペンドロ** skolopendro
ミッド midd	**アカリナ** acarina	**アカリ** ακαρι	**クレダ** قرادة	**アカリット** אקרית	**ピー** 蜱	**チンドギ** 진드기	**アカーロ** akaro
イグル igler	**ヒルードー** hirudo	**プデラ** βδέλλα	**アラハ** علقة	**アルカー** עלוקה	**ジー** 蛭	**コモリ** 거머리	**ヒルド** hirudo

日本語索引
Japanese index of the dictionary

き

さ

し

す

せ

ぬ

ね

の

は

ひ

る

れ

ろ

わ

カタカナ索引

Index of notations in Japanese Katakana

※外国語略字表記…英：英語　独：ドイツ語　仏：フランス語　伊：イタリア語　西：スペイン語　葡：ポルトガル語　露：ロシア語　諾：ノルウェー語　羅：ラテン語　希：ギリシャ語
亜：アラビア語　ヘ：ヘブライ語　中：中国語　韓：韓国語　エ：エスペラント語

ア

※外国語略字表記…英：英語　独：ドイツ語　仏：フランス語　伊：イタリア語　西：スペイン語　葡：ポルトガル語　露：ロシア語　諾：ノルウェー語　羅：ラテン語　希：ギリシャ語
亜：アラビア語　へ：ヘブライ語　中：中国語　韓：韓国語　エ：エスペラント語

※外国語略字表記…英：英語　独：ドイツ語　仏：フランス語　伊：イタリア語　西：スペイン語　葡：ポルトガル語　露：ロシア語　諾：ノルウェー語　羅：ラテン語　希：ギリシャ語
亜：アラビア語　へ：ヘブライ語　中：中国語　韓：韓国語　エ：エスペラント語

イ

※外国語略字表記：英：英語 独：ドイツ語 仏：フランス語 伊：イタリア語 西：スペイン語 葡：ポルトガル語 露：ロシア語 諾：ノルウェー語 羅：ラテン語 希：ギリシャ語 亜：アラビア語 ヘ：ヘブライ語 中：中国語 韓：韓国語 エ：エスペラント語

ウ

※外国語略字表記：英：英語 独：ドイツ語 仏：フランス語 伊：イタリア語 西：スペイン語 葡：ポルトガル語 露：ロシア語 諾：ノルウェー語 羅：ラテン語 希：ギリシャ語 亜：アラビア語 ヘ：ヘブライ語 中：中国語 韓：韓国語 エ：エスペラント語

※外国語略字表記：英：英語　独：ドイツ語　仏：フランス語　伊：イタリア語　西：スペイン語　葡：ポルトガル語　露：ロシア語　諾：ノルウェー語　羅：ラテン語　希：ギリシャ語
亜：アラビア語　ヘ：ヘブライ語　中：中国語　韓：韓国語　エ：エスペラント語

エ

※外国語略字表記：英：英語 独：ドイツ語 仏：フランス語 伊：イタリア語 西：スペイン語 葡：ポルトガル語 露：ロシア語 諾：ノルウェー語 羅：ラテン語 希：ギリシャ語 亜：アラビア語 へ：ヘブライ語 中：中国語 韓：韓国語 エ：エスペラント語

※外国語略字表記：英：英語　独：ドイツ語　仏：フランス語　伊：イタリア語　西：スペイン語　葡：ポルトガル語　露：ロシア語　諾：ノルウェー語　羅：ラテン語　希：ギリシャ語　亜：アラビア語　ヘ：ヘブライ語　中：中国語　韓：韓国語　エ：エスペラント語

※外国語略字表記：英：英語　独：ドイツ語　仏：フランス語　伊：イタリア語　西：スペイン語　葡：ポルトガル語　露：ロシア語　諾：ノルウェー語　羅：ラテン語　希：ギリシャ語
亜：アラビア語　ヘ：ヘブライ語　中：中国語　韓：韓国語　エ：エスペラント語

カ

※外国語略字表記…英：英語　独：ドイツ語　仏：フランス語　伊：イタリア語　西：スペイン語　葡：ポルトガル語　露：ロシア語　諾：ノルウェー語　羅：ラテン語　希：ギリシャ語
亜：アラビア語　へ：ヘブライ語　中：中国語　韓：韓国語　エ：エスペラント語

キ

ク

※外国語略字表記…英：英語　独：ドイツ語　仏：フランス語　中：中国語　伊：イタリア語　韓：韓国語　西：スペイン語　葡：ポルトガル語　露：ロシア語　諾：ノルウェー語　羅：ラテン語　希：ギリシャ語　亜：アラビア語　へ：ヘブライ語　エ：エスペラント語

※外国語略字表記…英：英語　独：ドイツ語　仏：フランス語　伊：イタリア語　西：スペイン語　葡：ポルトガル語　露：ロシア語　諾：ノルウェー語　羅：ラテン語　希：ギリシャ語　亜：アラビア語　へ：ヘブライ語　中：中国語　韓：韓国語　エ：エスペラント語

ケ

※外国語略字表記…英：英語　独：ドイツ語　へ：ヘブライ語　仏：フランス語　中：中国語　伊：イタリア語　韓：韓国語　西：スペイン語　葡：ポルトガル語　露：ロシア語　諾：ノルウェー語　羅：ラテン語　希：ギリシャ語
亜：アラビア語　エ：エスペラント語

コ

※外国語略字表記：英：英語　独：ドイツ語　仏：フランス語　伊：イタリア語　西：スペイン語　葡：ポルトガル語　露：ロシア語　諾：ノルウェー語　羅：ラテン語　希：ギリシャ語　亜：アラビア語　ヘ：ヘブライ語　中：中国語　韓：韓国語　エ：エスペラント語

サ

シ

※外国語略字表記：英：英語　独：ドイツ語　仏：フランス語　伊：イタリア語　西：スペイン語　葡：ポルトガル語　露：ロシア語　諾：ノルウェー語　羅：ラテン語　希：ギリシャ語
亜：アラビア語　へ：ヘブライ語　中：中国語　韓：韓国語　エ：エスペラント語

※外国語略字表記…英：英語　独：ドイツ語　仏：フランス語　伊：イタリア語　西：スペイン語　葡：ポルトガル語　露：ロシア語　諾：ノルウェー語　羅：ラテン語　希：ギリシャ語　亜：アラビア語　へ：ヘブライ語　中：中国語　韓：韓国語　エ：エスペラント語

※外国語略字表記：英：英語　独：ドイツ語　仏：フランス語　伊：イタリア語　西：スペイン語　葡：ポルトガル語　露：ロシア語　諾：ノルウェー語　羅：ラテン語　希：ギリシャ語
亜：アラビア語　へ：ヘブライ語　中：中国語　韓：韓国語　エ：エスペラント語

ス

※外国語略字表記：英：英語　独：ドイツ語　仏：フランス語　伊：イタリア語　西：スペイン語　葡：ポルトガル語　露：ロシア語　諾：ノルウェー語　羅：ラテン語　希：ギリシャ語
亜：アラビア語　へ：ヘブライ語　中：中国語　韓：韓国語　エ：エスペラント語

セ

※外国語略字表記…英：英語　独：ドイツ語　へ：ヘブライ語　仏：フランス語　中：中国語　伊：イタリア語　韓：韓国語　西：スペイン語　葡：ポルトガル語　露：ロシア語　諾：ノルウェー語　羅：ラテン語　希：ギリシャ語
亜：アラビア語　エ：エスペラント語

ソ

タ

※外国語略字表記：英：英語　独：ドイツ語　仏：フランス語　伊：イタリア語　西：スペイン語　葡：ポルトガル語　露：ロシア語　諾：ノルウェー語　羅：ラテン語　希：ギリシャ語　亜：アラビア語　へ：ヘブライ語　中：中国語　韓：韓国語　エ：エスペラント語

チ

※外国語略字表記：英：英語　独：ドイツ語　仏：フランス語　伊：イタリア語　西：スペイン語　葡：ポルトガル語　露：ロシア語　諾：ノルウェー語　羅：ラテン語　希：ギリシャ語
亜：アラビア語　へ：ヘブライ語　中：中国語　韓：韓国語　エ：エスペラント語

ツ

テ

※外国語略字表記…英：英語　独：ドイツ語　仏：フランス語　中：中国語　伊：イタリア語　西：スペイン語　葡：ポルトガル語　露：ロシア語　諾：ノルウェー語　羅：ラテン語　希：ギリシャ語
亜：アラビア語　へ：ヘブライ語　韓：韓国語　エ：エスペラント語

※外国語略字表記…英：英語　独：ドイツ語　仏：フランス語　伊：イタリア語　西：スペイン語　葡：ポルトガル語　露：ロシア語　諾：ノルウェー語　羅：ラテン語　希：ギリシャ語　亜：アラビア語　ヘ：ヘブライ語　中：中国語　韓：韓国語　エ：エスペラント語

ト

※外国語略字表記…英：英語　独：ドイツ語　仏：フランス語　伊：イタリア語　西：スペイン語　葡：ポルトガル語　露：ロシア語　諾：ノルウェー語　羅：ラテン語　希：ギリシャ語
亜：アラビア語　へ：ヘブライ語　中：中国語　韓：韓国語　エ：エスペラント語

ナ

ニ

※外国語略字表記…英：英語　独：ドイツ語　仏：フランス語　伊：イタリア語　西：スペイン語　葡：ポルトガル語　露：ロシア語　諾：ノルウェー語　羅：ラテン語　希：ギリシャ語
亜：アラビア語　へ：ヘブライ語　中：中国語　韓：韓国語　エ：エスペラント語

ヌ

ネ

ノ

ハ

※外国語略字表記：英：英語　独：ドイツ語　仏：フランス語　伊：イタリア語　西：スペイン語　葡：ポルトガル語　露：ロシア語　諾：ノルウェー語　羅：ラテン語　希：ギリシャ語　亜：アラビア語　へ：ヘブライ語　中：中国語　韓：韓国語　エ：エスペラント語

※外国語略字表記…英：英語　独：ドイツ語　仏：フランス語　伊：イタリア語　西：スペイン語　葡：ポルトガル語　露：ロシア語　諾：ノルウェー語　羅：ラテン語　希：ギリシャ語
亜：アラビア語　へ：ヘブライ語　中：中国語　韓：韓国語　エ：エスペラント語

ヒ

※外国語略字表記：英：英語　独：ドイツ語　仏：フランス語　伊：イタリア語　西：スペイン語　葡：ポルトガル語　露：ロシア語　諾：ノルウェー語　羅：ラテン語　希：ギリシャ語
亜：アラビア語　へ：ヘブライ語　中：中国語　韓：韓国語　エ：エスペラント語

フ

※外国語略字表記：英：英語　独：ドイツ語　仏：フランス語　伊：イタリア語　西：スペイン語　葡：ポルトガル語　露：ロシア語　諾：ノルウェー語　羅：ラテン語　希：ギリシャ語　亜：アラビア語　へ：ヘブライ語　中：中国語　韓：韓国語　エ：エスペラント語

※外国語略字表記：英：英語 独：ドイツ語 仏：フランス語 伊：イタリア語 西：スペイン語 葡：ポルトガル語 露：ロシア語 諾：ノルウェー語 羅：ラテン語 希：ギリシャ語 亜：アラビア語 ヘ：ヘブライ語 中：中国語 韓：韓国語 エ：エスペラント語

※外国語略字表記：英：英語　独：ドイツ語　仏：フランス語　伊：イタリア語　西：スペイン語　葡：ポルトガル語　露：ロシア語　諾：ノルウェー語　羅：ラテン語　希：ギリシャ語
亜：アラビア語　へ：ヘブライ語　中：中国語　韓：韓国語　エ：エスペラント語

へ

※外国語略字表記：英：英語　独：ドイツ語　仏：フランス語　伊：イタリア語　西：スペイン語　葡：ポルトガル語　露：ロシア語　諾：ノルウェー語　羅：ラテン語　希：ギリシャ語　亜：アラビア語　へ：ヘブライ語　中：中国語　韓：韓国語　エ：エスペラント語

ホ

※外国語略字表記…英：英語　独：ドイツ語　仏：フランス語　伊：イタリア語　西：スペイン語　葡：ポルトガル語　露：ロシア語　諾：ノルウェー語　羅：ラテン語　希：ギリシャ語
亜：アラビア語　へ：ヘブライ語　中：中国語　韓：韓国語　エ：エスペラント語

マ

※外国語略字表記：英：英語　独：ドイツ語　仏：フランス語　伊：イタリア語　西：スペイン語　葡：ポルトガル語　露：ロシア語　諾：ノルウェー語　羅：ラテン語　希：ギリシャ語　亜：アラビア語　へ：ヘブライ語　中：中国語　韓：韓国語　エ：エスペラント語

ミ

※外国語略字表記…英：英語　独：ドイツ語　仏：フランス語　伊：イタリア語　西：スペイン語　葡：ポルトガル語　露：ロシア語　諾：ノルウェー語　羅：ラテン語　希：ギリシャ語
亜：アラビア語　へ：ヘブライ語　中：中国語　韓：韓国語　エ：エスペラント語

ム

メ

※外国語略字表記…英：英語　独：ドイツ語　仏：フランス語　伊：イタリア語　西：スペイン語　葡：ポルトガル語　露：ロシア語　諾：ノルウェー語　羅：ラテン語　希：ギリシャ語
亜：アラビア語　へ：ヘブライ語　中：中国語　韓：韓国語　エ：エスペラント語

モ

ヤ

ユ

ヨ

ラ

※外国語略字表記…英：英語 独：ドイツ語 仏：フランス語 伊：イタリア語 西：スペイン語 葡：ポルトガル語 露：ロシア語 諾：ノルウェー語 羅：ラテン語 希：ギリシャ語
亜：アラビア語 へ：ヘブライ語 中：中国語 韓：韓国語 エ：エスペラント語

リ

※外国語略字表記：英：英語　独：ドイツ語　仏：フランス語　伊：イタリア語　西：スペイン語　葡：ポルトガル語　露：ロシア語　諾：ノルウェー語　羅：ラテン語　希：ギリシャ語　亜：アラビア語　ヘ：ヘブライ語　中：中国語　韓：韓国語　エ：エスペラント語

ル

レ

※外国語略字表記…英：英語　独：ドイツ語　仏：フランス語　伊：イタリア語　西：スペイン語　葡：ポルトガル語　露：ロシア語　諾：ノルウェー語　羅：ラテン語　希：ギリシャ語　亜：アラビア語　ヘ：ヘブライ語　中：中国語　韓：韓国語　エ：エスペラント語

ロ

ワ

※外国語略字表記…英：英語　独：ドイツ語　仏：フランス語　伊：イタリア語　西：スペイン語　葡：ポルトガル語　露：ロシア語　諾：ノルウェー語　羅：ラテン語　希：ギリシャ語
亜：アラビア語　へ：ヘブライ語　中：中国語　韓：韓国語　エ：エスペラント語

付録
和のことば ネーミング辞典

架空

単語	読み	意味・由来
応竜	おうりゅう	中国の古書に登場する竜の一種。水を蓄えて雨を降らせる能力がある。
鳳凰	ほうおう	中国神話神話に登場する伝説の鳥。麒麟・霊亀・応竜とともに「四霊」と総称されている。
麒麟	きりん	中国神話に現れる伝説上の動物。龍に似た顔と、牛の尾、馬の蹄をもつ。
霊亀	れいき	古代中国神話に登場する伝説の亀。背中の甲羅の上に不老不死の仙人たちが住む「蓬萊山」を背負っている。
朱雀	すざく	中国の伝説の神獣で、四神のひとつ。南方を守護する。長生の神ともいわれる。
青龍	せいりゅう	中国の伝説の神獣で、四神のひとつ。東方の守護者で、長い舌を出した竜の形とされる。
白虎	びゃっこ	白い虎の形をした中国の神獣。四神のひとつで、西方を守護している。
玄武	げんぶ	四神のひとつで、北方の守護者とされる。亀と蛇が合わさった姿をしている。
窮奇	きゅうき	古代中国における四柱の悪神、四凶のひとつ。ハリネズミの毛が生えた牛。
渾沌	こんとん	古代中国における四柱の悪神、四凶のひとつ。体が黄色い袋の様でのっぺらぼう。
檮杌	とうこつ	古代中国における四柱の悪神、四凶のひとつ。虎の体に人の顔、豚の歯をもつ。
饕餮	とうてつ	古代中国における四柱の悪神、四凶のひとつ。牛か羊の体に人の顔などをもつ。
獬豸	かいち	中国における伝説の動物。頭に長い角があることから一角獣とも呼ばれる。
白澤	はくたく	古代中国の瑞獣（ずいじゅう）。人間の言葉を操り、そのときの為政者が有徳であれば姿を見せたと伝えられている。
飛廉	ひれん	古代中国の架空の鳥。雀のような頭と角、蛇の尾をもつ怪鳥。

単語	読み	意味・由来
焦螟	しょうめい	中国の架空の虫。蚊のまつげに巣食うといわれ、非常に小さいものの例えとして使われる。
蜃	しん	古代の中国や日本で伝承されている伝説の生物。蜃気楼を作り出す能力をもつ。
鸞	らん	中国における伝説の霊鳥。姿は鶏に似ていて、神霊の精が鳥になったものといわれている。
鵬	ほう	中国における伝説の鳥。数千里におよぶ巨大な魚が鳥になったものといわれる。
大鵬	たいほう	鵬の別名。
鸞鳳	らんほう	中国における架空の鳥。良いことの前触れとして現れるので、賢い人や優れた人のたとえに用いられる。
金鵄	きんし	『日本書紀』に登場する金色の鵄。神武天皇による日本建国を導いたといわれる。
八咫烏	やたがらす	日本の神話に登場するカラス。三本足をもち、神武天皇の道案内をしたと伝えられている。
雷獣	らいじゅう	日本各地に伝説が残されている妖怪。雷とともに現れ、人を害したという。
大蛇	おろち	伝説に現れる巨大な蛇。うわばみとも呼ばれる。
蛟	みずち	水の霊という意味を持つ伝説の生物。雨や風を自在に操るといわれる。
野槌	のづち	日本に伝わる妖怪。蛇のような胴体と、口しかない頭部をもつ。
水虎	すいこ	中国における伝説の生物。虎によく似ているが、矢も通さない硬い鱗に覆われている。
鵺	ぬえ	日本に伝わる妖怪。猿の顔、狸の胴体、虎の手足に蛇のような尾をもつ。
天狐	てんこ	中国や日本に伝わる神獣または妖獣。狐たちの間の最上位にあたる存在ともいわれる。

架空

単語	読み	意味・由来
龍馬	りょうま	中国における架空の馬。日本では龍が馬になるという伝説も存在する。
火鼠	かそ	中国における伝説の生物。南方の果てにある燃え尽きない木の中に棲む。
鎌鼬	かまいたち	日本に伝わる妖怪。つむじ風とともに現れて人を切りつける。
管狐	くだぎつね	日本に伝わる妖怪。竹筒に収まるほど小さい体で、顔は猫、身体はカワウソに似ている。
飯綱	いづな	東日本で活動した民間の宗教者、飯綱使いが操った動物。小さな鼠ほどの狐の姿をしている。
件	くだん	日本に伝わる妖怪。人間の顔に牛の体をもつ。災厄を予言したり、豊作の前兆と扱われることもある。
木霊	こだま	樹木に宿っている精霊。山彦を起こしているといわれる。
鬼	おに	人を害する怪物。日本では「悪」から「善」と多様な現れ方をする。
産女	うぶめ	日本に伝わる妖怪。難産で死んだ女性の霊で、夜にさまよい人に子を抱かせる。
火車	かしゃ	日本に伝わる妖怪。葬式や墓場から死体を奪うといわれる。
狂骨	きょうこつ	『今昔百鬼拾遺』に登場する日本の妖怪。白髪の生えた骸骨姿で、井戸から現れる。
百々目鬼	どどめき	『今昔百鬼拾遺』に登場する日本の妖怪。盗癖のある女性の腕に銅銭が張り付き、それが目になることで生じたという。
陰摩羅鬼	おんもらき	中国や日本に伝わる怪鳥。新しい死体から生じた気が鳥に変化したもの。鶴によく似ている。
餓鬼	がき	仏教用語で、生前の贅沢で餓鬼道に落ちた亡者。いくら食べても、飢えが満たされることがない。
魑魅	ちみ	山林にはびこる瘴気から生まれた怪物。獣の姿をしているが、顔は人間。

単語	読み	意味・由来
魍魎	もうりょう	川や木石の精霊。山・水・木・石など自然界の精気から生まれて人を化かす。
滑瓢	ぬらりひょん	日本に伝わる妖怪。百鬼夜行の一員や海坊主の一種など、各地にさまざまな伝承がある。
玉	ぎょく	宝石類の総称。主に翡翠を指す。
金剛石	こんごうせき	ダイヤモンドの和名。仏教用語の金剛不壊からきている。
紅玉	こうぎょく	ルビーの和名。ダイヤモンドに次ぐ硬度をもつ。
碧玉	へきぎょく	ジャスパーの和名。ブルーサファイアのことを指す場合もある。
青玉	せいぎょく	サファイアの和名。世界４大宝石のひとつとして知られる。
翠玉	すいぎょく	エメラルドの和名。緑色の宝石で、衝撃に弱く加工が難しい。
翠緑玉	すいりょくぎょく	翠玉の別名。
藍玉	らんぎょく	アクアマリンの和名。海のように美しい水色をしている。
黄玉	おうぎょく	トパーズの和名。水晶より少し硬いくらいの硬度。
黒玉	こくぎょく	ジェットの和名。樹木が水中で化石化したもの。
鋼玉	こうぎょく	コランダムを指す。酸化アルミニウム結晶でできた鉱物。
翡翠輝石	ひすいきせき	翡翠の中の硬玉を指す。別名は本翡翠。純粋なものは白色。
瑠璃	るり	ラピスラズリの和名。サンスクリット語のヴァイドゥーリャないしパーリ語のヴェルーリヤの音訳。

	単語	読み	意味·由来
貴石	玻璃	はり	ガラスの和名。サンスクリット語スパティカの音訳。
貴石	琥珀	こはく	天然樹脂が化石化して宝石となったもの。色は飴色で、鉱物に匹敵する硬度をもつ。
貴石	瑪瑙	めのう	アゲートの和名。石英の細かい結晶が網目状に集まり固まったもの。
貴石	蛋白石	たんぱくせき	オパールの和名。ガラス光沢があり、美しいものは宝石として扱われる。
貴石	橄欖石	かんらんせき	美しく結晶化したものは、ペリドットと呼ばれ宝石として扱われる。
貴石	石榴石	ざくろいし	ガーネットの和名。色は無色・黄・褐・赤・緑・黒などさまざま。
貴石	黄水晶	きすいしょう	シトリンの和名。黄色やオレンジ色の水晶を指す。
貴石	紫水晶	むらさきすいしょう	アメジストの和名。
貴石	紅水晶	べにずいしょう	ローズクォーツの和名。色はピンクで、他の水晶と比べて極めて希少。
貴石	薔薇水晶	ばらすいしょう	紅水晶の別名。
貴石	玉髄	ぎょくずい	カルセドニーの和名。含まれる不純物によって色が変化する。
貴石	紅玉髄	べにぎょくずい	カーネリアンの和名。玉髄の中でも赤色や橙色のもの。
貴石	緑玉髄	りょくぎょくずい	クリソプレーズの和名。玉髄の中でも緑色のもの。美しい色合いと希少性から、水晶の中でも高価。
貴石	血玉髄	けつぎょくずい	ブラッドストーンの和名。名前の由来は、赤い斑点が血を連想させることから。
金属	真金	まがね	純粋の黄金。鉄を意味する場合もある。

単語	読み	意味・由来
白金	はっきん	プラチナの別名。金と同じく王水以外には溶けない。
錫	すず	炭素族元素に分類される金属。結晶性の高い白銀色の金属で、耐食性に優れる。
燐	りん	窒素族元素のひとつ。肥料や燃料として利用されている。
黄燐	おうりん	燐の同素体のひとつ。非常に毒性が強い。発煙剤などに用いる。
白燐	はくりん	燐の同素体のひとつ。毒性が極めて強く、弾薬としても使われている。
赤燐	せきりん	燐の同素体のひとつ。黄燐を密閉容器内で熱することで生成される。
紫燐	しりん	燐の同素体のひとつ。赤燐を長時間熱することで生成される。
黒燐	こくりん	燐の同素体のひとつ。白燐を高圧化で加熱することで生成される。
真鍮	しんちゅう	銅と亜鉛の合金である黄銅の中でも、亜鉛が 20% 以上のもの。
黄銅	おうどう	銅と亜鉛の合金。青銅と並ぶ重要な銅合金。
丹銅	たんどう	銅と亜鉛の合金。黄銅よりも、亜鉛の割合が少ない。
青銅	せいどう	銅を主成分に、錫が混ざった合金。光沢ある金属で、含まれるものによって色が変わる。
紫銅	しどう	青銅の別名。
赤銅	しゃくどう	日本独自の合金で、銅に金を 3%～ 5%混ぜて作られる。発色処理を施すと、青紫がかった黒色となる。
紫金	しきん	赤銅の別名。

分類	単語	読み	意味・由来
金属	烏金	うきん	赤銅の別名。
金属	白銅	はくどう	銅にニッケルを10％～30％混ぜ込んだ合金。銀の代わりに貨幣などに使われる。
金属	洋白	ようはく	銅を主体に、亜鉛とニッケルを混ぜ込んだ合金。耐食性に優れている。
金属	硬鉛	こうえん	鉛に1～12％のアンチモンを加えた合金。ケーブル鉛被や鉛蓄電池の電極などに使われている。
金属	緑青	ろくしょう	銅から生成される錆。この名称は、色合いが「青緑」であることからきている。
金属	銅青	どうせい	緑青の別名。
金属	銅銹	どうしゅう	緑青の別名。
宇宙	星霧	せいむ	星雲の別名。
宇宙	蝕	しょく	ある天体の背面に、他の天体が隠れてしまうこと。日食や月食などがある。
宇宙	星虹	せいこう	亜光速で宇宙を航行した際に、宇宙船の中から見える虹のような星景色。
宇宙	銀河	ぎんが	恒星や惑星、チリやガスが集まった天体。
宇宙	銀漢	ぎんかん	銀河や天の川の別名。
宇宙	雲漢	うんかん	銀河や天の川の別名。
宇宙	天漢	てんかん	銀河や天の川の別名。
宇宙	河漢	かかん	銀河や天の川の別名。

単語	読み	意味・由来
星河	せいが	銀河や天の川の別名。
銀湾	ぎんわん	天の川の別名。
星辰	せいしん	星座もしくは星のこと。
星宿	せいしゅく	星座を意味する。
月宿	げっしゅく	星宿の別名。
北辰	ほくしん	北天の星辰の意で、北極星を指す。皇居、天子を意味する場合もある。
妙見	みょうけん	北極星を神格化した、妙見菩薩を略したもの。
心星	しんぼし	北極星の和名。
昴	すばる	プレアデス星団。
六連星	むつらぼし	昴の別名。
夕星	ゆうつづ	夕方、西の空に輝く金星。宵の明星。
赤星	あかぼし	夜明けの前に見える金星のこと。
明星	みょうじょう	赤星の別名。
天狼	てんろう	シリウスの別名。
青星	あおぼし	シリウスの和名。由来は青白光を放つことから。

星

単語	読み	意味・由来
色白	いろしろ	プロキオンの和名。
熒惑	けいこく	火星のこと。光度の変化が激しいので災いの前兆と考えられて付けられた。五星のひとつ。
太白	たいはく	古代中国での金星のこと。五星のひとつ。
歳星	さいせい	中国での木星の呼び名。由来は、木星の位置でその年の名を決めたことから。五星のひとつ。
鎮星	ちんせい	古代中国における土星のこと。五星のひとつ。
填星	てんせい	鎮星の別名。
辰星	しんせい	古代中国での水星のこと。五星のひとつ。
羅喉	らご	インド神話で見られる、月食を起こすという架空の星。九曜のひとつ。
計都	けいと	計都星の略語。星宿にある星の名で、九曜のひとつ。
七曜	しちよう	古代中国の天文学における、五惑星（木・火・土・金・水星）と太陽、月のこと。
九曜	くよう	インド天文学やインド占星術で使用された９つの天体それぞれを神格化したもの。
七星	しちせい	７つの星、特に北斗七星を指す場合が多い。
七剣星	しちけんぼし	北斗七星の和名。由来は、見た目が剣に見えることから。
斗魁	とかい	北斗七星の第一星から第四星までの総称。「魁」は杓子の意味で、第一星から第四星が杓子に似ていることから。
斗柄	とへい	北斗七星を杓子に見立てた場合、柄の部分に見える三星の名称。

単語	読み	意味・由来
軒轅	けんえん	中国の星座。北斗七星の北にある、17の星の総称。
北落師門	ほくらくしもん	フォーマルハウト（みなみのうお座α星）の中国名。
碇星	いかりぼし	カシオペア座の別名別名。
彗星	すいせい	ほとんどが水（氷の状態）や気体でできた、太陽系の小天体。
箒星	ほうきぼし	帚星とも。彗星の別名。
船星	ふなぼし	春の北斗七星の異名。
流星	りゅうせい	微小な天体が地球に突入する際に、摩擦熱で発光する現象。
妖星	ようせい	凶事の前兆といわれていた不吉な星のこと。彗星や流星のことを指す。
三垣	さんえん	天球を北極を中心に3つに分けた紫微垣・太微垣・天市垣の総称。
星影	ほしかげ	星の光のこと。
星彩	せいさい	星の光のこと。
煌星	きらぼし	夜空に輝くたくさんの星のこと。
晨星	しんせい	明け方、空に残っている星。
残星	ざんせい	明け方、空に残っている星。
星供	ほしく	息災・増益・延命を祈願する、密教の星まつり。

	単語	読み	意味・由来
星	星食	せいしょく	月や惑星と重なり、恒星、惑星、衛星が見えなくなること。
月	姮娥	こうが	月の別名。中国の故事で、女神が持つ不老不死の薬を盗んで月へ逃げた女性の名が由来。嫦娥（じょうが）ともいう。
	玉兎	ぎょくと	月の別名。月に兎がいるという伝説が由来。
	月魄	げっぱく	月の別名。あるいは月の精や月神の呼び名。
	朔	さく	新月の別名。「銀鉤」ともいう、月が太陽と同じ方向にある瞬間。陰暦で月の第一日。
	晦	つきこもり	月が隠れること。陰暦で月の末日。つきごもりとも。
	繊月	せんげつ	三日月の別名。ほっそりとした月。
	眉月	まゆづき	女性の眉に似た細い月。三日月や新月の別名。
	初魄	しょはく	三日月の別名。
	銀鉤	ぎんこう	新月の別名。
	上弦	じょうげん	新月と次の満月の間に、西側の半分が輝いて見える月。初弦ともいう。
	弓張月	ゆみはりづき	上弦（または下弦）の別名。弓に弦を張ったように見える月。弦月ともいう。
	片割月	かたわれづき	半月の別名。
	待宵	まつよい	「十五夜」の前日にあたる陰暦 8 月 14 日の夜。
	天満月	あまみつつき	満月の別名。

単語	読み	意味・由来
良夜	りょうや	月の明るい夜。特に「十五夜」である陰暦８月15日の夜。
佳宵	かしょう	月がきれいな夜。特に「十五夜」である陰暦８月15日の夜。
無月	むげつ	曇ったり降ったりして月が見えないこと。特に「十五夜」に月が見えないときを指す。
十六夜	いざよい	「十五夜」の次の日にあたる陰暦８月16日の夜。
立待月	たちまちづき	陰暦17日、特に「十五夜」の翌々日にあたる陰暦８月17日の夜の月。「立って待つうちに出てくる月」という意味。
居待月	いまちづき	陰暦18日、特に「十五夜」の３日後にあたる陰暦８月18日の夜。「出るのが遅く座って待つ月」という意味。
寝待月	ねまちづき	陰暦19日、特に「十五夜」の４日後にあたる陰暦８月19日の夜。「出るのがより遅く寝て待つ月」という意味。
更待月	ふけまちづき	陰暦20日、特に「十五夜」の５日後にあたる陰暦８月20日の夜。「夜更けに待つ月」という意味。
宵闇	よいやみ	月の出が遅い陰暦８月16～20日頃までの、宵の暗さ。
下弦	かげん	満月と次の新月の間に、東側の半分が輝いて見える月。
朧月	おぼろづき	春の夜に出る、ほのかにかすんだ月。「淡月」ともいう。
有明	ありあけ	夜が明けるとき、空に残る月。
月夜烏	つきよがらす	月夜に浮かれて鳴くカラス。そこから転じて「夜遊びに浮かれ出る人」という意味がある。
幻月	げんげつ	光の屈折により、月の左右に別の月が見える現象。
孤月	こげつ	もの寂しく見える月。

	単語	読み	意味・由来
月	氷輪	ひょうりん	氷のように冷たく輝く月。
	月宮殿	げっきゅうでん	月の中にあると言い伝えられている宮殿。
太陽	日輪	にちりん	太陽の別名。「日華」「天日」「天道」「紅鏡」「飛輪」ともいう。
	金烏	きんう	太陽の別名。太陽にいるという三本脚のカラスが由来。「赤烏」ともいう。月に住む「玉兎」と一対。
	烏兎	うと	「金烏」「玉兎」の略。太陽と月。
	赤日	せきじつ	夏の照りつける太陽。「炎陽」「烈日」ともいう。
	斜陽	しゃよう	西に傾いた太陽。夕日。「斜日」「仄日」ともいう。
	落暉	らっき	沈んでいく太陽。「落日」ともいう。
	日暈	ひがさ	太陽の周りにできる光の輪。
	幻日	げんじつ	光の屈折により、太陽の左右に別の太陽が見える現象。
	紅炎	こうえん	太陽の表面から数千～数万 km の高さにある、炎状のガス。
空・天	極夜	きょくや	北極や南極で見られる、一日中太陽の昇らない状態が続く現象。
	中天	ちゅうてん	天の中心。「天心」ともいう。
	天涯	てんがい	空の果て。極めて遠い場所。
	虚空	こくう	何もない空間。大空の別名。

単語	読み	意味・由来
九霄	きゅうしょう	天の最も高いところ。大空の別名。
紫霄	ししょう	大空の別名。太陽や月の光で紫色に染まるのが由来。
九天	きゅうてん	中国で、天を九つの方位に分けたときの総称。大空の別名。
蒼穹	そうきゅう	青空の別名。「蒼天」「蒼昊」「碧虚」「碧霄」「碧天」ともいう。
四天	してん	四季の空の総称。
暁天	ぎょうてん	明け方の空。夜明けの空。
梅天	ばいてん	梅雨のときの空や天気。
凍空	いてぞら	凍りついたように寒々とした空。
凍曇	いてぐも	凍りつくような寒々とした冬の雲。
霜天	そうてん	霜がおりる寒い冬の朝。
一雨	いちう	一度の降雨。ひとしきり降る雨。「ひとあめ」とも読む。
暗雨	あんう	闇夜に降る雨。
黒雨	こくう	空が暗くなるような大雨。
白雨	はくう	「しらさめ」とも読む。夕立、にわか雨。「速雨」ともいう。
叢雨	むらさめ	断続的に激しく降る雨。「村雨」「群雨」ともいう。

雨

単語	読み	意味・由来
漫雨	そぞろあめ	突然降ってくる雨。
日照雨	そばえ	日が出ているのに降る雨。天気雨。「戯(そば)へ」ともいう。
天泣	てんきゅう	上空に雲がないのに雨や雪が降る現象。
銀竹	ぎんちく	大雨、夕立。
甘雨	かんう	草木を潤し、生長を促す雨。
紅雨	こうう	春、花に降り注ぐ雨。
翠雨	すいう	草木の青葉に降りかかる雨。
霖雨	りんう	幾日も降り続く雨。長雨。
梅霖	ばいりん	梅雨の別名。
春霖	しゅんりん	春に降る長雨。秋に降る長雨は「秋霖」。
神水	しんすい	陰暦5月5日午の刻（11～13時）の雨で、竹の節に溜まった水。これで製薬するとよく効くという。じんすい、じんずいとも。
五月雨	さみだれ	陰暦の5月頃に降る長雨。またそのとき期。
神立	かんだち	雷、雷鳴
驟雨	しゅうう	急に降り出し、すぐに止んでしまう雨。
喜雨	きう	日照りが続いているとき、ようやく降った恵みの雨。「慈雨」ともいう。

単語	読み	意味·由来
液雨	えきう	秋から冬にかけ、短時間降る雨。
樹雨	きさめ	濃霧のあと、幹や枝に付いた水滴が落ちる現象。
雨飛	うひ	雨が風に飛ばされながら降ること。また、そのように激しく物が飛んでくる様子。
狭霧	さぎり	霧のこと。
海霧	うみぎり	春や夏に海上で発生する霧。「じり」「かいむ」とも読む。
水霧	すいむ	川に発生する霧のこと。「川霧」ともいう。
暁霧	ぎょうむ	明け方に発生する霧。
迷霧	めいむ	方角がわからないくらいの深い霧。心の迷い。
霧襖	きりぶすま	霧が濃く、まるで襖のようにみえる様子。
霧雫	きりしずく	霧の中でできる雫。
煙霧	えんむ	細かい塵や煙で遠くがはっきり見えなくなる現象。スモッグ。
霧海	むかい	広く一面に立ちこめた霧。
凍靄	いてもや	急に寒くなって空気が凍結し、霞や靄のように見える現象。
紅霞	こうか	夕焼けなどで紅色に染まった霞。
花霞	はながすみ	満開の桜の花が、遠目には霞がかかったように白く見えること。

単語	読み	意味・由来
霧・霞		
凍霞	いてがすみ	寒々と凍り付きそうな冬の霞。
晩霞	ばんか	夕方に発生する霞。「夕霞」ともいう。
露・霜		
暁露	ぎょうろ	明け方の露。
露葎	つゆむぐら	露が残る葎（密生して藪を構成する草）。
凍露	とうろ	露が凍ってできた氷のつぶ。
甘露	かんろ	古代から中国に伝承されている、天から降る甘い液体。
涓露	けんろ	露ほどの水。 ほんの少しの水。
松露	しょうろ	松の葉にたまる露。
草露	そうろ	草の上の露。転じて、物事の儚いことの例え。
霜露	そうろ	霜と露。消えやすいこと、儚いことなどの例え。
風露	ふうろ	風と露。
青女	せいじょ	霜・雪を降らすといわれる女神。転じて、霜や雪のこと。
霜凪	しもなぎ	霜のおりるほどに寒いが、まったく風のない状態。
霜風	しもかぜ	霜のおりそうな寒い風。
霜雫	しもしずく	霜が雫となったもの

単語	読み	意味・由来
大霜	おおしも	たくさんおりる霜。霜のひどくおりた状態。
深霜	ふかしも	多くおりた霜、「強霜」ともいう。
霜葉	そうよう	霜のために黄や紅などに変色した葉。紅葉。
霜楓	そうふう	霜がかかって紅葉した楓。
銀雪	ぎんせつ	銀色に輝く雪。
珂雪	かせつ	濁りや汚れのない純白の雪。
六花	りっか	結晶が六角形ということで、雪の別名。
風花	かざはな	晴天のときに、花びらが舞うようにちらつく雪。
飛雪	ひせつ	風に吹き飛ばされながら降る雪
淡雪	あわゆき	春先などに降る消えやすい雪。「泡雪」ともいう。
深雪	みゆき	深く積もった雪。
班雪	はだれゆき	まだらに積もった、もしくは残った雪。
根雪	ねゆき	積もったまま溶けずに残る雪。
真雪	さねゆき	春ごろまで溶けずに残る雪。
弥弥雪	いややゆき	根雪の上に降り積もる雪。

雪

単語	読み	意味・由来
陰雪	かげゆき	山陰などに溶け残る雪。
霧雪	むせつ	霧のような細かい雪。「きりゆき」とも読む。
粗目雪	ざらめゆき	ざらめ糖のように粒のあらい雪。
小米雪	こごめゆき	粉米のように細かい雪。「粉米雪」ともいう。
餅雪	もちゆき	餅のようにふわふわした感じの雪。
涅槃雪	ねはんゆき	陰暦 2 月 15 日の「涅槃会」前後に降る雪。
衾雪	ふすまゆき	一面に白く降り積もった雪。
赤雪	あかゆき	黄砂、噴煙、藻類などが混ざって赤く見える雪。「紅雪（こうせつ）」ともいう、
筒雪	つつゆき	電線などの細長い物体に付き、筒状になった雪。
雪庇	せっぴ	山の稜線や崖などのる場所で、風下側に庇 (ひさし) のように突き出した雪の吹きだまり。
雪紐	ゆきひも	木の枝や電線などに降り積もった雪が、垂れ下がって飾り紐のように見える現象。
雪気	ゆきげ	雪が降り出しそうな空模様。雪の降りそうな気配。
雪月夜	ゆきづきよ	雪のある月夜。
雪暗	ゆきぐれ	雪が降り出しそうであたりの暗いこと。雪が降り続いたまま日が暮れること。
暮雪	ぼせつ	夕暮れに降る雪。夕暮れに見る雪景色。

単語	読み	意味・由来
雪消	ゆきげ	雪が溶けること。雪解け。
雪代	ゆきしろ	雪がとけて、川に流れ込む水。
雪菜	ゆきな	積雪の多い地方で、雪の中でやわらかく育つ菜類。
絮雪	じょせつ	雪のように舞いながら散るところから、柳の花のこと。
急霰	きゅうさん	急に降るあられ。またはその降ってくる音。
春霰	しゅんさん	春に降る霰(あられ)。
水雪	みずゆき	水分をたくさん含んだ積雪。雨混じりの雪。みぞれ。
雨氷	うひょう	氷点近く、あるいは氷点下に過冷却した雨滴が、地面や地物に凍り付いたもの。
細氷	さいひょう	細かい氷の結晶が、空気中に浮かんだりゆっくり降下する現象。ダイヤモンドダスト。
氷晶	ひょうしょう	大気中にできる微細な氷の結晶。「氷塵(ひょうじん)」ともいう。
樹霜	じゅそう	大気中の水蒸気が昇華し、樹木の枝などに付着した白い氷。
霧氷	むひょう	氷点下の霧のとき、樹木や建物などにつく氷。
樹氷	じゅひょう	気温が氷点下5℃以下のとき、水蒸気が樹木などに氷結し層をなした状態。
氷花	ひょうか	氷が花のように結晶したもの。
氷柱	つらら	水のしずくが凍り、軒下などで棒状に垂れ下がったもの。「垂氷(たるひ)」「氷条(ひょうじょう)」「氷著(ひょうちょ)」「氷筋(ひょうきん)」ともいう。

	単語	読み	意味・由来
氷	立氷	たちひ	氷柱とは逆に、下から立った氷。
	氷面	ひも	氷の張った表面。 和歌では「紐（ひも）」とかけて用いることが多い。
	氷河	ひょうが	降り積もった雪が氷となり、重力によって流動するようになったもの。
	氷刃	ひょうじん	氷のような鋭い刃。
雷	天雷	てんらい	雷のこと。
	雷霆	らいてい	雷。いかずち。
	雷火	らいか	雷の発する火。落雷によって起こる火。
	疾雷	しつらい	急激に鳴る雷。激しい雷。
	紫電	しでん	紫色をした雷光。鋭い光。
	霹靂	へきれき	雷が激しく鳴ること。
	百雷	ひゃくらい	多くの雷。声や音の大きなこと。
	万雷	ばんらい	非常に多くの雷。大きな音。
	日雷	ひがみなり	晴天のとき、雨を伴わないで鳴る雷。
	夕電	せきでん	夕方の雷。消えやすくはかないもの。
	春雷	しゅんらい	3～5月頃に発生する雷。寒冷前線の通過時に発生。

単語	読み	意味・由来
寒雷	かんらい	冬に鳴る雷。ほとんど寒冷前線によって発生する。
雷神	らいじん	雷を起こすという神。「雷公」「雷師」「光神」ともいう。
雷鼓	らいこ	雷神が持つという太鼓。雷が鳴る音。
凪	なぎ	風がやんで波がおだやかになり、海面が静まること。
疾風	はやて	急にはげしく吹きおこる風。「しっぷう」「はやかぜ」とも読む。
颪	おろし	冬季に山などから吹き下ろす風。
風炎	ふうえん	山から吹く、暖かくて乾燥している風。フェーンの略語。
嶺渡	ねわたし	高い峰から吹きおろす風。
風巻	しまき	風がはげしく吹きまくること。またはその風。
旋風	つむじかぜ	規模の小さな空気の渦巻。社会を揺り動かす突発的な事件のたとえ。「せんぷう」とも読む。
颶風	ぐふう	四方から強く激しく吹く風。
翠嵐	すいらん	山に立ちこめる青々とした気。山に吹く風。
松籟	しょうらい	松の梢 (こずえ) に吹く風。
松濤	しょうとう	松に吹く風の音を波の音にたとえていう言葉。
光風	こうふう	晴れあがった春の日にさわやかに吹く風。

	単語	読み	意味・由来
風	時風	じふう	季節や時刻にかなった風。時節の風。
	暁風	ぎょうふう	明け方に吹く風。
	恵風	けいふう	自然物に恵みを与える風。春風。
	貝寄	かいよせ	冬の季節風のなごりに、3月下旬ごろ吹く西風。「貝寄風」ともいう。
	東風	こち	春に東の方から吹いて来る風。
	荷風	かふう	蓮池に吹く風。
	南風	はえ	梅雨から夏にかけて吹く南風。主に西日本で使われる。
	薫風	くんぷう	青葉の中を吹き渡り、緑の香織を運ぶような風。
	青北	あおぎた	初秋から秋にかけて吹く北風。主に西日本で使われる。「雁渡（かりわたし）」ともいう。
	爽籟	そうらい	秋風のさわやかな響き。
	野分	のわき	秋から初冬、210日〜220日前後に吹く暴風。
	凩	こがらし	初冬に吹く冷たく強い北よりの風。木枯らし。
	虎落笛	もがりぶえ	冬の寒風が柵や竹垣に吹き当たり、笛のように音が鳴る現象。
雲	陰雲	いんうん	暗く空を覆う雲。
	烏雲	ううん	黒い雲。「玄雲」ともいう。

単語	読み	意味・由来
紫雲	しうん	むらさき色の雲。吉兆とされている。
慶雲	けいうん	めでたいことの起こる前兆とされる雲。「瑞雲」ともいう。
青雲	せいうん	青みがかった雲。よく晴れた高い空。
紅雲	こううん	紅色に染まった雲。
暁雲	ぎょううん	明け方の雲。
東雲	しののめ	明け方に、東の空にたなびく雲。夜明け。
陣雲	じんうん	戦場の空を覆う雲。
閑雲	かんうん	ゆったりと空に浮かぶ雲。
孤雲	こうん	ひとつだけ離れてぽっかりと浮かぶ雲
水雲	すいうん	水と雲。大自然。
雲影	うんえい	空を覆う雲の影。
叢雲	むらくも	にわかに群がり集まる雲。「群雲」「村雲」ともいう。
雲居	くもい	雲のある場所。皇居。
雲外	うんがい	雲のかなた。はるかかなたの空。
曙光	しょこう	夜明けにさしてくる太陽の光。「旭光」「暁光」ともいう。

分類	単語	読み	意味・由来
日光	残光	ざんこう	夕日が沈んだ後も雲や山などに映っている光。「残照」「余光」ともいう。
	夜天光	やてんこう	夜空からくる自然光で、月の光を除いたもの。
	春光	しゅんこう	春の景色。あたたかい春の日差し。
	秋光	しゅうこう	秋の景色。秋の日差し。
	星夜光	せいやこう	夜空からくる自然光で、星の光によるもの。
	蜃気楼	しんきろう	物体の見える方向が、大気の屈折で真の方向からずれて見える現象。
	陽炎	かげろう	日差しで熱せられた地面から、炎のような揺らめきが立ちのぼる現象。「糸遊」「遊糸」「陽焔」ともいう。
	極光	きょっこう	北極や南極の夜空を彩る美しい光。オーロラ。
	暈	かさ	氷晶でできた雲を通して太陽や月を見たとき、周囲に現れる光の輪。「白虹」ともいう。
	月虹	げっこう	月の光によって生ずる虹。
	夕虹	ゆうにじ	夕空に出現する虹。
	光冠	こうかん	太陽や月の周りに現れる、比較的小さい直径の色のついた光の輪。「光環」ともいう。
野山	翠嶺	すいれい	植物などで青々とした峰。
	銀嶺	ぎんれい	雪が降り積もって銀色に輝いているように見える峰。
	平蕪	へいぶ	雑草の生い茂った野原。または、そのさま。

単語	読み	意味・由来
雨裂	うれつ	雨によって地表面が削られてできた地形。
燎原	りょうげん	火が燃え広がった野原。勢いが強くて防ぎ止めようがないこと。
幾瀬	いくせ	幾つかの浅瀬。ひとかたならぬこと。
深淵	しんえん	川などの深い場所。物事の底知れないこと。
瀑布	ばくふ	高い場所から白い布を垂らしたかのように流れる水。
飛瀑	ひばく	高い場所から落ちる滝。
白竜	はくりゅう	白い竜のように泡だつ渓流や滝。
海鳴	うみなり	台風や低気圧のときに海から聞こえてくる、遠雷のような音。
碧海	へきかい	青い海。青々とした海原。
八重波	やえなみ	何枚にも重なって立つ波。
煙浪	えんろう	煙るように波立っている水面。
狂濤	きょうとう	激しく巻き返り、狂い立った大波。非常に荒れた海。
不知火	しらぬい	光の屈折現象により、九州の八代海や有明海などでおもに見られる怪火。
龍燈	りゅうとう	九州の八代海や有明海などでおもに見られる怪火。神社でともす灯火。
絶佳	ぜっか	優れて美しい風景。または、非常に優れていること。

	単語	読み	意味・由来
土地	積翠	せきすい	一面青々とした空や山、海の形容
	西天	せいてん	西方にある土地あるいは空。仏教で天竺（インド）をさす。
	夷	えびす	都から遠く離れた未開の土地に住む人。または、東方の異民族をさす。
	胡地	こち	夷の国の土地。転じて、未開の土地をさす。
草花	葵	あおい	トロロアオイ、タチアオイなど、アオイ科の植物の総称。
	藜	あかざ	アカザ属の一年草。畑や空き地などによく生えている。
	紫羅欄花	あらせいとう	アブラナ科アラセイトウ属の多年草（ストック）。開花期は早春〜春。
	阿利乃比布岐	ありのひふき	キキョウの古名。
	藺	い	イグサの和名。最も短い標準和名でもある。
	虎杖	いたどり	タデ科の多年生植物。痛め止めとして使われており、由来も「痛み取り」が転じたもの。
	岡止々岐	おかととき	キキョウの別名。
	男郎花	おとこえし	オミナエシ科の多年草。オミナエシによく似ているが、白い花を咲かす。
	女郎花	おみなえし	オミナエシ科の多年生植物。秋の七草のひとつで、黄色い花を咲かす。
	沢瀉	おもだか	オモダカ科オモダカ属の水生植物。水田や用水路でよく見られる。
	燕子花	かきつばた	アヤメ科アヤメ属の多年草。 花色は白、黄、青、紫など。

単語	読み	意味・由来
酢漿草	かたばみ	カタバミ科カタバミ属の多年草。春から秋に、黄色い花を咲かせる。
狐元結	きつねのもとゆい	サルオガセ科の植物の総称。
擬宝珠	ぎぼうし	キジカクシ科リュウゼツラン亜科ギボウシ属の総称。山間の湿地などで見られる。
金盞花	きんせんか	キク科の植物。由来は、花色と盃状に咲く花の形から。
銀銭花	ぎんせんか	アオイ科フヨウ属の植物。クリーム色または、黄色の花を咲かせる。
金鳳花	きんぽうげ	キンポウゲ科キンポウゲ属の多年草。一般的には有毒で、食用にはされない。
紫雲英	げんげ	マメ科ゲンゲ属の越年草。紅紫色の花を咲かす。別名レンゲソウ。
仙人掌	さぼてん	サボテン科に属する植物の総称。由来は、皿を手に乗せた仙人の像「仙人掌」がサボテンに似ていたことから。
松蘿	さるおがせ	サルオガセ科サルオガセ属、地衣類の総称。森林の樹上に生えている。
紫苑	しおん	キク科シオン属の多年草。白や薄紫色の花を咲かせる。
著莪	しゃが	アヤメ科の多年草。春に白や薄紫色の花を咲かせる。
蕣花	しゅんか	アサガオの別名。
鳥兜	とりかぶと	キンポウゲ科トリカブト属の総称。植物としてはもっとも強い毒をもつ。
薺	なずな	アブラナ科ナズナ属の越年草。別名はペンペングサ。
鬼灯	ほおずき	ナス科ホオズキ属の一年草または多年草。

	単語	読み	意味・由来
草花	曼珠沙華	まんじゅしゃげ	ヒガンバナの別名。仏教では天に咲く伝説上の花「紅蓮華（ぐれんげ）」。
色	紺碧	こんぺき	深く濃い青色。夏の海や空を例えるときに用いられる。
	群青	ぐんじょう	紫みを帯びた濃い青色。アズライトなど青系の天然の鉱石の色。
	白群	びゃくぐん	柔らかい白みを帯びた青色。アズライトを細かく粉末にした顔料の色。
	青碧	せいへき	鈍い青緑色。古代中国の玉石の色、または僧尼の衣色。
	白殺	しろころし	瓶覗の別名。
	瓶覗	かめのぞき	藍染のごく淡い青色。藍色系統ではもっとも薄い色。
	江戸紫	えどむらさき	青みを帯びた紫色。江戸時代、ムラサキソウを用いて江戸で染めたことに由来。
	古代紫	こだいむらさき	赤色を帯びた江戸紫よりくすんだ紫色をさす。
	紫紺	しこん	紫色を帯びた紺色。紫草の根で染めた色から「紫根」ともいう。
	紫黒	しこく	紫がかった黒色。極めて黒に近い。
	雪白	せっぱく	雪のように真っ白であること。潔白であること。
	白亜	はくあ	柔らかい白色。白い壁。石灰岩の一種。
	藍白	あいじろ	淡い白色。藍色系統ではもっとも薄い色。
	玄	げん	赤または黄を含む黒色。奥深くて暗いこと。

単語	読み	意味・由来
涅	くり	水底によどむ黒い土。または、その色。
漆黒	しっこく	深く艶のある黒色。とても深い暗さを表すときに用いられる。
黒紅	くろべに	黒味がかった赤色。 江戸前期では高価な小袖の地色として使われた。
暗香	あんこう	闇の中、あるいはどこからともなく漂う香気。
幽香	ゆうか	ほのかで奥ゆかしい香り。
馥郁	ふくいく	よい香りがただよっている様子。
馨香	けいこう	かんばしい香り。よい匂い。
霊香	れいこう	不思議なでよい香り。霊妙な匂い。
芳烈	ほうれつ	よい香気が激しいこと。いい匂いを鼻に強烈に感じること。
轟	とどろ	音が力強く響き渡ること。
黙	しじま	物音ひとつなく静まり返っていること。黙り込むこと。
闃然	げきぜん	ひっそりと静まりかえっている様子。
深閑	しんかん	物音もせず、静寂な様子。
清音	せいおん	清らかな音声。濁点・半濁点を付けないカナで表わされる音節。
玉音	ぎょくいん、ぎょくおん	「ぎょくいん」は玉のように清らかで美しい声。「ぎょくおん」は天皇の声。

音

単語	読み	意味・由来
凶音	きょういん	死亡の通知など、悪い知らせ。
哀音	あいおん	悲しそうな声、または音。
鬼哭	きこく	亡霊が浮かばれないで泣く声。
裂帛	れっぱく	絹を引き裂くこと。または、そのような鋭く激しい声。
瓊音	ぬなと	玉の音。美しい玉の擦れ合う音。
玲瓏	れいろう	玉が触れ合い、冴えた音が鳴る様子。または、玉が透き通っている様子。
神籟	しんらい	霊妙で優れた音。絶妙な音楽や歌を形容するときに用いられる。
天籟	てんらい	風など、天然に発する音。転じて、自然の調子にかなった優れた詩文。
地籟	ちらい	地上に起こるさまざまな音や響き。
鏗然	こうぜん	金属、石、楽器などが甲高い音を発する様子。
嘯	うそ	口をすぼめて息を吐くこと。口笛。
蚊雷	ぶんらい	蚊が群がって飛ぶことで、雷のように聞こえる音。
仙楽	せんがく	仙人の奏でる音楽。または、そのように美しい音楽。
暁角	ぎょうかく	夜明けを告げる角笛の音。
昏鐘	こんしょう	日暮れに突く鐘の音。

単語	読み	意味・由来
光炎	こうえん	光と炎。光のように輝く炎。力強さが感じられることのたとえ。
光華	こうか	美しく光ること。または、その光。栄誉を表すときにも用いられる。
光明	こうみょう	明るい光。明るい見通し。希望。
光芒	こうぼう	彗星のように、尾をひく光のすじ。光の穂先。
閃光	せんこう	瞬間的に光が強く発すること。また、その光。
一閃	いっせん	ぴかっと瞬間的に強く光ること。ひらめき。
燐光	りんこう	ある種の物質に光を当てたあと、しばらく発光する現象。生体物質が酸化するときに生じる光。
彩光	さいこう	美しい色の光。美しく彩られた光。
瑞光	ずいこう	吉兆をあらわす光。おめでたい印とみなされる光。
清光	せいこう	清らかな光。特に、冴えた月の光。
赫灼	かくしゃく	光り輝いて非常に明るいこと。また、そのさま。
赫焉	かくえん	赤々と光り輝くさま。炎が赤々と燃え上がるさま。
眩耀	げんよう	目がくらむほど光が強く輝くこと。目をくらますこと。
燦爛	さんらん	光が美しく輝くさま。華やかで美しいさま。
絢爛	けんらん	キラキラと光り輝いて美しいさま。煌びやかなさま。

	単語	読み	意味・由来
闇	暗黒	あんこく	真っ暗なこと。色の黒いこと。転じて、希望が持てない状態であること。
	黒闇	こくあん	真っ暗なこと。仏教で智慧や功徳のないこと。
	黒暗暗	こくあんあん	墨を流したように真っ暗なこと。
	暗然	あんぜん	暗いさま。悲しくて心がふさぐ様子。
	常闇	とこやみ	永久に真っ暗なこと。闇の中に心が惑うこと。
	常夜	とこよ	夜のような暗さが続くこと。転じて、いつまでも続くこと。
	冥闇	めいあん	暗いこと。転じて、はっきり見えないこと。
	幽暗	ゆうあん	奥深くて、ぼんやり暗いこと。
	冥漠	めいばく	暗くて遠いこと。死後の世界。
雰囲気	障翳	しょうえい	覆いかざすこと。そうして、光や雨風を防ぐこと。
	朧	おぼろ	物の姿がぼんやりして、はっきりしない様子。
	空	うつろ	中身ががらんどうになっている場所。また、そうした状態。
	茫	ぼう	果てしない様子。広々としているさま。
	艶	えん	なまめかしいこと。色っぽく美しいさま。
	凛	りん	気持ちが引き締まって、きちんとしている様子。

単語	読み	意味・由来
雅	みやび	風流なこと。上品なこと。都会風であること
棘	おどろ	草木が乱れ茂った場所。転じて、もつれ絡みあっていること。
刻刻	ぎざぎざ	ノコギリような細かい刻み目。また、そのような刻み目がある様子。
恢恢	かいかい	大きく粗い網の目。 ゆったりとしているさま。
峨峨	がが	山や岩などが険しくそびえ立っているさま。
已己巳己	いこみき	已、己、巳と似ている漢字が並んでいることから、互いに似ているもののたとえ。
銀蛇	ぎんだ	月の光や白い波などが、蛇のようにうねうねと銀色に輝く様子。
陰惨	いんさん	暗く、惨たらしいさま。陰気で、みじなめこと。
暗澹	あんたん	薄暗くてはっきりしない様子。転じて、希望が持てないさま。
凜乎	りんこ	態度や声などに隙がなく、りりしくて勇ましい様子。
清幽	せいゆう	世俗を離れ、静かで清らかなこと。
蒼古	そうこ	古めかしさを帯びて、深い趣のあるさま。
睦月	むつき	陰暦（日本の旧暦）の１月。
如月	きさらぎ	陰暦（日本の旧暦）の２月。
弥生	やよい	陰暦（日本の旧暦）の３月。

暦・季節

単語	読み	意味・由来
卯月	うづき	陰暦（日本の旧暦）の４月。
皐月	さつき	陰暦（日本の旧暦）の５月。
水無月	みなづき	陰暦（日本の旧暦）の６月。
文月	ふみづき	陰暦（日本の旧暦）の７月。
葉月	はづき	陰暦（日本の旧暦）の８月。
長月	ながつき	陰暦（日本の旧暦）の９月。
神無月	かんなづき	陰暦（日本の旧暦）の10月。
霜月	しもつき	陰暦（日本の旧暦）の11月。
師走	しわす	陰暦（日本の旧暦）の12月。
初空月	はつぞらづき	陰暦（日本の旧暦）の１月の別名。
令月	れいげつ	陰暦（日本の旧暦）の２月の別名。
夢見月	ゆめみづき	陰暦（日本の旧暦）の３月の別名。
花残月	はなのこりづき	陰暦（日本の旧暦）の４月の別名。
五月雨月	さみだれつき	陰暦（日本の旧暦）の５月の別名。
鳴神月	なるかみつき	陰暦（日本の旧暦）の６月の別名。

単語	読み	意味・由来
蘭月	らんげつ	陰暦（日本の旧暦）の7月の別名。
紅染月	べにそめづき	陰暦（日本の旧暦）の8月の別名。
玄月	げんげつ	陰暦（日本の旧暦）の9月の別名。
時雨月	しぐれつき	陰暦（日本の旧暦）の10月の別名。
神来月	かみきづき	陰暦（日本の旧暦）の11月の別名。
雪月	ゆきつき	陰暦（日本の旧暦）の12月の別名。
永陽	えいよう	昼の長い春の日。もっぱら正月を褒め称える言葉として用いられる。
永日	えいじつ	日中が長く感じられること。春の日なが。
花曇	はなぐもり	桜の花が咲く、4月頃の曇った天気。
春塵	しゅんじん	春になって乾いた地面から風に舞い立つホコリ。
朱夏	しゅか	燃えるような太陽の暑さを赤い色にたとえた、夏の季節を表す言葉。
炎熱	えんねつ	夏の厳しい暑さ。燃え盛る火の熱さ。
秋水	しゅうすい	秋頃の清らかに澄んだ水。よくとぎすました刀など、曇りがなく清らかなもの。
秋嵐	しゅうらん	秋の山にたちこめる蒸気。 秋の山を包むもや。
極寒	ごくかん	非常に厳しい寒さ。また、その季節。

時間

単語	読み	意味・由来
黄昏	たそがれ	夕方の薄暗い時。転じて、盛りを過ぎて終わりに近づこうとすることのたとえ。
夜陰	やいん	夜中の暗い時。夜の暗がり。
暁闇	ぎょうあん	明け方に月が存在せず、周囲が暗いこと。陰暦で十四日ごろまでの現象。
暁	あかつき	夜半から夜の明けるころまでのとき刻。夜明け方。
黎明	れいめい	夜明け。転じて、新しいことが始まろうとすること。
暁紅	ぎょうこう	明け方の光が空を赤く染めること。朝焼け。
闇夜	やみよ	月明かりのない、真っ暗な夜。
星霜	せいそう	年月。星が1年に天を1周し、霜は毎年降ることから由来。
無窮	むきゅう	果てのないこと。無限。永遠。
久遠	くおん	遠い過去または未来。ある事柄が永遠に続くこと 。
悠久	ゆうきゅう	過去から未来にまで果てしなく続くこと。長く久しいこと。
永劫	えいごう	非常に長い年月。想像もできないほど長い時間。
悠遠	ゆうえん	時間的または空間的に、はるか遠いこと。長く久しいこと。
玉響	たまゆら	勾玉同士が触れ合って立てる小さな音のこと。転じて、ほんの一瞬。
刹那	せつな	極めて短い時間。仏教用語で、時間の最小単位。

単語	読み	意味・由来
転瞬	てんしゅん	瞬きすること。非常に短い時間。
花唇	かしん	花びら、花弁。美人の唇の形容。
桜唇	おうしん	美人の唇の小さく美しいさまを桜にたとえていう言葉。
紅唇	こうしん	赤い口紅をつけた唇のこと。また、美人の唇のこと。朱唇ともいう。
鶯舌	おうぜつ	うぐいすの声。また、美しい声のこと。
皓歯	こうし	白くきれいな歯のこと。「明眸皓歯」の形で、美人の形容にも用いられる。
柳眉	りゅうび	柳の葉のように細く、美しいまゆ。美人のまゆのたとえ。
青蛾	せいが	青く美しい眉。まゆずみで、蛾の触角のような三日月形を描いた眉。美人の形容にも用いられる。
蛾眉	がび	蛾の触角のような、三日月型で美しい女の眉。 転じて美人のたとえ。
翠黛	すいたい	みどりのまゆずみ。また、そのまゆずみで描いた美しいまゆ。緑にかすむ山のたとえ。
眉雪	びせつ	眉毛が雪のように白いこと。 転じて、老人のこと。
明眸	めいぼう	澄んだ美しいひとみ。「明眸皓歯」の形で、美人の形容にも用いられる。
炯眼	けいがん	鋭く光る目。鋭い目つき。物事をはっきりと見抜く力。
熊鷹	くまたか	性質が凶暴な者、また、貪欲な者。もとはタカ科の鳥の意。
花瞼	かけん	花のように美しいまぶたで、美人のまぶたのこと。

単語	読み	意味・由来
肉体		
玉臂	ぎょくひ	玉のように美しいうでやひじ。 美人のひじの形容として用いる。
夭桃	ようとう	美しく咲いた桃の花で、若い女性の容色の形容に用いる。
蘭芷	らんし	若くてみずみずしい桃の花。転じて賢人や美人のたとえ。
傾城	けいせい	城が傾いてしまうほどの絶世の美女。 遊女のことで、特に太夫・天神など上級の遊女をさす。
艶冶	えんや	なまめかしく美しいこと。また、そのさまを指す。
瑰麗	かいれい	すぐれて美しいさま。あまり例がないほど、きれいなさま。
鍾美	しょうび	大勢いる中で一人だけが際立って美しいこと。
烏喙	うかい	カラスのようなくちばしのことで、欲が深い人の顔つきのこと。
雲鬢	うんびん	女性の髪の毛の美しさを雲にたとえていう言葉。転じて、美しい女性のこと。
霜蓬	そうほう	霜のかかったよもぎのこと。転じて生気のない、乱れた白髪のたとえ。
能力		
謫仙	たくせん	神仙にたとえられるような非凡な才能をもった人。 大詩人などをほめていう語。
明珠	めいしゅ	透明で曇りのない玉。 すぐれた人物や貴重な人物のたとえ。
潜竜	せんりょう	池や淵にひそんでいて、まだ天に昇らない竜。転じて世に出るよい機会にまだめぐりあわない英雄のこと。
虎嘯	こしょう	虎が吠えること。英雄や豪傑が世に出て活躍することのたとえ。
木鶏	もっけい	故事に由来する言葉で、木彫りの鶏のように全く動じない闘鶏における最強の状態をさす。

単語	読み	意味・由来
暗向	あんこう	魚のあんこうの動きが鈍いところから、愚鈍なことや愚かな人のことをさす。
碌碌	ろくろく	平凡で役に立たないさま。たいしたこともできないさま。
斥鷃	せきあん	小鳥のこと。転じて、度量の狭い人や、取るに足らない小さい人物、浅はかな知恵のこと。
蚊虻	ぶんぼう	蚊と虻。また、弱小なもの、つまらないもののたとえ。
蠅頭	ようとう	きわめて細かい文字。ごくわずかな利益のこと。
寒苦鳥	かんくちょう	インドのヒマラヤにすむという想像上の鳥で、仏教では、怠けて悟りの道を求めない人間のこと。
迂腐	うふ	世事にうとく、役に立たないこと。的はずれで、ばかげていること。
灰塵	かいじん	あとかたもなく細かく砕けること、また、取るに足りないもののたとえ。
画餅	がべい	絵にかいたモチ。物事が実際の役にたたないこと。
鶏肋	けいろく	鶏の肋骨のことで、価値あるものではないが、捨てるには惜しいもののこと。
鯤鵬	こんほう	想像上の大魚の鯤と大鳥の鵬。非常に大きなもののたとえ。
鵝毛	がもう	ガチョウの羽毛。また、白いものやきわめて軽いもののたとえ。
飛燕	ひえん	飛んでいるつばめ。武道などで、つばめのようにすばやく身をひるがえすこと。
海岳	かいがく	海と山のこと。恩恵などの深大なことのたとえとして用いられる。
山斗	さんと	泰山と北斗星のこと。人びとが仰ぎ見て尊ぶもの。また、人びとから尊敬されている権威者。

心理

単語	読み	意味･由来
勁草	けいそう	風雪に耐える強い草。また、思想、節操の堅固なたとえ。
碧血	へきけつ	故事に由来する言葉で、強い忠誠心のたとえ。
竜驤	りゅうじょう	龍が天におどりのぼること。 勢いのさかんなことをたとえていう。
蒼鷹	そうよう	羽毛が青色を帯びている鷹のこと。転じて、情け容赦のない役人のたとえ
桀紂	けっちゅう	古代中国、夏の桀王と殷の紂王のことで、暴君の意。
刻舟	こくしゅう	故事に由来する言葉で、時勢の移り変わりに気が付かないことのたとえ。
面牆	めんしょう	垣に対すること。また、そうすると前が見えないことから、見聞の狭いことのたとえ。
奸邪	かんじゃ	心が曲がっていて、よこしまなこと。また、そういう人。
豺虎	さいこ	山犬と虎。猛獣のこと。猛々しい悪人のたとえ。
蛇蝎	だかつ	蛇とサソリ。人が非常に忌み嫌うもののたとえ。
稠林	ちゅうりん	生い茂った林。 転じて、煩悩がしきりに起こること。
琴瑟	きんしつ	琴と瑟をひいて音がよくあうように、夫婦が仲よく、しっくりしていること。
霊犀	れいさい	互いの意志が通じあうこと。
轍鮒	てっぷ	危難が差しせまっていることのたとえ。
槿花	きんか	ムクゲまたはアサガオの花。はかない栄華のたとえ。

単語	読み	意味・由来
萍水	へいすい	浮き草と水。流浪している者のこと。
愁雲	しゅううん	憂いを感じさせる雲。 転じて、憂いや悲しみのある心境のこと。
阿闍梨	あじゃり	仏教では位の高い僧侶、密教では僧侶の資格を持つ者を指し、伝法灌頂を受けた者が得られる僧侶の資格。
如何物師	いかものし	偽物を作ったり売ったりする人。 いかさま師。 詐欺師。
鯨鯢	げいげい	クジラのオスとメス。弱いものをひと呑みするような大悪人のたとえ。悪徒の首領。
侠客	きょうかく	強きを挫き、弱きを助ける、義侠・任侠を建て前として世渡りする人。
阮咸	げんかん	中国や日本の弦楽器で、リュート属の一種。西晋時代、阮咸がこれをよく弾いていたことからこう呼ばれる。
鳳笙	ほうしょう	雅楽の管楽器のひとつである「笙」の美称。外羽を休めた鳳凰の姿に似ていることから。
蘆角	ろかく	蘆(あし)の葉で作った笛。あしのはぶえ。
磬	けい	仏教伝来とともに日本に伝えられた法具で、打ち鳴らす石製の楽器のこと。
簓	ささら	竹の先を細かく割った、または細かく割った竹をたばねた道具。郷土芸能に使う楽器。
雲鑼	うんら	中国の伝統的な体鳴楽器。日本では明清楽に用いる。
鼓吹	くすい	奈良時代に葬儀などで使用された楽器。「こすい」と読む場合は、元気づけ、励ますという意味になる。
吹鳴	すいめい	吹き鳴らすこと。
蝉折	せみおれ	鳥羽天皇の時代、唐の皇帝が寄進してきた漢竹で作った横笛の名器。

	単語	読み	意味・由来
楽器	朽目	くちめ	皇室ににおいて代々伝えられていたとされる、和琴の名器。
調度品	帳	とばり	室内に垂れ下げて、隔てにする布。たれぎぬ。
	珠簾	しゅれん	珠玉で飾ったすだれ。また、美しく彩ったすだれ。
	華燭	かしょく	（結婚式の席上の）華やかなともしび。
	瓊玉	けいぎょく	美しい宝玉。「瓊」は赤色の玉という意味。
	琳瑯	りんろう	美しい玉の名。 また、美しい詩文をたとえていう言葉。
	白璧	はくへき	白色の美しい玉。ほぼ完全な物事に、少し欠点があることのたとえで「白璧の微瑕」という言葉もある。
	琅玕	ろうかん	暗緑色または青碧色の半透明の宝石。また、美しいもののたとえ。
薫物	六種薫物	むくさのたきもの	平安時代に生まれた６種類の代表的な練香のことで、「梅花」「荷葉」「侍従」「菊花」「落葉」「黒方」を指す。
	六国	りっこく	品質によって香木を分類するもので、「伽羅」「羅国」「真那加」「真南蛮」「寸聞多羅」「佐曽羅」の６種を指す。
	薫陸	くんろく	インド、イランなどに産する樹のヤニの一種。松や杉の樹脂が地中に埋もれ固まってできた化石。
	青木香	せいもっこう	インド・中国産のウマノスズクサの根。防虫効果を生かし、香料として匂袋などに使われる。
	椨	たぶ	クスノキ科の常緑高木。香料の一種。
	龍涎香	りゅうぜんこう	香料の一種で、マッコウクジラの腸内に発生する結石。
	龍脳	りゅうのう	龍脳樹という木からしみ出した樹脂が結晶化したもの。香料の一種。

単語	読み	意味・由来
零陵香	れいりょうこう	お香や匂い袋の香料として使われるサクラ草科の多年草。スパイスとしても使われる。
蘭奢待	らんじゃたい	東大寺正倉院に収蔵されている香木で、天下第一の名香と謳われる。黄熟香の雅名。
紅沈香	こうじんこう	蘭奢待と並び「両種の御香」と呼ばれる香木。全浅香の雅名。
八咫鏡	やたのかがみ	三種の神器のひとつ。天照大神が天の岩屋に隠れたとき、大神の出御を願って石凝姥命が作ったという鏡。
八尺瓊勾玉	やさかにのまがたま	三種の神器のひとつ。天皇の皇位継承に直接的にかかわる神器で、八尺瓊勾玉を継ぐ者が天皇となるのが習わしとされる。
天璽瑞宝	あまつしるしのみずたから	神道における十の神宝で、饒速日命(ニギハヤヒノミコト)が天降りするときに須佐之男命より授かった。
羸都鏡	おきつかがみ	天璽瑞宝のひとつで、太陽の分霊ともいわれる。裏面には掟が彫られている。
辺都鏡	へつかがみ	天璽瑞宝のひとつで、栄誉や栄光をもたらすといわれている。顔を映して生気・邪気の判断を行う。
八握剣	やつかのつるぎ	天璽瑞宝のひとつ。邪悪を罰し、平らげるといわれている。7つの柄があり、奇妙な形をしている。
生玉	いくたま	天璽瑞宝のひとつ。願いを神に託したり、神の言葉を受け取ったりする玉。
死反玉	まかるかえしのたま	天璽瑞宝のひとつ。死者を甦らせることができるといわれている玉。
足玉	たるたま	天璽瑞宝のひとつ。すべての願いを具現化してくれるという玉。
道反玉	ちがえしのたま	天璽瑞宝のひとつ。魂を正しい道に戻してくれる玉。
蛇比礼	へみのひれ	天璽瑞宝のひとつ。魔除けの布で、地から這い出してくる邪霊から身を守るための神器。
蜂比礼	はちのひれ	天璽瑞宝のひとつ。魔除けの布で、天空からの邪霊から身を守ったり、邪霊や不浄なものの上にかぶせて魔を封じ込める。

	単語	読み	意味・由来
宝物	品物比礼	くさもののひれ	天璽瑞宝のひとつ。あらゆる物を清めることができる布。死返玉を使う際はこの布の上に死人を寝かせる。
宝物	天沼矛	あめのぬぼこ	日本神話に登場する矛で、伊邪那岐・伊邪那美はこの矛を使って淤能碁呂島を作り出した。
道具	玄翁	げんのう	かなづちの一種で、打撃部分の片側が平らに、片側がわずかに凸状に膨らんでいるもの。
道具	角水	すみず	大工道具のひとつで、水を入れて土台面などに置いて水平度を計るもの。
道具	踏鞴	たたら	足で踏んで空気を送る大形のふいご。鋳物師が用いる。
道具	飛梭	ひさ	動力織機の、縦糸に横糸を通す装置。また、時のたつのが早いことのたとえ。
道具	花薫	かくん	花を入れて香りをたのしむ、透かし彫りの香炉型容器。
道具	茶筅	ちゃせん	茶道において抹茶を点てるのに使用する茶道具のひとつ。
道具	盞	うき	小さな杯。さかずきのこと。
道具	玉卮	ぎょくし	玉で造ったさかずき。また、美しいさかずき。玉杯。
道具	筌	うげ	魚などを捕まえる道具のひとつで、水路や堀底の魚道に仕掛けて、ドジョウ、ナマズ、ウグイなどを捕まえた。
道具	火熨斗	ひのし	炭火を入れて、熱により布類のしわ伸ばしや仕上げに用いる。今でいうアイロン。
道具	袱紗	ふくさ	冠婚葬祭の場で渡すご祝儀や香典を包むための布。
布地	縑	かとり	絹の糸を固く細かく、交互に織った平織の絹織物のこと。固織から名づけられた。
布地	軽羅	けいら	軽くて薄い絹布。

単語	読み	意味・由来
羅紗	らしゃ	厚手の紡毛糸で織られた織物のこと。 ポルトガル語の「raxa」が語源。
綺羅	きら	美しい衣服全般のこと。転じて、美しい衣服で着飾っている人を指す。権力者や優れた人に対しても用いる。
竜紋	りゅうもん	太い糸で平織りにした絹織物。想像上の動物である竜をかたどった文様。
飛白	ひはく	かすったようにところどころに小さな模様を出した織物。またその模様。
金紗	きんしゃ	錦紗ちりめん、錦紗おめしの通称。和服用の高級な絹織物。
銀襴	ぎんらん	錦地に銀糸で模様を織り出した織物。金糸や金切箔などを使った場合は「金襴」という。
呉織	くれはとり	古代日本の女性渡来人の職工、あるいはその織工の名。また、彼女たちの技術で織られた綾模様のある絹織物。
紗綾	さや	表面がなめらかで光沢のある絹織物の一種を指す。
薄紗	はくさ	薄くて軽い織物。
襤褸	ぼろ	使い古して役に立たなくなった布。ぼろぎれ。つづれ。
錫紵	しゃくじょ	天皇が二親等以内の親族の喪に服するときに着る、浅黒色の闕腋の袍。
闕腋	けってき	衣服の両わきの下を縫いつけないで、開けたままにしておくこと。武官および幼童が束帯の際に着ける袍で、「闕腋の袍」の略。
染衣	ぜんえ	黒く染めた僧の着る衣。 墨染めの衣。 法衣。
色衣	しきえ	墨染めの衣以外の法衣。 紫・緋・黄・青などの色があり、高位の僧が着る。
偏衫	へんさん	僧服の一種。上半身を覆う衣。

装束

単語	読み	意味・由来
千早	ちはや	古くから神事の際に用いられた衣装で、主に女性が着ていた。 古代の貫頭衣の名残とされる。
寿衣	じゅい	仏教の喪式で、死者に着せる衣服。経帷子。
錦繡	きんしゅう	豪華で美しい衣服・織物のこと。美しい紅葉や花、美しい字句や文章のたとえとしても使われる。
烏皮履	うひり	奈良時代前後の制度における朝服用の浅沓で、黒革を用いたもの。「くりかわのくつ」とも。
雲鶴	うんかく	雲と鶴とを配合した総模様の名。この模様の朝服は、親王および太閤となった人が着た。
雲鳥	くもとり	雲に鳥、特にツルを配した文様。また、その文様のある織物。
立涌	たてわく	縦に湧き立つような二本の線が左右に膨らんだりくぼんだりしながら伸び、水蒸気が涌き立ちのぼっていく様子を表した文様。
葦手	しで	装飾文様の一種で、文字を絵画的に変形し、葦・水鳥・岩などになぞらえて書いたもの。
雪輪	ゆきわ	雪の結晶にみられる六角形を円形にして描いた文様。
雷紋	らいもん	直線がつぎつぎと曲折していく幾何学的模様で、ラーメン鉢の内側などによく見られる。
竜紋	りゅうもん	想像上の動物である竜をかたどった文様。
青海波	せいがいは	同心円を互い違いに重ね、同心円の一部が扇状に重なり合った幾何文様の一種。日本だけでなく世界各地に見られる文様。
宝相華	ほうそうげ	華麗な花という意。唐草模様の一種で、中国の唐時代、日本では奈良時代・平安時代に用いられた装飾的な模様。
玉帛	ぎょくはく	玉と絹織物。特に、中国古代、諸侯が天子に拝謁したり、互いに訪問したりするときに贈り物として用いたもの。
結裁	ゆだち	装束の袖付の一部を縫わずにほころばせておくこと。 また、その部分。

単語	読み	意味・由来
長巻	ながまき	長太刀に長柄をつけ、革や組みひもで柄を巻いて鐔をつけた武器。薙刀と似ているが、薙刀は刀身より柄が長く、長巻は柄と刃の長さがほぼ変わらない。
矛	ほこ	長い柄の先に両刃を取り付けた武器で、槍や薙刀の前身といわれている。穂先の形状や柄への固定方法などに槍との違いがある。
戟	げき	中国の戦国時代から漢代に用いられた三叉の刺突用武器。矛と戈（ピッケルのような役割）の機能をあわせ持つ。
鉞	まさかり	刃幅の広い大型のオノ。斧との違いは刃巾で、刃巾が広く片側がくびれているのが鉞、刃巾が狭く細長いのが斧。
斧鉞	ふえつ	おのとまさかり。文章に手を入れて直すことの意味でも使われる。戚揚（せきてつ）とも。
鋒芒	ほうぼう	刃物などのきっさき。転じて、戦いで敵を攻撃する方向。相手の非を責めたり問題を鋭く追求したりする話しぶり。
孤剣	こけん	ひとふりの剣。また、刀だけを身に帯びて、他の武器などを持っていないこと。
赤手	せきしゅ	手に何も持っていないこと。徒手。素手。
尺鉄	せきてつ	短い刃物。小さな武器。ちょっとした兵器。尺兵。寸鉄。
稲城	いなき	稲を積み上げて作る棚のこと。非常に簡素で、一時的な砦としても使える。
笄	こうがい	刀の鞘の付属品のひとつ。また、耳かきや乱れた髪を直すなど、身だしなみを整える用途でも使われていた。
天叢雲剣	あめのむらくものつるぎ	三種の神器のひとつで、天皇の持つ武力の象徴であるとされる。
草薙剣	くさなぎのつるぎ	天叢雲剣ともいわれる剣。日本神話で、スサノオが八岐大蛇を退治したときに体内から見つかった神剣だとされている。
布都御魂	ふつのみたま	日本神話に登場する霊剣で、建御雷神（たけみかずちのかみ）はこれを用い、葦原中国（あしはらのなかつくに）を平定した。
韴霊剣	ふつのみたまのつるぎ	布都御魂ともいわれる霊剣。本直刀は茨城県鹿嶋市の「鹿島神宮」に神宝として伝わっている。

武器

単語	読み	意味・由来
甕布都神	みかふつのかみ	布都御魂ともいわれる霊剣で、佐士布都神の別名でもある。ただし、日本書紀にはこの名前はない。
天之尾羽張	あめのおはばり	伊邪那岐が所有する神剣で、妻伊邪那美が黄泉へ行く原因となったカグツチを斬り殺すときに用いられた。
十束剣	とつかのつるぎ	日本神話に登場する剣の総称。ひとつの剣の固有の名称ではなく、長剣の一般名詞と考えられる。
丙子椒林剣	へいししょうりんけん	大阪市の四天王寺が所有する7世紀作の直刀で、日本の国宝に指定されている。元もとの持ち主は聖徳太子だったともいわれている。
七星剣	しちせいけん	北斗七星が意匠された刀剣の呼称。破邪や鎮護の力が宿るとされ、儀式などに用いられた。七星刀、七星宝刀とも。
七支刀	しちしとう	奈良県天理市の石上神宮に伝来した古代の鉄剣で、剣身の左右に段違いに3本ずつ、6本の枝刃を持っている。
壺切御剣	つぼきりのみつるぎ	日本の皇太子もしくは皇嗣に相伝される護り刀。代々の立太子の際に天皇から授けられてきた。
村雨	むらさめ	滝沢馬琴の「南総里見八犬伝」に登場する架空の刀で、八犬伝前半の主人公・犬塚信乃が所持している。
童子切	どうじぎり	平安時代の伯耆国の大原の刀工・安綱作の日本刀で、天下五剣のひとつ。国宝に指定されている。童子切安綱とも呼ばれる。
鬼丸	おにまる	天下五剣のひとつで、鎌倉時代に作られたとされる日本刀。皇室の私有財産（御物）。鬼丸国綱とも呼ばれる。
数珠丸	じゅずまる	鎌倉時代、青江恒次によって作られた日本刀。天下五剣のひとつで、日本の重要文化財に指定されている。数珠丸恒次とも呼ばれる。
大典太	おおてんた	平安時代後期に作られたとされる日本刀で、国宝に指定されている。天下五剣のひとつ。大伝多と表記する場合もある。
三日月宗近	みかづきむねちか	平安時代に作られたとされる日本刀で天下五剣のひとつ。国宝に指定され、東京国立博物館に所蔵されている。
大包平	おおかねひら	平安時代末期の「古備前」と呼ばれる分類の刀工である「包平」によって作られた日本刀。元もとの持ち主は戦国時代の武将・池田輝政。
大兼光	おおかねみつ	南北朝時代に備前国（現在の岡山県）の刀工「長船兼光」が鍛えた日本刀。

単語	読み	意味・由来
大倶利伽羅	おおくりから	伊達政宗の子・伊達忠宗が、２代将軍・徳川秀忠から譲り受けた日本刀。、刀身に倶利伽羅龍の刀身彫刻が施されているためその名が付いた。
籠釣瓶	かごつるべ	籠で作った釣瓶が水滴さえ留めることができないことから、水も漏らさぬほどの切れ味を持つ妖刀。歌舞伎の演目「籠釣瓶花街酔醒」に登場する。
瓶割	かめわり	戦国時代初期の一刀流剣術の始祖・伊東一刀斎の愛刀。一刀斎が鬼夜叉といわれていた頃、三島神社より与えられた。
唐柏	からかしわ	南北朝時代の刀工・長谷部国信によって作られた日本刀。戦国から江戸時代にかけては米沢上杉家が所蔵していた。
希首座	きしゅざ	細川内膳家に伝来していた日本刀で、細川忠興が大徳寺で希首座（「首座」という役職の僧）を切り捨てたことに由来する。
狐ヶ崎	きつねがさき	鎌倉時代に備中で活動していた古青江派の刀工・為次により制作された日本刀。国宝に指定されている。
小烏丸	こがらすまる	奈良時代末期から平安時代中期に作られたとされる日本刀。天皇より下賜された平家一門の家宝で、現在は皇室の私有財産（御物）。
小狐丸	こぎつねまる	平安時代に作られたとされる日本刀。藤原氏に伝来していた名刀とされており、三条宗近が作ったという説が濃厚。
笹貫	ささぬき	鎌倉時代に活躍した刀工、波平行安作の太刀。 失敗作だと竹藪に投げ捨てられるも、後日その刃が笹の葉を貫いていたという伝説が名前の由来。
五月雨江	さみだれごう	南北朝時代の刀工・郷義弘により作られた刀。『南総里見八犬伝』に登場する「村雨丸」のモデルになった刀でもある。
獅子王	ししおう	平安時代末期の大和刀工が作ったとされる刀で、都を騒がせた鵺を仕留めた恩賞として、天皇から源頼政に下賜されたといわれている。
晴思剣	せいしけん	細川忠興が織田信長より拝領した脇差しで、名前の由来は忠興が茶坊主に化けていた間者討ち果たし、思いを晴らしたことにちなんでいる。
祢々切丸	ねねきりまる	鎌倉時代に作られたとされる大太刀で、重量は24kg、全長324cmで最重量級、日本最大級の長さを誇る。
髭切	ひげきり	平安時代、源満仲が天下守護のために作らせた２本の剣のうちのひとつ。満仲が有罪の者を切らせたところ、髭まで切ったことから髭切と名付けられた。
膝丸	ひざまる	平安時代、源満仲が髭切とともに作らせた刀剣。髭切とともに清和源氏が代々継承した名刀とされる。源義経や曽我兄弟の仇討ちと縁が深い。

武器

単語	読み	意味・由来
雷切	らいきり	雷または雷神を斬ったと伝えられる日本刀。複数あるが、有名なのは大友宗麟の右腕とされた猛将・立花道雪が所蔵していたもの。
朝嵐	あさあらし	室町時代、次郎左衛門尉勝光により作られた日本刀。表に真の「倶利伽羅」、裏に「天照皇太神」と神名を刻んだ短い打刀。
虎徹	こてつ	江戸時代中期に江戸で活躍した刀工の通称。勝海舟や 新選組局長・近藤勇の愛刀としても知られている。
岩融	いわとおし	武蔵坊弁慶が持っていた薙刀、あるいは刀で、薙刀は刀身だけで三尺五寸もあったといわれている。
村正	むらまさ	史上最も有名な刀工名のひとつで、その作品は戦国時代の三河武士を中心に愛用された。江戸時代になると、妖刀伝説の風説でも知られるようになる。
弩	いしゆみ	東アジア、特に中国において古代から近世にかけて使われた、クロスボウと同類の射撃用の武器の一種。
靫	うつぼ	矢を携行する時に用いる矢入れ具のことで、矢の先を上にして入れ、背に負うもの。「ゆき」とも。
胡籙	やなぐい	古代の靫が発達したもので、7世紀中期ごろから8世紀中期ごろに主として公家の儀式用として急速に広まった。
破魔弓	はまゆみ	魔除けのお守り。男の子の初正月の際に、破魔矢と一緒に飾られることが多い。
銀箭	ぎんせん	銀の矢。銀色の矢。強い雨脚のたとえ。
破魔矢	はまや	正月の縁起物や神具として神社・寺院で授与される矢。破魔弓とセットになることも多い。
百矢	ももや	矢を入れておく箱に100筋入れた矢。また、たくさんの矢を指す。
天鹿児弓	あめのかごゆみ	日本神話に登場する弓。天若日子（あめのわかひこ）が持っていた弓で、天津神を裏切って、状況を見に来た鳴女を射ち、殺したといわれている。天之麻迦古弓とも呼ばれる。
天羽々矢	あめのはや	日本神話に登場する矢で、天鹿児弓と対をなす矢。「羽々」の意味は「羽のように大きい」もしくは「大蛇」と解する説が有力。
雷上動	らいしょうどう	源三位頼政が、東三条の森から黒雲に乗って現れた妖怪変化「鵺」を射落とすのに用いた弓。

単語	読み	意味・由来
水破	すいは	源三位頼政が、鵺を射るのに用いた二本の鏑矢のうちの一本。黒鷲の羽で作られている。
兵破	びょうは	源三位頼政が、鵺を射るのに用いた二本の鏑矢のうちの一本。山鳥の羽で作られている。
綿甲	めんこう	奈良朝末期に唐様式を模倣した鎧で、布帛の表裏に金属片・真綿を入れた製作簡易なもの。
挂甲	けいこう	古墳時代によく用いられた甲冑で、鉄、金銅または革の短冊形小片を革紐で横に連結し、これを縦に数段に綴って上半身を防護する。
短甲	たんこう	日本で最も古い形態の甲冑で、肩から腰にかけての上半身を覆って防御する防具。
大鎧	おおよろい	平安時代以来、上級の騎馬武者が着用する甲冑として用いられた。弓射戦に適応しており、矢への防御力は高い。
胴丸	どうまる	平安時代の中期頃に生じた鎧の形式のひとつで、徒歩戦に適した形となっているのが特徴。
腹巻	はらまき	鎌倉時代の後期頃に生じた鎧の形式のひとつ。主として下級の徒歩武士に用いた軽武装となっている。
具足	ぐそく	日本の甲冑のこと。鉄衣。また、物事が十分に備わっていること。
鎧袖	がいしゅう	鎧の袖部分。「鎧袖一触」で、相手をたやすく打ち負かしてしまうことのたとえ。
草摺	くさずり	甲冑の胴部分から吊り下げられた部分のことで、腰から太ももまでの下半身を覆い、防護する。
六具	ろくぐ	六種をもってひと揃えとする武具。「鎧の六具」「大将の六具」「戦場の六具」などがある。
佩盾	はいだて	太ももと膝を守るための防具で、エプロンのように腰で縛り、左右の太ももを覆うようにして装着する。
月数	つきかず	保元の乱の際、源為義の四男・源頼賢が着用したという甲冑。
日数	ひかず	保元の乱の際、源為義の五男・源頼仲が着用したという甲冑。

	単語	読み	意味・由来
鎧	唐皮	からかわ	平氏に代々相伝されてきた家宝の太刀である小烏丸とともに、平家の嫡子に代々受け継がれてきた鎧。
馬具	面繋	おもがい	馬の頭の上の方から口に向けてかけ、轡（くつわ）を固定するためのひも。
	尻繋	しりがい	牛や馬の腰から尻に掛けるひも。また、馬の鞍から腰・尾に掛けるひも。
	居木	いぎ	馬の鞍で、乗り手が尻を据える部分。
	馬鐸	ばたく	馬の胸にさげる青銅製の鈴の一種。日本では古墳時代の飾り馬の胸につるした。
	障泥	あおり	馬の鐙 (あぶみ) とわき腹との間に下げた、かわ製の泥避け。
	雲珠	うず	飾り馬の尻に据える鞍の部分品。宝珠の周辺に火炎形を配し、雲形の台にのせた馬具。
	銀面	ぎんめん	鞍をつけるとき、馬の面を飾る銀メッキの装飾具。額に唐花、額の上には菖蒲形を着ける。
	水緒	みずお	鞍の腹から垂らして鐙 (あぶみ) をつる皮のひも。
建物	木鼻	きばな	建物で、複数の柱を貫通する横柱の端の部分の名称。「木の端→木端」から漢字が変わり、木鼻と呼ばれるようになった。
	擬宝珠	ぎぼし	伝統的な建築物の装飾で橋や神社、寺院の階段などの柱の上に設けられている飾り。ネギの花の形に似ている。
	雲斗	くもと	飛鳥時代の建築物に用いられた雲形組物で、特徴的な枡組。雲肘木とともに飛鳥時代の建築に用いられた。
	屈輪	ぐり	寺院建築などに用いられる、わらび形の曲線の連続文様。
	九輪	くりん	塔の上層部にある飾りの一部のこと。九重になっているので九輪と呼ばれるが、空中にあるので「空輪」とも。宝輪。
	曲輪	くるわ	城の中に造られたひとつの区画。主郭では城主の居所や兵糧庫、食事用の台所などが建てられていた。郭とも。

単語	読み	意味・由来
高欄	こうらん	宮殿や堂舎などのまわりや橋、渡り廊下などの両側などに設けた欄干。
虹梁	こうりょう	梁（はり）の一種で、虹のようにやや弓なりに曲がっている梁。
古址	こし	昔あった建造物の土台の石。昔、建造物や都のあった場所。旧址。古跡。
采椽	さいてん	山から切り出したままの木を使った垂木。また、飾らない質素な家のたとえ。
狭間	さま	城壁や櫓、軍船のへさきなどに設け、内から外をうかがったり、矢、鉄砲などを用いたりするための小窓。
桟	さん	木材、綱などで山の崖の縁に棚のように張り出したり、崖から崖へ橋のように架け渡したりして作った桟道。
鴟尾	しび	宮殿や仏殿などの瓦葺き屋根のてっぺんに、シャチホコと同じように大棟の両端に乗る飾り。
支輪	しりん	社寺建築で、折り上げ天井の斜めに立ち上がった部分を支える竪木のこと。
水煙	すいえん	塔の九輪の上部にある火焰の形の飾り。
滝殿	たきどの	滝のほとりに建てた殿舎。庭の泉水のほとりに建てた殿舎。
三和土	たたき	「敲（たた）き土」の略で、赤土や砂利などに消石灰とにがりを混ぜて練り、塗って敲き固めた素材。３種類の材料を混ぜ合わせることから三和土と書く。
千木	ちぎ	神社建築などに使われる装飾のひとつで、本殿の屋根の上に用いられる部材のこと。
刎木	はねぎ	木造建築の小屋組の中で、軒先をはね上げるようにしてささえている材。
菱垣	ひしがき	割り竹を菱形に組んで作った垣。
肘木	ひじき	社寺などの建築で、柱の上方にあって上からの重みを支える横木。腕木。

単語	読み	意味・由来
建物		
扶木	ふぼく	神殿の建築に用いられる神木。
矢来	やらい	竹・木をあらく組んだ、仮の囲い。
欄間	らんま	日本の建築様式にみられる建具の一種。採光、通風、装飾といった目的で天井と鴨居との間に設けられる開口部材のこと。
数		
恒河沙	ごうがしゃ	恒河沙（ごうがしゃ）は漢数字の単位。10 の 52 乗を示す。仏教の聖典で無限に大きな数を表すのに使われていた位で、ガンジス川の砂粒の数に由来している。
阿僧祇	あそうぎ	阿僧祇(あそうぎ)は漢数字の単位。10の56乗を示す。サンスクリット語で「数えることができない」の意味。
那由他	なゆた	那由他（なゆた）は漢数字の単位。10 の 60 乗を示す。元は仏教用語で、サンスクリット語の「ナユタ」を音訳した、「極めて大きな数量」の意味。
不可思議	ふかしぎ	不可思議（ふかしぎ）は漢数字の単位。10 の 64 乗を示す。語源はその名のとおり、思ったり、議論したりすることが不可なほど大きい数字、という関係に由来する。
無量大数	むりょうたいすう	無量大数（むりょうたいすう）は漢数字の単位。10 の 68 乗を示す。無量数に由来する。無量数は仏教用語からとられたもの。命数法では最大の数詞。
纖	せん	1000 万分の 1 を表す単位。「しなやか」「糸筋」「たおやか」などの意味。
沙	しゃ	1 億分の 1 を表す単位。「小さい砂」を意味。
塵	じん	10 億分の 1 を表す単位。北宋のものといわれる謝察微の『算経』に小数の名として登場。
埃	あい	100 億分の 1 を表す単位。『塵劫記』に載っている小数は「埃」が最小。
渺	びょう	1000 億分の 1 を表す単位。「水面などが限りなく広がり、遥かに霞んでいる」という意味。
漠	ばく	1 兆分の 1 を表す単位。「果てし無く広々としている様」「取り留めがなくはっきりしない様」という意味。
模糊	もこ	10 兆分の 1 を表す単位。ぼんやりしたさまを表す。

単語	読み	意味·由来
逡巡	しゅんじゅん	100兆分の1を表す単位。「ためらい」などの意味。
須臾	しゅゆ	1000兆分の1を表す単位。「しばらくの間」などの意味があり、「しばらく」と訓まれることもある。
瞬息	しゅんそく	1京分の1を表す単位。「瞬間にする息のように短いもの」という意味。
弾指	だんし	10京分の1を表す単位。朱世傑『算学啓蒙』(値が異なる)や程大位『算法統宗』に登場。
刹那	せつな	100京分の1を表す単位。
六徳	りっとく	1000京分の1を表す単位。本来「人の守るべき六種の徳目」などを表す。仏教語としては「ろくとく」という。
虚空	こくう	1垓(10の20乗)分の1を表す単位。「何もない空間」、「大空」の意味。
清浄	せいじょう	10垓(10の21乗)分の1を表す単位。程大位『御製数理精蘊』などの最小の数の単位。
阿頼耶	あらや	100垓(10の22乗)分の1を表す単位。
阿摩羅	あまら	1000垓(10の23乗)分の1を表す単位。
涅槃寂静	ねはんじゃくじょう	1予(10の24乗)分の1を表す単位。サンスクリット語で、「吹き消すこと」や「消滅の意」という意味
空	くう	仏教全般の基本的な教理。サンスクリット語で「…を欠いていること」という意味。
色	しき	認識の対象となる物質的存在の総称。パーリ語のルーパに由来。
寂	じゃく	仏道修行により有無執着の迷いの境地を脱却して、悟りの境界(きょうがい)に入ること。
我空	がくう	人間の身心は因縁によって仮に生成したものであり、永久不変の我がそこにあるのではないということ。

仏教一般

単語	読み	意味・由来
空寂	くうじゃく	宇宙のすべての事物は実体がなく、その本性は空であるということ。
流転	るてん	煩悩のために、生死（しようじ）を繰り返して、迷いの世界をさまよい続けること。
逆流	ぎゃくる	生と死の流転に逆らい、悟りの境地への道を進むこと。仏教では逆流なくして解脱はない。
等流	とうる	原因から結果が流出するとき、その結果が原因と相似していること。
苦輪	くりん	生と死を何度も繰り返す苦しみが止まないこと。
苦果	くか	過去の悪業(あくごう)の報いとして受ける苦しみ。
業苦	ごうく	前世に行った悪業のために、現世で受ける苦しみ。
黒業	こくごう、こくぎょう	悪い行為。悪事。悪業（あくごう）。また、悪いむくいを受ける原因。
白業	びゃくごう、はくぎょう	よい果報をもたらす善の行為。善業(ぜんごう)。
界繋	かいけ	欲・色・無色界の三界のいずれかにつながれていて自由でないこと。三界とは生きとし生けるものが生まれ、死にを繰り返す世界のこと。
離苦	りく	心身の苦しみを離れること。
厭離	えんり	けがれた現世を嫌い離れること。
有情	うじょう	サンスクリット語の「sattva」の訳。人間・鳥獣など、感情や意識といった心の動きを有するもの。
有待	うだい	人間のからだ。衣食などの助けによって初めて保たれるところからいう。
横竪	おうじゅ	他力と自力。横が他力を表し、竪が自力を表す。

単語	読み	意味・由来
苦海	くかい	大海のはてしないように、はてしない苦につきまとわれ、さいなまれている世界のこと。
愛染	あいぜん	愛に執着すること。愛するものに心が囚われてしまい、離れられないこと。
無愛	むあい	愛執の心がないこと。満足してそれ以上の欲求心がないこと
愛河	あいが	人は愛欲におぼれやすいことから、それを河にたとえていったもの。
二河	にが	火の河と水の河。人間の貪愛 (とんあい) を水、瞋憎 (しんぞう) を火にたとえたもの。貪愛は執着、瞋憎は憎しみを指す。
有漏	うろ	「漏」は、漏れ出ることで、迷いやけがれをさす。迷いを有する状態、煩悩のあること。
無漏	むろ	「漏」は人間の煩悩をさし、それを断滅した状態。煩悩のないこと。
無常	むじょう	現世におけるいかなる事象もうつりかわり、少しも同じ状態に留まらないこと。いつ死ぬか分からず、人生の儚いこと。
無明	むみょう	存在の根底にある根本的な無知のこと、真理くらいに無知のこと。最も根本的な煩悩。
四諦	したい	サンスクリット語の「catur-ārya-satya」の訳。迷いと悟りの両方にわたって因と果とを明らかにした四つの真理。苦諦、集諦、滅諦、道諦を指す。
苦諦	くたい	この世界は苦しみを本質としているという真理。
集諦	じったい	欲望の尽きないことが苦しみを産んでいるという真理。苦しみの原因を示した真理。サンスクリット語「サムダヤ・サティヤ（samudaya satya）」に由来。
滅諦	めったい	欲望のなくなった状態が苦滅の理想の境地であるという真理。修行者の理想の在り方を指す。サンスクリット語「ニローダ・サティヤ（nirodha satya）」に由来。
道諦	どうたい	煩悩を滅して涅槃に至るために正しい修行を行わねばならないという真理。サンスクリット語「マールガ・サティヤ（mārga satya）」に由来。
地大	じだい	すべての堅い性質をもち、保持作用をするもの。万物を構成する元素である四大（しだい、地・水・火・風）のひとつ。

仏教一般

単語	読み	意味・由来
水大	すいだい	水のように、湿った性質があって、ものを摂取し集める働きがあるもの。
火大	かだい	温かさを本性とし、ものを成熟させる作用があるもの。
風大	ふうだい	風という要素。ものの動きを生長させる作用をもつ。
空大	くうだい	五大・六大のひとつ。無礙（むげ、何物にも妨げられないこと）を本性とし、無障（障りとならないこと）を働きとして、万物の存在を可能にしているもの。
空輪	くうりん	仏教の世界観である、須彌山（しゅみせん、仏教の宇宙説にある想像上の霊山）をささえる最下底をいう。四輪（しりん）のひとつ。
風輪	ふうりん	須彌山（しゅみせん）説で、この世界を支えるという四輪（しりん）のひとつ。
水輪	すいりん	大地の下層で世界の基底をなすという四輪（しりん）のひとつ。光音天から降る雨の留まる水層。
金輪	こんりん	仏教の世界観で地下にあって大地を支える四輪のひとつ。風輪、水輪の上にあるもの。
地輪	じりん	金輪（こんりん）と同じ意味。
肉眼	にくげん	人間の肉体にそなわり、さえぎるもののない可視的なものだけを見ることができる凡夫の目。五眼のひとつ。
天眼	てんげん	遠近、昼夜など、一切の事象を見ることができる目。一切の諸色や衆生の生死などを見通す目。禅定によって得られ、また天趣のものが得ているとされる。五眼のひとつ。
慧眼	えげん	物事の本質や道理を鋭く見抜く洞察力。あらゆる事象を見通す智慧の目。五眼のひとつ。
法眼	ほうげん	仏法の正理を見る智慧の目。菩薩はこれによって、一切の事物を観察して衆生を救う。五眼のひとつ。
仏眼	ぶつげん	一切を見通す、悟りを開いた者の眼。肉眼・天眼・慧眼・法眼の四つを兼備した仏の眼。 五眼のひとつ。
聞慧	もんえ	経典の教えを聞いて得られる智慧。三慧（さんえ）のひとつ。

単語	読み	意味・由来
思慧	しえ	思惟、考察して得られる智慧。三慧（さんえ）のひとつ。
修慧	しゅえ	実践修行によって得られる智慧。三慧（さんえ）のひとつ。
成劫	じょうこう	四劫の第一。この世界に、山河などの自然と生物とが生まれ出る時期。最初の劫。 世界が生成されていく時期。
住劫	じゅうこう	四劫の第二。人類が世界に安住する時期。この世が成立して、有情の安住している期間
壊劫	えこう	四劫の第三。世界が破滅する時期。世界が破壊され、空無に帰するまでの期間。
空劫	くうこう	四劫の第四。世界が全く壊滅して、次にまた新たに生成のときが始まるまでの長い空無の期間。 これが終わると、また成劫に入る。
九識	くしき	眼・耳・鼻・舌・身・意・末那・阿頼耶の八識に、菴摩羅識（無垢識）を加えたもの。天台宗・華厳宗などの所説。
末那	まな	サンスクリット語の「マナス（manas）」の音写。我に執着して存在の根拠となる心の働き。意識がなくなった状態にも存在し、迷いの根源とされる。
阿頼耶	あらや	サンスクリット語の「アーラヤ・ビジニャーナ（ālaya-vijñāna）」の音写。宇宙万有の展開の根源とされる心の主体。
真知	しんち	万有の本体であり、永久不変、平等無差別なものを悟って得られる智慧。真の知識。
慧剣	えけん	煩悩を断ち切る智慧の力を、剣にたとえていう語。
慧日	えにち	仏の智慧が煩悩や罪障を除くことを、太陽にたとえていう語。
智水	ちすい	仏の智慧が煩悩の垢を洗い流す水にたとえていう語。
法輪	ほうりん	仏の教え。卍（まんじ）とともに仏教の象徴として用いられ、インド国旗の中央の図柄にもなっている。
法雨	ほうう	仏の慈悲が人間を始めとするすべての生物、生命ある全てのものをあまねく救うこと。雨が万物を潤すことにたとえた語。

仏教一般

単語	読み	意味・由来
呪印	じゅいん	口に呪文を唱え、手に印を結ぶこと。短い呪文を真言、長い呪文を陀羅尼という。
念誦	ねんじゅ、ねんず	心の中で仏に祈り、口に仏の名号（みょうごう）やお経などを唱えること。名号とは仏・菩薩の称号を指す。
結印	けついん	仏や菩薩の徳を表すために、手指でさまざまな形を作ること。印を結ぶこと。
九字	くじ	「臨、兵、闘、者、皆、陣、列、在、前」の９個の字をいい、一種の呪句で、これを称えつつ縦４本、横５本の線を空中に描けば、災いが除かれ幸福を得るという。
蘇婆訶	そわか	真言 (しんごん) や陀羅尼 (だらに) の最後に添えていうことばで、願いの成就を祈る秘語。
南無	なむ	敬意、尊敬、崇敬をあらわすサンスクリット語の間投詞「ナモ (namo)」の音写。仏・菩薩 (ぼさつ) に向かって、心からの帰依を表す語。その名を呼ぶときに冠する。
摩訶	まか	優れていること。大きいこと。偉大なこと。他の語や人名の上に付いて美称として用いることも多い。
波羅蜜	はらみつ	迷いの世界である此岸から、悟りの彼岸に到達すること。また、そのための修行。
多聞	たもん	仏の正しい教えを多く聞き、それを心にとどめおくこと。仏法を多く聞き知っていること。
加持	かじ	仏、菩薩が人びとを守ること。加護すること。
折伏	しゃくぶく	折破摧伏（しゃくはさいぶく）を略した仏教用語であり、悪人・悪法を打ち砕き、迷いを覚まさせること。人をいったん議論などによって破り、自己の誤りを悟らせること。あるいは、悪人や悪法をくじき、屈服させること
破邪	はじゃ	邪悪を打ち破ること。また、邪説を論破すること。間違った道理や誤った主張、邪悪な教えなどを破ること。
破魔	はま	悪魔を打ち破ること。煩悩を打ち払うこと。
降魔	ごうま	悪魔を降伏 (ごうぶく) させること。悟りの妨害となるものをしりぞけること。悪魔の誘惑を克服すること。
久修	くしゅ	長い年月にわたって、悟りに至るための修行を続けること。

単語	読み	意味・由来
求道	ぐどう	仏道を求めること。さとりを求めること。また、ひとつの道の極致を求め修行すること。
欣求	ごんぐ	喜んで仏の道を願い求めること。
頭陀	ずだ	衣食住に対する欲望を払いのけること。転じて、あらゆる煩悩を払い去って仏道を求めること。また、そのための修行。
抖擻	とそう	衣食住に対する欲望をはらいのけ、身心を清浄にすること。また、その修行。雑念をはらって心をひとつに集めること。
濁乱	じょくらん、だくらん	悪がはびこって人を惑わせ、世が乱れること。
救世	くせ、くぜ、ぐせ、ぐぜ	仏が人間を始めとするすべての生物、生命ある全てのものを救済すること。世の中の人々の苦しみを宗教の力で救い、ひいては悟りの境地へ導くこと。
弘誓	ぐぜい	修行者である菩薩が、自身みずから悟りを開き、同じく生きとし生けるものを救済しようとする決意し、誓いを立てること。
照破	しょうは	仏が広大な智慧の光で無明の闇を明らかに照らすこと。
空華	くうげ	煩悩にとらわれた人が、本来実在しないものをあるかのように思ってそれにとらわれること。病みかすんだ目で虚空を見ると花があるように見えることにたとえたもの。
幻化	げんけ	幻はまぼろし、化は仏・菩薩(ぼさつ)の神通力による変化(へんげ)。実体のない事物、また、すべての事物には実体のないことのたとえ。
垂迹	すいじゃく、すいしゃく	仏・菩薩が人々を救うため、神や人間などの姿となって現地に現れること。たとえば日本なら、仏が日本固有の神の姿として現れること。
華厳	けごん	菩薩の一切の修行や功徳を修めて、その徳果が円満にそなわり仏になること。
仏果	ぶっか	仏道修行の結果として得られる、成仏という結果。煩悩を脱して悟りをひらいたことの証果。
阿羅漢	あらかん	「尊敬を受けるに値する者」の意。仏教において、究極の悟りを得て、尊敬し供養される人をいう。
声聞	しょうもん	教えを聞く弟子を意味するサンスクリット語に由来。釈迦の説法する声を聞いて悟る弟子。

仏教一般

単語	読み	意味・由来
一来	いちらい	仏教において悟りの第二段階であり、四向四果のひとつ。 一度天界に生まれ、再び人間界に戻って、その次は二度と輪廻しなくなる。
印可	いんか	密教や禅宗で、師僧が弟子の修行者が悟りを得たことを証明認可すること。
阿那含	あなごん	欲界の迷いを断じ終わって、再び欲界に戻ることがなくなった状態で、四向四果のひとつ。
維那	いな、いの、いのう、ゆいな	寺務を統率し、僧衆の雑事をつかさどり、また、僧事を指図する役名。
沙弥	しゃみ、さみ	仏門に入り、髪をそって十戒を受けた初心の男子。女子は沙弥尼。修行未熟な僧。
九会	くえ	真言密教で、金剛界について説かれる９つの名目。「成身会・三昧耶会・微細会・供養会・四印会・一印会・理趣会・降三世羯磨会・降三世三昧耶会」の九つ。
九想	くそう、きゅうそう	人の死体がしだいに腐敗し、鳥獣に食われ、白骨となり、最後に焼かれて土に帰するまでの九段階を思い浮かべる観想。肉体に執着する心を除くために行う。
波羅夷	はらい	戒律のなかで最も重い罪のこと。(1)淫(いん)(性交)を犯す(2)物を盗む(3)殺人（堕胎を含む）(4) 大妄語(だいもうご)（悟りを得ていないのに得たと嘘(うそ)をいう）の４条を犯した者は懺悔しても許されない。
六道	ろくどう	生存中の行為の善悪の結果として、生きとし生けるものがおもむく６種類の世界の状態をいう。地獄道・餓鬼道・畜生道・修羅道・人間道・天道。
泥梨	ないり、なり	地獄。奈落。生前に悪業をなしたものが、死後その報いとして罪を償う地下の牢獄のこと。
紅蓮	ぐれん	八寒地獄の七番目である紅蓮地獄（鉢特摩地獄）の略称でもある。死後そこに落ちた者は、酷い寒さにより皮膚が裂けて流血し、紅色の蓮花のようになるという。
劫火	こうか、ごうか	世界が破滅する壊劫の終末に起こり、世界を焼き尽くしてしまう大火。
死火	しか	死を、すべてを焼き尽くす火にたとえた語。
毘藍婆	びらんば	世界の生成、または壊滅する劫初(この世のはじめ)・劫末（この世の終わり）に起こるという大暴風。
業魔	ごうま	悪業が正道を妨げ、智慧を失わせることを、悪魔にたとえていう語。

単語	読み	意味・由来
天魔	てんま	仏法を害し、人心を悩乱して智慧や善根を妨げる悪魔。天子魔（てんしま）・他化自在天（たけじざいてん）・第六天魔王（あるいは単に魔王）ともいう。
波旬	はしゅん	釈迦の修道を妨げようとした魔王の名。
魔障	ましょう	仏道の修行の妨げをなすもの。また、悪魔による障害を指す。
魔羅	まら	人の善事を妨げる悪神。魔王。欲界第六天の王。または、悟りの妨げとなる煩悩をいう。
穢土	えど	煩悩にけがれたものが住む迷いの世界。凡夫の住む娑婆 (しゃば) 世界。迷いから抜けられない生きとし生けるものの世界。
此土	しど	この世。現世のこと。
報土	ほうど	生きとし生けるものが、みずからの行為によって次の世に受ける国土。修行時代の菩薩が立てた誓願によって成就される浄土のこと。たとえば極楽などがこれにあたる。
娑婆	しゃば、さば	釈迦が衆生を教化する苦しみや煩悩に満ち溢れた世界、すなわちこの世のこと。仏教における三千世界の総称であり、娑婆世界、娑界ともいう。
菩提	ぼだい	煩悩を断ち切って悟りの境地に達すること。また、悟りの智恵。
閻浮提	えんぶだい	もともとはインドの地を想定したもので、のちに人間世界、現世を意味するようになった。
閻浮樹	えんぶじゅ	閻浮提 (えんぶだい) の大森林中にあると伝えられる想像上の大樹。常緑樹で、高さ百由旬 (ゆじゅん) あるという。
竜華樹	りゅうげじゅ	弥勒菩薩がその下で竜華三会を開くとされる木。枝は竜が百宝を吐くように百宝の花を開くという。
補陀落	ふだらく	インド南端の海岸にあり、観音が住むという八角形の山。日本でも観音の霊地にはこの名が多い。
藕花	ぐうげ、ぐうか	蓮の花。蓮花 (れんげ)。
天花	てんげ	天上界に咲くという霊妙な花。

仏教一般

単語	読み	意味・由来
天鼓	てんく	打たなくても妙音を発するという天人が持つ太鼓。仏の説法にたとえる。
毒鼓	どっく、どっこ、どくく	毒を塗った太鼓。この音を聞く者はみな死ぬといい、仏の教えが聞く者の煩悩を滅することにたとえる。
阿伽陀	あかだ	あらゆる病気を治すという霊妙な薬。サンスクリット語「agada」の音写。
伽藍	がらん	もとは仏道修行者が集って修行する清浄、閑静な場所の意であったが、のちに寺院の建築物を意味する言葉となった。
阿蘭若	あらんにゃ	もとは森林の意。静かな、修行に適する所。元来は森林を意味した。
金剛杵	こんごうしょ	古代インドで、インドラ神や執金剛神が持つとされる武器。サンスクリット語「バジュラ（vajra）」の訳。
独鈷	とっこ	密教で用いる法具で、金剛杵の一種。鉄製または銅製で、両端がとがった短い棒状のもの。
金剛鈴	こんごうれい	密教法具のひとつで、修法のときに用いる楽器の一種。柄は金剛杵の形で、その一端に鈴をつけたもの。仏菩薩の注意をひき、歓喜させるために打鳴らされるもの。
竹篦	しっぺい	禅宗で、師家が参禅者の指導に用いる法具。長さ 60 センチ～ 1 メートル、幅 3 センチほどの、割り竹で作った弓状の棒。瞑想する者の気のゆるみを戒め、気合いを入れるために肩を打つ。
払子	ほっす	獣毛や麻などを束ねて柄をつけたもの。もとインドで蚊・ハエやちりを払うのに用いたが、のち法具となって、中国の禅宗では僧が説法時に威儀を正すのに用いるようになり、日本でも真宗以外の高僧が用いる。
輪宝	りんぼう、りんぽう	転輪聖王の所有する七宝のひとつ。金・銀・銅・鉄の 4 種がある。もとは車輪の形をした古代インドの武器。仏教に取り入れられ、転輪王が出現する時、王の行くところ、これが自転して正義による治化を助けるという。
羯磨	こんま、かつま	受戒・懺悔の儀式作法。サンスクリット語「カルマ（karma）」の音写。
閼伽	あか	元来は客人の接待のときに捧げられる水。現在では仏前や墓前に供えられる水をさす。
塗香	ずこう	仏像や修行者の身体に香を塗って、けがれを除くこと。また、その香。仏に捧げる六種の供物の一種。
華鬘	けまん	仏堂における荘厳具のひとつ。もとは髪に挿す花飾りのことで、インドでは生花を花輪にして首にかけたりした。

単語	読み	意味・由来
火舎	かしゃ、かじゃ	仏事に用いるふた付きの香炉。
阿含	あごん	釈迦の説いた教え。経典。サンスクリット語「アーガマ（āgama）」の音写。
三蔵	さんぞう	仏教の聖典を経蔵・律蔵・論蔵の３種に分類したときの総称。
諷誦文	ぶじゅもん	死者の供養などのために、僧侶に読経を頼む文書で、施物が記入されている。平安時代以来の風習で、これを受けた僧は読経のあとでこの文書を読上げる。
伽陀	かだ	原意は「歌」で、サンスクリット語のシラブル（音節）の数や長短などを要素とする韻文のこと。
曼荼羅	まんだら	密教で、仏の悟りの境地である宇宙の真理を表す方法として、仏・菩薩などを体系的に配列して図示したもの。
盂蘭盆	うらぼん	7月15日を中心に祖先の冥福を祈る仏事。現在は、地方により陰暦で行う所と、一月遅れの8月15日前後に行う所がある。
安居	あんご	インドにおける雨季（4月 15日または5月 15日より３ヵ月間）の間に寺院や一定の住居にとどまって外出しないで修行すること。
釈迦如来	しゃかにょらい	仏教の開祖。ネパール南部の釈迦族の王子として紀元前6- 前5世紀に生まれる。29歳で出家し苦行ののち悟りをひらき、インド各地で布教して80歳で没したとされる。
薬師如来	やくしにょらい	東方浄瑠璃世界の教主。12の大願を立てて、人々の病患を救うとともに悟りに導くことを誓った仏。古来、医薬の仏として信仰される。
阿弥陀如来	あみだにょらい	西方の極楽浄土の教主で、生あるものすべてを救う仏。日本には7世紀初めごろつたわる。日本では浄土宗がさかんになったため、多くの信仰を集めた。
大日如来	だいにちにょらい	真言密教の教主。万物の慈母であるとともに宇宙の中心であり、宇宙の真理そのもの。像は宝冠をつけ結髪した菩薩形に表される。
阿閦如来	あしゅくにょらい	仏教（特に密教）における信仰対象である如来の一尊。
宝生如来	ほうしょうにょらい	密教で説く金剛界の五仏のひとつで、南方に位置する。事物間の平等性をみぬく智慧と、修行により福徳の宝を生ずる徳とをそなえた仏。
不空成就如来	ふくうじょうじゅにょらい	仏教における信仰対象である如来の一尊。金剛界五仏の一尊。

	単語	読み	意味・由来
如来	宝幢如来	ほうとうにょらい	仏教における信仰対象である如来の一尊。サンスクリット語名「ラトナケートゥ（ratnaketu）」は、「如意宝珠の旗印（をもつ者）」を意味する。
	開敷華王如来	かいふけおうにょらい	仏教における信仰対象である如来の一尊。サンスクリット語名は、「開花した蓮の花の王」を意味する。
	天鼓雷音如来	てんくらいおんにょらい	仏教における信仰対象である如来の一尊。サンスクリット語名は、「天鼓が響かせる雷鳴のような音（をもつ者）」を意味する。
	多宝如来	たほうにょらい	仏教における信仰対象である如来の一尊。過去仏（釈尊以前に悟りを開いた無数の仏）の１人。釈尊の説法を賛嘆した仏。
	天王如来	てんのうにょらい	欲界六天の最下天の王。悪業深い提婆達多 (だいばだった、釈迦の弟子の一人で釈迦の従兄弟に当たるといわれる）が未来に悟りを開いて仏となるときの名。
	毘盧遮那仏	びるしゃなぶつ	華厳経 (けごんきょう) の教主。身光・智光の大光明で全宇宙を照らす仏。サンスクリット語「バイローチャナ（Vairocana)」の音写。
	燃燈仏	ねんとうぶつ	過去世において釈尊に、やがて悟りを開いて仏になることを預言 (授記) した仏。定光如来ともいう。
	錠光仏	じょうこうぶつ	燃燈仏の異名。サンスクリット語「ディーパンカラ（Dipankara)」に由来。灯火を輝かす者という意味があり、肩に炎をもつ独特な仏。
	毘婆尸仏	びばしぶつ	過去七仏（釈迦仏までに登場した７人の仏）の一尊。
	尸棄仏	しきぶつ	過去荘厳劫に出現した千仏のうちの第 999 仏目。
	毘舎浮仏	びしゃふぶつ	過去 31 劫、人の寿命が６万歳のとき、無喩城に生まれる。クシャトリア出身。
	倶留孫仏	くるそんぶつ	人の寿命が４万歳のとき、安和城に生まれる。バラモン出身。
	倶那含牟尼仏	くなごんむにぶつ	人の寿命が４万歳（３万歳とも）のときに出世。弟子は７万人いたという。
	迦葉仏	かしょうぶつ	人の寿命が２万歳のときに出世した。バラモン出身。
菩薩	金剛薩埵	こんごうさった	大日如来と衆生とを結ぶ役目を果たす菩薩。真言密教の第二祖とされ、像は右手に五鈷杵、左手に五鈷鈴を持つ姿に表される。

単語	読み	意味・由来
弥勒菩薩	みろくぼさつ	遠い未来、慈しみにより生あるものすべてを救うという菩薩。サンスクリット語「マイトレーヤ（maitreya）」に由来。
観音菩薩	かんのんぼさつ	世の人々の音声を観じて、その苦悩から救済する菩薩。一般的には「観音さま」と呼ばれる。起源や性別には定説がない。
勢至菩薩	せいしぼさつ	智慧の光をもってあまねくいっさいを照らし、無上の力を得させるという菩薩。サンスクリット語「マハースターマプラープタ（mahāsthāmaprāpta）」に由来。
日光菩薩	にっこうぼさつ	太陽の光が闇をてらすように人々を救うという菩薩。サンスクリット語「スーリヤ・プラバ（Sūrya-prabhā）」に由来。
月光菩薩	がっこうぼさつ	月の光を象徴するという菩薩。サンスクリット語「チャンドラ・プラバ（Candra-prabha）」に由来。
文殊菩薩	もんじゅぼさつ	大乗仏教における菩薩のひとつ。智慧を象徴する菩薩。
普賢菩薩	ふげんぼさつ	仏の悟り、瞑想、修行を象徴する菩薩。理知・慈悲をつかさどり、また延命の徳を備える。
地蔵菩薩	じぞうぼさつ	大地のように広大な慈悲で生あるものすべてを救うという菩薩。
虚空蔵菩薩	こくうぞうぼさつ、こくぞうぼさつ	無限の力で生あるものすべてを救うという菩薩。さまざまな姿をとり、日本には奈良時代につたわる。
薬王菩薩	やくおうぼさつ	良薬を施与して人々の病苦をいやすという誓いを立てた菩薩。
薬上菩薩	やくじょうぼさつ	薬王菩薩と共に釈迦如来の脇侍として付き従う事が多く、単独での信仰は皆無。手に薬壷を持つとされるものの、定型は無く、しばしば変容する。
般若菩薩	はんにゃぼさつ	女性原理としての般若の智慧を象徴化した菩薩。
持地菩薩	じじぼさつ	サンスクリット語で「大地を支持する」、「大地を保持する」といった意味を持つ。
大随求菩薩	だいずいくぼさつ	仏教、特に密教における菩薩の一尊である。観音菩薩の変化身とされる。
龍樹菩薩	りゅうじゅぼさつ	インドの大乗仏教を確立した僧。南インドのビダルバ出身。サンスクリット語「ナーガールジュナ（Nāgārjuna）」の音写。

	単語	読み	意味・由来
菩薩	馬鳴菩薩	めみょうぼさつ	元来中国の民間信仰に由来し、貧民の衆生に衣服を与える菩薩。
明王	不動明王	ふどうみょうおう	仏教の信仰対象であり、密教特有の尊格である明王の一尊。五大明王の中心。ヒンドゥー教のシバ神の異名。サンスクリット語「アチャラナータ(Acalanāta)」に由来。
	降三世明王	ごうざんぜみょうおう	五大明王のひとつ。東方に位し、3世にわたる三毒を降伏させるところからこの名がある。サンスクリット語「トライロークヤビジャヤ(Trailokyavijaya)」に由来。
	勝三世明王	しょうざんぜみょうおう	降三世明王の異名。降三世夜叉明王とも呼ばれることもある。
	軍荼利明王	ぐんだりみょうおう	五大明王のひとつで、南方に配置。宝生如来の化身として、悪敵をしりぞけ、甘露で生あるものを救う。
	大威徳明王	だいいとくみょうおう	五大明王のひとつで西方の守護神。生あるものを害するすべての毒蛇悪竜、怨敵(おんてき)を打ちたおす。サンスクリット語「ヤマーンタカ(yamāntaka)」に由来。
	金剛夜叉明王	こんごうやしゃみょうおう	五大明王のひとつで、北方の守護神。金剛夜叉明王は、人を襲っては喰らう恐るべき魔神(夜叉)であり人々の畏怖の対象であったが、後に大日如来の威徳によって善に目覚め、仏教の守護神五大明王の一角を占める仏となった。
	愛染明王	あいぜんみょうおう	真言密教の神。愛欲を本体とする愛の神。全身赤色で、三目、六臂(ろっぴ)、頭に獅子の冠をいただき、顔には常に怒りの相を表わす。サンスクリット語「ラーガラージャ(rāgarāja)」に由来。
	孔雀明王	くじゃくみょうおう	元来は毒蛇をたべる孔雀が神格化されたヒンズー教の神。祈れば一切の害毒を除くとされる。サンスクリット語「マハーマユーリービドヤーラージニー(Mahāmayūrīvidyārājñī)」に由来。
	大元帥明王	だいげんすいみょうおう	十六夜叉大将のひとつ。一切の悪鬼、悪毒獣、悪人による災難を衆生のために排除する夜叉大将。
	烏枢沙摩明王	うすさまみょうおう	仏教守護神のひとつ。不浄を清らかにする徳をそなえているので不浄なところに祀られる。寺院の便所に祀られることが多い。
	馬頭明王	ばとうみょうおう	密教での「馬頭観音」の異名。すべての観音の憤怒身ともされる。サンスクリット語「ハヤグリーヴァ(hayagrīva)」に由来。
	青面金剛	せいめんこんごう	青面金剛明王とも呼ばれる。夜叉神である。鬼病を流行させる鬼神。
	無能勝明王	むのうしょうみょうおう	無能勝とは何者も打ち勝つことが不可能の意味。悟りを妨げるあらゆる煩悩の悪軍を打ち倒して悟りに至らしめる働きを持つ。
十二神将	宮毘羅	くびら	薬師如来の十二神将のひとつ。十二神将は薬師如来の12の眷属(けんぞく、または分身)。武装し、忿怒の姿をとる。

単語	読み	意味・由来
伐折羅	ばさら	薬師如来の十二神将のひとつ。武装し、忿怒の姿をとるが、持物は一定しない。
迷企羅	めきら	薬師如来の十二神将のひとつ。武装し、忿怒の姿をとるが、持物は一定しない。
安底羅	あんちら	薬師如来の十二神将のひとつ。
頞儞羅	あにら	薬師如来の十二神将のひとつ。夜叉の大将のひとつで、七千の眷属(けんぞく)を従え、薬師如来の信者を守護する。
珊底羅	さんてら、さんちら	薬師如来の十二神将のひとつ。武装し、忿怒の姿をとるが、持ち物は一定しない。
因陀羅	いんだら、いんどら	薬師如来の十二神将のひとつ。
波夷羅	ばいら	薬師如来の十二神将のひとつ。武装し、忿怒の姿をとるが、持物は一定しない。
摩虎羅	まこら	薬師如来の十二神将のひとつ。
真達羅	しんだら	薬師如来の十二神将のひとつ。甲冑(かっちゅう)をつけ、忿怒の姿をとるが、持物は一定せず、その像形はさまざまに説かれる。
招住羅	しょうとら	薬師如来の十二神将のひとつ。薬師経を誦持するものを守る仏法の守護神。鼠頭人身で鉤を持つといい、さまざまに説かれる。
毘羯羅	びから	薬師如来の十二神将のひとつ。武装し、忿怒の姿をとるが、持物は一定しない。
天	てん	八部衆のひとつで、梵天や帝釈天といった天界の神々の総称。
龍	りゅう	八部衆のひとつで、竜や竜王といった種族の総称。蛇を神格化したもの。
夜叉	やしゃ	八部衆のひとつで、古代インドの悪人を食う鬼神。
乾闥婆	けんだつば	八部衆のひとつで、帝釈天に仕えて音楽を奏する楽神。

	単語	読み	意味・由来
八部衆	阿修羅	あしゅら	八部衆のひとつで、古代インドの闘争を好む悪神。
	迦楼羅	かるら	八部衆のひとつで、竜を常食する金色の翼をもつ大鳥。
	緊那羅	きんなら	八部衆のひとつで、半身半獣の音楽神。
	摩睺羅伽	まこらが	八部衆のひとつで、緊那羅と同じく音楽神。大蛇を神格化したもので、体は人間だが首は蛇。
二十八部衆	密迹金剛力士	みっしゃくこんごうりきし	観音菩薩の眷族。金剛力士の別名で、金剛杵を持った仏教の守護神。
	那羅延堅固王	ならえんけんごおう	観音菩薩の眷族。那羅延天、ヒンドゥー教におけるヴィシュヌ神の別名。
	東方天	とうほうてん	観音菩薩の眷族。持国天の別名。
	毘楼勒叉天	びるろくしゃてん	観音菩薩の眷族。増長天の別名。
	毘沙門天	びしゃもんてん	観音菩薩の眷族。四天王のひとつで、日本では七福神のひとつにもなっている。
	梵天	ぼんてん	観音菩薩の眷族。宇宙の最高原理を神格化したもの。
	帝釈天	たいしゃくてん	観音菩薩の眷族。インドの戦闘の神様。「天部」の中で一番強い。
	毘婆迦羅王	ひばからおう	観音菩薩の眷族。ドゥルガーの別名。
	五部浄居天	ごぶじょうごてん	観音菩薩の眷族。天竜八部衆の天の別名。
	沙羯羅王	しゃがらおう	観音菩薩の眷族。八大龍王の娑伽羅の別名。
	阿修羅王	あしゅらおう	観音菩薩の眷族。戦闘を好む神。

単語	読み	意味・由来
乾闥婆王	けんだつばおう	観音菩薩の眷族。仏教では緊那羅と共ともに帝釈天に仕えているとされている。
迦楼羅王	かるらおう	観音菩薩の眷族。インド神話上の架空の鳥。神様の乗り物とされている。
緊那羅王	きんならおう	観音菩薩の眷族。半身半獣の歌神。 インド神話の神で、楽器を奏する姿や歌舞する姿に表される。
摩虎羅王	まごらおう	観音菩薩の眷族。薬師十二神将における摩候羅のこと。
金大王	こんだいおう	観音菩薩の眷族。八大夜叉の宝顕夜叉の別名。
満仙王	まんせんおう	観音菩薩の眷族。八大夜叉の満顕夜叉の別名。
金毘羅王	こんぴらおう	観音菩薩の眷族。ワニを神格化したもの。
満善車王	まんぜんしゃおう	観音菩薩の眷族。解明されていない点が多い。
金色孔雀王	こんじきくじゃくおう	観音菩薩の眷族。孔雀明王の別名。
大弁功徳天	だいべんくどくてん	観音菩薩の眷族。美と豊穣と芸術の女神。
神母天	じんもてん	観音菩薩の眷族。鬼子母神の別名。
散脂大将	さんしたいしょう	観音菩薩の眷族。八大夜叉の散脂夜叉の別名。
難陀竜王	なんだりゅうおう	観音菩薩の眷族。頭に七竜頭をつけ、人びとに歓喜をもたらすとされる八代竜王の筆頭。
摩醯首羅王	まけいしゅらおう	観音菩薩の眷族。世界創造と破壊の最高神であるシヴァ神の別名。
婆私仙	ばしせん	婆藪仙人の別の呼び方。

二十八部衆

単語	読み	意味・由来
摩和羅女	まわらにょ	観音菩薩の眷族。古代インドで大地を司っている女神プリティヴィー。地天の別名。

天部

単語	読み	意味・由来
持国天	じこくてん	四天王のひとつで、東方を守護する神。悪魔を下し、国家を安泰させる。
増長天	ぞうちょうてん	四天王のひとつで、南方を守護する神。善性を増やして五穀豊穣をする。
広目天	こうもくてん	四天王のひとつで、西方を守護する神。龍を従えて悪人に罰を課し、慈悲の心を持たせる。
多聞天	たもんてん	四天王のひとつで、北方を守護する神。夜叉と羅刹を従えて宝や財を守るとされる。
大自在天	だいじざいてん	ヒンドゥー教のシヴァ神のこと。伊舎那天や大黒天と同一視される。
自在天	じざいてん	大自在天の別名。
弁才天	べんざいてん	音楽・財福・知恵などを司るインドの女神。ヒンドゥー教のサラスヴァティ女神。
大黒天	だいこくてん	ヒンドゥー教のシヴァ神の化身・マハカーラのこと。大国主神と同一視される。
吉祥天	きっしょうてん	ヒンドゥー教のラクシュミ女神のこと。繁栄、富、豊穣、美などの女神。
韋駄天	いだてん	古代インドやヒンドゥー教のスカンダ神。速い動きですばやく魔を滅す。
摩利支天	まりしてん	ヒンドゥー教の陽炎の女神・マリーチ。軍神のひとつとされている。
歓喜天	かんぎてん	ヒンドゥー神話のガネーシャ神。強い加護がある反面、祟りがあることも。
金剛力士	こんごうりきし	仏法における守護神で、仏門を守る仁王。阿が密迹金剛力士、吽が那羅延金剛といわれている。
執金剛神	しっきんごうしん	金剛力士の別名。

単語	読み	意味・由来
鬼子母神	きしもじん	もとは子供をさらって食うという鬼女のことだったが、釈迦によって自らの子供を隠され、諭されたことで安産や育児の女神となった。
神楽	かぐら	神を祀るために神前で行う饗宴で、神様にささげる歌や踊りのことを指す。
神輿	みこし	祭礼の際に神体や御霊代に乗せる輿のこと。
誓約	うけい	天照大神とスサノオが、天の安の河で行い神々を誕生させた占い。正否を判定する。
神奈備	かんなび	神が鎮座または隠れ住まう山や森の神域のこと。
荒忌	あらいみ	祭祀の際、神事にあずかる者が真忌の前後に行う物忌（心身を清めること）。
大忌	おおみ	荒忌の別名。
真忌	まいみ	祭祀の際、神事に携わる人が荒忌のあとに厳重に行う物忌（心身を清めること）。
小忌	おみ	大嘗祭や新嘗祭などで、官人が行った厳しい斎戒。小忌衣を着用する。
諒闇	りょうあん	天皇が、父母の死にあたり喪に服する期間。 また、天皇・太皇太后・皇太后の死にあたり国民が喪に服する期間。
神祇	じんぎ	天神と地祇。天つ神と国つ神。天神地祇。
天津神	あまつかみ	天上界（高天原）に住む神々。またはそこから降臨した神々。
国津神	くにつかみ	天津神が降臨する前から山野、河川などに住んでいたとされる神。
神明	しんめい	神のこと。または天照大神などを祀った神社のこと。
明神	みょうじん	祭神の神徳をたたえ、崇敬の意を表して、神名の下につけた尊称。

神道一般

単語	読み	意味・由来
名神	みょうじん	年代が古く、由緒正しい国内の神社 285 社に与えられた社格。
氏神	うじがみ	氏族一門の祖先とされる神のこと。または、その土地に生まれた者を守る神。
産土神	うぶすなかみ	生まれた土地の神。初宮や七五三はこの神様に参拝する。
鎮守	ちんじゅ	その土地や寺・氏などを鎮護する神。またはそれを祀る神社。
柏手	かしわで	神を拝むときに、両方の手の平を打ち合わせて鳴らすこと。
幣	ぬさ	神に祈る際に捧げる供え物。麻・木綿・紙などを細く切り棒につけたもの。
幣帛	へいはく	衣服、酒食、金銭など神前に供えるもの。
忌火	いみび	神様への供物の煮炊きなど、神事に用いる清浄な火のこと。
御阿礼木	みあれぎ	葵祭の前儀の際に、神を迎えるために立てる榊。
御薪	みかまぎ	毎年 1 月 15 日に百官が宮中に献上した薪。
神酒	みき	神に供える酒。
神樹	しんじゅ	神霊が宿ると伝えられる木。
神木	しんぼく	神社の境内にあり、その神社にゆかりの深い木。
神宝	かむだから	神社または神様の宝物。
樋代	ひしろ	神社で神体を納める黄金製の器。

単語	読み	意味・由来
奥津城	おくつき	神道の墓のこと。
陵	みささぎ	天皇・皇后など皇族の墓所。
御陵	ごりょう	陵の別名。
祠宇	しう	社、神社、祠のこと。
祓殿	はらえどの	神社で祓をする殿舎。
御厨	みくりや	神饌を調理するための屋舎や神饌を調進する場所のこと。
斎垣	いがき	神社などの神聖な場所を取り囲む垣根のこと。むやみにこえてはならない。
神垣	かみがき	神社の周りを取り囲み、内側を神域と定めている垣根のこと。
鳥居	とりい	神社の出入り口などに置いて、神域と人間が住む俗界を区画するもの。神域への入口を示すもの。
華表	かひょう	鳥居の別名。
鰐口	わにぐち	仏教や神道で用いる楽器。下方が横長にさけている銅製の具。
宮路	みやじ	神社の参道。
荒魂	あらたま	神が持っている側面のひとつ。どう猛で荒々しい神霊。
和魂	にぎたま	神が持っている側面のひとつ。柔らかく穏健な神霊。
幸魂	さちたま	神が持っている側面のひとつ。和魂のひとつで、人びとに幸福をもたらす神霊。

	単語	読み	意味・由来
神道一般	奇魂	くしたま	神が持っている側面のひとつ。和魂のひとつで、不思議な力を持っているとされる神霊。
	直霊	なおひ	荒魂、和魂、幸魂、奇魂が集まったもので、本居宣長が持っていた思想とされている。
	四方拝	しほうはい	1月1日に行われる宮中祭祀。寅の刻に、清涼殿の東庭で天皇が四つの方角を拝して、天下泰平・五穀豊穣を祈願する。
	歳旦祭	さいたんさい	四方拝に続いて行われる祭祀。宮中の三殿で、天皇が皇位の栄え、五穀豊穣、国民福祉を祈願する。
	元始祭	げんしさい	1月3日に行われる宮中祭祀のこと。宮中の三殿で、天皇が天孫降臨、皇位の始源を祝い、皇祖の諸神を祀る。
	節折	よおり	6月、12月の末日の大祓が行われる日の夜中に、天皇、皇后、東宮のために行われる祓の儀式。
	大祓	おおはらえ	6月、12月の末日に、親王以下の官人すべてを、朱雀門広場に集め、万人の罪の汚れを祓う神事。
	夏祓	なつはらい	6月の末日に行われる神事。芽の輪をくぐる、形代を神社に納めるなど内容はさまざま。
	神嘗祭	かんなめさい	伊勢神宮で行われる大祭。天皇が伊勢神宮に新穀を奉納する祭儀。
	新嘗祭	にいなめさい	宮廷の行事のひとつで、天皇が新穀を神々に勧め、天皇自身も新穀を食べることで収穫を感謝し、翌年の五穀豊穣を祈る。
天津神	天之御中主神	あめのみなかぬしのかみ	『古事記』では高天原に最初に現れた造化三神のひとつ。伊勢神道では特に重要視されている。
	高御産巣日神	たかみむすびのかみ	『古事記』では高天原に最初に現れた造化三神のひとつ。神産巣日神と対になっている。
	高御霊命	たかみたまのみこと	高御産巣日神の別名。
	高木神	たかぎのかみ	高御産巣日神の別名。
	神産巣日神	かみむすびのかみ	『古事記』では高天原に最初に現れた造化三神のひとつ。大国主神を救うとされている。

単語	読み	意味・由来
国之常立神	くにのとこたちのかみ	『日本書紀』では天地開闢で最初に生まれた神とされている。神代七代で初代にあたる。
豊雲野神	とよぐもぬのかみ	初めて芽が出始める、国土が固まり始める象徴ともされている。神代七代で2代目にあたる。
葉木国野尊	はごくにぬのみこと	豊雲野神の別名。
国見野尊	くにみぬのみこと	豊雲野神の別名。
豊斟渟尊	とよくむぬのみこと	豊雲野神の別名。
宇比地邇神	うひぢにのかみ	須比智邇神と対になっている男神。神代七代で3代目にあたる。
泥土煮尊	うひぢにのみこと	宇比地邇神の別名。
須比智邇神	すひぢにのかみ	宇比智邇神と対になっている女神。神代七代で3代目にあたる。
沙土煮尊	すひぢにのみこと	須比智邇神の別名。
角杙神	つぬぐいのかみ	活杙神と対になっている男神。神代七代で4代目にあたる。
活杙神	いくぐいのかみ	角杙神と対になっている女神。神代七代で4代目にあたる。
意富斗能地神	おおとのじのかみ	大斗乃弁神と対になっている男神。神代七代で5代目にあたる。
大戸摩彦尊	おおとのまひこのみこと	意富斗能地神の別名。
大富道尊	おおとみぢのみこと	意富斗能地神の別名。
大斗乃弁神	おおとのべのかみ	意富斗能地神と対になっている女神。神代七代で5代目にあたる。

天津神

単語	読み	意味・由来
大苫辺尊	おおとまべのみこと	大斗乃弁神の別名。
大戸摩姫尊	おおとまひめのみこと	大斗乃弁神の別名。
大富辺尊	おおとみべのみこと	大斗乃弁神の別名。
淤母陀琉神	おもだるのかみ	阿魔訶志古泥神と対になっている男神。神代七代で６代目にあたる。
面足尊	おもだるのみこと	淤母陀琉神の別名。
阿夜訶志古泥神	あやかしこねのかみ	阿魔訶志古泥神と対になっている男神。神代七代で６代目にあたる。
惶根尊	かしこねのみこと	阿夜訶志古泥神の別名。
伊邪那岐神	いざなぎのかみ	伊邪那美神の夫であり、共に国土や万物の神々を生んだとされる。黄泉降りののち、三貴神を産んで隠居したとされる。
伊弉諾尊	いざなぎのみこと	伊邪那岐神の別名。
伊邪那美神	いざなみのかみ	伊邪那岐神の妻であり、伊邪那美神とともに国土や万物の神々を産んだとされる。しかし、火の神を産んだときに負ってしまった火傷が原因で黄泉の国に。
伊弉冉尊	いざなみのみこと	伊邪那美神の別名。
天照大神	あまてらすおおみかみ	太陽と日本の統治者の先祖を象徴している女神。
大日孁貴神	おおひるめむちのかみ	天照大神の別名。
天照大日孁貴尊	あまてらすおおみかみおおひるめのみこと	天照大神の別名。
天照坐大神	あまてらいますおおかみ	天照大神の別名。

単語	読み	意味・由来
月讀命	つくよみのみこと	月を司る、または夜を統べる神。かつて用いられていた太陰暦から、月の暦を数える神と評されることも。
月弓尊	つきゆみのみこと	月讀命の別名。
月夜見尊	つきよみのみこと	月讀命の別名。
建速須佐之男命	たけはやすさのおみこと	天照大神とともに生まれた。暴風の神として、厄払いの神様としても信仰されている。
素戔男尊	すさのおのみこと	伊弉諾尊・伊弉冉尊の子。日本神話の代表的神格で、出雲神話の祖神とされる。
天津日子根命	あまつひこねのみこと	天照大御神と須佐之男命の誓約の際に生まれた男神５柱のうちの１柱。
天宇受賣命	あめのうずめのみこと	猿田毘古神の配偶神で、天照大神の岩戸隠れの際に、踊って気を引いたとされる女神。
天忍穂耳命	あめのおしほみみのみこと	天の安河原で、天照大神と建速須佐之男命の誓約で生まれたとされる御子。
天児屋命	あめのこやねのみこと	天照大神の岩戸隠れの際に、太祝詞を奏上したといわれている神。
淤加美神	おかみのかみ	後述する闇淤加美神の別名。
高龗神	たかおかみのかみ	淤加美神の別名。
闇御津羽神	くらみつはのかみ	闇淤加美神と対をなして雨を司っている竜神。伊邪那岐神が火神を斬った際、火神が流した血から生まれたとされる神のこと。
闇淤加美神	くらおかみのかみ	闇御津羽神と対をなして雨を司っている竜神。伊邪那岐神が火神を斬った際、火神が流した血から生まれたとされる神のこと。
弥都波能売神	みづはのめのかみ	火神を産んだ時に負ったやけどで苦しんでいる伊邪那美神の尿から生まれた、水の流れを司るとされている女神。
罔象女神	みつはのめのかみ	弥都波能売神の別名。

天津神

単語	読み	意味・由来
水波能売命	みづはのめのみこと	弥都波能売神の別名。
火之夜藝速男神	ひのやぎはやをのかみ	伊邪那美神が産んだ火神。その火が原因で伊邪那美神が亡くなってしまったため、怒った伊邪那岐神に斬り殺された。
火之迦具土神	ひのかぐつちのかみ	火之迦具土神の別名。
阿遇突智神	かぐつちのかみ	火之迦具土神の別名。
火産霊神	ほのむすびのかみ	火之迦具土神の別名。
思兼神	おもいかねのかみ	天照大神を岩戸から救出する策を考えた知恵の神。
八意思兼神	やごころおもいかねのかみ	思兼神の別名。
大事忍男神	おほことおしをのかみ	伊邪那岐神と伊邪那美神が国産みのあと初めて産んだ御子とされる。
石土毘古神	いはつちびこのかみ	家宅六神のひとつで、家屋における土壁と石を司っている男神。伊邪那岐神と伊邪那美神が産んだ御子。
石巣比売神	いはすひめのかみ	家宅六神のひとつで、家屋における石と砂を司っている女神。伊邪那岐神と伊邪那美神が産んだ御子。
大戸日別神	おほとひわけのかみ	家宅六神のひとつで、家屋における門戸を司っている。伊邪那岐神と伊邪那美神が産んだ御子。
天之吹男神	あめのふきおのかみ	家宅六神のひとつで、家屋における屋根葺きを司っている男神。伊邪那岐神と伊邪那美神が産んだ御子。
大屋毘古神	おほやびこのかみ	家宅六神のひとつで、家屋の屋根を司っている男神。伊邪那岐神と伊邪那美神が産んだ御子。
風木津別之忍男神	かざもつわけのおしをのかみ	家宅六神のひとつで、家屋の屋根の風害を防ぐとされている男神。伊邪那岐神と伊邪那美神が産んだ御子。
大綿津見神	おほわたつみのかみ	海神三神のひとつで、海の幸を司る。伊邪那岐神と伊邪那美神が産んだ御子。

単語	読み	意味・由来
速秋津日子神	はやあきつひこのかみ	海神三神のひとつで、水戸と祓いの神。伊邪那岐神と伊邪那美神が産んだ御子。
速秋津比売神	はやあきつひめのかみ	海神三神のひとつで、水戸と祓いの神。伊邪那岐神と伊邪那美神が産んだ御子。
沫那藝神	あわなぎのかみ	水の八神のひとつ。速秋津日子神と速秋津比売神が産んだ御子。水の泡を表す。
沫那美神	あはなみのかみ	水の八神のひとつ。速秋津日子神と速秋津比売神が産んだ御子。水の泡を表す。
頬那藝神	つらなぎのかみ	水の八神のひとつ。速秋津日子神と速秋津比売神が産んだ御子。やや大きな水の泡を表す。
頬那美神	つらなみのかみ	水の八神のひとつ。速秋津日子神と速秋津比売神が産んだ御子。やや大きな水の泡を表す。
天之水分神	あめのみくまりのかみ	水の八神のひとつ。速秋津日子神と速秋津比売神が産んだ御子。分水域、灌漑を表す。
国之水分神	くにのみくまりのかみ	水の八神のひとつ。速秋津日子神と速秋津比売神が産んだ御子。分水域、灌漑を表す。
天之久比奢母智神	あめのくひざもちのかみ	水の八神のひとつ。速秋津日子神と速秋津比売神が産んだ御子。瓢、灌漑を表す。
国之久比奢母智神	くにのくひざもちのかみ	水の八神のひとつ。速秋津日子神と速秋津比売神が産んだ御子。瓢、灌漑を表す。
志那都比古神	しなつひこのかみ	『日本書紀』では、伊弉諾尊の息から生まれたとされる風の神で、伊邪那岐神と伊邪那美神が産んだ御子。
級長戸辺神	しなとべのかみ	志那都比古神の別名。
級長津彦命	しなつひこのみこと	志那都比古神の別名。
久久能智神	くくのちのかみ	樹木の神や守護神などとされる。伊邪那岐神と伊邪那美神が産んだ御子。
大山津見神	おほやまつみのかみ	山の神で、伊邪那岐神と伊邪那美神が産んだ御子。石長比売と木花佐久夜毘売の父にあたる。

天津神

単語	読み	意味・由来
大山祇神	おおやまづみのかみ	大山津見神の別名。
和多志大神	わたしのおおかみ	大山津見神の別名。
鹿屋野比売神	かやのひめのかみ	草花の神とされる女神。伊邪那岐神と伊邪那美神が産んだ御子。大山津見神の配偶神ともされている。
草祖草野媛命	くさのおやかやぬひめのみこと	鹿屋野比売神の別名。
野椎神	のづちのかみ	鹿屋野比売神の別名。
天之狭土神	あめのさづちのかみ	坂道を司る神で、大山津見神と鹿屋野比売神が産んだ御子。
国之狭土神	くにのさづちのかみ	坂道を司る神で、大山津見神と鹿屋野比売神が産んだ御子。
天之狭霧神	あめのさぎりのかみ	山の峠や境を司る神で、大山津見神と鹿屋野比売神が産んだ御子。
国之狭霧神	くにのさぎりのかみ	山の峠や境を司る神で、大山津見神と鹿屋野比売神が産んだ御子。
天之闇戸神	あめのくらどのかみ	谷の入口や谷間を司る神で、大山津見神と鹿屋野比売神が産んだ御子。
国之闇戸神	くにのくらどのかみ	谷の入口や谷間を司る神で、大山津見神と鹿屋野比売神が産んだ御子。
大戸或子神	おおとまとひこのかみ	山の傾斜面を司る神で、大山津見神と鹿屋野比売神が産んだ御子。
大戸或女神	おおとまとひめのかみ	山の傾斜面を司る神で、大山津見神と鹿屋野比売神が産んだ御子。
鳥之石楠船神	とりのいはくすぶねのかみ	建御雷之男神とともに国譲りの交渉に向かった神。船の神ともされている。
天鳥船神	あめのとりふねのかみ	鳥之石楠船神の別名。

単語	読み	意味・由来
大宜都比売神	おおげつひめのかみ	五穀を司っている女神で伊邪那岐神と伊邪那美神が産んだ御子。須佐之男神の怒りを買い、殺されてしまった。
金山毘古神	かなやまびこのかみ	鉱山を司る神とされ、火神を産んだ際の火傷で苦しむ伊邪那美神の嘔吐から生まれた。
金山毘売神	かなやまびめのかみ	鉱山を司る神とされ、火神を産んだ際の火傷で苦しむ伊邪那美神の嘔吐から生まれた。
波邇夜須毘古神	はにやすびこのかみ	焼き物や粘土を司る神。火神を産んだ際の火傷で苦しむ伊邪那美神の糞から生まれた。
埴安彦神	はにやすひこのかみ	波邇夜須毘古神の別名。
波邇夜須毘売神	はにやすびめのかみ	焼き物や粘土を司る神。火神を産んだ際の火傷で苦しむ伊邪那美神の糞から生まれた。
埴安姫神	はにやすひめのかみ	波邇夜須毘売神の別名。
和久産巣日神	わくむすひのかみ	焼き物や粘土を司る神。火神を産んだ際の火傷で苦しむ伊邪那美神の尿から生まれた。
豊宇気毘売神	とようけびめのかみ	伊勢神宮の外宮に祀られている、御饌都神とも呼ばれる神。伊勢神宮への食べ物のお供え物を主宰しているとされる。
豊受大神	とようけのおおかみ	豊宇気毘売神の別名。
豊由宇気神	とよゆうけのかみ	豊宇気毘売神の別名。
泣沢女神	なきさわめのかみ	伊邪那岐神が、絶命した伊邪那美神の遺体の枕元や足元で流した涙から生まれた女神。
石折神	いわさくのかみ	伊邪那岐神が火神を斬った際、流れた血が岩に飛び散ったことで生まれた神。
根折神	ねさくのかみ	伊邪那岐神が火神を斬った際、流れた血が岩に飛び散ったことで生まれた神。
石筒之男神	いわつつのをのかみ	伊邪那岐神が火神を斬った際、流れた血が岩に飛び散ったことで生まれた神。経津主神の父。

天津神

単語	読み	意味・由来
甕速日神	みかはやひのかみ	伊邪那岐神が火神を斬った際、剣の鍔についた血から生まれた神。
樋速日神	ひはやひのかみ	伊邪那岐神が火神を斬った際、剣の鍔についた血から生まれた神。
建御雷之男神	たけみかづちのをのかみ	火神の血から生まれた神のこと。国譲りの交渉に向かって、反対するものを力で押さえつけたとされている雷神（軍神）。
武甕槌神	たけみかづちのかみ	建御雷之男神の別名。
建布都神	たけふつのかみ	建御雷之男神の別名。
豊布都神	とよふつのかみ	建御雷之男神の別名。
正鹿山津見神	まさかやまつみのかみ	山頂部分を司っている神。伊邪那岐神が斬り殺した火神の頭部、もしくは腰から生まれたとされる。
淤縢山津見神	おどやまつみのかみ	山の中腹の部分を司っている神。伊邪那岐神が斬り殺した火神の胸から生まれたとされる。
奥山津見神	おくやまつみのかみ	深く、険しい山を司っている神。伊邪那岐神が斬り殺した火神の腹部から生まれたとされる。
闇山津見神	くらやまつみのかみ	山の谷間の部分を司っている神。伊邪那岐神が斬り殺した火神の陰部から生まれたとされる。
志藝山津見神	しぎやまつみのかみ	木々が生い茂った山を司っている神。伊邪那岐神が斬り殺した火神の左手から生まれたとされる。
羽山津見神	はやまつみのかみ	浅い山を司っている神。伊邪那岐神が斬り殺した火神の右手から生まれたとされる。
原山津見神	はらやまつみのかみ	山頂の平らな山を司っている神。伊邪那岐神が斬り殺した火神の左足から生まれたとされる。
戸山津見神	とやまつみのかみ	人里近い山を司っている神。伊邪那岐神が斬り殺した火神の右足から生まれたとされる。
大雷	おおいかづち	八雷神のひとつで、黄泉で腐りきった伊邪那美神の頭部から生まれた。伊邪那岐神の後を追わせたとされる。

単語	読み	意味・由来
火雷	ほのいかづち	八雷神のひとつで、黄泉で腐りきった伊邪那美神の胸から生まれた。伊邪那岐神の後を追わせたとされる。
黒雷	くろいかづち	八雷神のひとつで、黄泉で腐りきった伊邪那美神の腹から生まれた。伊邪那岐神の後を追わせたとされる。
柝雷	さくいかづち	八雷神のひとつで、黄泉で腐りきった伊邪那美神の陰部から生まれた。伊邪那岐神の後を追わせたとされる。
若雷	わかいかづち	八雷神のひとつで、黄泉で腐りきった伊邪那美神の左手から生まれた。伊邪那岐神の後を追わせたとされる。
土雷	つちいかづち	八雷神のひとつで、黄泉で腐りきった伊邪那美神の右手から生まれた。伊邪那岐神の後を追わせたとされる。
鳴雷	なるいかづち	八雷神のひとつで、黄泉で腐りきった伊邪那美神の左足から生まれた。伊邪那岐神の後を追わせたとされる。
伏雷	ふすいかづち	八雷神のひとつで、黄泉で腐りきった伊邪那美神の右足から生まれた。伊邪那岐神の後を追わせたとされる。
黄泉醜女	よもつしこめ	黄泉の国に住む鬼女。醜い姿を見て逃げた伊邪那美神を伊邪那岐神が追跡させた。
黄泉津大神	よもつおほかみ	伊邪那美神が黄泉の国で呼ばれる名前。伊邪那岐神と縁を切り、1日に1000人を殺すと宣言したとされる。
道返之大神	ちかえしのおほかみ	黄泉から逃げ帰ってきた伊邪那岐神が、黄泉と通じる道である黄泉比良坂を封鎖した大岩のこと。
衝立船戸神	つきたつふなとのかみ	黄泉から逃げ帰ってきた伊邪那岐神が、禊の際に投げ捨てた杖から生まれた渦を防ぐ神。
道之長乳歯神	みちのながちはのかみ	黄泉から逃げ帰ってきた伊邪那岐神が、禊の際に投げ捨てた帯から生まれた道中の安全を守る神。
長道磐神	ながちはのかみ	道之長乳歯神の別名。
時量師神	ときはかしのかみ	黄泉から逃げ帰ってきた伊邪那岐神が、禊の際に投げ捨てた上袴から生まれた陸路の神。
時置師神	ときおかしのかみ	時量師神の別名。

天津神

単語	読み	意味・由来
和豆良比能宇斯能神	わづらひのうしのかみ	黄泉から逃げ帰ってきた伊邪那岐神が、禊の際に投げ捨てた衣から生まれた陸路の神。
煩神	わづらいのかみ	和豆良比能宇斯能神の別名。
道俣神	みちまたのかみ	黄泉から逃げ帰ってきた伊邪那岐神が、禊の際に投げ捨てた下袴から生まれた道を守る神。
飽咋之宇斯能神	あきぐひのうしのかみ	黄泉から逃げ帰ってきた伊邪那岐神が、禊の際に投げ捨てた冠から生まれた陸路の神。
奥疎神	おきざかるのかみ	黄泉から逃げ帰ってきた伊邪那岐神が、禊の際に投げ捨てた左の手纏から生まれた水路の神。
奥津那芸佐毘古神	おくつなぎさびこのかみ	黄泉から逃げ帰ってきた伊邪那岐神が、禊の際に投げ捨てた左の手纏から生まれた水路の神。
奥津甲斐弁羅神	おきつかひべらのかみ	黄泉から逃げ帰ってきた伊邪那岐神が、禊の際に投げ捨てた左の手纏から生まれた水路の神。
辺疎神	へざかるのかみ	黄泉から逃げ帰ってきた伊邪那岐神が、禊の際に投げ捨てた右の手纏から生まれた水路の神。
辺津那芸佐毘古神	へつなぎさびこのかみ	黄泉から逃げ帰ってきた伊邪那岐神が、禊の際に投げ捨てた右の手纏から生まれた水路の神。
辺津甲斐弁羅神	へつかひべらのかみ	黄泉から逃げ帰ってきた伊邪那岐神が、禊の際に投げ捨てた右の手纏から生まれた水路の神。
八十禍津日神	やそまがつひのかみ	黄泉から逃げ帰ってきた伊邪那岐神の、禊の際に体に付いていた穢れから生まれた災厄の神。
大禍津日神	おほまがつひのかみ	黄泉から逃げ帰ってきた伊邪那岐神の、禊の際に体に付いていた穢れから生まれた災厄の神。
神直毘神	かむなおびのかみ	黄泉から逃げ帰ってきた伊邪那岐神が、禊をした際に生まれた禍を直す神。
大直毘神	おほなおびのかみ	黄泉から逃げ帰ってきた伊邪那岐神が、禊をした際に生まれた禍を直す神。
伊豆能売神	いづのめのかみ	黄泉から逃げ帰ってきた伊邪那岐神が、禊をした際に生まれた神。祓い清める女神。

単語	読み	意味・由来
底津綿津見神	そこつわたつみのかみ	黄泉から逃げ帰ってきた伊邪那岐神が、水底で禊をした際に生まれた海の神。
底筒之男神	そこつつのをのかみ	黄泉から逃げ帰ってきた伊邪那岐神が、水底で禊をした際に生まれた海や航海の神。
中津綿津見神	なかつわたつみのかみ	黄泉から逃げ帰ってきた伊邪那岐神が、水中で禊をした際に生まれた海の神。
中筒之男神	なかつつのをのかみ	黄泉から逃げ帰ってきた伊邪那岐神が、水中で禊をした際に生まれた海や航海の神。
上津綿津見神	うはつわたつみのかみ	黄泉から逃げ帰ってきた伊邪那岐神が、水上で禊をした際に生まれた海の神。
上筒之男神	うはつつのをのかみ	黄泉から逃げ帰ってきた伊邪那岐神が、水上で禊をした際に生まれた海や航海の神。
天日高日子	あめのひだかひこ	天照大神の皇御孫。父が辞退した天孫降臨と葦原中国統治を任され、下界に降りた。
邇邇芸命	ににぎのみこと	天日高日子の別名。正式には、天邇岐志国邇岐志天津日高日子番能邇邇芸命。
布刀玉命	ふとだまのみこと	天照大神岩戸隠れの際に、神籬を作ったとされる神。
多紀理毘売命	たきりびめのみこと	海上交通の守護神で、宗像三女神のひとつ。天照大神と建速須佐乃男命との誓約によって生まれた。
奥津島比売命	おきつしまひめのみこと	多紀理毘売命の別名。
田心姫	たごりひめ	多紀理毘売命の別名。
田霧姫	たぎりひめ	多紀理毘売命の別名。
市寸島比売命	いちきしまひめのみこと	海上交通の守護神で、宗像三女神のひとつ。天照大神と建速須佐乃男命との誓約によって生まれた。
狭依毘売命	さよりびめのみこと	市寸島比売命の別名。

単語	読み	意味・由来
天津神		
多岐都比売命	たぎつひめのみこと	海上交通の守護神で、宗像三女神のひとつ。天照大神と建速須佐乃男命との誓約によって生まれた。
日霊	ひるめ	天照大神の別名。
国津神		
大国主神	おおくにぬしのかみ	出雲神話においての主となる神。嫉妬する兄たちを押さえつけ、葦原中国の王となった。天孫降臨の際に隠居した。
大国主命	おおくにぬしのみこと	大国主神の別名。
大穴牟遅神	おおなむちのかみ	大国主神の別名。
大己貴命	おおなむちのみこと	大国主神の別名。
大汝命	おおなもちのみこと	大国主神の別名。
葦原色許男神	あしはらしこおのかみ	大国主神の別名。
八千矛神	やちほこのかみ	大国主神の別名。
宇都志国玉神	うつしくにたまのかみ	大国主神の別名。
大物主神	おおものぬしのかみ	大和国三輪山にいるとされる蛇の姿をした神。少名毘古那神の後に、大国主神の補佐を行った。
少名毘古那神	すくなひこなのかみ	神産巣日神、または高皇産霊尊の御子。大国主神の国造りを助けた小さな神。
少彦名命	すくなひこなのみこと	少名毘古那神の別名。
建御名方神	たけみなかたのかみ	大国主神の次男。国譲りに反対し、建御雷之男神と対決するが敗れ、諏訪湖に隠遁した。
足名椎神	あしなづちのかみ	大山津見神の子。最後の娘を八岐大蛇に捧げようとしているところを、建速須佐之男神に助けられる。

単語	読み	意味・由来
足摩乳命	あしなづちのみこと	足名椎神の別名。
手名椎神	てなづちのかみ	大山津見神の子。最後の娘を八岐大蛇に捧げようとしているところを、建速須佐之男神に助けられる。
手摩乳命	てなづちのみこと	手名椎神の別名。
櫛名田比売	くしなだひめ	足名椎神と手名椎神夫婦の、８人の娘の最後のひとり。八岐大蛇に捧げられようとしているところを建速須佐之男神に助けられ、妻となった。
櫛稲田媛命	くしなだひめのみこと	櫛名田比売の別名。
石長比売	いわながひめ	大山津見神の娘。皇家の長寿を祈って、邇邇芸命の妻に贈られたが、醜くかったため送り返されてしまった。
磐長姫	いわながひめのみこと	石長比売の別名。
木花之佐久夜毘売	このはなのさくやひめ	大山津見神の娘。皇家の繁栄を祈って邇邇芸命の妻に贈られたが、一夜で身ごもり、他の子ではないかと疑われた。
木花開耶媛命	このはなのさくやひめのみこと	木花之佐久夜毘売の別名。
神阿多都比売命	かみあたつひめのみこと	木花之佐久夜毘売の別名。
豊吾田津媛命	とよあたつひめのみこと	木花之佐久夜毘売の別名。
神吾田鹿葦津媛命	かみあたかあしつひめのみこと	木花之佐久夜毘売の別名。
須勢理毘売命	すせりひめのみこと	建速須佐之男神の娘。根之堅州國から逃げて来た大国主神を助けたことで、大国主神の妻となったとされる。
豊玉毘売命	とよたまひめのみこと	大綿津見神の娘。山幸彦と結ばれたが、出産の際に本来の姿を見られてしまったことで地上を去った。
猿田毘古神	さるたひこのかみ	天孫降臨の際、道案内をかって出た国津神のひとつ。天宇受賣命と対峙したが、のちに配偶神となった。

単語	読み	意味・由来
国津神		
大屋都比賣神	おおやつひめのかみ	建速須佐之男神の娘。兄の大屋毘古神、妹の抓津姫神とともに木の神とされている。
抓津姫神	つまつひめのかみ	建速須佐之男神の娘。兄の大屋毘古神、姉の大屋都比賣神とともに木の神とされている。
大山咋神	おおやまくいのかみ	賀茂氏の祖神のひとつ。穀物神の大年神の子にあたり、丹塗の矢に化けて、玉依姫と結ばれた。
山末之大主神	やますえのおおぬしのかみ	大山咋神の別名。
鳴鏑神	なりかぶらのかみ	大山咋神の別名。
久延毘古	くえびこ	少名毘古那神が何者かを大国神主に教えた知恵者。案山子を神格化したもの。
下光比売命	したてるひめのみこと	国譲りの交渉役で、大国主神の娘。天稚彦と結ばれたが、天稚彦が天津神に刃向かったため殺されてしまった。
陰陽道		
太極	たいきょく	宇宙万物の「究極の根源」を意味する中国哲学の用語。
両儀	りょうぎ	万物の根源である太極から生じた2つのもの。解釈はさまざまで「天と地」、「陰と陽」の説がある。
陰陽	いんよう	中国の思想で、あらゆる事物を互いに対立する属性を持った陰と陽2つのカテゴリに分類する思想。
乾坤	けんこん	占いの結果としての算木に現れる、「天」の意味を持つ乾と「地」の意味を持つ坤のこと。また、書物の上下巻。
六壬	りくじん	中国の占術のひとつ。占いを依頼された時刻に元に、天文と干支を組み合わせ個々の事象についての占いをする。
禹歩	うほ	天皇または貴人が外出のとき、道中の無事を祈ってまじないを唱えながら舞踏する作法。
反閇	へんばい	邪気を払い除くためや鎮魂のための呪術的な特有の足さばき。
形代	かたしろ	紙で人体の形をしたものを作って人間の身代わりとしたもの。川や海に流して災いを除くのに用いる。

単語	読み	意味・由来
贖物	あがもの	罪をはらい清めるために、その代償として差し出した物品のこと。
呪詛	じゅそ	神仏に祈願することによって他人に災禍を与える行為。
蠱業	まじわざ	呪詛の言い換え。また、呪詛の法術。
天中節	てんちゅうせつ	火災・盗難・疾病・口舌の災いを払うために門などに貼る札。陰暦８月１日の日の出前に柱に貼り出す。
勘文	かんもん	陰陽師などが朝廷や幕府の諮問に応えて、先例、日時、方角、吉凶などを調べて意見した書簡。
属星	ぞくしょう	生年によって決まり、その人の運命を支配するという星。生年の干支を北斗七星の各星にあてたもの。
有卦	うけ	陰陽道で、干支によって７年間幸運が続くという年回り。
無卦	むけ	陰陽道で、干支によって５年間不運が続くという年回り。
九星	きゅうせい	古代中国から伝わる９つの星のこと。陰陽道で吉凶を占う際に用いられる。
一白	いっぱく	九星のひとつ。星では水星、方角では北。
二黒	じこく	九星のひとつ。星では土星、方角では南西。
三碧	さんぺき	九星のひとつ。星では木星、方角では東。
四緑	しろく	九星のひとつ。五行では木に属し、東南とする。
五黄	ごおう	九星のひとつ。星では土星、方角では中央。
六白	ろっぱく	九星のひとつ。五行では金に属し、北西とする。

陰陽道

単語	読み	意味・由来
七赤	しちせき	九星のひとつ。星では金星、方角では西。
八白	はっぱく	九星のひとつ。五行では土に属し、東北とする。
九紫	きゅうし	九星のひとつ。星では火星、方角では南。
革令	かくれい	干支の１番目の年。この年は変事が多く、乱変の年といわれている。
鬼門	きもん	北東のこと。 この方角から鬼が出入りすると考えられており、忌み嫌われた。
生気	しょうげ	陰陽道でいう吉の方角。十二支と 12 の月、八卦の方位を対応させて、その人のその年の吉凶を定める。
的殺	てきさつ	陰陽道で、その人の本命星の位置と正反対の方角で、大凶とされる。
悪月	あくげつ	陰陽道で、凶とされる月。また、中国の陰暦で５月のこと。
厄月	やくづき	陰陽家で、災厄を避けるために、諸事に慎まなければならないとする月。
道虚日	どうこにち	陰陽道で、外出を慎むべきとされる日。
土府	どふ	陰陽道で、土掘り・井戸掘り・溝作りなどの工事をしてはいけないとされる日。
衰日	すいにち	陰陽道で、生年月の干支や年齢により、万事に忌み慎むべき日とする凶日。
帝日	ていじつ	陰陽道で、生年月、五行により、諸事に吉とされる日。
伐日	ばつにち	陰陽道で、下のものが上のものをおかすという悪日。
没日	ぼつにち	陰陽道で、一切の物事に凶であるとされる日。

単語	読み	意味・由来
滅門日	めつもんにち	陰陽道で、百事に凶であるとされる日。
遊禍	ゆうか	陰陽道で、服薬や病気の治癒のための祈祷などを忌む日。
羅刹日	らせつにち	陰陽家で、万事に大凶とされる悪日。
五竜祭	ごりゅうさい	5匹の竜神に祈祷する、陰陽道の雨乞いの祭り。
年星	ねそう	陰陽家で、開運を祈願してその人の生まれた年にあたる属星をまつること。
四境祭	しきょうさい	陰陽道で、疫神の災厄をはらうために、家の四隅と国の四方の境で行った祭祀。
土忌	つちいみ	陰陽道で、ある場所やある方角で、穴掘・動土・造営などの土を犯す工事を忌むこと。
金神	こんじん	陰陽道で祭る方位の神。この神がいる方位に向かって土木を起こしたり、移転・出行・嫁取りをしたりすることを忌む。
赤舌神	しゃくぜつしん	陰陽道で、太歳西門を守る門神。
太白神	たいはくじん	陰陽道でいう方角神の名。太白星の精で、大将の象を有し、兵凶をつかさどる。
天一神	なかがみ	方角神のひとつで、十二天将の主将である。天と地との間を往復し、四方を規則的に巡るとされ、天一神のいる方角を犯すと祟りがあるとされた。
土公神	どくじん	陰陽道で土をつかさどる神。季節によって遊行するとされ、春はかまど、夏は門、秋は井戸、冬は庭にいるとされた。
歳徳神	とくとくじん	陰陽道でその年の福徳を司る神。容姿端麗で慈悲深いとされる。
式神	しきがみ	陰陽師が使役する鬼神のことで、陰陽師の命令で自在に動く霊的存在。人心から起こる悪行や善行を見定める役を務めるもの。
飛廉	ひれん	古来、中国で風をつかさどるという神。また、中国の空想上の動物で、毛が長く翼のある獣のこと。

分類	単語	読み	意味・由来
陰陽道	方伯神	ほうはくしん	陰陽道で方位をつかさどるという神。この神がいる方角への出陣や旅立ちは大凶とされる。
八将神	太歳	たいさい	八将神のひとつ。 木星の精で、その年の十二支と同じ方角に位置し、その方角がその年の吉とされる。
	大将軍	たいしょうぐん	八将神のひとつ。金星の精で、大凶の方位をつかさどる武将神。 この方向に向かってことを行なえば万事吉だが、木を伐るのは凶。
	大陰	だいおん	八将神のひとつ。土星の精で、太歳神の妻。女性に嫉妬するため縁談出産は凶。学問、芸術は吉。
	歳刑	さいきょう	八将神のひとつ。水星の精とされ、凶の方位をつかさどる。武力・武器を好むことから武器や刃物などの製造や購入・訴訟や争いごとなどは吉とされる。
	歳破	さいは	八将神のひとつ。土星の精とされ、凶の方位をつかさどる。建築、移転、婚姻に凶とされる。
	歳殺	さいせつ	八将神のひとつ。金星の精とされ、凶の方位をつかさどる。この神は、武を好むとされ、この神の在位する方角に向かって武器や刃物を得るのは吉とされる。
	黄幡	おうばん	八将神のひとつ。羅睺星の精とされる。建設は凶だが戦には吉。
	豹尾	ひょうび	八将神のひとつ。計都星の精とされ、常に黄幡神と相対する。この神の在位する方角に向かって家畜などを求めるのは凶。
十二天将	螣蛇	とうしゃ	陰陽師にとって必須の占術であった六壬神課に関係する神。火神。炎に包まれ羽の生えた蛇の姿をしている。
	朱雀	すざく	陰陽師にとって必須の占術であった六壬神課に関係する神。火神。南方を守護する四神のひとつ。
	六合	りくごう	陰陽師にとって必須の占術であった六壬神課に関係する神。木神。平和や調和を司る。
	勾陳	こうちん	陰陽師にとって必須の占術であった六壬神課に関係する神。土神。金色の蛇の姿をしており、京の中心の守護を担う。
	青竜	せいりゅう	陰陽師にとって必須の占術であった六壬神課に関係する神。木神。東方を守護する四神のひとつ。
	貴人	きじん	陰陽師にとって必須の占術であった六壬神課に関係する神。十二天将の主神。

単語	読み	意味・由来
天后	てんこう	陰陽師にとって必須の占術であった六壬神課に関係する神。水神。航海の安全を司る女神。
大陰	たいいん	陰陽師にとって必須の占術であった六壬神課に関係する神。金神。智恵長けた老婆。
玄武	げんぶ	陰陽師にとって必須の占術であった六壬神課に関係する神。水神。北方を守護する四神のひとつ。
大裳	たいも	陰陽師にとって必須の占術であった六壬神課に関係する神。土神。四時の善神とも呼ばれ、天帝に仕える文官。
白虎	びゃっこ	陰陽師にとって必須の占術であった六壬神課に関係する神。金神。西方を守護する四神のひとつ。
天空	てんくう	陰陽師にとって必須の占術であった六壬神課に関係する神。土神。霧や黄砂を呼ぶとされる。
甲	きのえ	10の要素を、木と火と土と金と水の5行と陰陽に分けた、十干という順列の1番目。木の兄（陽の方を指す）という意味。
乙	きのと	10の要素を、木と火と土と金と水の5行と陰陽に分けた、十干という順列の2番目。木の弟（陰の方を指す）という意味。
丙	ひのえ	10の要素を、木と火と土と金と水の5行と陰陽に分けた、十干という順列の3番目。火の兄（陽の方を指す）という意味。
丁	ひのと	10の要素を、木と火と土と金と水の5行と陰陽に分けた、十干という順列の4番目。火の弟（陰の方を指す）という意味。
戊	つちのえ	10の要素を、木と火と土と金と水の5行と陰陽に分けた、十干という順列の5番目。土の兄（陽の方を指す）という意味。
己	つちのと	10の要素を、木と火と土と金と水の5行と陰陽に分けた、十干という順列の6番目。土の弟（陰の方を指す）という意味。
庚	かのえ	10の要素を、木と火と土と金と水の5行と陰陽に分けた、十干という順列の7番目。金の兄（陽の方を指す）という意味。
辛	かのと	10の要素を、木と火と土と金と水の5行と陰陽に分けた、十干という順列の8番目。金の弟（陰の方を指す）という意味。
壬	みずのえ	10の要素を、木と火と土と金と水の5行と陰陽に分けた、十干という順列の9番目。水の兄（陽の方を指す）という意味。

十干

単語	読み	意味・由来
癸	みずのと	10の要素を、木と火と土と金と水の5行と陰陽に分けた、十干という順列の10番目。水の弟（陰の方を指す）という意味。

平安京殿舎

単語	読み	意味・由来
内裏	だいり	平安京の宮城内における天皇の私的区域のこと。
朝堂院	ちょうどういん	平安京における大内裏の大広間。政務、儀式を執り行った。
大極殿	だいごくでん	朝堂院の北端中央にある。朝堂院の正殿で、天皇が政務、儀式を執り行った。
豊楽殿	ぶらくでん	大内裏の院のひとつで、朝堂院の西の殿舎。朝廷の饗宴や儀式に用いられた。
紫宸殿	ししんでん	内裏の正殿。公的な意味合いの強い儀式が行われた。大内裏の正殿であった大極殿が衰亡した後、即位の礼などの重要行事も紫宸殿で行われるようになった。
清涼殿	せいりょうでん	天皇の日常生活の居所。日常の政務の他、四方拝などの行事も行われた。
南殿	なでん	清涼殿の別名。
前殿	ぜんでん	清涼殿の別名。
仁寿殿	じんじゅでん	内裏の中央の殿舎で、清涼殿以前の天皇の居所。後に相撲や蹴鞠などの行事の観覧場所になった。
内侍所	ないしどころ	仁寿殿の別名。
春興殿	しゅんこうでん	内裏の殿舎のひとつ。武器などの保管所として使われた。
東宮	とうぐう	皇太子の住居する場所。転じて皇太子そのものを意味する言葉にもなった。
春宮	はるのみや	東宮の別名。
後宮	こうきゅう	后妃や、その子が住まう場所で、女官たちのたちが奉仕する承香殿などの殿舎の総称。紫宸殿や仁寿殿の後方に位置する。

単語	読み	意味・由来
弘徽殿	こきでん	後宮のひとつ。後宮で最も格の高い殿舎で、皇后・中宮・女御などが居住した。
承香殿	しょうきょうでん	後宮のひとつ。女御などが居住した。
麗景殿	れいけいでん	後宮のひとつ。弘徽殿についで格式の高い殿舎とされ、中宮・女御などが居住した。
登華殿	とうかでん	後宮のひとつ。女御などが居住した。
貞観殿	じょうがんでん	後宮のひとつ。天皇の装束等を裁縫をしたり、事務処理の場所として用いられた。
御匣殿	みくしげどの	貞観殿の別名。
宣耀殿	せんようでん	後宮のひとつ。女御などが居住した。
常寧殿	じょうねいでん	後宮のひとつ。女御などが居住した。
飛香舎	ひぎょうしゃ	後宮のひとつ。女御などが居住した。清涼殿の北西に隣り合った位置であることなどから、平安中期以降中宮や有力な女御の局になった。
藤壺	ふじつぼ	飛香舎の別名。
凝花舎	ぎょうかしゃ	後宮のひとつ。女御などが居住した。
梅壺	うめつぼ	凝花舎の別名。
昭陽舎	しょうようしゃ	後宮のひとつ。女御などが居住した。
梨壺	なしつぼ	昭陽舎の別名。
淑景舎	しげいしゃ	後宮のひとつ。女御などが居住した。

	単語	読み	意味・由来
平安京殿舎	襲芳舎	しゅうほうしゃ	後宮のひとつ。東宮御所として使われたり、隣の凝花舎の后妃に仕える女房の曹司としても用いられた。
	雷鳴壺	かんなりのつぼ	襲芳舎の別名。
平安京門	朱雀門	すざくもん	大内裏の外郭十二門のうち最も重要な南面する正門。
	皇嘉門	こうかもん	平安京大内裏の外郭十二門のひとつである。右衛門府が警固を担当した。
	若犬養門	わかいぬかいもん	皇嘉門の別名。
	雅楽寮門	うたつかさもん	皇嘉門の別名。
	美福門	びふくもん	平安京大内裏の外郭十二門のひとつである。左衛門府が警固を担当した。
	壬生門	みぶもん	美福門の別名。
	安嘉門	あんかもん	平安京大内裏の外郭十二門のひとつで、北面西側にある。右衛門府が警固を担当した。
	海犬養門	あまいぬかうもん	安嘉門の別名。
	兵庫寮御門	ひょうごのつかさのみかど	安嘉門の別名。
	偉鑒門	いかんもん	平安京大内裏の外郭十二門のひとつで、北面中央にあった。
	猪使門	いかいもん	偉鑒門の別名。
	達智門	たっちもん	平安京大内裏の外郭十二門のひとつで、大内裏の北面、偉鑒門の東。一条大路に面している。
	多天井門	たていもん	達智門の別名。

単語	読み	意味・由来
丹治比門	たじひもん	達智門の別名。
上東門	じょうとうもん	平安京大内裏の門のひとつ。陽明門の北にあり、東面する。
土御門	つちみかど	上東門の別名。
陽明門	ようめいもん	平安京大内裏の外郭十二門のひとつで、東面の第一門で、近衛大路に通じる。
待賢門	たいけんもん	平安京大内裏の外郭十二門のひとつで、東側に面する南から２つ目の門。
建部門	たけべもん	待賢門の別名。
中御門	なかみかど	待賢門の別名。
郁芳門	いくほうもん	平安京大内裏の外郭十二門のひとつで、東側南端、大宮大路に通じる。
的門	いくはもん	郁芳門の別名。
大炊御門	おおいみかど	郁芳門の別名。
上西門	じょうさいもん	平安京大内裏の外郭門のひとつで、殷富門の北にあって西面する。
殷富門	いんぷもん	平安京大内裏の外郭十二門のひとつで、西側上西門と藻壁門の間に位置する。
伊福部門	いふきべもん	殷富門の別名。
西近衛門	にしこのえもん	殷富門の別名。
藻壁門	そうへきもん	平安京大内裏の外郭十二門のひとつ。内裏の西面三門の中央にあり、西中御門大路に向かって開く。

単語	読み	意味・由来
平安京門		
佐伯門	さえきもん	藻壁門の別名。
談天門	だんてんもん	平安京大内裏外郭十二門のひとつ。西面の南端の門で、右京の大炊御門路に通じる。
玉手門	たまてもん	談天門の別名。
馬寮門	めりょうもん	談天門の別名。
応天門	おうてんもん	平安宮の正庁である朝堂院に南面する門。平安宮正門である朱雀門の奥に当たる。
建礼門	けんれいもん	平安京内裏の外郭門のひとつ。南面の正門で、内郭承明門に対する。門前で白馬節会、射礼、相撲などが行なわれた。
白馬陣	あおうまのじん	建礼門の別名。
承明門	しょうめいもん	平安京内裏の内郭門のひとつ、または京都御所の門のひとつ。外郭門の建礼門に相対し、紫宸殿の南正面にあたる門。
官職		
大臣	だいじん	律令制において、太政官の長官。太政大臣、左大臣、右大臣、内大臣の総称。
納言	なごん	太政官の役人のうち、大納言、中納言、少納言の総称。
参議	さんぎ	奈良時代に設置された、令外官。太政官の大臣、納言に次ぐ重職で、公卿と呼ばれる位の高い官職だった。
外記	げき	太政官の主典にあたる。少納言のもとで文書の作成や、任官叙位の儀式の仕事を行う。
侍従	じじゅう	中務省に所属する官人。天皇の近くに仕えているが、のちに儀式のみを担当し、実務は蔵人へと役割分担された。
内記	ないき	中務省に所属する官人。詔勅などの文書を作成し、天皇の行動記録などを行った。
長官	かみ	律令制における四等官の中で、最上位にあたる官職の総称。

単語	読み	意味・由来
卿	かみ	律令制における、中務、式部、治部、民部、兵部、刑部、大蔵、宮内の８つの省の長官のこと。
頭	かみ	律令制における、蔵人所、大舎人、図書、内蔵、縫殿、陰陽、内匠などの 12 寮の長官のこと。
大夫	だいぶ	律令制において、中宮職、大膳職、修理職、左右の京職の４つの職および、春宮坊の長官のこと。
次官	すけ	律令制において、四等官の第二位にあたる官職。長官の補佐、代理を務める。輔、亮、助、佐など役所で漢字が変わる。
輔	すけ	律令制において、中務、式部、治部、民部、兵部、刑部、大蔵、宮内の８つの省で次官のこと。
助	すけ	律令制において、蔵人所、大舎人、図書、内蔵、縫殿、陰陽、内匠など、事務を行う 12 の寮で次官のこと。
亮	すけ	律令制において、中宮職、大膳職、修理職、左右の京職の４つの職と、春宮坊の次官のこと。
判官	じょう	律令制において、四等官の第三位にあたる官職。次官の下、主典の上の立場にある。公文書の文案の審査などを担当。祐、弁など、役所で字が変わる。
丞	じょう	律令制においての中務、式部、治部、民部、兵部、刑部、大蔵、宮内の８つの省において、３番目の位にあたる。
允	じょう	律令制においての蔵人所、大舎人、図書、内蔵、縫殿、陰陽、内匠など 12 の寮で、第３位にあたる。
進	じょう	律令制において、中宮職、大膳職、修理職、左右の京職の４つの職および、春宮坊の第三位にあたる三等官。
主典	さかん	律令制において、四等官の最下位にあたる官職。主に公文書の作成を行う。録、属など役所によって漢字が変わる。
録	さかん	律令制において、中務、式部、治部、民部、兵部、刑部、大蔵、宮内の８つの省で最下位にあたる四等官。
属	さかん	律令制において、各省の下で事務を行う職や寮の四等官。中宮職、大膳職、修理職、左右の京職の４つ職と、蔵人所、大舎人などの 12 の寮で一番下の位の官職。
司	つかさ	役所、役人、官職のこと。

分類	単語	読み	意味・由来
官職	舎人	とねり	律令制において、雑役などを担当した下級の役人。本来はは天皇や貴族の近くで仕えている人のことをいう。
官職	女嬬	にょじゅ	内侍司に属する女官。掃除や点灯を担当した。
官職	史生	ししょう	律令制において主典の次に位する官。公文書の浄書・複写・装丁などの雑務を担当した。
官職	省掌	しょうしょう	律令制において、八省で史生の下におかれた下級職員。
官職	使部	しぶ	律令制において、太政官や八省などの官庁で雑用に使った下級の役人。
官職	直丁	じきちょう	律令制において、全国から雑役のために徴収された仕丁のうち、諸官庁に常時宿直していた者。
官職	雑色	ぞうしき	蔵人所で働く無位の役人。また、諸司に配属された特殊技術者の総称。
官職	別当	べっとう	蔵人所、検非違使庁などの長官のこと。
官職	帯刀	たちはき	天皇の警衛に当たった下級役人。刀を帯びていたことが由来。
官職	按察使	あぜち	令外官のひとつで、地方官の行政を監督する官人のこと。
役所	神祇官	じんぎかん	律令制の官庁組織（律令八省）のひとつ。神祇の祭祀関係を司る。太政官と相並んで独立した一官であった。
役所	太政官	だいじょうかん	律令制の官庁組織（律令八省）のひとつ。立法、司法、行政を司どった最高官庁。
役所	中務省	なかつかさしょう	律令制の官庁組織（律令八省）のひとつ。天皇に近侍し、宮中の政務を司どった。
役所	中宮職	ちゅうぐうしき	律令制において中務省に属する機関。后妃に関わる事務などを司どった。
役所	大膳式	だいぜんしき	律令制において宮内省に属する機関。宮中の会食や料理を司どった。

単語	読み	意味・由来
修理式	すりしき	宮中などの修理営繕を司どった官司。
大舎人寮	おおとねりりょう	律令制において中務省に属する機関。大舎人の名簿、交替勤務の組分け、宿直のことなどを司どった。
内蔵寮	くらりょう	律令制において中務省に属する機関。金・銀・絹などをはじめとする皇室の財産管理を行った。
縫殿寮	ぬいどのりょう	律令制において中務省に属する機関。女官の人事および天皇の御服や賞賜用衣服の縫製を司どった。
内匠寮	たくみりょう	律令制において中務省に属する機関。宮中の器物・工匠のことをつかさどり、殿舎の装飾などにあたった役所。
陰陽寮	おんようりょう	律令制において中務省に属する機関。陰陽道のことをつかさどった役所。
図書寮	ずしょりょう	律令制において中務省に属する機関。宮中の書籍・仏具の管理を行なう。また宮中での仏事を司どった。
式部省	しきぶしょう	律令制の官庁組織（律令八省）のひとつ。国家の儀式や人事一般を司った。
大学寮	だいがくりょう	律令制において式部省に属する機関。菅人の養成機関、大学の管理を司どった。
治部省	じぶしょう	律令制の官庁組織(律令八省)のひとつ。外交及び、葬儀や婚姻などを司どった。
雅楽寮	うたりょう	律令制において治部省に属した機関。宮廷の音楽・舞踊の教習を司どった。
玄番寮	げんばりょう	律令制において治部省に属した機関。寺院・僧尼の名籍や外国使節の接待などを司どった。
諸陵寮	しょりょうりょう	律令制において治部省に属した機関。陵墓の管理・維持を司どった。
民部省	みんぶしょう	律令制の官庁組織（律令八省）のひとつ。諸国の戸籍管理や徴税を司どった。
主計寮	かずえりょう	律令制において民部省に属した機関。主税寮税収を計算し、予算の立案・配分、支出の監査などを司どった。

役所

単語	読み	意味・由来
主税寮	ちからりょう	律令制において民部省に属した機関。諸国の田租や米穀類の倉庫の出納などを司どった。
兵部省	ひょうぶしょう	律令制の官庁組織（律令八省）のひとつ。兵士の訓練、兵器や兵馬の管理など、軍政に関する一切のことを司どった。
刑部省	ぎょうぶしょう	律令制の官庁組織（律令八省）のひとつ。京で起こった犯罪の裁判や罪人の処罰などのことを司どった。
囚獄司	ひとやのつかさ	律令制において刑部省に属する機関のひとつ。罪人の看守や刑の執行を行うなど、牢獄での全般を司どった。
大蔵省	おおくらしょう	律令制の官庁組織（律令八省）のひとつ徴税や貢献物の管理出納を司どった。また、衣類の保管や作成も担当した。
掃部寮	かもんりょう	律令制において大蔵省に属する機関のひとつ。宮中の掃除や、諸行事の設営のことをつかさどる。
織部司	おりべのつかさ	律令制において大蔵省に属する機関のひとつ。織染の高度な技術をもち、高級織物の生産に従事した。
主水司	もんどのつかさ	律令制において宮内省に属する機関のひとつ。天皇、皇后や朝儀などに供する飲料水、氷、粥を司どった。
宮内省	くないしょう	律令官制の八省のひとつ。宮廷に関するすべての庶務を司どった。
木工寮	もくりょう	律令制において宮内省に属する機関のひとつ。宮中の造営や木材の収集を司どった。
大炊寮	おおいりょう	律令制において宮内省に属する機関のひとつ。諸国の米や雑穀を収納、管理し、分給することを司どった。
主殿寮	とのもりょう	律令制において宮内省に属する機関のひとつ。宮中の灯燭・薪炭など火に関すること、庭の清掃、行幸時の乗り物の管理を司どった。
典薬寮	てんやくりょう	律令制において宮内省に属する機関のひとつ。医療行為や薬剤の調達、薬園や乳牛の管理を司どった。
造酒司	みきのつかさ	律令制で宮内省に属し、酒・酢の醸造や節会のお酒をつかさどった役所。
内膳司	ないぜんのつかさ	律令制において宮内省に属した機関。供御の調理、毒味をした。

単語	読み	意味・由来
采女司	うねめのつかさ	律令制において宮内省に属した機関。采女に関することをつかさどった役所。
春宮坊	とうぐうぼう	律令制において宮内省に属した機関。皇太子の御所の内政を掌った。
舎人監	とねりのつかさ	律令制において、東宮坊に属した機関。東宮の舎人の名帳・礼儀・分番を司どった。
主馬署	しゅめしょ	律令制において、東宮坊に属した機関。皇太子の乗馬・馬具の管理を司どった。
斎宮寮	さいぐうりょう	斎宮に関する庶務をつかさどった役所。伊勢国多気郡竹郷に設置。
弾正台	だんじょうだい	律令制下の太政官制に基づき設置された、警察機構の一種。監察・治安維持などを主要な業務とする官庁のひとつ。
近衛府	このえふ	律令制下の官司のひとつ。宮中の警備を司どる役所。皇居や行幸の警備を担当した儀仗兵が所属した。
衛門府	えもんふ	律令制下の官司のひとつ。宮中の警備を司どる役所。諸門の開閉を行い、通行する人や物の記録監視を司どった。
靭負	ゆげい	衛門府の別名。
隼人司	はやとのつかさ	律令制において、衛門府に属した機関。隼人の管理育成、歌舞の教授、竹器の製作などを司どった。
兵衛府	ひょうえふ	律令制において、宮中の警備を司どる役所。宮中、行幸の警備や京内巡視などを行う。
馬寮	めりょう	律令制において、官馬の飼育や管理、飼部（馬飼い）の戸籍管理などを司どった。
兵庫寮	ひょうごりょう	律令制において、儀仗の武器の保管、管理を行い、出納、検閲を司どった役所。
検非違使庁	けびいしちょう	日本の律令制下の令外官の役職である検非違使の事務を扱う官署のこと。略して使庁とも称す。
蔵人所	くろうどどころ	令外官司のひとつ。天皇の家政機関。

	単語	読み	意味・由来
役所	齋院司	さいいんし	賀茂の斎院の庶務を司どった役所。
	勘解由使庁	かげゆしちょう	地方行政の観察に当たった勘解由使が勤務した役所。国司、官人の引継ぎ書類を審査し、不正の有無を確認する。
	烽火	とぶひ	緊急連絡のために火をたいてのろしを上げ、外敵の侵入を急報する設備。
旧国名	山城	やましろ	現在の京都南部を占めた、旧国名。平城京から見て「奈良山のうしろ」にあたる地域であること。畿内５カ国。
	大和	やまと	現在の奈良県の旧国名。畿内５カ国。
	摂津	せっつ	現在の大阪府の北西・南西部と 兵庫県 の東部を占めた旧国名。「『難波津』を管理する」という意。畿内５カ国。
	河内	かわち	現在の大阪府の東南部を占めた旧国名。和泉と分割、合併を繰り返した。畿内５カ国。
	和泉	いずみ	現在の大阪府の南部を占めた旧国名。元正天皇の離宮が置かれた。畿内５カ国。
	紀伊	きい	現在の和歌山県全域と三重県の南部を占めた旧国名。成立した当初は「木国」と命名されていたのが由来。南海道の一国。
	淡路	あわじ	現在の兵庫県淡路島・沼島にあたる旧国名。南海道に属する。南海道の一国。
	阿波	あわ	現在の徳島県にあたる旧国名。粟の産地だったことが由来で、南海道の一国。
	讃岐	さぬき	現在の四国・香川県にあたる旧国名。古い文献に記載された、東西に細長い地形に由来している「狭貫」が由来といわれている。南海道の一国。
	伊予	いよ	現在の愛媛県にあたる旧国名。江戸時代は西条・小松・今治・松山・大洲・新谷・吉田・宇和島の八藩に分かれていた。南海道の一国。
	土佐	とさ	現在の高知県にあたる旧国名。 南海道の一国。
	豊前	ぶぜん	現在の福岡県東部と大分県北部を占めた旧国名。西街道の一国。

単語	読み	意味・由来
豊後	ぶんご	現在の大分県のほぼ全域を占めた旧国名。豊前と合わせ豊国という。西街道の一国。
筑前	ちくぜん	現在の福岡県北西部を占めた旧国名。西街道の一国で、太宰府を置く。
筑後	ちくご	現在の福岡県南西部を占めた旧国名。西街道の一国。
肥前	ひぜん	現在の佐賀県と、壱岐・対馬を除く長崎県を占めた旧国名。西街道の一国。
肥後	ひご	現在の熊本県にあたる旧国名。西街道の一国。
日向	ひゅうが	現在の宮崎県にあたる旧国名。西街道の一国。「日に向かう」が由来。
薩摩	さつま	現在の鹿児島県西部を占めた旧国名。西街道の一国。
大隈	おおすみ	現在の鹿児島県東部、種子島、屋久島などの諸島を含む旧国名。西街道の一国。
壱岐	いき	現在の長崎県にあたる旧国名。西街道の一国。古くから大陸交流の要所。西街道の一国。
対馬	つしま	現在の長崎県対馬にあたる旧国名。西街道の一国。
播磨	はりま	現在の兵庫県の南西部を占めた旧国名。山陽道の一国。
美作	みまさか	現在の岡山県北部を占めた旧国名。山陽道の一国。
備前	びぜん	現在の岡山県東部を占めた旧国名。山陽道の一国。
備中	びっちゅう	現在の岡山県西部を占めた旧国名。山陽道の一国。
備後	びんご	現在の広島県東部を占めた旧国名。山陽道の一国。

旧国名

単語	読み	意味・由来
安芸	あき	現在の広島県西部を占めた旧国名。山陽道の一国。古くは流刑地として知られる。
周防	すおう	現在の山口県東部を占めた旧国名。山陽道の一国。
長門	ながと	現在の山口県西部を占めた旧国名。山陽道のひとつで、瀬戸内海を押さえる要所。
丹羽	たんば	現在の京都府中央部と兵庫県東部を占めた旧国名。山陰道のひとつ。
丹後	たんご	現在の京都府北部を占めた旧国名。山陰道のひとつ。
但馬	たじま	現在の兵庫県北部を占めた旧国名。山陰道のひとつ。
因幡	いなば	現在の鳥取県東部を占めた旧国名。山陰道のひとつ。
伯耆	ほうき	現在の鳥取県西部を占めた旧国名。山陰道のひとつ。
出雲	いずも	現在の島根県東部を占めた旧国名。山陰道のひとつ。
石見	いわみ	現在の島根県西部を占めた旧国名。山陰道のひとつ。
隠岐	おき	現在の島根県隠岐島にあたる旧国名。山陰道のひとつで、流刑地として知られる。
若狭	わかさ	現在の福井県南西部を占めた旧国名。北陸道のひとつ。京都、北陸、山陰を結ぶ要所。
越前	えちぜん	現在の福井県北部を占めた旧国名。北陸道のひとつ。
加賀	かが	現在の石川県南部を占めた旧国名。北陸道のひとつ。
能登	のと	現在の石川県北部を占めた旧国名。北陸道のひとつ。交通海上の要地。

単語	読み	意味・由来
越中	えっちゅう	現在の富山県にあたる旧国名。北陸道のひとつ。
越後	えちご	現在の佐渡を除いた新潟県にあたる旧国名。北陸道のひとつ。
佐渡	さど	現在の新潟県佐渡島の旧国名。北陸道の一国。
近江	おうみ	現在の滋賀県にあたる旧国名。東山道の一国。琵琶湖の古名が由来。
美濃	みの	現在の岐阜県南部を占めた旧国名。東山道の要所として、古くから開かれる。
飛騨	ひだ	現在の岐阜県北部を占めた旧国名。東山道の一国。
信濃	しなの	現在の長野県にあたる旧国名。東山道の一国。
上野	こうずけ	現在の群馬県にあたる旧国名。東山道の一国。
下野	しもつけ	現在の栃木県にあたる旧国名。東山道の一国。
岩代	いわしろ	現在の福島県西部を占めた旧国名。
磐城	いわき	現在の福島県東部を占めた旧国名。
陸前	りくぜん	現在の南部を除く宮城県と、岩手県の南東部を占めた旧国名。
陸中	りくちゅう	現在の南東部、北西部を除く岩手県と宮城県南部を占めた旧国名。
陸奥	むつ	現在の福島県、宮城県、岩手県、青森県を占めた旧国名。山道の一国。
羽前	うぜん	現在の山形県の大半を占めた旧国名。

旧国名

単語	読み	意味・由来
羽後	うご	現在の山形県の一部と宮城県の大半を占めた、旧国名。
伊賀	いが	現在の三重県北西部を占めた旧国名。東海道の一国。
伊勢	いせ	現在の三重県の大半を占める部分の、旧国名。伊勢神宮鎮座の地として重要視された。東海道の一国。
志摩	しま	現在の三重県志摩市にあたる、旧国名。東海道の一国。
尾張	おわり	現在の愛知県西部を占めた、旧国名。東海道の一国。
三河	みかわ	現在の愛知県東部を占めた、旧国名。東海道の一国。
遠江	とおとうみ	現在の静岡県の西部を占めた、旧国名。東海道の一国。
駿河	するが	現在の静岡県の中央部を占めた、旧国名。東海道の一国。
伊豆	いず	現在の静岡県南部と東京都伊豆諸島にあたる、旧国名。東海道の一国で、江戸の海運の要所。
甲斐	かい	現在の現在の山梨県にあたる旧国名。東海道の一国。
相模	さがみ	現在の神奈川県の大半にあたる旧国名。東海道の一国。
武蔵	むさし	現在の東京都、埼玉県、神奈川県北東部を占めた旧国名。東海道の一国。
下総	しもうさ	現在の千葉県北部、茨城県南西部を占めた旧国名。東海道の一国。
上総	かずさ	現在の千葉県中央部を占めた旧国名。東海道の一国。
安房	あわ	現在の千葉県南部を占めた旧国名。東海道の一国。

単語	読み	意味・由来
常陸	ひたち	現在の茨城県の大半を占めた旧国名。東海道の一国。
渡島	おしま	現在の北海道最南端を占めた旧国名。
胆振	いぶり	現在の北海道中央から南西部を占めた旧国名。
日高	ひだか	現在の北海道日高山脈西部を占めた旧国名。
後志	しりべし	現在の北海道西部を占めた旧国名。
石狩	いしかり	現在の北海道中央部から西部を占めた旧国名。
天塩	てしお	現在の北海道北西部を占めた旧国名。
北見	きたみ	現在の北海道北東部を占めた旧国名。
十勝	とかち	現在の北海道中央部から南部を占めた旧国名。
釧路	くしろ	現在の北海道東部を占めた旧国名。
根室	ねむろ	現在の北海道最東端を占めた旧国名。
千島	ちしま	現在の北海道千島列島の旧国名。
琉球	りゅうきゅう	沖縄の別称。かつての琉球王国の版図（沖縄県）に相当する地域に用いられた地名。

五十音索引

和のことばネーミング辞典

う

え

お

か

き

く

け

こ

さ

し

す

せ

そ

た

ち

つ

て

と

な

に

ぬ

ね

の

は

ひ

ふ

へ

ほ

ま

幻想世界
ネーミング辞典

The Dictionary for naming in fantasy worlds—15 languages & old Japanese expressions

15ヵ国語&和

幻想世界ネーミング辞典
15ヵ国語&和
2023年7月31日初版発行

編著
ネーミングワード研究会

発行人
杉原葉子

発行
株式会社電波社
〒154-0002
東京都世田谷区下馬6-15-4
TEL：03-3418-4620
FAX：03-3421-7170
振替口座：00130-8-76758

https://www.rc-tech.co.jp/

印刷・製本
株式会社光邦

ISBN 978-4-86490-234-2 C0576

お電話・封書でのお問い合わせは受け付けておりません。本書に関する事はEメール（edit1@cosmicpub.jp）にてお願いいたします。その際、ご購入のタイトルをご記入の上お問い合わせください。なお、本書の記述範囲を超えるご質問についてはお答えいたしかねますので、あらかじめご了承ください。